D1332800

PIAF

*Née « par hasard » à Lyon en 1918, Simone Berteaut n'y reste
que onze jours : sa mère la ramène à Paris, d'où elle est origi-
naire. A Ménilmontant, Simone grandit à l'école de la rue et
devient ouvrière d'usine à onze ans et demi.*
*Un an plus tard, elle fait connaissance de sa demi-sœur Edith,
fille comme elle de l'acrobate Louis Gassion.*
Edith, que le directeur de cabaret Louis Leplée surnommera Piaf,
*chante déjà dans les rues et la prend avec elle. Les deux sœurs
ne se quitteront plus pendant trente ans.*
Piaf *(1969) est le récit du temps vécu auprès de celle qui devien-
dra à force de ténacité et de talent une des plus célèbres chanteuses réalistes du siècle.*

On n'est pas près d'oublier ce visage blanc de Pierrot, cette silhouette
en robe noire, minuscule sur l'immensité du plateau et qui remplit soudain toute la scène dès que s'élance la voix déchirée, déchi-
rante : Edith Piaf est une vedette, une gloire du music-hall, un
« monstre sacré » comme on dit, et elle le doit à sa façon de chanter les joies, les peines, l'amour et la misère. Une façon qui lui a
été enseignée par le plus exigeant des maîtres, la vie.
Une vie dure, tumultueuse, un peu folle d'enfant des rues qui, à
force de volonté, parvient à « faire un tabac » dans les plus grands
théâtres de variétés en France aussi bien qu'à l'étranger.
De la rue au cabaret, du cabaret au music-hall, de l'anonymat à
la tête d'affiche, c'est la rude ascension — avec ses travaux, ses
amours, ses échecs et ses réussites — que raconte avec verve et
franchise un témoin de presque toutes les heures, sa demi-sœur
Simone Berteaut.

SIMONE BERTEAUT

Piaf

RÉCIT

ROBERT LAFFONT

Couverture : Jean Denis.

Pour toi, mon Edith. J'ai écrit ce livre fidèlement sans tricher, on peut t'y entendre rire ou pleurer.

Ta dernière phrase résonne encore dans ma tête : « Fais pas de conneries, Momone. »

Depuis j'attends que tu me prennes par la main, mais Dieu que cette « tournée » est longue !

A Marcelle Routier, qui a bien voulu m'assurer de sa précieuse collaboration, j'adresse mes remerciements.

Simone BERTEAUT.

PREMIERE PARTIE

Sa vie a été si triste qu'elle est presque trop belle pour être vraie.
SACHA GUITRY.

CHAPITRE PREMIER

DU TROTTOIR DE BELLEVILLE
A LA « MAISON » DE BERNAY

MA sœur Edith... nous partagions le même père :
Louis Gassion. Ce n'était pas un mauvais bougre. Un
chaud lapin qui tapait bien de la patte et souvent.
Il n'a jamais pu reconnaître tous ses mômes. Il est
vrai que ses poulinières n'étaient pas toujours très
fixées sur l'identité du père. Il y en avait à lui qui
n'étaient pas de lui et d'autres qu'il ignorait. De connus, il en avait compté plus de dix-neuf, mais allez
voir pour vous y retrouver ! Ça se passait dans un
milieu où avant de faire un enfant et après on
n'alerte pas les fonctionnaires de la mairie.

J'en avais un autre de père, celui de l'état civil,
celui qui m'a donné son nom s'il ne m'a pas donné
le jour : Jean-Baptiste Berteaut.

Ma mère, mariée à quinze ans, divorcée à seize,
avait déjà trois filles d'origines indéterminées. A
cette époque elle vivait seule dans le même hôtel que
le père Gassion, cité Falguière. Il était mobilisé. J'ai
donc été conçue pendant une heureuse permission de

détente en 1917. Ce n'était pas entre eux une rencontre de hasard ; il y avait longtemps qu'ils se plaisaient et se le prouvaient quand ils se rencontraient.

Ce qui n'a pas empêché ma mère — les hommes étaient rares — une fois papa reparti sur le front, de choper au passage un môme de dix-huit ans, Jean-Baptiste Berteaut, qui arrivait en ligne directe d'Autun et qui n'a pas hésité à se coller sur le dos une femme de vingt ans, trois filles, plus celle qui était dans le tiroir : moi.

Et le jour de ses vingt ans le brave Jean-Baptiste partait au régiment avec cinq mômes à sa charge. Je n'avais pas atteint l'âge de raison que nous étions neuf enfants à la maison et pas tous du père Berteaut, comme nous l'appelions. Aussi curieux que cela puisse paraître, ma mère et lui s'adoraient. Ce qui ne la gênait pas pour partir de temps en temps en java avec le sac à main bien plein, et revenir le sac à main vide mais un nouveau polichinelle dans le ventre.

Je suis née à Lyon, par accident. Je suis revenue à Paris j'avais onze jours. Ma mère vendait des fleurs sur le trottoir dans la rue de la Mare, du côté de la rue des Pyrénées... face à l'église de Belleville.

Je n'ai presque pas été à l'école. Chez nous ça ne paraissait pas indispensable. Quand même je l'ai fréquentée un petit peu, au hasard... surtout à la rentrée des classes pour toucher la prime d'électricité et le 1er janvier pour avoir les chaussures.

C'était la seule utilité que ma mère lui trouvait. Pour le reste elle disait : « L'instruction c'est comme l'argent, faut en avoir beaucoup sans ça on fait pauvre. »

Et comme en ce temps-là l'école n'était pas tellement obligatoire, j'étais à celle de la rue, on n'y apprend peut-être pas les belles manières mais on y apprend, très vite, la vie.

J'allais souvent voir le père Gassion cité Falguière à son hôtel ; j'étais heureuse, j'étais sûre que là on m'aimait. Il trouvait que je lui ressemblais, menue, souple comme du caoutchouc, avec de grands yeux sombres, j'étais tout son portrait ! Il me faisait faire des exercices, me payait de grands verres de grenadine pure avec un morceau de glace et me donnait de la petite monnaie. Moi, j'aimais bien mon père.

Il m'appelait Simone tout bêtement, jamais de ces petits mots que les parents sont censés donner à leurs mômes. Il était content quand il me voyait, il trouvait que je grandissais. Probablement que ça lui suffisait pour estimer que ma mère me nourrissait, m'élevait convenablement. Faut croire qu'un jour cette belle croissance s'est arrêtée parce que je ne mesure toujours qu'un mètre cinquante.

Il était acrobate, il était « banquiste », pas un artiste de foire, de cirque ou de music-hall. Sa scène à lui, c'était le trottoir.

Il avait la science de la rue, du carré de bitume qui rapporte. Il ne s'installait pas n'importe où. Dans le métier il passait pour un type qui connaissait les bons coins. Un professionnel. Son nom, c'était une référence. Si on disait : « Je suis la fille à Gassion », on avait droit à une sorte de respect.

Quand sur une avenue ou un boulevard, un truc large où les gens ont la place de s'arrêter, où on se baguenaude à l'aise, père étalait « le tapis » — un petit carré de tapis usé jusqu'à la corde — on savait que c'était du sérieux, qu'il allait y avoir du spectacle.

Il se filait un coup au litron — c'est un geste qui plaît, parce qu'un gars qui boit avant l'effort, c'est qu'il va en suer un bon coup. Et il balançait le boniment. Edith qui avait traîné avec lui cinq ans de sa vie — de huit à quatorze ans — l'imitait très bien. Elle adorait faire des imitations. Elle se raclait la gorge comme le père, sa voix devenait rauque et elle démarrait :

« Z'allez voir ce que vous allez voir. Pas de réclame, pas de clinquant, l'artiste travaille directement devant vous, sans filet, sans sciure, sans chichis. A cent sous on commence. »

A ce moment-là un compère balançait dix sous, un autre vingt sous sur le tapis.

« Y'a des z'amateurs, des vrais, des connaisseurs. Je vais exécuter devant vous pour l'honneur et le plaisir un numéro d'équilibre sur les pouces unique au monde. Le grand Barnum lui-même, l'empereur du cirque, m'a offert des sommes fabuleuses. J'y ai dit : « Un gars de Paname ça ne s'achète pas. (Pas vrai, messieurs dames ?) Gardez votre or, je garde ma liberté ! »

« Encore un petit effort et on commence ce spectacle qui a épaté les têtes couronnées de tous les pays et d'ailleurs. Même qu'Edouard le roi des Anglais et le prince de Galles sont descendus de leur palais dans la rue, comme tout le monde, pour me voir. Tous « égaux » devant l'Art ! Encore un bon mouvement, mes princes, et on y va !... »

Et notre paternel leur en donnait pour leur argent, car c'était un bon acrobate.

Je savais tout juste marcher que déjà il avait commencé à me désarticuler. Il disait à ma mère qui s'en foutait : « Faut donner un métier à Simone, ça lui servira dans la vie... »

Je vivais complètement dans la rue. Ma mère rentrait tard ou ne rentrait pas du tout. Je ne sais pas ce qu'elle faisait, j'étais trop petite. Parfois elle m'emmenait dans un bastringue. Elle dansait, moi je dormais sur une chaise. Il y avait des fois où elle m'oubliait et je me retrouvais à l'Assistance, plus tard en maison de redressement. L'Etat a toujours pris soin de moi.

Plus tard, je me souviens qu'elle était concierge à Ménilmontant, 49, rue des Panoyaux. J'avais cinq ans.

Je voyais le père mais je ne connaissais pas Edith. J'ai deux ans et demi de moins qu'elle, et elle était à

Bernay dans l'Eure. J'en entendais parler mais pas plus.

Le père l'aimait, mieux que moi. « Naturel, qu'il me disait ; toi t'as une mère, elle pas. »

J'en avais une si on voulait. Tout de même j'ai cru longtemps que c'était ça une mère. Les autres gosses à Ménilmontant n'avaient pas l'air mieux partagés et ceux qui disaient : « Moi, ma maman elle fait ci et elle fait ça », on les trouvait bêcheurs, on ne les fréquentait pas, ils étaient pas de notre monde à nous.

J'étais née à l'hôpital, Edith, elle, est venue dans la rue, directement sur le bitume.

« Edith, elle n'est pas née comme tout le monde, me racontait le père.

« On était en pleine guerre, c'était après les taxis de la Marne, j'étais dans la biffe, je faisais partie des « marche ou crève », c'est toujours les pauvres qu'ont les « bonnes places » parce qu'y sont plus nombreux. Ma femme, la mère d'Edith, Line Marsa, de son vrai nom : Anita Maillard, était artiste lyrique. Elle était née dans un cirque, c'était une enfant de la balle, une vraie. Elle m'a écrit : « Je vais accoucher bientôt, demande une permission. »

« Un coup de pot, on me l'a donnée. Je débarque.

« Y avait un an que les fleurs aux fusils étaient fanées. La guerre fraîche et joyeuse on n'y croyait plus. Berlin ça faisait loin pour y aller à pinces.

« Je débarque direct à la piaule.

« Pas de charbon, du pain noir plein de paille, pas de café, pas de pinard.

« Là je trouve les voisines qui piaillaient autour de ma bourgeoise :

« — Qué malheur la guerre, et son homme qu'est sur le front !...

« — Cassez-vous, mesdames, que je leur dis, je m'occupe de tout. »

C'était le 19 décembre 1915.

Quand Edith racontait sa naissance, elle ajoutait :
« A trois heures du matin, y faisait pas un temps à
sortir du ventre de sa mère pour voir si c'était mieux
dehors que dedans... »

« J'ai eu à peine le temps de faire ouf, continuait
le père, de défaire la musette et le barda, d'aller acheter de quoi croûter, de m'aplatir sur le pageot histoire
de roupiller, que la Line se met à gueuler en me
secouant :

« — Louis, ça y est, j'ai les douleurs, j'ai trop mal.
« Le gosse va venir. »

« Toute blanche qu'elle était, la figure creusée, sûr
que c'était pas le jour à la demander en mariage.

« Prêt à tout, je m'étais couché en caleçon, je saute
dans mes fringues, je la prends par le bras et nous
voilà qui dévalons dans la rue. A cette heure-là il n'y
avait plus de sapins, ils étaient déjà rentrés ou pas
encore sortis. Il faisait un froid à vous les geler. On
commence à descendre la rue de Belleville. La Line
râlait, gueulait.

« — Je ne veux pas que ce soit un garçon, il irait
à la guerre. »

« On cahotait sur le trottoir comme si on était
bourrés. Line soutenait son ventre à pleines mains.

« La v'là qui s'arrête au pied d'un bec de gaz, qui
se laisse aller sur les marches.

« — Laisse-moi, cavale chez les flics, demande une
ambulance. »

« A quelques mètres de là il y avait le commissariat
de la rue Ramponneau, j'entre dans leur turne en
hurlant :

« — Y'a ma femme qui accouche sur le trottoir !

« — N... de D... » répond le brigadier, un mousta-
chu grisonnant.

« Et voilà les poulets qui décrochent leurs pèlerines
et s'envolent comme s'ils étaient tous sages-femmes
diplômées.

« C'est sous un réverbère devant le 72 de la rue de Belleville sur une pèlerine de flic que ma fille est née. »

Comme « arrivée » on ne pouvait pas faire mieux pour « pousser », plus tard, la chanson réaliste. A sa naissance Edith était déjà marquée.

« Sa mère a voulu qu'on l'appelle Edith en souvenir d'une jeune Anglaise : Edith Cavell, espionne héroïque, fusillée quelques jours auparavant le 12 décembre par les boches. « Ça fait distingué, disait-elle, et « puis avec un prénom comme ça elle ne passera pas « inaperçue ! »

On ne peut pas dire que la naissance d'Edith a manqué de mots historiques et de présages, c'était mieux qu'un horoscope.

Quand le père est reparti, sa femme était encore à l'hôpital Tenon.

« Au bout de deux mois, la Line, qui était une artiste, précisait le père, mais qui n'avait pas de cœur, a refilé notre fille à sa mère qui habitait rue Rébeval. »

La famille maternelle d'Edith, ça fait bien de dire ça, n'avait vraiment rien d'une famille de livres d'images, aucun rapport avec la Bibliothèque rose. La grand-mère et son vieux, deux déchets, deux éponges imbibées de vin rouge. « L'alcool, qu'elle disait, ça tue « le ver » et ça soutient. » Alors elle allongeait le biberon d'Edith avec un peu de rouquin. Edith l'appelait « Mena ». Elle n'a jamais su son nom et comme elle ne connaissait rien d'autre, elle croyait que c'était ça un foyer.

Pendant ce temps, le poilu, deuxième classe, Gassion Louis grattait ses poux, chassait ses morpions dans la gadoue des tranchées, en compagnie d'autres héros comme lui.

La Line avait cessé, depuis bien longtemps, de lui écrire. Elle lui avait filé son congé sans grandes phrases :

« Louis c'est fini, nous deux. J'ai mis la petite chez
ma mère. Inutile de venir me voir quand tu rentre-
ras. »

Ce n'était pas une raison pour qu'il abandonne sa
môme. A la faveur d'une permission fin 1917 — la
dernière — il va voir Edith et juge du désastre.
Rachitique, une tête comme un ballon sur quatre allumettes. Un bréchet de poulet en proue de péniche.
Si sale qu'il aurait fallu une paire de pincettes pour
la toucher. Pourtant de ce côté-là il n'était pas très
snob. Il se dit : « Faut faire quelque chose. Faut
mettre la petite à l'abri dans un endroit convenable.
Quand cette putain de guerre sera finie, je ferai à
nouveau la « banque ». Le macadam ce n'est pas la
crèche idéale pour une mouflette. Alors ? »

A l'époque il n'y avait pas tous les secours qu'il y
a maintenant. D'ailleurs il ne serait pas venu à l'esprit
du paternel d'en profiter. Malgré sa pauvreté, sa vie
de hasard, jamais il n'aurait déposé sa fille à l'Assistance publique comme un chiot à la fourrière.

Alors le père Gassion, en bleu horizon pisseux, s'est
installé dans un bistrot, il a commandé une « mômi-
nette [1] » — quand il avait les moyens il usait de la
« verte [1] », mais il ne se soûlait qu'au rouquin, c'était
plus économique et moins mauvais pour la santé —,
ce jour-là il lui fallait un sérieux remontant. Il avait
décidé d'écrire une lettre à sa mère qui était cuisinière chez une sienne cousine à la mode de Bretagne.
Une brave fille qui aurait pu être fermière mais qui
tenait une « maison », un boxon, à Bernay, en Normandie.

Rapido, la mémé et « Madame » ont répondu :
« T'inquiète pas, on va la chercher, ta môme. »

Aussi sec le commando démarre, Louise, la grand-
mère, et « Madame » Marie, la cousine, vont arracher
Edith à la grand-mère maternelle qui répétait :

1. Absinthe.

« Elle se plaisait bien, la petiote, chez nous, elle se plaisait bien... »

On ramène la gosse, ces « dames » battent des mains. Elles disent :

« C'est bon signe une enfant dans cette maison, ça porte bonheur. »

Tout de suite on s'emploie au décapage d'Edith.

Deux, trois, quatre eaux, la saleté faisait des écailles. On raclait. La môme pleurait, se débattait. Plus tard Edith en parlait encore.

« La mémé Louise m'avait acheté des vêtements neufs ; quand elle a jeté mes nippes aux ordures j'ai pleuré, mais quand elle a voulu m'enlever mes chaussures alors j'ai gueulé à m'étrangler : « C'est celles du dimanche ! » que je disais. Mes doigts de pied passaient au travers. »

En la débarbouillant on s'aperçoit qu'elle a les yeux tout mités, tout collés. On met ça sur le compte de la crasse.

Ce n'est que deux mois plus tard qu'une des filles de « Madame » s'aperçoit qu'Edith se cogne partout, qu'elle regarde la lumière, le soleil sans les voir. Edith est aveugle.

Ce temps-là, Edith s'en souvenait très bien. Elle en parlait avec une sorte de terreur qui ne s'est jamais complètement effacée.

Les filles l'adoraient, la cajolaient.

« Elles étaient très chouettes avec moi, j'étais leur mascotte. Si je ne voyais rien, j'entendais tout. C'était de braves filles ; en maison on n'avait pas le même esprit que sur le turf. Ce sont deux mondes qui se méprisaient l'un et l'autre.

« J'avais pris l'habitude de marcher les mains en avant pour me protéger. Je me cognais partout. Mes doigts, mes mains étaient devenus sensibles, je reconnaissais les étoffes au toucher, les peaux aussi. Je pouvais dire : « Ça c'est Carmen, ça c'est Rose. » Surtout je vivais dans un monde de sons et de mots ;

ceux que je ne comprenais pas, je les tournais et les
retournais dans ma cervelle.

« Ce qui m'enchantait c'était le crincrin mécanique,
je le préférais au piano — il y en avait un aussi qui
ne servait que le samedi soir quand il venait le pianiste —, je trouvais que l'autre, le mécanique, était
plus riche en sons.

« Comme je vivais dans le noir, le monde de la
nuit, j'étais très sensible et il y a une phrase que je
n'ai jamais oubliée. Elle concernait les poupées qu'on
m'offrait. Je ne les ai jamais eues ces poupées, quand
on voulait m'en donner une, grand-mère disait :

« — Ce n'est pas la peine. Elle ne voit rien. Elle
casse tout. »

« Alors ces « dames », ces braves filles pour lesquelles je représentais la gosse qu'elles avaient ou
qu'elles rêvaient d'avoir me faisaient des poupées en
chiffons.

« Je passais des journées entières assise sur un
petit banc avec sur les genoux des poupées que je
ne voyais pas et que j'essayais de « voir » avec les
mains.

« Le moment le plus chouette de la journée c'était
le repas de midi. Je parlais, je riais et les autres avec
moi. Je racontais des histoires. Elles n'étaient pas
bien longues mais c'étaient les miennes, celles que
j'avais vécues.

« Ma grand-mère, l'autre, la maternelle, m'avait
appris à boire du vin rouge. A Bernay, quand on me
l'a remplacé par de l'eau, j'ai hurlé.

« — J'veux pas d'eau. Mena a dit que c'était pas
« bon, que ça donnait des maladies. Je ne veux pas
« être malade. »

« Quand j'étais assise sur mon petit banc, dans ma
nuit, j'essayais de chanter. Je pouvais m'écouter pendant des heures et quand on me disait :

« — Où as-tu appris ça ? »

« Je répondais avec suffisance :

« — Rue Ramponneau (Mena y fréquentait un troquet). »

« Pour boire un coup à la santé des autres, Mena
m'emmenait dans les bals, les bastringues, les muset-
tes du coin. Elle disait de sa voix des faubourgs :

« — Chante, petiote, chante : *C'était l'hirondelle du
faubourg*

> *On l'appelait l'hirondelle du faubourg,*
> *Ce n'était qu'une pauvre fille d'amour...*

« Ça faisait rire les autres et on lui payait le coup. »
Edith se rappelait qu'elle avait habité là, que les
dames étaient gentilles, qu'elles faisaient la java le
soir, que c'était gai, qu'il y avait de l'ambiance. Ça
sentait la fumée, l'alcool, et les bouchons de champagne sautaient. Elle entendait des échos lointains,
pas plus. Sa grand-mère trouvait que c'était pas sa
place. Alors l'oreille d'Edith chopait ce qu'elle pouvait
au passage.

Il y avait des clients qui la connaissaient. Pour
Edith il y en avait deux sortes. Ceux qui avaient les
genoux en drap fin et des voix cultivées et les autres
qui étaient plus rudes et qui piquaient.

Les « dames », comme les appelait Edith, étaient
douces et sentaient bon. Edith ne les a jamais revues
sauf à la mort du père, il y en a qui sont venues à
l'enterrement.

« Papa, je ne le connaissais pas. Je ne l'avais jamais
entendu, je ne veux pas dire vu.

« J'avais quatre ans, je crois, on m'avait emmenée
au bord de la mer. Pour moi c'était une musique
incompréhensible et des odeurs que j'ignorais. J'étais
là, assise dans le sable, c'était pas comme la terre,
dont on me disait : « Touche pas, c'est sale. » Le
sable on m'en mettait plein les mains et ça glissait,
glissait... c'était comme de l'eau qu'on aurait pu
garder.

« J'entends une voix d'homme que je ne connaissais pas.

« — On m'a dit que vous aviez une petite fille qui s'appelle Edith. »

« Alors j'ai tendu mes bras, mes mains pour toucher et j'ai dit :

« — Qui c'est ? »

« On m'a répondu :

« — Devine. »

« J'ai crié :

« — C'est papa ! »

« Je ne devais le « voir » pour la première fois que deux ans plus tard.

« J'ai toujours pensé que ce passage dans la nuit m'avait donné une sensibilité pas comme les autres.

« Beaucoup plus tard, quand je voulais bien entendre, bien « voir » une chanson, je fermais les yeux, et quand je voulais la sortir du fond de moi-même, de mes tripes, de mon ventre, qu'il fallait que le cri vienne de très loin, je fermais les yeux. »

J'étais très petite quand j'entendais parler d'Edith.

Quand ma mère bavardait avec les copines elle disait : « Oui, Simone a une sœur, Edith, qui est aveugle. »

J'avais une sœur aveugle, j'avais une demi-sœur aveugle. Elle était dans un bled chez la mère de mon père et cela ne m'intéressait pas tellement d'en entendre parler, parce qu'à la maison il y avait des demi-frères et des demi-sœurs en pagaille. Je ne la trouvais pas plus intéressante que les autres. On était tous de pères différents. Alors !

Peu après sa naissance elle a eu une cataracte. On ne s'en est même pas aperçu ! Elle a été aveugle pendant près de trois ans.

La grand-mère Louise l'a emmenée à Lisieux. Elle a vu. Pour Edith c'était un vrai miracle. Elle y a toujours cru. Depuis cette date elle vouait une véritable dévotion à sainte Thérèse de l'Enfant-Jésus. Non seulement elle a longtemps porté une médaille sur elle, mais elle avait toujours sur sa table de nuit une petite image de la sainte.

Il faut dire que le « miracle » qui a rendu la vue à Edith s'est passé d'une façon assez curieuse. Je ne sais plus qui l'avait raconté à Edith. Je crois bien que c'est père. Il est vrai qu'à sept ans elle avait des souvenirs. Elle se souvenait très bien, Edith, de tout.

A Bernay, ce n'était pas comme rue Rébeval, on était évolué. Dans un boxon on voit du monde, on voit du monde bien. Des messieurs instruits. Une petite fille aveugle on ne l'accepte pas comme un coup de malheur, on la soigne. Même si ça coûte.

Et ces maisons-là gagnaient beaucoup d'argent, même à Bernay dans l'Eure.

Le miracle c'en était un, si on veut. La grand-mère avait tout de suite emmené Edith à Lisieux. Le médecin lui avait dit : « Il y a peu de chance qu'elle guérisse. »

Tout de même la grand-mère conduisait Edith régulièrement se faire soigner. La gosse ne disait rien, pourtant ça la brûlait, c'était du nitrate d'argent ; dans sa nuit elle rêvait de lumière, de soleil. Elle essayait de se rappeler rue Rébeval, à Paris, comment c'était quand elle voyait. Mais elle était bien petite et elle n'avait jamais bien vu. Pour elle la lumière, c'était flou.

Dans tout le bled et à la « maison », on avait une dévotion pour la petite sainte de Lisieux. Un jour la Carmen a dit :

« Avec sa pluie de roses, la petite carmélite, pourquoi qu'elle ferait pas un miracle pour notre petite à nous ? »

Tout le « bordel » s'y met, même celles qui n'ont pas tellement de raisons de croire aux miracles.

La grand-mère et « Madame » trouvent l'idée bonne, et entre deux clients les filles font des neuvaines.

La prière c'est comme l'argent, ça n'a pas d'odeur,

et « Madame » fait un vœu : si la petite retrouve la
vue, elle donnera dix mille francs — en 1921 ça
faisait du bruit, c'était une somme. Pour conclure
le marché faut aller toper dans la main de la petite
sainte-; c'est comme ça qu'on passe un marché en
Normandie.

La date est fixée : le 19 août 1921. Le 15, c'est jour
de fête, on ne peut pas fermer boutique. Au gros
« Numéro » c'est la fièvre. « Madame » a dit :

« Mes filles, on va toutes y aller. On fermera la
maison. Ça vous fera prendre l'air. »

Les filles font des échanges :

« J'te passe mon chapeau noir, file-moi ta petite
robe, celle qui fait convenable. »

La grand-mère et Edith sont de la partie. La môme
est nippée de neuf. Ces dames sont sapées comme des
bourgeoises, des vraies dames de charité. Chapeau,
pas de maquillage, des gants.

Le matin dans le salon, « Madame » claque des
mains, par habitude, et passe la revue de détail. Du
côté de la chaussure ça cloche un peu, trop de
bottines vernies et de talons hauts. Elles sortent si
peu qu'elles n'ont que des chaussures de travail.

Dans Bernay, à leur passage, derrière les fenêtres,
les rideaux s'agitent. Rentrez vos coqs, les poules
sont lâchées. S'agit bien de ça, ces « dames » sont en
pèlerinage.

Dans le tortillard on se dégèle un peu. On mange
un morceau sur le pouce. On rit mais on ne répond
pas aux hommes. Il y a longtemps qu'on sait
comment c'est foutu, « un homme ». Et ceux de la rue
n'ont rien de plus que les autres. Et puis ça ne se
fait pas.

Lisieux a pu voir ce jour-là une sorte de procession
pas croyable, toutes les filles presque les unes
derrière les autres. Elles baissaient les yeux, on
aurait dit un vrai couvent en marche. Elles sont
allées à la basilique avec la petite et toute la jour-

née ou presque ont fait brûler des cierges, ont déroulé les chapelets. On en profite pour demander, en plus, une faveur pour soi. On pousse des soupirs. On écrase des larmes. Elles se baignent, elles se roulent dans la pureté. En sortant de la basilique elles se sentent toutes propres sauf du côté des pieds :

« J'sens plus mes panards dans mes ribouis, vivement que je les ôte, vivement mes savates. »

Le soir, vannées, fourbues, ces « dames » sont rentrées et ont fait un festin terrible sans hommes, elles ont même sablé le champagne. Elles se sont glissées dans leurs toiles avec le bon sentiment du devoir bien accompli.

Patiemment elles ont attendu le miracle. Il était fixé au 25 août, le jour de la Saint-Louis, la fête du père. La grand-mère avait dit :

« Sœur Thérèse de l'Enfant-Jésus, faites que la petite voie pour la Saint-Louis. »

Le miracle, c'est qu'il ait vraiment eu lieu ce jour-là.

Depuis le matin, sur le coup de midi, ces « dames » se levaient, une à une, traînaient en peignoir dans la cuisine, mêlant leurs odeurs lourdes aux odeurs chaudes des sauces, bâillantes et la paupière vague, elles guettaient Edith. Elles lui regardaient les yeux, lui posaient des questions.

« Tu sais qu'il fait soleil ? »

Et la môme tendait la main.

« Oui, je le sens, c'est chaud. »

A sept heures du soir toute la maison était démoralisée. Le miracle tardait à venir. On n'osait y croire.

« Faut la coucher, c'est l'heure. Peut-être demain », dit grand-mère.

Pas d'Edith. Elle était au salon, les mains posées sur les touches du piano, ce qui n'étonnait personne. Elle tapait *Au clair de la lune* d'un doigt, ça lui plaisait, elle aimait ça.

« Viens te coucher.

— Non ! C'est trop joli, ce que je vois. »

Elles ont le souffle coupé ; le miracle elles l'attendaient, elles y croyaient. Maintenant elles n'osent pas y croire.

Grand-mère tremble.

« Qu'est-ce qui est joli, mon trésor ?

— Ça.

— Tu vois ? »

Elle voyait. Et la première chose qu'elle voyait, c'étaient les touches du piano.

Tout le monde tombe à genoux, se signe et on ferme la « maison ». Tant pis pour les clients. Le commerce et les miracles ça va pas ensemble !

Edith a sept ans.

Le père Gassion rapplique. Il est tout heureux. Edith est comme les autres, elle voit ! Il a une gosse normale.

Pendant un an environ Edith va à l'école. Elle a tout à apprendre. Mais les gens « bien » sont scandalisés.

Quand le père vient à Bernay, le cureton lui fait la morale.

« Faut emmener cette gosse. Vous devez comprendre que sa présence est un scandale. Quand elle avait les yeux fermés, votre petite fille pouvait encore être élevée dans une « maison » de ce genre, mais les yeux ouverts, monsieur, quel exemple pour une petite âme pure ! On ne peut pas tolérer ça. »

Et voilà Edith, « la petite âme pure », balancée sur le trottoir aux côtés de papa.

Ce ne sont pas de bonnes années. Elle m'en a parlé souvent mais avec amertume. Le père, lui, trouvait ça plutôt marrant, et il le racontait volontiers.

De sept à quinze ans, il a traîné Edith de bastringues en bistrots, de trottoirs en places, de villes en villages.

Plus tard, quand Edith me racontait cette période de sa vie, elle me disait :

« Avec papa j'ai tellement marché que je ne devrais plus avoir de pieds. Mes jambes devraient être usées jusqu'aux genoux.

« Mon boulot c'était de faire la quête. « Souris, « disait papa, ça engage à donner. »

« Pour avoir des sous pour se payer une « amourette [1] », il avait des combines pas ordinaires. On rentrait dans un café. Il repérait une bonne femme qu'avait pas l'air trop vacharde et il me disait :

« — Si tu chantes quelque chose à la dame, tu pourras faire la quête pour t'acheter des bonbons. »

« Je chantais et il me poussait vers la dame. Ça engageait aussi les autres à donner.

« Il me prenait ma récolte, très paternel.

« — Donne-moi tes sous, je vais les garder. »

« Il fallait bien vivre.

« Il ne me le disait jamais, mais je savais qu'il m'aimait. Moi non plus je ne lui disais pas.

« Un soir, dans un patelin minier — Bruay-les-Mines, je crois —, je chantais dans un café. Il y avait un couple de bourgeois, qui m'écoutait, l'air fermé, visages de bois et de reproches. La femme laisse tomber :

« — Elle va se casser la voix. »

« Il faut dire que, déjà à cette époque, j'y allais de toute la force de mes poumons.

« — Où est ta maman ? insiste la dame.

« — Elle n'a pas de mère », lui dit père.

« Les voilà qui démarrent dans l'attendrissement et les conseils. Au bout d'une heure, après avoir payé à boire à papa « et une grenadine pour la petite ! » ils offrent à papa de s'occuper de moi : j'irai en pension, j'apprendrai le chant, y m'adopteront, y veulent donner beaucoup d'argent à papa qui prend une colère à tout casser.

« — Vous êtes pas fous ? Ma môme n'est pas à

1 Absinthe.

« vendre. Ma fille n'a peut-être plus de maman mais
« elle a des mères. »

« C'était vrai je n'en manquais pas. Il changeait tout
le temps de bonne femme.

« Le père ne manquait pas de culot. Il avait trouvé
un truc qui marchait à chaque coup. Quand il avait
terminé son numéro, il ramassait le « mouchoir »
posé sur le « tapis », s'essuyait les mains avec et
annonçait :

« — Et maintenant la petite va passer parmi vous
« faire la quête, ensuite pour vous remercier elle
« vous fera trois sauts périlleux en avant, et trois en
« arrière ! »

« Je faisais le tour du cercle des badauds et revenais vers papa, alors là il devenait génial. Il passait
sa main sur mon front et disait :

« — Mesdames, messieurs, aurez-vous le courage de
« laisser cette petite faire des sauts périlleux avec 40°
« de fièvre ? Elle est malade, votre argent va me
« servir à la conduire chez le docteur. Moi j'ai de
« l'honneur, chose promise chose due. Si une seule
« personne le demande, elle le fera. »

« Alors il faisait lentement à nouveau le tour du
cercle en disant :

« — Que celui qui le demande lève la main. »

« Personne n'osait lever la main en voyant cette
pauvre môme maigrichonne, au teint pâle, au vaste
front bombé, aux yeux fiévreux qui lui dévoraient
la figure.

« Une seule fois le coup a failli mal tourner. Un
grincheux a rouspété.

« — J'ai payé, je le veux. Tout ça c'est de la blague. »

« Mon père ne s'est pas démonté :

« — La gosse va vous chanter *J'suis vache.*

> *Trois semaines après qu'il était parti,*
> *Je couchais avec tous ses amis.*

Ah, j'mériterais des coups de cravache,
J'suis vache...

« J'avais neuf ans... »

C'est la première fois qu'Edith a chanté dans la
rue. Ça n'allait pas être la dernière. Le père avait rêvé
d'en faire une acrobate. Il disait d'elle : « Cette
gosse elle a tout dans la gorge et rien dans les
pattes ! »

Non, ça n'a pas été un mauvais père, il a fait
plus qu'il pouvait.

Il l'a peut-être mal fait. Edith avait toujours tout
un tas de belles-mères. Possible qu'une seule aurait
peut-être mieux valu mais dans le tas elle en a eu
de bonnes et quand elle était gosse elle mangeait
à sa faim plus que moi.

J'aurais préféré être à sa place plutôt qu'il me
laisse à ma mère, j'aurais préféré être avec lui. Il
l'aurait bien fait, le pauvre, mais il ne pouvait
pas s'embarrasser d'une môme comme moi. Qu'est-ce
qu'il en aurait foutu ? Déjà quand Edith était petite,
ce qu'il avait été emmerdé !

CHAPITRE II

« MON CONSERVATOIRE, C'EST LA RUE »

PENDANT qu'elle « travaillait » avec le père Gassion, moi je ne savais pas grand-chose d'Edith. J'avais cinq-six ans quand j'entendis parler du miracle. Suivant les jours ma mère en rigolait ou en faisait une histoire.

Je savais aussi qu'elle avait été chez les putes dans un boxon. Les putes, je savais ce que c'était. J'en voyais tous les jours, je causais avec, mais les « maisons » je ne savais pas, ma mère m'avait dit : « C'est un hôtel où les putains vivent enfermées. » Je les trouvais un peu cloches de s'enfermer alors qu'on est si libre, si bien dans la rue, mais je n'approfondissais pas, je m'en foutais. A douze ans j'avais d'autres problèmes que de penser à ma demi-sœur qui en avait quinze.

Je savais qu'Edith avait vécu avec papa et qu'elle s'était barrée. Maman m'avait dit : « Ta sœur, elle tient de sa mère, elle s'est tirée de chez elle. »

Ça ne me disait pas grand-chose mais je l'aurais plutôt admirée d'être partie.

Quand j'allais voir le père qui continuait à me

désosser, à me donner des leçons, chez son copain
Camille Ribon qu'on appelait Alverne, un spécia-
liste du travail sur les pouces, le père, à chaque
acrobatie que je faisais, me disait : « Ta sœur, elle
ne sait pas faire ça. »

J'étais plutôt fière mais ça n'allait pas plus loin.

Alverne voyait souvent Edith, il la faisait travailler. Elle avait beau l'avoir quitté, père l'obligeait à
venir, ça faisait partie de ses idées sur l'éducation
à donner à sa fille. Il lui apprenait aussi l'histoire
de France. Quand il ne savait pas une date ou qu'il
se gourait, il concluait : « C'est si vieux qu'à cent ans
près ça n'a pas d'importance. » Comme la rue des
Panoyaux était tout à côté de la rue des Amandiers,
j'allais souvent chez Alverne. Le père avait dit à
ma mère :

« Momone devrait venir voir sa sœur un soir,
après son travail. »

Parce que je travaillais, j'avais douze ans et
demi. J'étais chez Wonder — monteuse en métallur-
gie, phares d'autos —, c'était beaucoup plus compliqué que les piles. Je gagnais quatre-vingt-quatre
francs par semaine, pour dix heures par jour. J'étais
sur une machine, ça s'appelait du sertissage. On
était criminel à cette époque-là. D'autres gamines
du quartier, mes copines, allaient travailler chez
Luxor et Traizet qui fournissait Wonder, c'était normal, c'était notre vie.

C'est à ce moment-là que maman m'a dit :

« Tiens, y'a Edith, ta demi-frangine, qui est chez
Alverne aujourd'hui, on va y aller. Comme ça je
verrai la tête qu'elle a. »

On est parties chez Alverne, ça me plaisait. Chez
lui c'était moche mais on bouffait bien et il nous
invitait souvent. Je ne voyais que ça. Edith, je m'en
foutais.

C'était une petite pièce très pauvre, assez dégueulasse. Dans l'encadrement d'une porte il y avait des

anneaux. Pendue après, une chose informe se tortillait avec un slip de garçon. Je n'aurais pas pensé que c'était ça ma sœur si je n'avais aperçu deux petites mains blanches.

« — T'es Edith ? »

Elle a dit :

« Oui.

— Ben, t'es ma sœur. »

Edith avait quinze ans. On a commencé à parler un petit peu, comme ça, du bout des dents. On faisait nos sucrées. Puis elle m'a dit :

« Tu saurais faire ça, toi ? »

Comme avec papa j'en avais déjà fait, j'ai exécuté tout de suite plusieurs tours, beaucoup mieux qu'elle. Edith avait toujours besoin d'admirer. Pour aimer fallait qu'elle admire. Alors ça lui a foutu un coup. Elle était vraiment contente, ça l'étonnait. J'étais sa sœur, je savais faire ce qu'elle n'arrivait pas à faire. Elle trouvait ça formidable. Par la suite c'est elle qui m'a épatée.

Du coup on s'est mises à discuter plus sérieusement ensemble. Elle m'a dit :

« Qu'est-ce que tu fais ? »

Je lui ai répondu :

« Rien d'intéressant, je suis ouvrière, je gagne quatre-vingt-quatre francs par semaine. »

Elle me faisait envie. Je la trouvais plutôt bien habillée. Un pull et jupe à sa taille, qui avaient l'air d'avoir été achetés pour elle.

Comme Edith ne pouvait pas s'intéresser à quelqu'un sans avoir besoin de s'en occuper, tout de suite elle m'a dit :

« Tu ne vas pas continuer à faire ça. Tu vas venir avec moi.

— Mais toi, qu'est-ce que tu fais ?

— Moi je chante dans les rues. »

Ça m'en a foutu un coup.

« Et ça rapporte, ce truc-là ?

— Tu parles ! J'ai pas de patron, je suis libre, je travaille quand ça me plaît. Si tu veux je t'engage ! »

J'étais assommée. Je la trouvais formidable. Je l'aurais suivie jusqu'au bout du monde. C'est ce que j'ai fait.

Edith avait eu l'idée de chanter dans la rue parce qu'avec papa elle avait chanté dans les casernes et sur les places publiques. Le père aurait préféré qu'elle fasse de la danse acrobatique. Une petite môme qui se désosse ça attendrit plus que le chant. Mais Edith vraiment n'était pas douée. Quand il n'était pas à Paris, il faisait son numéro de contorsionniste dans les cafés, de préférence vers Versailles. Il aimait bien Versailles. Ça l'avait certainement frappée, Edith, et ça lui avait donné le goût des soldats, surtout de la Coloniale et de la Légion.

Chez Alverne il y avait un bout de banc, on était assises dessus et Edith m'expliquait.

« Tu comprends, avec papa j'ai appris le métier. Je connais les bons endroits. Je sais comment y faire.

— Mais t'es plus avec lui.

— Non. On en avait un peu marre l'un et l'autre. Il me piquait tout mon fric. Et puis faut dire que les belles-doches j'en avais ma claque, surtout la dernière. Elle me foutait des mornifles et je n'avais plus l'âge d'en recevoir. D'autant plus qu'elle m'en a filé à cause d'un petit mec qui m'avait embrassée. Tu vois ? »

Je voyais bien.

Alors comme ça on a encore un peu parlé.

« Quand j'ai quitté papa j'avais envie de quelque chose de régulier. J'en avais soupé du hasard et puis toute seule je ne pouvais pas me planter sur le bitume et me mettre à chanter, faut être deux et avoir de la musique, sans ça tu fais trop cloche. On ne te prend pas au sérieux. T'as pas l'air de travailler, t'as l'air de mendigoter. Tu piges ?

— Qu'est-ce que tu as fait ?

— J'ai lu les petites annonces de *l'Ami du Peuple*. J'ai choisi ce canard-là à cause du nom. Ça m'a coûté quinze centimes. Je me suis placée dans une crémerie de l'avenue Victor-Hugo. Tu parles d'un turbin. Levée à quatre heures du matin, je livrais le lait, je lavais la boutique. C'est très rupin dans le coin, mais pour les pourboires, ceinture. Tu n'as affaire qu'aux bonniches, elles se les gardent pour elles, les garces !

« Je ne pouvais pas m'empêcher de chanter. Ma voix plaisait pas au singe, il m'a foutue à la porte.

« J'ai fait une autre crémerie et j'ai compris que ce n'était pas pour moi.

— Comment que t'en es venue au chant ?

— C'est un petit mec qui s'appelait Raymond qui m'a décidée. Il aimait ma voix. Il avait une copine, Rosalie, on a formé une troupe : Zizi, Zosette et Zozou. On faisait les places et les casernes.

« Je ne suis plus avec eux mais j'ai continué et ça marche. Je m'accompagne du banjo. Je sais en jouer. J'ai appris. »

C'était le soir, on devait se quitter et il faisait beau, je me souviens qu'il faisait beau. Edith a dit à ma mère :

« Eh bien, si vous voulez, elle va venir travailler avec moi. Vous allez voir, chanter dans la rue, ça rapporte. »

Ma mère, ça lui était bien égal, j'aurais pu aussi bien faire le trottoir, pourvu qu'elle touche...

Alors on est parties. On a fait la première rue, c'était la rue Vivienne. Dans la soirée on a dû ramener une centaine de francs. Quand la mère a vu que ça rapportait plus que chez Wonder, elle était vachement contente. Edith m'a dit :

« On fait moitié, moitié. »

Avec ma mère on a été au bal faubourg du Temple parce qu'elle aimait ça. Faudrait pas croire que les bals où nous fréquentions étaient de vrais bals. C'était plutôt moche, des voyous et des macs. Il y avait deux ou trois gars qui jouaient vaguement de l'accordéon et du banjo. Dans ce temps-là on « passait la monnaie ». On dansait dans la sciure.

> *Ça sentait la sueur et l'alcool,*
> *Ils portaient pas de faux cols*
> *Mais de douteux foulards de soie.*

Ma mère avait bouffé tout le pognon qu'Edith lui avait donné : cinquante balles. Tout le long du chemin en rentrant elle me balançait des « Momone chérie ». Elle a été jusqu'à m'embrasser. Elle qui ne pouvait pas me souffrir.

Ce soir-là je me suis aperçue que je couchais à quatre dans un lit-cage, sans draps ni couverture. Je venais de rencontrer Edith : elle, elle était libre. Alors il y avait donc autre chose ? Je pense tellement que le sommeil n'arrive pas.

Bien sûr je m'endors. Je me réveille en sursaut : je vais louper Edith ! Je saute du lit. (Je couche toute habillée.) J'enfile mes godasses et je cours à en perdre le souffle.

Edith m'avait donné rendez-vous pour le lendemain vers dix heures. J'étais en retard, peut-être que je l'aurais manquée et ça aurait été fini. J'aurais manqué le rendez-vous le plus important de toute ma vie. Edith, c'était ma chance.

J'arrivais juste elle sortait de chez Alverne, heureusement on s'est croisées. A quelques secondes près j'avais failli tout rater.

Je l'aurais peut-être rencontrée à nouveau. Ça n'aurait pas été pareil. Je serais retournée à l'usine, j'aurais vécu avec — ma famille — ces gens : ivrognes, faignasses, putains.

Pour eux, j'étais déjà la machine à sous. Et puis j'avais senti qu'Edith m'aimait. Ça voulait dire quelque chose pour une môme de mon quartier : être aimée. Lorsqu'elle m'a aperçue, sa tête a changé.

Ce sourire qui arrive quelquefois dans la vie, ces secondes de bonheur qui vous traversent le corps, je venais de les rencontrer. On s'est embrassées comme s'il y avait dix ans que nous avions été séparées.

J'avais mis ma main dans la sienne et on est parties chanter dans la rue. Mon boulot c'était de faire la quête, et ça a encore marché. Le soir on a été chez la mère et on a encore partagé. Quelques jours ont passé, ça marchait toujours. Seulement après, Edith a discuté :

« Je ne me suis pas barrée de chez le paternel pour vivre ma vie comme je l'entendais pour me faire dresser par ta mère, venir au rapport, lui rendre des comptes. Ta mère, y'en a marre, tu ne vas pas lui porter du fric tous les soirs. Faut qu'on soit libre pour travailler. On va vivre ensemble. »

Moi je ne pouvais rien dire, j'étais trop heureuse.

Nous sommes allées trouver la mère, Edith s'est payée de culot et lui a dit :

« J'engage votre fille définitivement, elle sera à ma charge. Elle va venir habiter avec moi, j'ai une chambre. »

Ma mère, pratique, lui a répondu :

« Moi je veux bien mais faut m'faire un papier. »

Edith ne s'est pas dégonflée. Elle m'a fait un engagement, ce fut le premier contrat qu'Edith a signé.

C'était assez marrant parce que ma mère, elle savait à peine lire et Edith à peine écrire. Mais elle lui a fait.

« Moi, Edith Giovanna Gassion, née le 19 décembre 1915 à Paris habitant 105, rue Orfila — profession artiste — déclare engager Simone Berteaut pour une durée illimitée — logée-nourrie — pour un salaire de 15 F par jour. Fait à Paris le... 1931. »

Ma mère l'a gardé longtemps, le papelard, dans le tiroir du buffet, elle le montrait à tout le monde.

On m'aurait assommée que je n'aurais pas été plus

dans les « vapes ». Je n'en revenais pas. Quinze francs par jour ça faisait beaucoup d'argent, beaucoup plus que chez Wonder. Surtout que chez eux les dimanches n'étaient pas payés et là ils l'étaient.

Alors ma mère a dit oui.

On est parties ensemble. Nous étions quoi ? Deux mômes sans rien. Deux toutes petites choses d'un mètre cinquante et quarante kilos.

Tous les jours Edith versait quinze francs à ma mère, en pièces qu'elle lui comptait une à une dans la main.

Et puis au bout d'un moment nous n'y sommes plus allées que tous les deux jours, tous les trois jours et puis plus du tout. C'est comme ça qu'à douze ans et demi, j'ai définitivement quitté ma mère, laquelle, il faut bien le dire, s'en foutait pas mal.

Faudrait pas croire que notre vie avec Edith n'était pas organisée. Edith a toujours su s'organiser. Elle avait l'art de disposer des autres. Elle pouvait leur demander ce qu'elle voulait, les choses les plus folles, j'en ai jamais vu un ou une qui disait non. On ne disait pas non à Edith, ce n'était pas possible.

Je chantais les premières chansons. Je chantais mal... En fait il n'y a que très peu de temps que je sais que je chante mal. J'avais toujours cru qu'Edith m'avait empêchée de chanter par jalousie. On se fait parfois des idées idiotes... Cette idée m'était un peu égale, ce qui comptait pour moi ce n'était pas de chanter mais de vivre à côté d'Edith. Tout de même elle m'était restée.

Récemment, j'étais seule chez moi, le magnétophone traînait, alors pour moi je me suis fait un petit festival de choix et je me suis écoutée. Quelle déception !... Je n'en croyais pas mes oreilles. Je savais bien que ça ne pouvait pas être comparé à Edith, qu'elle était unique. J'aurais pu avoir un petit don, un talent d'amateur, gentil. Mais chanter mal à ce point-là. C'était vraiment moche.

Dans un sens ça m'a fait plaisir, le seul petit nuage qui était en moi venait de s'évanouir.

... Je chantais les premières chansons parce que le matin Edith avait de la peine à chanter. Il fallait attendre que sa voix revienne, même à quinze ans, quand elle se réveillait elle était complètement aphone.

Il fallait qu'elle prenne du café et se rince les amygdales avec un produit, et pour ça on devait gagner dix francs. Alors les premiers dix francs, c'était moi qui les faisais. C'était long !

Dès qu'elle avait avalé le café et s'était gargarisée, c'était fini ; on pouvait y aller, faire n'importe quel quartier. Elle aurait pu chanter toute la journée et toute la nuit. On ne le faisait pas mais c'est pour dire qu'elle était en état. Ce qu'il y a d'extraordinaire, c'est qu'elle avait déjà la même voix. Celle qu'on lui connaît. Une voix qui allait valoir des millions plus tard.

Elle chantait si fort que sa voix couvrait les bruits de la rue, malgré les klaxons. Elle me disait :

« Tu vois, Momone, je vais chanter, et le sixième, le septième, et même le haut de la tour Eiffel vont s'ouvrir. »

Je regardais, c'était vrai, on nous jetait des sous qui semblaient tomber du ciel. Elle créait de véritables attroupements dans la rue. Si bien qu'un jour un flic en civil lui a dit :

« Ecoute ici, c'est mon secteur, j'ai pas le droit de vous laisser faire. Alors allez en face et chante-moi *Le Chaland*. C'est celle que je préfère, personne ne la chante comme toi... »

On a traversé la rue. Edith a chanté pour lui et il lui a donné cinq francs. Elle les a gardés, le soir on les a montrés aux copains : « Un flic m'a payée pour chanter... C'est pas de la gloire ça ? »

On ne faisait pas encore les cours. Les cours on les a faites beaucoup plus tard quand on travaillait la nuit au cabaret. Elle était trop fatiguée le matin, alors dans les cours elle pouvait s'asseoir sur les poubelles. Même qu'elle s'y endormait la vache !

Les cours, ce n'est pas un bon public, il ne se dérange pas pour venir vous écouter, on le force à vous entendre, alors, il y a ceux à qui ça plaît puis les autres...

Il y a aussi des bignoles qui n'apprécient pas, faut parlementer. Ça ne marche pas toujours. Edith qui n'avait pas beaucoup de patience les envoyait se faire foutre. Ça gueulait, les fenêtres s'ouvraient mais pas pour jeter des sous. Dès qu'il fait un peu froid les bonnes femmes, elles, restent au chaud, n'ouvrent pas, elles sont moins donnantes que les hommes. Pour une qui a le cœur plein de sentiments, plein de vague, qui a envie d'avoir la larme à l'œil en entendant chanter l'amour — ce qui ne la rend pas forcément généreuse — il y a toutes les ménagères qui ont un cœur comme de la corne, plein de durillons, et avec la gueule qu'elles ont, les chansons d'amour ne les font pas rêver, elles ne leur donnent même pas de regrets, elles ont oublié !

Dans la rue, c'est différent, les gens se dérangent, ils viennent voir si ça leur plaît et ils restent.

Edith ne tendait pas la main. C'était mon travail. Je regardais les gens dans les yeux, je ne les quittais pas. Edith me disait :

« Avec les mirettes que tu as, ne les lâche pas. N'en laisse pas passer un. »

Alors moi, je les visais jusqu'à ce qu'ils mettent la main à la poche. Les hommes étaient plus faciles que les femmes. Un homme c'est moins culotté, il n'ose pas passer devant deux mômes sans donner.

On n'avait pas de quartier attitré. On changeait souvent, ça faisait voir du pays. Quand on arrivait dans un nouveau quartier, il fallait d'abord rencontrer un agent et lui demander où se trouvait le commissariat pour aller chanter le plus loin possible. On n'avait pas une profession autorisée, c'est de la « mendicité en réunion ».

D'ailleurs on a été au poste plus d'une fois mais ils nous ont toujours relâchées. Ça se passait très gentiment parce qu'on était vraiment trop jeunes, on était des gamines. Les flics prenaient ça pour de la fantaisie. Ils ne nous prenaient pas au sérieux et puis on leur inventait des histoires. On racontait qu'on habitait chez papa et maman, qu'ils n'étaient pas riches et assez radins, qu'on chantait comme ça pour rigoler, pour s'acheter une robe, des godasses, aller au cinéma, n'importe quoi ! Ça prenait. La seule chose qu'on pouvait pas leur dire c'était la vérité. J'étais mineure et Edith aussi. Ça, c'était un coup à se retrouver au Bon-Pasteur ou dans une crèche du même genre. Deux mômes qui traînaient la rue toute la journée, ça faisait pas très moral. Et les chaussettes à clous ce sont les gardiens de la vertu !

On n'était pas nippées comme des cloches mais pas loin. J'avais un béret qui me servait à faire la quête. On était coiffées toutes les deux pareilles avec une frange — on se la taillait nous-mêmes —, Edith trouvait qu'il valait mieux que j'aie l'air au premier coup d'œil d'être sa sœur.

« Tu comprends, quand je dis aux poulets que tu es ma sœur, comme on n'a pas de papiers, vaut mieux que tu me ressembles, ça leur donne confiance. »

Moi, je n'avais rien à dire, surtout je n'étais pas contre, ça me plaisait de ressembler à Edith. Je l'ai tout de suite aimée, pas parce que c'était ma sœur, la voix du demi-sang ça ne crie pas bien fort, mais parce que c'était Edith.

On habitait à l'hôtel de l'Avenir, rue Orfila, au 105, il existe toujours. A chaque fois que j'y passe je m'arrête et je regarde au troisième étage la fenêtre, la nôtre, celle de notre chambre — une pièce c'est tout, il n'y avait pas d'eau —, un lit, une table avec une cuvette, une sorte de placard tout déglingué, une petite table de nuit peut-être bien, mais rien d'autre.

Moi, ça me paraissait un peu ironique et je me disais que c'était bien la seule chose que nous avions comme fortune en perspective : l'Avenir.

Mais elle, Edith, dans le métro, quand on rentrait très tôt le matin, titubante de sommeil elle ouvrait un œil pour me dire :

« T'en fais pas, Momone. Nous serons riches. Très riches. J'aurai une voiture blanche et un chauffeur noir. On sera habillées toutes les deux pareilles ! »

Elle y croyait. Elle était certaine qu'elle deviendrait une vedette, mais pour assurer le coup elle allait prier à l'église la petite sœur Thérèse de l'Enfant-Jésus. Elle me disait :

« Donne-moi vingt ronds, je vais mettre un cierge. »

Edith n'a jamais eu un sou sur elle. Même plus tard, c'est toujours moi qui tenais l'argent.

En attendant, on chantait dans la rue. Quand on avait assez d'argent on allait au restaurant et on bouffait tout. Puis on rechantait un coup pour aller au cinéma. On ne pensait jamais aux dix francs dont on aurait besoin le lendemain matin, on finissait la journée sans un rond. Il fallait qu'on dépense tout. Pour ça Edith n'a jamais changé !

On a fait des journées de trois cents francs, c'était beaucoup d'argent, parce que c'est vieux ça : 1932 !

Quand j'ai connu Edith elle avait déjà eu des hommes... A quinze ans c'était déjà fait. Le premier elle ne se souvenait pas de lui. Il ne lui avait rien laissé... Aucun souvenir, rien du tout. Le deuxième, elle l'avait connu chez Alverne. Il était banquiste de son métier. Il jouait du banjo, de la mandoline. Il faisait la manche avec ça. Il chantait *Quand refleuriront les lilas blancs*. Il lui avait appris trois notes des *Gars de la marine*, elle débutait toujours avec ça, sur son banjo. Elle en jouait mal, mais elle l'avait, c'était

comme la guitare maintenant, tout le monde en
jouait un peu...

Notre répertoire se composait de : *Le Chaland,
Le Dénicheur.* Et *Mon beau Sapin :* pour les quartiers riches il fallait que ce soit mieux, on leur chantait aussi tout le répertoire de Tino Rossi parce que
ça... ça avait de la classe ! et *Les Mômes de la
Cloche :*

> *C'est nous les mômes de la cloche,*
> *Clochards qui s'en vont sans un rond en poche...*

Ça, ce n'était pas pour le XVIe mais c'était notre
hymne national ! Suivant les quartiers il faut savoir
choisir son répertoire. Dans le fond c'est comme au
music-hall. C'est une bonne école, la rue. C'est là
qu'on passe le certificat d'études de la chanson. Le
public on le voit, il est en face de vous, contre vous.
On entend battre son cœur, il dit ce qu'il pense. On
sait ce qui lui plaît, ce qu'il n'aime pas. Et si, parfois,
il pleure, la quête sera bonne.

Dans certains quartiers on avait l'habitude de
marcher pieds nus mais dans d'autres il fallait des
espadrilles parce que ça choquait. Si on n'avait pas
d'espadrilles, ça rapportait moins. Pour les économiser on les attachait par leurs ficelles et on se les
mettait autour du cou. En somme à bien réfléchir,
nous avons été les premiers beatniks, le banjo
à la place de la guitare, et comme eux pas très propres... Ce n'est pas autre chose, c'est ça en somme :
de la poésie, de l'espoir, et l'envie de vivre libre ses
jeunes années.

Je ne me souviens pas avoir eu ni faim ni froid.
Dans mes souvenirs j'ai l'impression qu'il n'y a jamais
eu d'hiver... Il y en a eu mais je ne me souviens pas...
Il n'y a jamais eu de pluie non plus !

Nous faisions tout Paris, de Passy à la porte de
Montreuil. Les samedis, faut pas faire les quartiers

chic, les gens font leurs achats, ils sont pressés et ont bien d'autres choses à foutre que de s'occuper de vous.

En semaine on peut faire les Champs-Elysées. Passy, le XVIe c'est bon le matin, les femmes sont encore là. Elles voient deux mômes qui chantent dans la rue, elles ont envie d'ouvrir la fenêtre et de donner de l'argent mais de vite refermer pour ne pas avoir froid. C'est un public de charité, pas un public de connaisseurs.

Et le samedi les quartiers ouvriers, ils donnent moins à la fois mais plus souvent. Puis ils donnent pour le plaisir parce qu'ils sont contents, pas pour faire bien. Pour eux Edith chantait *Titania* :

> *Mon maître Satan m'envoie faire la ronde ;*
> *J'ai des provisions de joie et de plaisir.*
> *J'ai de quoi flatter tous les vices du monde,*
> *Et mon cœur est prêt pour le moindre désir.*

On gagnait bien notre vie, on avait de quoi pouvoir s'habiller mais on se nippait mal. La jupe et le pull-over, c'était tout. De temps en temps on en achetait un autre parce qu'il était vraiment trop sale.

On ne lavait jamais rien.

Il y avait déjà des tas de gars, des hommes, qui tournaient autour d'Edith. Elle plaisait bien, elle était plus âgée que moi. Moi j'étais encore toute petite, je ne pouvais pas tellement plaire. Mais on était crados et ça les refroidissait quand même un peu. Même plus tard on nous regardait bien, mais ça ne marchait pas. Pas de doute... c'est qu'on était sales...

Un an plus tard, Edith avait seize ans moi treize et demi, on a fait aussi les casernes. Mais ça c'était surtout dans le plein de l'hiver, on était abritées. Edith avait déjà le goût des soldats. C'était tout un fourbi. Fallait demander l'autorisation au colonel. Ça

prenait du temps. Un moment on les a faites avec
une copine qui s'appelait Zoé. Je ne sais pas ce qu'elle
est devenue. Celle-là, elle nous servait bien. Avec les
soldats faut pas jouer les prix de vertu, ils n'apprécient pas. Zoé se faisait n'importe quel gars. Si on
n'en voulait pas, elle le prenait.

Ça se passait dans des sortes de réfectoires, des
cantines. Edith chantait, je faisais mon numéro
d'acrobatie.

Quand on avait fini, les gars nous donnaient
rendez-vous dans des cafés. C'est comme ça qu'Edith
a connu tous les bistrots à légionnaires, à ceux de
la Coloniale, à marins.

Un soldat, ça ne veut rien dire. Un soldat, c'est un
uniforme, on ne leur doit rien, ils n'ont pas d'exigences. Au milieu d'eux nous avions l'impression de
plaire, enfin d'exister... Même quand on ne faisait
plus les casernes on allait encore dans leurs bistrots.
On n'est pas rien si un gars vous regarde, on existe.
Et puis on peut chahuter, rigoler tant qu'on veut,
les soldats ça n'est pas difficile.

CHAPITRE III

QUATRE DANS LE MEME LIT

Un soir, dans un bistrot, près du fort de Romainville on a rencontré Louis Dupont. Il venait chercher son vin. Il habitait Romainville où sa mère avait une cabane. Edith lui a plu. Ça a été le coup de foudre et le soir même il habitait avec nous.

C'était un petit gars blond, un jeunot, il avait dix-huit ans et Edith dix-sept. Moi je ne lui trouvais rien d'extraordinaire, plutôt quelconque, insignifiant. Elle avait eu des mecs de la Coloniale autrement bien balancés... Mais celui-là il s'est assis comme ça à notre table, il a posé le pinard de sa mère sur le marbre et il a dit en la regardant :

« T'es du coin toi ?

— Non, qu'elle a répondu, je suis de Ménilmontant.

— C'est pour ça que je ne t'ai jamais vue.

— Oui, c'est pour ça.

— Tu reviendras ?

— Je ne sais pas. Ça dépendra.

— De quoi ça dépendra ?

— Ben, si j'ai envie.

— T'auras pas envie ?

— Je ne peux pas savoir.

— Tu ne veux pas que je te paye à boire ? Alors ce sera deux Pernod. »

On ne disait pas encore des pastis. C'est plus tard, à ce moment-là c'étaient des Pernod.

« Et ma sœur, elle ne boit pas ? »

Trois ! qu'il a commandés.

« Qu'est-ce que tu fais ? a demandé P'tit Louis.

— Je chante, je suis artiste.

— Ah ! qu'il a dit, soufflé. Et ça rapporte ?

— Un peu. Et toi ?

— J'suis maçon, ça c'est mon métier, mon vrai. Mais en ce moment je n'ai pas de travail alors je suis livreur. J'ai un tri. Ça balade et puis il y a les pourboires, ça fait dans les cent soixante par semaine. »

Avec Edith nous avons ri, il était vexé.

« Ben quoi, c'est pas mal, je n'ai que dix-huit ans.

— Tu sais, les bons jours on se fait trois cents en une seule fois. Mais qu'est-ce que tu veux que ça me fasse ? Tu me plais. T'as pas besoin d'avoir de l'oseille pour ça. »

Ils ont continué à parler d'eux comme si leur vie en dépendait. Moi j'avais débranché, ils me fatiguaient et puis ce genre de dialogue, ces jeux de scène, j'étais blasée. Pourtant ça ne s'est pas terminé comme d'habitude.

Il est allé porter le pinard à sa mère, c'était pas un mauvais gars. Pendant son absence Edith se faisait du mouron.

« Dis, Momone, tu crois qu'il va revenir ?

— Mais oui il est pincé, sérieux.

— Tu crois que je lui plais ? »

Et elle se tapotait les cheveux comme au cinéma. Elle filait se remettre du rouge à lèvres, un rouge terrible, saignant comme un morceau de bœuf. Elle tirait sur son pull, qui était à peu près propre. Dans ses yeux il y avait de l'inquiétude, celle de l'amour...

Ces gestes, ces mots, j'allais les voir, les entendre tant de fois répétés toute notre vie que j'aurais dû les trouver râpés, usés. Edith chaque fois qu'elle aimait avait toujours dix-huit ans. C'était le premier et le dernier amour, celui qu'on n'a qu'une fois, qui dure toute une vie. Elle y croyait et j'y croyais.

Elle se déchaînait, Edith. Elle se rongeait, elle était jalouse, possessive, elle doutait, elle gueulait, elle enfermait ses gars à clef. Elle était exigeante, insupportable, ils lui filaient une trempe, elle les trompait. Elle était impossible. Pour elle c'était ça l'amour. Alors elle s'épanouissait au milieu des cris, des scènes, elle était heureuse.

« L'amour, Momone, quand ça devient tiède faut le réchauffer ou le balancer. L'amour, ça ne se conserve pas au frais ! »

Qu'elle aime pour un jour ou un an, c'était le même tabac, elle ne faisait pas la différence.

« L'amour ce n'est pas une question de temps, c'est une question de qualité. Je ne pourrais pas aimer plus en dix ans qu'en un jour. C'est bon pour les bourgeois de faire traîner leurs sentiments. C'est des économes, ces types-là, des radins, c'est comme ça qu'ils sont riches, ils ne brûlent pas leur bois d'un seul coup. C'est peut-être un bon système pour le fric, ça ne vaut rien pour l'amour. »

... Dans le troquet de Romainville, elle n'avait que dix-sept ans, Edith, elle venait de faire la connaissance de P'tit Louis et déjà elle l'attendait en se rongeant les sangs. Moi je n'avais que quatorze ans et demi et il fallait que je suive. Je suivais.

« S'il ne revient pas, ce pourri-là, je sens que je vais faire une connerie. »

On n'était déjà plus à une près. Pour oublier, elle buvait ou cherchait un autre gars.

Toutes deux à notre table, les bras croisés, les yeux fixés sur la porte. On attendait.

P'tit Louis est entré. Non ce n'était pas possible, c'était son frère ou quelqu'un de sa famille !

Quand on l'avait rencontré il était en cotte bleue, pas peigné. Maintenant il avait une cravate, un veston, les cheveux bien collés enduits d'huile à frites avec une belle raie bien droite sur le côté. Il lui a dit :

« Mon nom c'est Louis Dupont. On m'appelle P'tit Louis. Si on se mettait ensemble.

— Oui », a répondu Edith nageant dans l'extase de l'amour.

Ça été aussi simple que ça. Bien sûr on a raconté des tas d'histoires : qu'il l'avait entendue chanter, qu'il l'admirait. Il avait horreur qu'elle chante, ça le foutait en rogne. Il trouvait que ce n'était pas un métier. Il était jaloux, quand elle chantait les gars la regardaient, et puis dans le fond il avait peur qu'elle s'éloigne de lui. Comme tous les autres il aurait voulu la garder pour lui seul.

Dans le bistrot ils étaient l'un devant l'autre à se regarder. C'était surtout le visage d'Edith qui changeait. Ses yeux devenaient immenses. Ils étaient à la fois chauds et doux. C'était l'amour et tout son corps en tremblait.

On est rentrés tous les trois rue Orfila dans notre hôtel de l'Avenir. Moi avec eux. Ça ne serait venu à personne l'idée que j'aille coucher ailleurs.

Pour avoir chacun sa chambre faut avoir des moyens qui n'étaient pas les nôtres. Puis on voyait pas de mal à ça. Il y avait un fond de pureté dans Edith que rien n'a jamais pourri. Evidemment à trois dans un même lit ce n'est peut-être pas normal, mais à dix-huit ans lorsque l'on est si pauvre, c'est tellement merveilleux l'amour qu'il se fait en silence. Moi ça me berçait et je m'endormais comme une môme.

Si Edith s'est mise en ménage avec P'tit Louis c'est parce que c'est le premier qui avait pensé à le lui demander. Elle gambergeait là-dessus.

« Tu vois, me disait-elle, ça y est, je suis casée. A dix-sept ans c'est pas mal. Tu crois qu'il va me demander en mariage ?

— Tu dirais oui ?

— Je crois. »

P'tit Louis ne l'a pas osé. Sa mère qui avait besoin de sa paye ne l'aurait jamais laissé faire.

Ça n'a pas traîné. Deux mois plus tard Edith était enceinte.

« Je vais avoir un enfant. On va avoir un môme à nous. Ça te plaît ? »

Je ne savais pas très bien ce qu'il convenait d'en penser. Je me disais que ça n'allait pas simplifier notre vie. Mais ni l'une ni l'autre on ne s'en rendait compte vraiment.

On n'a rien compris. Rien préparé. On n'avait même aucune idée de ce qu'il fallait à un nouveau-né.

Pendant quelques jours Edith s'est sentie importante. Elle disait aux copines l'air sérieux :

« Je vais avoir un môme. »

Là-dessus les autres avaient des avis partagés. Elle pas. Elle était en ménage avec P'tit Louis, elle allait avoir un enfant, c'était bien, c'était dans l'ordre des choses.

P'tit Louis était plutôt content mais lui non plus il ne savait pas.

Ça n'a peut-être pas tenu à grand-chose qu'Edith devienne l'épouse d'un maçon, une brave petite mère de famille qui au début aurait chanté en faisant sa tambouille, après elle n'aurait plus chanté. Peut-être qu'elle aurait bu et gueulé s'il y avait eu trop de mômes.

Pour nous rien n'était changé. Il faisait son métier, Edith le sien. Il aurait voulu qu'elle reste à la maison et il nous cassait les pieds.

« C'est un métier de misère que le vôtre. D'abord artiste c'est pas un métier, c'est pas sérieux. Tu vas être mère. Une mère qui chante dans les rues, ça n'existe pas ! »

Pauvre gars ! Il a bien fallu que ça existe !

Lui, son rêve c'était Edith dans deux pièces avec les cabinets sur le palier et un bon métier : ouvrière spécialisée.

Tout de même son rêve, il a failli l'atteindre.

Edith, vraiment, enceinte ne pouvait plus chanter dans la rue, ça faisait moche un gros ventre. On n'avait plus l'air d'artistes mais de mendiantes. Alors on a travaillé dans les couronnes mortuaires en perles. On embauchait là-bas du côté de la rue Orfila. Nous on faisait les fonds, on peignait les perles noires au pistolet. Les autres femmes, des artistes, faisaient les fleurs de couleurs des couronnes avec des perles. Edith chantait pendant son boulot, ça plaisait aux copines.

Là le Louis Dupont disait :

« Tu vois, c'est merveilleux, t'as la paye toutes les semaines. C'est sûr. T'es au chaud. Tu chantes. Ça ne te fait pas un changement ? »

Ça ne changeait pas grand-chose. On bouffait toujours à même nos boîtes de conserve dans notre carrée tous assis sur le pageot. Parce qu'il n'y avait pas de chaise. P'tit Louis avait monté le ménage. Il avait chopé chez sa vieille trois fourchettes, trois couteaux et trois verres. Les assiettes, Edith n'en voulait pas.

« Je ferai jamais la vaisselle. »

Elle ne l'a jamais faite.

« Et puis moi je préfère bouffer au restaurant. »

Avec la rue on se payait le restaurant mais pas avec les couronnes.

P'tit Louis avait beau dire :

« C'est un bon boulot la couronne. Des macchabées il y en a tous les jours. »

Il la baratinait mais elle, elle ne voulait pas.

Elle voulait la rue. Elle voulait sa liberté.

La rue c'est envoûtant, c'est extraordinaire. Chanter dans la rue, à cette époque-là, pour nous ça atteignait presque le merveilleux.

Le P'tit Louis en était jaloux. Ils se disputaient, ils se battaient. Très souvent on allait au commissariat de police, tout à côté, à Gambetta. Ça ne pouvait pas coller, c'était un petit ouvrier et elle était déjà Edith Piaf. Elle ne le savait pas. Ça ne se voyait pas mais elle l'était.

Il était jaloux et il avait de bonnes raisons de l'être. Il était trompé... tant et plus, mais elle y tenait quand même. Elle le gardait. Je ne sais pas si elle l'aimait encore...

Elle a toujours eu besoin d'avoir un homme à la maison. Pour elle. c'était un élément solide. Edith a agi avec P'tit Louis comme elle devait le faire avec tous ses hommes, elle n'a jamais varié.

... C'était simple, Edith était une fille saine. P'tit Louis lui avait fait un enfant. C'était le père. C'était du réel. C'était pas des histoires.

Elle avait eu une grossesse facile. Si elle n'avait pas grossi elle n'aurait rien senti. A la date qu'on nous avait fixée, nous sommes allées à Tenon. Elle y est restée et moi je suis retournée aux couronnes. Là les filles m'ont demandé :

« C'est pour quand ?

— C'est pour maintenant.

— Ta frangine elle a ce qui faut pour son gosse ?

— Elle n'a rien. Qu'est-ce qui faut ?

— Ben des langes, des couches, des brassières. C'est pas le petit Jésus !... il va pas aller cul nu. »

On n'y avait pas pensé.

Les filles, elles, n'en revenaient pas. Une inconscience pareille ça les renversait.

« Vous n'allez pas l'envelopper dans du papier journal. T'as pas de temps à perdre, faut lui porter tout ça à ta sœur.

— Avec quoi ? »

Elles étaient effondrées. Moi aussi.

« T'occupe pas, m'a dit la grande Angèle, on va aviser. »

Les femmes ont toutes donné, de la layette, et tout un tas de bazars. Elles ont vraiment été chouettes.

Edith a été heureuse d'avoir sa petite.

Elle l'a appelée Marcelle. Elle aimait ce nom-là. C'est un nom qu'on retrouve plusieurs fois dans sa vie. Rien que des gens qu'elle a bien aimés. Marcelle, sa fille, Marcel Cerdan. Marcel, mon fils, son filleul. Louis aussi a compté sérieusement : Louis, le père Gassion, P'tit Louis, Louis Leplée, Louis Barrier.

C'était un beau bébé, Cécelle. Louis était content. Tout de suite il l'a reconnue mais il n'a pas proposé le mariage. Il a aussi bien fait parce que c'était terminé, Edith aurait dit non.

Avec la petite le Louis s'était imaginé qu'il tenait Edith, qu'il allait faire la loi.

D'abord Edith a dit :

« Moi je retourne à la rue, Cécelle a besoin d'argent, je vais en gagner. Ta position dans les couronnes, tu peux te la mettre où tu veux. »

Maintenant on était quatre dans la chambre, et une fois de plus quatre dans le lit. Il n'y avait pas de feu, Edith se réchauffait dans les bras de P'tit Louis. Et moi j'avais la chance d'avoir Cécelle, je couchais avec un gros pull et je mettais son petit corps contre le mien sous mon pull.

Depuis il y a des gens qui ont fait la fine bouche, les dégoûtés, qui ont critiqué son comportement, mais la pauvre Edith, à dix-sept ans, ne savait pas ce qui lui tombait sur les bras avec Cécelle.

Nous ne savions même pas qu'il fallait faire bouillir le lait, alors la petite elle a eu du lait pas bouilli. On rinçait le biberon, on trouvait ça bien et on le lui donnait comme ça : on le faisait tiédir, on mettait du sucre parce que le sucre c'est nourrissant, ça fortifie, affirmait Edith.

On enveloppait la gosse et on l'emmenait chanter avec nous. Elle ne nous quittait jamais. Pour rien au monde Edith n'aurait accepté de se séparer de sa môme. C'était sa façon de l'aimer. Elle ne l'aurait pas laissée toute seule dans la journée à l'hôtel.

On la trimbalait partout. Quand on allait aux quatre coins de Paris on prenait le métro, jamais l'autobus à cause des courants d'air.

Quand la petite était salé on faisait une rue puis on achetait des vêtements. On ne faisait pas de lessive. Elle n'était que dans du neuf, la petite. Jusqu'à deux ans et demi elle n'a été habillée que de neuf. On n'a jamais rien lavé. C'est une bonne méthode. D'ailleurs on ne savait pas laver. Edith savait bien chanter, mais laver, non !

On ne vivait pas mal. On vivait au jour le jour mais on ne vivait pas mal.

Avec P'tit Louis ça n'allait pas très fort. Il faisait quelques livraisons sur son tri. Edith chantait dans la rue. Lui, il gardait Cécelle à l'hôtel. On rentrait il était tard. Louis roupillait. Des fois Edith le réveillait, d'autres fois elle lui fichait la paix mais toujours en rentrant on faisait du boucan. Ça faisait crier la môme. Il y avait des nuits où on ne rentrait pas du tout. Les trempes qu'Edith recevait ne changeaient pas son caractère, elle faisait ce qu'elle voulait.

Et puis il allait se passer quelque chose de nouveau. Edith commençait à prendre conscience de son métier, c'était encore vague mais c'était déjà en conscience.

Elle connaissait la rue. Elle connaissait son travail. Elle avait appris. Elle n'avait pas fait vraiment des progrès, elle ne chantait pas mieux mais elle s'était fait une sorte de répertoire : c'était de la goualante, du faubourg, de la rengaine de trottoir, mais déjà il y avait du mieux.

Edith s'arrêtait devant les affiches des « vraies » artistes, celles qui chantaient dans les music-halls, à

Pacra, à l'Européen, à l'A.B.C., à Bobino, à Wagram :
Marie Dubas, Fréhel, Yvonne Georges, Damia, les
« grandes ».

Sur les boulevards on rentrait les écouter dans les
machines à sous, c'était des artistes, Edith les dévorait avec ses oreilles.

« C'est comme si je les voyais, qu'elle disait. Rigole
pas, en entendant je les vois. C'est ce qui m'est resté
d'être aveugle. Les sons ont des formes, des visages,
des gestes : une voix, c'est comme les lignes de la
main, personne n'a la même. »

C'était ça le nouveau, Edith prenait conscience que
chanter c'était un métier, ça s'éveillait en elle.

Quand on s'est rencontrées je lui avais fait connaître un tas de choses. Par exemple elle ne savait pas
que les Champs-Elysées ça existait. Moi je le savais
parce que toute petite, quand j'étais rue des Panoyaux
chez ma mère, c'était moi qui avais eu l'idée qu'il
existait autre chose en dehors de Ménilmontant. Pour
moi, c'était un village et dans ma petite tête je me
disais que la ville c'était ce qu'il y avait autour du
village. J'avais sept ans. Je voulais aller aux Champs-
Elysées... C'était mon idée. Alors je suis allée y voir.
C'est comme ça que je suis rentrée dans le Claridge
pour voir. Ça ne ressemblait à rien de ce que je
connaissais. C'était beau. C'était pas sale. Comme
hôtel je ne connaissais que celui de papa cité Falguière ! On ne m'a rien dit, j'étais avec des petites
amies que j'avais embarquées. Il y avait Annie,
Mireille Tachenès, et puis mon copain Zouzou. C'était
ceux que j'emmenais toujours dans mes randonnées.
Et après les avoir vus, les Champs-Elysées, pour moi,
c'était la plus belle chose au monde.

C'est moi qui ai montré tous les beaux quartiers à
Edith. Pour se marrer d'abord et pour aller chercher
le pognon où il était. Et puis je voulais qu'Edith voie
qu'il existait autre chose que nos maisons moches et
notre crasse. Il fallait. S'il n'existait pas autre chose

alors la vie ce n'était pas bien. Ce n'était pas beau
tout ce qui était autour de nous. Je ne voulais pas
qu'Edith s'en contente.

Elle se cantonnait à Ménilmontant. Elle était aven-
tureuse mais elle aimait ses habitudes. C'était son
côté « petit-bourgeois », le reste lui faisait peur. Moi je
connaissais même la place du Tertre. Line Clevers la
chanteuse m'avait remarquée parmi le tas de mômes
qui l'attendaient à la sortie des artistes des Folies-
Belleville. Line Clevers m'avait fait venir chez elle
pour me laver. Ça commençait toujours comme ça,
fallait me laver d'abord. J'étais toute jeune, je devais
avoir dix ans, mais je n'ai rien oublié. Nous avions
été manger dehors à ces petites tables sur la place.
J'avais trouvé ça sensationnel. Je voyais, j'écoutais les
gens qui faisaient la manche et moi j'essayais de
manger comme une princesse, ça me plaisait, j'étais
folle.

Alors j'ai emmené Edith place du Tertre. C'est
quand on a commencé à monter à Montmartre
qu'Edith a fait des progrès. Ça lui a donné confiance
en elle. Place du Tertre elle voyait des gens qui travaillaient sérieusement et ils ne gagnaient pas grand-
chose, de la bricole. Edith arrivait, chantait, les
autres la regardaient, ils étaient jaloux, tout de suite
elle faisait de l'argent. Elle gagnait plus qu'eux qui
étaient du métier. Edith ça l'a fait réfléchir.

A ces moments-là, P'tit Louis disparaissait. Pour
Edith, il ne comptait plus.

Tout la confirmait dans ses idées. La chanson, ce
n'était pas seulement la rue, c'était ailleurs, là où
étaient les « grandes ».

Un soir que nous descendions Edith et moi la rue
Pigalle, on est passées devant une boîte. Le Juan-les-
Pins. Il y avait Charlie, c'était le portier de Lulu,
l'aboyeur, celui qui baratinait les gens, les flâneurs,
ceux qui glandouillent, pour les faire entrer dans sa
boîte.

Alors le Charlie il nous a parlé. Il a vu que nous étions des mômes, on ne payait pas de mine. Comme toujours nous n'étions pas très soignées. Ça amusait Charlie de bavarder avec nous, nous ne ressemblions pas à la clientèle dont il avait l'habitude. Il nous a dit :

« Qu'est-ce que vous faites ? »

Edith a répondu :

« Je chante.

Puis d'un coup Lulu la patronne est sortie de sa boîte comme un diable, c'est le cas de le dire, l'air pas tellement aimable, les poings sur les hanches... un vrai Jules, habillée en homme complètement. J'ai toujours pensé que pour faire plus vrai dans l'intimité elle devait porter des slips d'homme. Elle interpelle Charlie :

« Qu'est-ce que tu fais là ? »

Tranquille il lui répond :

« Je parle aux mômes. Il paraît que celle-là chante — il désigne Edith — qu'elle veut devenir artiste.

— Alors tu chantes ? Eh bien, entre un peu, tu vas me faire voir ce que tu fais. »

Après avoir entendu Edith, Lulu a dit :

« Toi ça va. Tu chantes bien. Et celle-là ?

— C'est ma sœur.

— Et alors, qu'est-ce que tu veux que j'en fasse ?

— Elle danse. Elle est acrobate.

— Fais déshabiller ta sœur. »

Alors elle m'a filée à poil. Elle a dit : « Ça pourra aller. » Elle n'était pas difficile !

Le pull, la jupe, le slip enlevés il n'y avait plus rien. On aurait soufflé je me serais envolée. Elle m'a filé un ballon et une musique. Quand j'étais face au public je me cachais l'essentiel avec le ballon et pas face au public le ballon était en l'air. Je découvrais tout mais il n'y avait personne pour le voir, c'était ça qui était vicieux. J'étais complètement nue. C'était un strip-tease. Moi, je me trouvais bien parce que j'avais sérieusement grandi et que j'étais mince. Je ne tenais pas à être rembourrée de partout, je n'avais rien à craindre. En fait, je n'avais pas de seins, pas de fesses... je n'avais rien. Une planche à repasser.

« Tu fais gamine, un peu insexuée. Ça plaît à tout le monde ça. C'est du goût de tous mes clients. Ça fait mineure. Quel âge as-tu ?

— Elle a quinze ans. C'est ma sœur, j'en réponds. »

J'en avais quatorze et demi mais les lois sur les mineurs on les connaissait. Il n'y a pas une gamine sur le pavé qui ne les connaisse. Ces tuyaux-là on se les refile tout de suite. C'est de la solidarité.

Lulu, c'était le premier engagement d'Edith. Elle passait de la rue à l'intérieur. Faut pas croire que ça a fait une révolution. Edith chantait, elle plaisait, mais pas plus, on n'a pas tellement arrosé ça. On ne se rendait pas très bien compte que ça avait tout de même de l'importance, que Lulu ne faisait pas de cadeau, qu'elle n'était pas du genre philanthrope ni mécène prêt à paumer son fric pour l'art.

Si elle avait engagé Edith c'est qu'elle en valait la peine.

Il y en a un qui n'a pas pavoisé : P'tit Louis. C'était pas le 14 juillet pour lui. Il faisait plutôt une gueule de Toussaint.

« C'est des boîtes à putains, je ne te verrai plus. Autant dire que c'est fini nous deux. »

Edith n'a pas répondu oui. Elle voulait quelqu'un pour garder Cécelle la nuit.

Mais ça n'allait plus tenir longtemps.

On s'est barrées avec la gosse à l'hôtel Au-Clair-de-Lune, impasse des Beaux-Arts [1]. C'était pratique pour le boulot. Et puis l'endroit plaisait à Edith. Blanche, Pigalle, Anvers, ça lui allait. On se passait très bien de Louis comme nourrice. La môme avait un an et

1. Aujourd'hui rue André-Antoine.

demi à peu près, je crois, elle n'était pas difficile à vivre.

On n'emmenait pas Cécelle dans la boîte à Lulu. Dans la journée on la trimbalait, mais pas le soir. La nuit on la laissait dormir dans une chambre, mais elle compliquait beaucoup notre vie.

Alors elle avait pensé que ma mère qui ne vivait pas à l'hôtel pourrait prendre Marcelle en garde.

On n'était pas mal avec ma mère. On était en bons termes. Edith avait cessé de lui donner de l'argent mais ça ne l'avait pas frappée. Elle n'avait jamais cru qu'Edith respecterait son bout de papier, que ça durerait même aussi longtemps. On était donc plutôt bien.

Edith m'a dit :

« Si on versait une pension à ta mère elle pourrait s'occuper de la môme. »

On a été chez ma mère porter la petite. Ma mère nous a foutues à la porte avec la gosse.

Alors on a continué.

Nous chantions dans la rue la journée et le soir nous allions chez Lulu.

Il y avait des fois où on était tellement crevées qu'on dormait sous les banquettes, les entraîneuses étaient de braves filles, elles étaient assises, dessus, leurs jambes nous cachaient, comme ça Lulu ne nous voyait pas. Il y avait aussi un garçon, qui était notre copain, quand il desservait les plats, qu'il en redescendait un à peine entamé, il nous regardait et nous disait au passage :

« Allez hop, c'est servi ! »

Vite nous descendions au sous-sol, il nous filait le plat en douce, et on mangeait. Ça c'était le côté gentil de la boîte. Il y avait l'autre. Lulu payait, en principe, Edith quinze francs. C'était leur accord mais Lulu ne nous les a jamais donnés, elle nous foutait toujours des amendes, on était engagées pour arriver à neuf heures, si on arrivait à neuf heures cinq minutes on l'avait. On s'en tapait une, presque, chaque soir. L'amende coûtait cinq francs... comme on était deux ça faisait dix. Le matin on repartait avec cent sous en poche. Pour arriver pile à l'heure sans montre, c'est pas facile, surtout qu'on n'avait pas la notion du temps. Quand Edith rigolait elle avait toujours le temps. Et puis la Lulu, en plus, elle nous foutait des trempes, surtout à moi. J'ai jamais compris pourquoi. Ça devait lui plaire.

Ce qui aurait rapporté, c'était de faire des bouchons : on s'assied avec le client, on bavarde, on le fait surtout boire du « champ », on garde les bouchons et à la fermeture on les aligne, comme un chat ses souris. On fait le compte et on touche du pognon. Pour ça faut être pin-up. C'est dur à réussir quand on n'a ni fesses ni tétons. Les filles de chez Lulu, à poil ce qu'elles étaient bien ! Et soignées ! C'était une époque où on se maquillait beaucoup, des cils terribles, des rouges à lèvres sanglants, des coiffures et des cheveux blond platine à vous donner le vertige. Aucun homme ne pouvait avoir l'idée d'inviter ces deux petites mômes un peu douteuses. Dans la salle on restait en costume de scène, Edith chantait habillée en marin à cause du nom de la boîte, Juan-les-Pins. Le pantalon était en satin bleu ciel et la marinière bleu foncé avec un petit col marin. C'était fourni par la maison. Même pas à la taille d'Edith.

Quand on ne roupillait pas, nous étions assises dans notre coin à faire tapisserie, et on n'était pas d'Aubusson ! Une fois Edith a fait une orangeade, on en a parlé pendant six mois. Mais nous restions quand même chez Lulu, parce qu'Edith me disait :

« Vois-tu ce n'est pas dans la rue, sur le trottoir, que je pourrai devenir artiste. Tandis qu'ici j'ai ma chance. Il viendra bien un jour quelqu'un, un impresario, qui me remarquera et m'engagera. »

Je ressens encore l'atmosphère de cette boîte. Une

atmosphère lourde, enfumée, pleine de tristesse à crever ! Nous restions là de neuf heures du soir jusqu'au dernier client affalé devant sa bouteille. Le pianiste jouait n'importe quoi parmi ces filles fatiguées, lasses de ne rien attendre. Je pense que maintenant elles n'existent plus ou presque !

Pour Edith, qui la chantait à mi-voix, le pianiste jouait :

> *C'était un musicien qui jouait*
> *Dans les boîtes de nuit*
> *Jusqu'aux lueurs de l'aube*
> *Il berçait les amours d'autrui.*

Le jour finissait par se lever. Dehors le dernier client ! Dehors les filles ! Dehors le pianiste ! Enfin, et surtout, nous aussi, dehors...

Edith respirait l'air pur de la rue Pigalle. Elle me prenait la main et elle me disait :

« Viens, Momone, on va chanter. »

Elle n'avait qu'une seule envie : faire une rue.

Elle avait besoin de pureté et le public de la rue était le seul qui la lui donnait. Elle avait besoin de voir les fenêtres s'ouvrir. Ces fenêtres où apparaissaient des femmes qui, elles, avaient dormi, et qui nous jetaient les quelques pièces qui nous étaient nécessaires pour le café, le gargarisme et déjeuner.

Dès que nous avions ramassé suffisamment d'argent on pouvait aller dormir.

Edith était très sévère avec moi chez Lulu, mais alors, très très sévère. Elle veillait sur ma virginité. Je ne l'ai pas gardée longtemps, six mois plus tard c'était fait, et elle continuait à y veiller. J'avais quinze ans et trois mois quand ça c'est passé. C'est tout juste si je m'en suis aperçue. Ça n'a dérangé personne.

Momone, il fallait pas y toucher. Momone, c'était sacré. Momone, c'est ma petite sœur. Même quand elle couchait avec un gars elle ne me laissait pas, elle m'emmenait avec elle. Moi ça ne me dérangeait pas, ça ne m'empêchait pas de dormir tellement j'étais fatiguée.

Comme on s'était débarrassées de P'tit Louis, on n'avait plus d'homme à la maison, plus besoin de louer une chambre à la journée. Alors on changea d'hôtel.

On a été à l'Eden. A côté de l'Eléphant, un restaurant à quatre francs cinquante tout compris, le dixième repas était gratuit. C'était pratique et économique. On a fait pas mal d'hôtels rue Pigalle, parce qu'on louait la chambre pour douze heures, c'était moins cher. Les douze heures servaient pour la nuit de la petite. Après on se traînait dans la rue avec elle. Pourtant, une fois qu'on n'avait pas un rond, on est restées comme ça sept jours sans dormir, puis on s'est endormies sur un banc du côté d'Anvers avec la gosse.

Elle était en bonne santé, elle était belle, un gentil caractère, elle riait tout le temps. Cette vie ne plaisait pas à P'tit Louis. Il venait rôdailler vers nos hôtels, il avait un flair terrible pour nous dénicher. Edith avait rompu, mais quand elle parlait de P'tit Louis elle disait :

« Le père de ma petite, il est dans le commerce ! »

Elle avait beaucoup d'hommes autour d'elle. Si elle ne plaisait pas chez Lulu, elle plaisait ailleurs, moi aussi. On convenait aux mecs. On fréquentait le Rat-Mort, qui n'existe plus maintenant. Ce n'était pas un endroit pour les rosières, elles ne le seraient pas restées longtemps.

Les gens qui fréquentent Pigalle la nuit, ce n'est pas de la crème. A ce genre de garçons, nous pouvions plaire. Nous n'étions pas difficiles, eux non plus. Et puis nous étions très près d'eux, presque de la même race, celle des faubourgs. On les faisait rire. Ça les changeait de leurs petites débarquées de la Bretagne qu'ils installaient directement sur le trottoir.

Ils disaient :

« Elles sont chouettes les mômes, elles sont marrantes. »

Et puis entre deux parties de passe anglaise ça les
délassait.

Nos copains c'était des casseurs, des souteneurs,
des arnaqueurs, des receleurs. Nos copines : les
régulières, les dames de ces messieurs.

Le milieu, quoi, le vrai. Nous on aimait ça. Ce
monde-là il ne faisait pas d'histoires. Tu rentres :
Bonjours, tu sors : Bonsoir. Jamais on vous
demande : D'où viens-tu ? ou alors c'est qu'on est
maquée, mais on ne l'était pas.

Edith a toujours eu horreur qu'on lui pose des
questions, qu'on exige des comptes.

Dans la rue on était libres et c'est pour ça qu'elle
y tenait. C'était bien assez d'être enfermées chez
Lulu le soir.

On ne gagnait pas à tous les coups.

On ne rigolait pas toujours.

Nous chantions, Cécelle était dans une petite pous-
sette, elle avait bien deux ans, et ce jour-là voilà que
du côté de la Madeleine nous rencontrons un marin.
Edith a toujours eu un faible pour les marins.
C'était sa manière à elle de voyager. Elle appelait
ça : ses voyages par procuration...

C'était un beau gars qui portait bien le pompon
rouge et le col bleu. Il nous écoute patiemment, il
attend que nous ayons terminé, il me file vingt ronds
dans mon béret puis il nous dit :

« Vous chantez bien, vous êtes mignonnes. Il faut
tenter votre chance. »

Moi je me marrais, je voyais bien qu'il disait
« vous » mais que c'était tout pour Edith.

Sa salade il la balançait avec distinction. Dans le
civil il devait déjà avoir les fesses assises sur du
velours. Il continue :

« Et puis, dans la rue, comme ça, vous n'êtes pas
soignées, pas bien habillées. »

D'un seul coup il nous lâche :
« Vous êtes sales. »
Edith a pris tout ça avec le sourire, il lui plaisait.
Elle le toise le nez en l'air de toute sa petite taille,
lui, faisant bien dans les un mètre quatre-vingts et lui
répond sur le ton d'une reine :
« Faut pas croire que je suis comme ça dans la vie.
C'est parce que je travaille, mais si vous me voyiez
le soir je suis très bien. Cette tenue c'est pour le
public. Si vous voyiez comme je suis, je suis sûre que
vous ne me reconnaîtriez pas. »
C'était exactement ce que le marin attendait.
Il avait envie de sortir avec Edith mais il ne voulait
pas d'elle à son bras dans la tenue qu'elle avait.
Il faut dire que nous n'étions pas très jojo.
Alors il nous file un rendez-vous pour le soir, rue
Royale.
On va vite à l'hôtel du jour. On se lave toutes les
trois dans une cuvette. Je ne sais pas comment on
fait mais on était encore plus dégueulasses que le
matin. Edith, elle, avait mis un ensemble rouge en
velours couleur de rideaux de théâtre, un truc qu'on
lui avait donné ; c'était criard à hurler, avec de la
fourrure grise genre chat. Elle avait collé ses cheveux.
Elle était maquillée dans le style de l'époque. Un
teint blafard, une bouche saignante... ça lui donnait
l'air d'une actrice du muet dans une production
miteuse. Elle avait emprunté à Mme Jézéquel, notre
logeuse, des godasses avec des talons comme des
échasses :
« Tu comprends, quand je serai à son bras faut pas
que je fasse trop petite. »
Mais comme elle chaussait du trente-six et la
patronne un bon quarante Edith avait bourré les
bouts avec du papier journal. Tout ça pour plaire au
marin. Et nous voilà parties en métro avec la gosse
sur mes bras. Nous arrivons devant le ministère de la
Marine et Edith me dit :

« Va demander chez Maxim's combien ça coûte un demi. Il paraît que c'est un endroit chic. Ça l'épatera de nous voir là. »

J'y vais et le barman me jette un prix dans le genre de cinq francs. J'ai cru qu'il se moquait de moi parce que nous n'étions pas bien mises, alors je me suis engueulée avec et Edith m'a entraînée :

« Momone, fais pas de scandale. Viens. Ça ne fait rien on va acheter un journal. »

On achète un journal. Sous les arcades près du ministère on a mis le journal par terre et on s'est assises dessus pour ne pas salir nos affaires.

On a attendu patiemment le marin. Il avait dû dire aux copains : « J'ai rencontré deux petites mômes, vous allez voir, elles sont mignonnes. »

Quand il est arrivé, qu'il nous a vues sur notre journal avec la gosse, il nous a regardées, effaré, et il nous a dit :

« Ce n'est pas possible. Vous êtes encore plus sales que ce matin... »

Et il nous a laissées.

Jamais une histoire comme ça ne nous était arrivée. C'était une histoire triste. On est reparties, on a repris notre métro. On n'osait même plus se regarder. On était tellement sûres que ça allait marcher, qu'Edith allait l'emballer !... C'était Edith qu'on avait fait la plus belle. C'était elle qui avait rencontré l'amoureux.

Au départ, tout le long du trajet, Edith me disait :

« Il est bien, hein ? Tu as vu ses yeux avec des cils comme une fille ? Tu ne trouves pas qu'il a un joli cou, dis ? Dis donc, il va être surpris de me voir sapée comme ça... Il n'en reviendra pas. »

C'était vrai. Il n'en était pas revenu !... Je voyais bien sur le chemin du retour que tout ça la tourmentait. Elle avait le cœur gros et moi aussi. C'est le genre de truc qui fait mal. Elle m'a dit :

« Tu vois, il est rentré dans son ministère de la

Marine et il nous a laissées tomber. Ça n'a pas collé. »

Dans notre hôtel on a mangé une boîte de sardines sans un mot. Et on est parties chez la Lulu.

Sur le coup de trois heures du matin Edith m'a dit :

« Il a bien fait. Ce mec-là c'était un bêcheur. Ça n'aurait pas marché. »

Plus jamais elle ne m'en a parlé mais je sais qu'elle n'a pas oublié.

C'était pas notre période de chance !

Un matin on rentre à l'hôtel. Mme Jézéquel nous attendait ; je me demande quand elle dormait celle-là, elle était toujours là, à cause des loyers.

« Il y a une nouvelle pour vous.

— Mauvaise ?

— Ça dépend, c'est à vous de décider. Votre mari est venu, il a enlevé la petite. Je n'ai rien pu faire. Il avait son tri devant la porte, il l'a mise dedans et il est parti. Je n'avais rien à dire, c'est sa fille.

— Vous avez bien fait, c'était d'accord », lui a dit Edith qui trouvait toujours la réponse de la situation.

Ça n'a trompé personne mais ça faisait bien.

Louis en la prenant avait dit :

« Je reprends ma fille parce que ce n'est pas une bonne vie pour un enfant. Si sa mère la veut, dites-lui qu'elle vienne la chercher. »

C'était ça la vérité. Il espérait que ça ferait revenir Edith, qu'elle reviendrait à l'hôtel de la rue Orfila, près de lui. Pour lui, elle était la mère de sa fille, sa femme. Elle devait revenir.

Ce n'était pas le bon moyen avec Edith. D'ailleurs, il n'y en avait pas de bons quand c'était fini.

Edith n'a rien dit. Honnêtement c'était gênant, la môme, pour travailler.

P'tit Louis a gardé la môme. Il ne pouvait pas s'en occuper, elle restait toute seule à l'hôtel. Elle était mieux avec nous parce que, somme toute, on ne

s'en occupait pas si mal que ça. Elle prenait l'air et
elle était en bonne santé.

Au début elle nous manquait. On ne se le disait pas,
mais ça faisait un vide. Souvent on avait travaillé
pour elle. Edith disait, l'air sévère :

« La petite manque de ça ou de ça. Momone, faut y
aller. Cécelle elle ne doit manquer de rien. »

Et on y allait.

Du jour où P'tit Louis nous a repris Marcelle,
Edith n'a plus jamais parlé de lui : pas un jugement,
pas un souvenir, rien, effacé.

Puis un soir à dégueuler la vie tellement on était
cafardeuses, P'tit Louis est venu, il nous retrouvait
toujours. Il n'a pas fait de grandes phrases :

« La petite est à l'hôpital, elle est très malade. »

On a couru aux Enfants-Malades. La petite tournait
sa tête sur l'oreiller de droite à gauche. Edith murmurait :

« Je suis sûre qu'elle me reconnaît. Tu vois elle
me reconnaît... »

Je ne voulais pas lui enlever ses illusions mais
c'était un bébé de deux ans et demi qui avait une
méningite. Elle était déjà dans un monde où nous
on n'avait plus rien à voir.

Edith a essayé de rencontrer le professeur qui
dirigeait le service. Il n'a pas voulu nous recevoir...
Ça n'aurait rien changé mais, tout de même, j'ai pensé
souvent que si elle avait été « Edith Piaf », il l'aurait
reçue.

Quand nous sommes arrivées à l'hôpital le lendemain matin, nous sommes montées, l'infirmière a dit
à Edith :

« Où allez-vous ?

— Je vais voir Marcelle Dupont.

— Elle est décédée depuis six heures quarante-
cinq. »

Pas un mot de plus, pas un mot de trop.

Edith voulait revoir Marcelle. On nous a envoyées à

la morgue. Elle voulait une mèche de cheveux, il n'y avait rien pour la couper, le bonhomme, le gardien des morts, a prêté une lime à ongles. C'était difficile à couper, la tête de la petite ballottait... Ce sont des images qu'on ne peut pas oublier.

Il fallait trouver l'argent pour l'enterrement. P'tit Louis a dit qu'il n'en avait pas. Il n'était pas méchant. Il était tellement jeune. Il avait peut-être vingt ans quand la petite est morte. Edith dix-neuf. Il y a une part terrible d'inconscience dans tout cela. On était des enfants...

Il fallait qu'on s'occupe de tout. Edith n'a trouvé rien de mieux que de se soûler au Pernod pur. J'ai vraiment cru qu'elle allait en claquer. J'ai trouvé une chambre d'hôtel près d'une boîte, le Tourbillon, où on fréquentait. Avec des gars on l'a montée, on est quand même parvenus à la faire roupiller. Le lendemain ça allait mieux ; on est retournées chez Lulu. Il était tard. La veille on n'avait pas pu y aller. On lui a appris qu'Edith avait perdu sa petite. Elle a fait la quête, les filles ont fait la quête entre elles. Il manquait encore dix francs pour enterrer Marcelle. Il fallait quatre-vingt-quatre francs. Edith s'est promenée sur le boulevard et elle a dit :

« Tant pis... je le ferai. »

C'était la première fois. Elle n'avait jamais fait ça... jamais.

Elle s'est promenée sur le boulevard de la Chapelle et elle a rencontré un homme qui lui a proposé de monter avec elle.

Elle y a été. Dans la chambre il lui a demandé pourquoi elle faisait ça. Edith lui a dit que c'était pour enterrer sa petite fille, qu'il lui manquait dix francs. Le type lui a donné plus de dix francs et il est reparti. Tout ça pour qu'un croque-mort porte la petite boîte sous le bras comme un paquet !

C'était vraiment un moment très noir. Un de nos

plus sales passages, peut-être le plus mais, honnêtement, très court.

Quelques jours après on avait oublié que la petite
Marcelle était morte. C'est affreux. On ne le savait
plus. On n'a pas été au cimetière. Jamais. On n'était
que des mômes, on n'y pensait plus.

CHAPITRE IV

PAPA LEPLÉE

Les rues la journée, Lulu le soir, notre vie a continué comme avant.

Nous étions depuis plus d'un an dans la boîte et on ne voyait toujours pas débarquer l'impresario des rêves d'Edith.

C'est une période assez exceptionnelle dans la vie d'Edith que celle-là. Toute sa vie elle a attendu l'amour et elle ne l'attendait plus. Elle n'y pensait même pas. Elle attendait sa place dans la chanson. Et ça ne venait pas.

Chez Lulu, Edith chantait comme elle pouvait. Nous étions allées chez un éditeur, acheter des petits formats pour les paroles. Elle ne connaissait pas une note de musique. Elle ne savait pas qu'il fallait transposer les partitions dans son ton. Comme elle l'ignorait ça ne la gênait pas. Elle se faisait jouer l'air deux trois fois et elle le savait. Elle avait une extraordinaire mémoire musicale. Le pianiste qui l'accompagnait jouait comme il en avait envie et Edith chantait de son côté sans beaucoup s'occuper de lui. L'étonnant, c'est que ça marchait quand même.

D'être chez Lulu avait un peu agrandi la clientèle d'Edith, on la demandait, elle a passé dans
différents endroits, au Tourbillon, au Sirocco, en
extra par-ci, par-là. Tout ça n'était pas grand-
chose mais ça ne faisait rien. On était plutôt heureuses. On s'est fait des idées fausses sur Edith.
Elle n'était pas triste. Elle adorait rire. Elle se marrait tout le temps et puis elle était sûre d'arriver.
Elle me disait en me prenant par l'épaule :

« T'inquiète pas. Ça viendra, on sortira de toute
cette mouise, de toute cette crasse. »

On était en plein dedans.

Toutes ces boîtes plus ou moins miteuses, ces
petits bastringues des banlieues grises et la rue. Mon
bon sens me disait que ça n'était pas des tremplins
pour sauter dans la lune.

Pour le reste, l'amour, c'était pas joli non plus,
rien que du passage ! Edith s'en foutait. Elle prenait n'importe quoi.

Tout ça c'était assez crassouillard !

Edith aimait bien le milieu. Elle aimait les durs.
Les vrais. Ceux qu'on appelait les « hommes ». Pas les
petits harengs à peine dessalés, les demi-sels, qui se
donnaient des airs de frappes mais qui n'avaient rien
dans le buffet. Parmi les macs on s'était fait de bons
amis qui ne nous ont jamais laissées tomber, jamais
oubliées.

Edith trouvait que c'étaient des hommes, ils étaient
vieux, enfin ils étaient vieux pour notre âge. Ils
avaient entre trente et quarante ans. On les aimait
bien ces gars-là. En plus de ça ils étaient gentils
et réguliers.

En ce qui concernait leur bisness ils nous foutaient
la paix. Ils étaient trop professionnels pour demander à Edith de tapiner pour eux.

Il y en a quand même deux qui nous ont maque-
reautées, en même temps : Henri Valette et Pierrot.
C'est Edith qui les avait au lit mais moi je donnais

aussi l'argent de ma part. Ils nous ont mis sur le turf mais pas comme les putes. Ça ne pouvait pas leur venir à l'idée. Ils nous protégeaient. Dans le milieu, avoir un protecteur qui était un vrai dur, ça nous posait, et les nôtres étaient très baths.

Edith les emmenait avec nous « chanter » dans la rue. Ils faisaient la planque au coin de la rue, ils nous rencardaient sur les flics, ils faisaient le « baron » — ça signifie qu'ils jetaient un billet de cinq ou dix francs pour entraîner les autres. Ils ne risquaient rien puisqu'on le leur rendait en leur filant notre « comptée ». Ça n'a pas duré longtemps. Ils en ont eu marre et nous aussi ! Ils ne pouvaient pas faire toutes les rues de Paris, ça devenait du travail, c'était déshonorant et puis des macs se lever à huit heures le matin et se planter au coin d'une rue pour attendre les ronds et les flics, ça manquait de classe. L'Henri et son pote Pierrot portaient de beaux feutres légers comme des plumes, des « Borsalino » ou des taupés gris souris. Nous on trouvait que ça faisait bien quand on débarquait avec eux au « Rat mort ». On a quand même eu du goût... pour eux et ce sont les seuls qui n'ont pas flanqué de dérouillées à Edith. Comme gonzesses ils ne nous prenaient pas au sérieux.

On ne travaillait plus pour eux mais on les quittait pas. On restait dans le milieu. C'était devenu le nôtre.

Un jour, comme ça sans raison, on a choisi d'aller aux Champs-Elysées. On a fait plusieurs rues. Ça démarrait mal. Edith répétait :

« Si ça continue j'arrête, on n'a pas le pot. »

Pourtant elle allait l'avoir.

On était dans la rue Troyon, c'est là que Louis Leplée est entré dans la vie d'Edith. C'était un monsieur, très bien habillé, très élégant. Ce n'était pas notre genre de client. Cheveux blonds argentés, fringué un peu précieusement.

Ce monsieur un peu trop soigné, trop bien mis, qui avait des gants, ne quittait pas Edith des yeux, il la regardait tellement que je me suis dit : « Ce n'est pas possible, quand elle va s'arrêter de chanter il va lui proposer le mariage, il est fin prêt, il a déjà les gants. »

Il s'est approché et il lui a dit :

« Si vous voulez chanter chez moi, j'ai un cabaret rue Pierre-Charron, le Gerny's, venez me voir demain. »

En disant cela il nous a donné un billet de dix francs.

Edith ne comprenait pas ce qui lui arrivait.

Il nous a marqué son adresse sur un coin de son journal. Edith me l'a confié en me disant :

« Ne le perds pas surtout. Il vaut peut-être une fortune. »

Toutes les cinq minutes elle s'interrompait de chanter pour me dire :

« Tu l'as toujours ? »

Sur le retour Edith était en plein bonheur. Nous avions été voir la porte du cabaret, c'était autre chose que chez Lulu.

« Celui-là, il a un cabaret chic. Il va s'occuper de moi. Sûr que je trouverai un imprésario dans une boîte pareille, il doit en venir ! et c'est aux Champs-Elysées ! T'as le papier au moins ? »

C'est ce morceau de journal qui a décidé de l'avenir d'Edith.

On est rentrées folles de joie. Le soir même on a bu, on a bien bu et à Pigalle on l'a raconté à tout le monde...

On a rencontré la chanteuse Fréhel. Elle fréquentait comme nous le tabac le Pigalle. Elle nous en imposait. Elle avait un nom... qu'on voyait sur des affiches. Elle avait été en Russie ; pour nous, c'était une femme bien. Ça ne l'empêchait pas d'être la copine des marlous. Elle prenait de ces « bitures » !

Ça manquait vraiment de classe, mais quelle chanteuse ! *Le gris qu'on roule, Mon homme, Tel qu'il est il me plaît...*

Il y avait aussi un garçon qui s'appelait Michel Varlope, il était violoniste. Il est mort. Il travaillait chez O'dett. On leur a dit qu'Edith était engagée au Gerny's. Lui nous croyait mais pas Fréhel, elle disait à Edith :

« Faut pas y aller, il va vous entortiller... la traite des blanches ça existe. Faut pas y aller. On ne vous engage pas comme ça, surtout pour les Champs-Elysées. Ce n'est pas possible. Ça cache quelque chose. »

Elle ne se rendait pas compte qu'Edith était déjà un monstre, une bête de scène. Elle n'y croyait pas. Plus tard elle l'a admis mais du bout des lèvres.

On ne peut pas dire qu'on soit restées en bons termes avec elle. Edith lui en voulait terriblement parce qu'elle avait été vache avec elle... vraiment vache. Et pas seulement ce jour-là.

Dès qu'Edith avait un petit espoir, n'importe quoi, on allait voir Fréhel, Edith l'admirait beaucoup ; et à chaque fois, elle nous démoralisait. Si Edith disait :

« Je vais chanter cette chanson. »

Fréhel poussait des cris :

« Non, fais pas ça, fais n'importe quoi mais surtout pas ça. »

Elle aimait bien aussi qu'on se soûle avec elle. Quand Edith avait bu, elle la traînait dans un café, une boîte, un endroit où il y avait du monde. Alors Fréhel la montrait en disant :

« Voyez, elle chante, elle aussi, elle va chanter. Alors chante, Edith ! »

Cette pauvre Edith était ronde comme une vache. Elle chantait, oui, mais c'était mauvais, c'était pénible, et les gens se foutaient de sa gueule. Fréhel nous a souvent payé des sandwiches, un verre, mais

jamais elle ne nous a donné un bon conseil, une aide
dans le métier.

Fréhel disait qu'elle ne croyait pas dans Edith.
Elle faisait tout pour l'abîmer. Elle voulait, sur scène,
qu'elle porte des talons plats ou elle voulait qu'elle
montre ses bras, ce qu'elle avait de plus moche. Mais
nous on ne savait pas, on la croyait :

« Tu feras plus petite. Ce sera plus émouvant.
Tes petits bras attendriront le public. Habille-toi en
rouge, en vert... N'importe quoi ! »

Nous ne l'avons pas revue. Edith avait fini par
comprendre.

Mais ce soir-là, le soir de Leplée, on a été vraiment
heureuses. On a bu pour fêter ça, d'accord, mais on
ne s'est pas noircies.

« Faut pas que je rentre tard. Faut que je pense
à tout ça », avait décidé Edith.

Le soir on n'a rien dit à Lulu. On avait peur que
ça ne marche pas. On s'est tirées aussi vite qu'on a
pu.

Le lendemain matin on a été chanter dans les rues
comme d'habitude, avec le café noir, le gargarisme...
Rien de changé. Pour aller voir Leplée, Edith avait
mis sa jupe noire, la seule qu'elle avait, mais bros-
sée. Pas avec une brosse, on n'en avait pas. On
prenait du papier journal qu'on mouillait puis on
frottait les taches. Elle s'était bien collé les chiens
de sa frange avec du savon, le reste ça faisait ce
que ça voulait. On avait acheté un bâton de rouge à
lèvres pour Edith, d'un beau grenat foncé pour que
ça fasse bien et puis on s'est payé quand même deux
paires d'espadrilles. On ne pouvait pas aller chez
Leplée pieds nus. On les a achetées bleu marine.
C'est pratique il n'y a pas à les blanchir. Bleu marine
c'est bien. Comme ça on était correctes.

La légende veut qu'Edith soit arrivée en retard
au rendez-vous de Louis Leplée. Ce n'est pas vrai.
On était à la Belle-Ferronnière — il nous avait dit

de l'attendre là — une demi-heure en avance. Il
faut quand même penser qu'une femme comme
Edith qui n'avait qu'une idée en tête depuis toujours :
chanter... se rendait compte que c'était une occasion
unique, un miracle de rencontrer un bonhomme qui
avait un cabaret, qui avait des sous, qui était bien
habillé, qui nous parlait correctement. C'était sensationnel.

On est arrivées en avance et on avait les chocottes
qu'il se soit foutu de nous. On avait tellement peur
qu'on ne pouvait plus parler.

Leplée a fait entrer Edith dans son cabaret le Gerny's. Il n'y avait personne. C'était l'après-midi, vers
quatre heures. Il a fait chanter à Edith toutes ses
chansons. Personne ne l'accompagnait. Il l'a laissée
chanter comme il l'avait entendue.

Il a dit calmement :

« C'est bien. Ici ça tient le coup mieux que dans la
rue. Comment vous appelez-vous ?

— Gassion. Edith Giovanna.

— Ça ne vaut rien. Dans votre métier... »

On lui disait votre métier. On lui parlait comme à
une chanteuse, une vraie. C'était ce monsieur bien
habillé, qui sentait bon, qui employait un ton, des
mots que nous n'avions pas l'habitude d'entendre,
qui lui disait tout cela. Elle se demandait s'il lui parlait sérieusement.

Edith le regardait avec des yeux immenses qui lui
bouffaient tout le visage. On aurait dit qu'elle regardait le Bon Dieu.

Cette expression-là, je l'ai vue souvent à Edith,
c'était celle du travail quand elle écoutait, qu'elle
voulait comprendre à fond, tout retenir, ne rien laisser échapper.

Avec de jolis gestes de la main, des ronds de poignets, calme, Louis Leplée continuait :

« Le nom, c'est très important. Vous vous appelez
comment déjà ?

— Edith Gassion. Mais j'ai un nom pour chanter : Huguette Elias. »

Sa main a balayé ces noms. J'étais fascinée par ses ongles, si propres, si brillants. Avec Edith nous n'avions jamais pensé qu'un homme pouvait se faire faire les ongles. Les macs qu'on fréquentait étaient trop petits pour ça. Pas assez avancés.

« Mon petit, je crois avoir trouvé votre nom : Piaf.

— Comme les piafs, les moineaux ?

— Oui, « la môme Moineau » c'est pris, mais « la môme Piaf », qu'est-ce que vous en dites ? »

Nous on n'aimait pas tellement Piaf. On trouvait que ça ne faisait pas assez artiste.

Le soir Edith m'a dit :

« Piaf, ça te plaît ?

— Pas beaucoup. »

Elle s'est mise à réfléchir :

« Tu sais, Momone, « la môme Piaf » ça ne sonne pas si mal que ça. Piaf je trouve que ça a de la gueule. C'est gentil un petit piaf. Ça chante ! C'est gai, c'est le printemps, c'est nous quoi ! Il est quand même pas bête ce bonhomme-là. »

Toute la soirée ça l'a travaillée. Elle demandait aux copains. Et comme ils avaient tous des avis différents mais pas un qui lui plaisait, ce soir-là, Edith les a regardés d'un autre œil :

« Eh bien, je vous paierai un verre au café d'en face la Belle-Ferronnière, pendant que moi, « la môme Piaf », je chanterai au Gerny's.

— Tu vois, Momone, nos hommes sont gentils, c'est des hommes, des vrais, mais ils ne comprennent rien aux trucs artistiques. C'est pas leur bisness à eux. »

Tout de suite Edith a respecté M. Leplée, elle l'a aimé. Entre eux c'était une véritable affection. Elle l'appelait « papa Leplée ». Lui, il lui disait : « Tu es comme ma petite fille adoptive. »

Dès le lendemain, pendant au moins huit jours,

peut-être plus, en tout cas ça nous a paru long, Edith
a répété avec un pianiste. Au début il y a eu des frot-
tements. Edith avait du mal à suivre la musique.
C'était au piano de la suivre, pas à elle.

« C'est moi qui chante, ce n'est pas lui, alors il n'a
qu'à se démerder. »

Elle chantait comme elle entendait.

Pour la lancer, Leplée a fait une grosse publicité.
Partout on voyait sur des affiches et dans les jour-
naux : *Au « Gerny's », de la rue au cabaret, « la môme
Piaf ».*

« C'est moi, disait Edith. Vise un peu mon nom !
Pince-moi, Momone, je n'y crois pas. »

Ce n'était pas vrai. Elle y croyait très fort. Mais
c'était le genre de cinéma qu'elle aimait faire. Elle
ne parlait plus que de ça. Et moi j'étais toute gonflée
d'être sa sœur.

Edith, qui chantait comme d'autres avalent un
verre de flotte, qui n'avait aucun sens des respon-
sabilités, se posait des tas de questions. Je ne la
reconnaissais plus.

Pendant ces huit jours elle n'a pas picolé, pas couché, rien. Elle se refaisait une virginité !

Elle ne parlait que de sa chance, et elle s'inquiétait :

« Tu sais, ce soir-là, je serai seule dans le cabaret.
Ça sera moi la vedette. C'est culotté de la part de
papa Leplée. Si ça ne marche pas, pour lui, c'est un
coup à se casser la figure. Et si je ne plaisais pas. Si
tout ce monde-là allait se foutre de ma gueule. »

Le Gerny's, ça nous éblouissait. Pour nous il n'y
avait rien au-dessus. On ne connaissait que les boîtes de Pigalle, de Blanche, et pas les plus chic.
Alors quand Edith se regardait dans le petit bout de
miroir qui nous servait à toutes les deux, qu'elle se
tripotait les cheveux en me disant : « Je vais au
Gerny's, aux Champs-Elysées », ça nous coupait le
souffle.

En réalité le cabaret de Louis Leplée n'était pas tellement chic, il était à la mode, c'était parisien. On n'y allait pas pour voir un spectacle. On allait y dîner, entendre des chanteurs, des chanteuses qui n'avaient pas forcément des grands noms mais qui amusaient. Il y avait de l'ambiance. On venait surtout y rigoler, à la française.

Quand Louis Leplée disait à Edith :

« Je ne suis pas pour rien le neveu de Polin. Tu es trop jeune pour savoir qu'il était, à la Belle Epoque, vers 1900, le roi du Caf' Conc'. C'est grâce à lui que j'ai la chanson dans le sang. Alors, mon petit, tu peux me faire confiance. Tu n'es pas comme les autres et le public aime ça. »

Elle le croyait. Elle savait qu'il avait raison.

Il n'avait pas pris de risques avec elle. Il avait tenté une expérience, parce qu'il aimait la chanson, la vraie, qu'il en avait un peu marre des refrains cochons et de la gaudriole.

Ou sa chanteuse des rues allait chatouiller le Tout-Paris entre le cœur et le ventre, ou elle allait le faire s'écrouler de rire. De toute façon il dirait : « Ce Leplée il a de ces idées ! Toujours du nouveau. Quel as ! C'est génial ! »

C'était gagné.

Même si l'échec d'Edith n'en avait pas été un pour sa boîte, lui, ça l'aurait touché parce qu'il a cru en elle à la minute où il l'a rencontrée.

Un homme gentil comme Leplée nous n'en avions jamais connu. Nous ne savions même pas que ça existait.

C'est lui qui a commencé à apprendre à Edith son métier. Elle ne savait rien. Chez Lulu elle passait comme ça, à la va-comme-je-te-chante.

Les lumières, la musique, la mise en scène d'une chanson, leur choix, les gestes, rien, elle ne savait rien. Elle se plantait là les mains contre sa jupe et elle chantait.

Il n'osait pas lui dire trop de choses, il avait trop peur d'abîmer son côté nature.

Quand même, il lui a fait apprendre des nouvelles chansons : *Nini Peau d'Chien, La Valse brune, Je me fais si petite*...

Il avait pensé à tout, mais pas à la robe. Une misère comme la nôtre ça ne pouvait pas lui venir à l'idée.

« Tu as une robe pour demain soir ? »

Edith n'a pas hésité :

« Mais oui, une robe noire très chouette. »

Ce n'était pas vrai. Je savais bien, moi, qu'elle n'avait pas de robe.

Il était curieux, Leplée, et pas rassuré.

« Elle est comment ? Courte, longue ?

— Courte.

— Attention, il ne faut pas qu'elle fasse endimanchée.

— Elle est tout ce qu'il y a de plus simple.

— Apporte-la demain. »

En sortant Edith m'a dit :

« On n'a pas le temps de faire une rue et il nous faut du fric. Non, mais ce que je suis con, j'avais pas pensé à la robe. Voilà ce qu'on va faire, on va demander à notre mac, Henri. Il ne peut pas nous refuser ça. »

Je comprends qu'il ne le pouvait pas, on avait travaillé pour lui pendant une semaine, ça ne lui avait pas rapporté lourd mais quand même. Il nous aimait bien, pour lui on était des mômes marrantes.

Henri n'était pas en fonds pour une robe, mais il a quand même donné de quoi acheter de la laine et des aiguilles. On s'est mises à tricoter « la » robe.

En tricotant — Edith tricotait très bien, elle adorait ça, plus tard tous ses hommes y sont passés, ils ont eu leur pull — elle se marrait :

« Papa Leplée a dit qu'il y aurait tout le gratin et moi la vedette je vais être en robe de tricot noir.

Ça fera un choc. Je viens de la rue, hein ! alors dans la rue on ne se balade pas en robe à traîne. »

On a tricoté toute la nuit comme des folles avec des aiguilles comme des pieux pour que ça aille plus vite. Toutes les heures elle essayait son travail en me demandant :

« Tu crois que ça va m'aller ? »

Comme couleur elle avait choisi le noir. Ce n'est pas qu'elle aimait tellement le noir mais pour la scène elle n'a jamais varié. Elle se voyait toujours en noir.

Le lendemain soir, celui de la première, nous sommes arrivées près de deux heures en avance. Edith m'avait mis la main sur sa poitrine et me disait :

« Sens comme il saute, mon cœur. Eh bien, il faudra qu'il en prenne l'habitude. Je n'ai pas fini de le faire cavaler celui-là ! »

C'était vrai. Elle l'a mené bon train jusqu'à la fin.

La jupe : tout droit c'est facile. Le pull aussi, mais avec les manches on a eu des ennuis. Il a fallu recommencer. On avait une robe qui n'avait qu'une seule manche.

Edith avait une solution pour tout :

« Je chanterai les bras nus comme Fréhel. Ça fera plus habillé. »

Leplée s'amène :

« Va t'habiller que je voie ça. »

On file aux toilettes. C'était notre secteur. Leplée arrive. Quand il a vu la robe... un effondrement.

Lui si poli, il s'est mis à crier :

« Tu es folle ! merde, c'est pas vrai ! Les bras nus ! Mais tu te prends pour Damia, ma parole, ou Fréhel. Elles, elles ont des bras, non mais regarde-toi, de quoi tu as l'air... avec tes allumettes. »

Il avait pris la pauvre Edith par le bras et la secouait comme un chiffon, devant la glace.

« Ce n'est pas possible. C'est raté, on ne devrait pas faire confiance à des filles comme toi. Et l'autre idiote — c'était moi — elle ne pouvait pas te dire que tu étais moche. C'est à pleurer. C'est foutu... »

Pleurer... c'était nous qui commencions à nous y mettre sérieusement. Tout s'écroulait faute d'argent. Car il ne faut pas croire que Leplée nous avait donné un franc.

Heureusement la femme de Maurice Chevalier, Yvonne Vallée, était dans la salle. D'entendre Leplée crier comme ça elle est venue voir pourquoi.

« Mais, Louis, tu perds la tête, tu l'affoles cette petite. Elle ne pourra pas chanter.

— Parce que tu crois qu'elle va chanter comme ça ?

— Tu n'as pas de manches ?

— Je n'en ai qu'une. On n'a pas eu le temps de faire l'autre. Je ne peux pas chanter avec une seule manche.

— Tu n'as pas de foulard ? »

C'était la mode pour les chanteuses réalistes. Elles en avaient toutes. Nous on ne le savait pas.

Edith qui n'avait déjà pas beaucoup de couleur était blanche comme le lavabo.

« Ça ne fait rien. C'est raté. Je ne chanterai pas. »

Yvonne lui a dit :

« Tiens voilà l'autre. »

Et elle lui a tendu son foulard — un grand carré de soie violette — avec lequel on a fait l'autre manche.

Depuis, Edith a toujours aimé le violet. C'était sacré pour elle. C'était sa couleur porte-bonheur.

N'empêche qu'une demi-heure avant le passage d'Edith dans nos lavabos on n'était pas brillantes. Elle était verte de trac. J'avais tellement les grelots que je ne pouvais même plus ouvrir la bouche, pour parler, sans jouer des castagnettes. La salle était pleine de beaux linges tout ce qu'il y avait de plus chic.

On était venu nous jeter quelques noms : Maurice Chevalier, Yvonne Vallée, Jean Tranchant, Jean Mer-

moz, Mistinguett, Maud Loti, Henri Letellier, le directeur du *Journal*, un des plus grands quotidiens de
l'époque.

Avec Edith on les recevait en pleine poire. Ça ache-
vait de nous couper le souffle.

Edith avalait verre d'eau sur verre d'eau. Elle qui
en avait horreur.

« Momone, je pourrais cracher des pièces de dix
ronds tellement ma salive est épaisse. »

Dans la salle, ça riait, ça chantait. Ils reprenaient
les refrains en chœur. Nous n'étions jamais venues
à une seule soirée. On ne comprenait pas. On était
inquiètes. Ce n'était pas possible, jamais ils ne se tai-
raient pour écouter.

Vers vingt-trois heures — c'était l'usage — Louis
Leplée défilait dans la salle avec ses musiciens en
faisant chanter *Les Moines de Saint-Bernardin*.
Ensuite passait l'attraction de la soirée : la nouvelle.

Chanter après ça c'était dur. Surtout si on donnait
dans le sentiment, dans le drame.

Laure Jarny, la directrice du Gerny's — une
ancienne reine des Six Jours — est venue chercher
Edith.

« C'est à toi. »

Edith m'a regardée :

« Momone, ce soir il faut que je réussisse, la
chance, ça ne passe qu'une fois. »

Rapidement elle a fait le signe de la croix. C'était
la première fois qu'elle le faisait à cette occasion.
Depuis elle n'est plus jamais entrée en scène sans se
signer.

Là ce n'était pas comme chez Lulu. M. Leplée ne
voulait pas de moi dans la salle, je n'avais rien à y
faire. Ce n'était pas possible, j'étais trop misérable.
Il m'avait mise aux lavabos comme d'habitude.

La situation de « dame pipi », je m'en balançais.
En douce, aussi sec, j'emboîte le pas à Edith. Ce soir-
là, je voulais être dans la salle.

Il faisait chaud. Les femmes avaient les épaules, les dos nus ou avec un rien de fourrure qui n'était pas du lapin et des cailloux qui n'étaient pas du toc, et les bonshommes étaient en frac, en smoking. Ils étaient très bruyants. L'éclairage était orange-tango la couleur à la mode. Quand la salle a été plongée dans le noir il y a eu des oh ! des ah ! des rires de gonzesses !

Leplée s'est avancé dans la lumière d'un projecteur, un seul. Il avait tout réglé lui-même. En quelques mots il a dit comment il avait découvert Edith au coin de la rue Troyon, qu'elle était authentique, que c'était une révélation.

Elle est entrée.

D'un geste Louis Leplée l'a présentée :

« De la rue au cabaret, voici « la môme Piaf ».

Il y a eu un murmure puis, quand le projecteur a piqué sur elle, qu'ils l'ont vue, ils se sont tus ; ils ne comprenaient pas, ils attendaient. Allaient-ils rire ou pleurer ?

Isolée dans la lumière brutale, le cheveu triste, le visage blanc, la bouche écarlate, les mains pendantes le long de sa robe en tricot noir qui godillait un peu, elle avait l'air perdue et misérable.

Elle a commencé à chanter :

C'est nous les mômes, les mômes de la cloche,
Clochardes qui s'en vont sans un rond en poche,
C'est nous les paumées, les purées d'paumées
Qui sommes aimées un soir, n'importe où...

Les gens parlaient toujours comme si elle n'avait pas été là. Edith, le désespoir au cœur, les yeux pleins de larmes, continuait quand même. Intérieurement elle a souffert mais elle chantait en se disant : « Je gagnerai, je gagnerai ! »

Au premier couplet c'était fait. Elle les avait accrochés. Personne ne parlait plus, mais à la fin de la chanson personne n'a bougé. Pas un applaudissement, pas un murmure, rien que du silence.

C'était pénible. Je ne sais pas, ça a peut-être duré vingt secondes... Mais c'est long. C'était étrange ce silence. Ce n'était plus supportable, il serrait la gorge. A ce moment-là les gens ont applaudi à tout rompre... comme une pluie d'orage sur un tambour. Moi dans mon coin je pleurais de bonheur sans m'en rendre compte.

J'ai entendu la voix de Leplée me dire :

« Ça y est. La môme elle les a eus... »

Il ne pensait même pas me renvoyer dans mes lavabos.

Ils ont été surpris, ils ont été saisis. Ils étaient foudroyés de voir une môme qui leur chantait la misère, qui leur chantait la vérité. Ce n'était pas tellement les paroles, c'était la voix d'Edith qui leur évoquait tout ça.

Pour Edith, ce moment a été le plus dur de sa carrière mais jusqu'à la fin de sa vie il a été le plus beau. Elle en était soûle sans boire.

Son tour terminé, elle a été invitée à la table de Jean Mermoz et Mermoz l'a appelée « Mademoiselle ». Elle n'en revenait pas. Elle que rien ne gênait, qui avait de l'audace, ne parlait plus.

A côté de Jean Mermoz il y avait Maurice Chevalier, Yvonne Vallée, d'autres personnes, très bien, dont je n'ai jamais su les noms. Ce succès, ce mouvement nous avait complètement monté à la tête. On entendait les cloches et les petits oiseaux tellement on a été sonnées.

On a dit que Maurice Chevalier avait crié : « Elle en a plein le ventre, la môme ! »

Ça fait partie des légendes et il y en a eu : Ce n'est pas vrai. Edith il l'avait déjà entendue chanter. Il était passé à une répétition avec Yvonne. Il n'avait pas dit grand-chose, c'était plutôt dans le genre : « Essaie-la, ça peut plaire. Ça fait nature ! »

Il avait raison, on n'avait jamais entendu une voix comme celle-là. Elle ne se forçait pas pour faire « réaliste », elle était née dans la rue, elle en venait. On n'avait jamais vu sur scène une pauvre petite bonne femme comme ça, maigrichonne, qui ne faisait pas de gestes, mal fringuée. Les chanteuses c'étaient des grands formats, Annette Lajon, Damia, Fréhel. Elles meublaient une scène rien qu'en y entrant.

Elle avait plu parce qu'elle avait étonné, qu'ils l'avaient reçue en pleine poire. Mais elle n'était pas du tout ce qu'elle est devenue. Il a fallu des années de travail pour qu'elle devienne « l'unique ».

Quand on est sorties le jour venait juste de se lever. Le temps était splendide, un vrai temps de gloire, Edith, dans sa petite robe de tricot noire, qui faisait miteuse au jour, marchait comme une reine. Elle m'a pris la main :

« Viens, Momone, j'ai besoin de la rue. C'est à elle que je dois ça. Pour la remercier on va aller chanter. Ça me fera du bien. »

Elle n'a pas chanté comme d'habitude. C'était comme un cantique. Elle remerciait le ciel. La vie d'Edith venait de changer.

Elle me disait :

« Ce n'est pas possible. Hier matin, ces gens-là, je les ai vus dans les journaux, aujourd'hui j'ai passé la nuit avec eux, assise à leur table, je n'en reviens pas.

« Ils ont été très chic. Vraiment chouettes. Ils auraient pu juste m'offrir un verre. Leur champagne, je n'en avais jamais bu du comme ça. Ce que c'est bon ! La limonade des rupins, ça n'a pas le même goût que notre mousseux ! Je t'en ferai goûter un jour. Ils ont fait la quête pour moi, j'aurais jamais osé. C'est Mermoz qui a prêté son chapeau. Ah ! celui-là, il doit faire rêver plus d'une... Momone qu'il est beau !... Ça ne lui aurait pas coûté cher, je te le dis ! »

Elle a lâché ma main, qu'elle tenait en marchant, poussé un soupir :

« Ce n'est pas encore pour moi... Mais ça viendra. T'entends, Momone ? L'amour, pour moi ça compte, j'aurai tous les gars que je voudrai... et beaucoup d'argent. »

Dans notre chambre elle en parlait encore de Mermoz. Ça a duré des jours et des jours. Elle s'arrêtait pile, je savais ce qu'elle allait dire :

« Regarde-moi. Moi, j'ai vu Jean Mermoz. J'ai été à la table de Jean Mermoz, j'ai bu le champagne avec lui. Et tu sais ce qu'il m'a dit ?

— Oui, je sais : « Mademoiselle, permettez-moi de vous offrir une coupe... »

J'étais bon public je n'avais que dix-sept ans — et je me mettais à rêver avec elle.

Faut bien comprendre ce qu'on était : rien. La veille encore on avait la trouille des flics, ils avaient le droit de nous alpaguer avec leurs grosses paluches. Nos hommes c'étaient des voyous. Ils pouvaient nous cogner autant que ça leur chantait. De famille pratiquement on n'en avait pas. Si on était tombées malades on aurait pu crever dans un coin ou à l'hosto, notre caveau de famille c'était la morgue, la fosse commune à Pantin. Tout pouvait nous tomber dessus sans qu'on puisse rien faire qu'accepter.

On n'était pas idiotes au point de ne pas le savoir. Et d'un coup tout était changé.

C'était plus qu'un rêve, parce qu'en rêve on sait bien que c'est un bobard qu'on se raconte pour tenir.

Ça c'était du vrai.

Et Mermoz et les autres, Edith leur avait parlé, elle avait chanté devant eux, elle avait bu avec eux. La veille dans la rue ils ne se seraient même pas retournés.

C'était brutal comme changement.

Edith n'arrêtait pas :

« Il n'est pas seulement beau, Mermoz. Ce qu'il

parle bien ! J'aurais pu l'écouter comme ça pendant des heures.

« Maurice c'est un grand artiste mais à côté de lui il a l'air de rien du tout. Il disparaît. Mermoz l'écrase. Des hommes comme Maurice ça existe à Ménilmontant, à Belleville. Ce n'est pas plus que moi, il chante et après ? Des hommes comme Mermoz il n'y en a qu'un dans le ciel de France. »

Et il lui avait touché la main et il avait des dents merveilleuses. Il avait mis mille balles dans le fond de son chapeau. Il lui avait offert des fleurs comme aux autres femmes qui étaient là.

« Jamais un homme ne m'a acheté des fleurs... »

Et ça n'en finissait pas. Les potes, Fréhel, les autres gonzesses l'avaient charriée. Ils l'appelaient Mme Mermoz, la princesse Piaf.

Ça glissait sur Edith, elle continuait et elle en rajoutait. Edith embellissait tout ce qu'elle racontait, elle avait toujours tendance à charger. A mesure que les minutes passaient son histoire grossissait : ça allait être une vedette, elle allait faire l'Amérique..., elle refuserait des contrats...

Fréhel l'avait douchée :

« Ma fille, calme-toi. Le père Noël, il ne descend qu'une fois dans l'année et pas pour tout le monde. Tant qu'on n'écrira pas des chansons pour toi tu ne seras rien. Ton répertoire c'est un ramassis de rengaines. Il est minable. »

Ce n'était pas par amour qu'elle disait ça à Edith. Mais ça nous a bien servi. Quand il s'agissait de son métier Edith pigeait très vite, elle faisait tout sur le coup, dans l'inspiration. Moi, je la regardais. Je voyais ça de l'extérieur, J'avais le temps de gamberger.

J'écoutais et je lui donnais des conseils parce que j'avais l'impression que j'avais beaucoup plus de goût qu'elle. C'est comme ça que j'ai emmené Edith faubourg ou rue Saint-Martin, enfin au casino Saint-

Martin où il y avait un accordéoniste, Freddo Gardoni, qui était gros, très gros. On lui a expliqué qu'on cherchait des chansons et il nous a fait connaître des éditeurs de la rue Saint-Denis et du Petit Passage et nous sommes allées choisir des chansons pour Edith. Ce n'était pas facile.

Pour les éditeurs de chansons Edith n'avait pas de nom. Ils n'avaient pas de raison de lui faire confiance pour lancer une nouveauté. Alors il fallait taper dans les trucs usés. Pour nous il n'y avait jamais rien. Edith se foutait dans des rognes terribles et papa Leplée la consolait :

« De quoi te plains-tu ? Je t'ai engagée pour une semaine et il y a déjà longtemps que tu es là ! Ne t'en fais pas, il viendra un jour où ils seront plusieurs à dire que sans eux, sans leur confiance, tu ne serais jamais sortie. Patiente un peu. »

La patience ça n'a jamais été la vertu d'Edith.

Nous avions pris l'habitude de traîner chez les éditeurs. On se planquait dans un coin et on écoutait celles qui avaient un nom, qui déchiffraient les chansons nouvelles qu'on leur proposait.

Edith me disait :

« Tu comprends, à les voir faire, à les entendre, j'apprends. »

On était si petites, toujours pas très reluisantes, on était un peu mieux nippées mais pas tellement et surtout on n'avait pas plus de goût qu'avant. On ne se méfiait pas de nous. C'est comme ça qu'un jour Edith a rencontré Annette Lajon, une chanteuse cotée à l'époque.

C'était chez l'éditeur de chansons Maurice Decruck. Celui-là il aimait bien Edith. On était là planquées comme d'habitude quand il est entré une grande dame blonde qui déplaçait pas mal d'air, jolie, bien habillée et très sûre d'elle.

Et la voilà qui se met à chanter L'étranger :

Il avait un air très doux,
Des yeux rêveurs un peu fous
Aux lueurs étranges...
Comme tous les gars du Nord
Dans les cheveux un peu d'or,
Un sourire d'ange
J'ai rêvé de l'étranger
Et le cœur tout dérangé
Par les cigarettes,
Par l'alcool et le cafard,
Son souvenir chaque soir
     M'a tourné la tête...

« Momone, il me la faut. C'est fait pour moi. Ecoute bien, c'est Mermoz. C'est cette histoire-là que je voudrais avoir avec lui. Je suis sûre que je la chanterais avec tout mon cœur. »

D'ailleurs durant toute sa carrière, Edith a chanté l'amour et chaque chanson collait au gars qui à ce moment-là passait dans sa vie.

Tout le temps de la répétition nous sommes restées là dans notre coin.

Ça n'a pas eu l'air de beaucoup plaire à Annette Lajon. C'était une femme polie, tout de même, elle est venue et elle a dit à Edith :

« Vous vous appelez comment ?

— Edith Gassion.

— Vous savez, les répétitions, c'est privé.

— Oh ! madame, c'est tellement bien. Vous chantez si bien ! »

Edith était sincère et l'autre l'a laissée.

Quand elle est partie, Edith a demandé à Maurice Decruck :

« Je voudrais *L'Etranger*.

— Impossible, mon petit, Annette vient juste de la créer, il est normal qu'elle soit seule à la chanter. Vous la prendrez plus tard. »

Dans la rue Edith a éclaté de rire :

« Tu as vu si je l'ai bien eue avec le coup de l'admiration. Et sa chanson je la chanterai dès ce soir.

— Comment vas-tu faire pour l'apprendre ?

— Je la sais déjà. »

C'était vrai. Mais nous n'avions pas la musique. Le pianiste du Gerny's, Jean Uremer, était très bien. Edith lui a fredonné plusieurs fois la chanson. Et le soir même elle a fait un « tabac [1] » avec. Leplée était ravi et nous on se marrait comme des gosses.

Quatre jours plus tard, nous étions dans nos lavabos, quand je vois dans la glace entrer Annette Lajon. J'ai crié : « Edith ! » Elle s'est retournée et elle a reçu une de ces paires de baffes à lui retourner la tête. C'était juste.

« Si vous n'aviez pas eu de talent, c'est dans la salle que je vous l'aurais envoyée. »

Edith n'a rien dit. Il n'y avait rien à dire.

Quelques semaines plus tard Annette Lajon obtenait le Grand Prix du disque, avec *L'Etranger*.

« Elle ne l'a pas volée, elle, m'a dit Edith. Mais je garderai la chanson à mon répertoire. »

Elle l'a fait. Edith a toujours fait ce qu'elle décidait.

Chez Leplée il y avait des tas de gens très bien tous les soirs. Des ministres, des industriels, des artistes, des gens du monde, des princes, tout ce qu'il y avait de mieux.

Edith se croyait une artiste. Elle n'était encore qu'un phénomène.

C'est pour ça qu'un jour Edith a été invitée à un grand dîner, un vrai, chez Jean de Rovera. Nous on ne savait pas ce que c'était. Maurice Chevalier a dit à Edith :

« Il faut y aller, c'est le directeur d'un grand journal, *Comœdia*. C'est moi qui t'ai fait inviter, je lui ai

---

1. Gros succès en terme de métier.

dit que tu était marrante. Tu verras, tu rigoleras bien. J'y serai, mon petit.

— Je veux bien, a répondu Edith, mais je n'irai pas sans ma frangine.

— D'accord. Vous verrez ce que c'est le monde, le vrai. Il y aura un ministre. »

Ça ne nous épatait pas il y en avait dans la salle du Gerny's. C'est gens-là nous savions comment c'était fait.

Quand même, les voir chez eux ce n'était pas rien. On était heureuses. On n'y voyait pas de malice. Edith avait mis sa robe noire, toujours la même mais complète — on avait enfin fait la manche. Elle n'avait que celle-là. Moi aussi j'étais en noir. Edith avait appris ça : le noir c'est toujours habillé.

Et nous voilà assises au milieu de ces gens en robe du soir et en habit. Les femmes avaient des bijoux qui brillaient autant que les cristaux sur la table et l'argenterie. Je n'aurais jamais pu imaginer cela, Edith non plus.

Derrière chaque chaise il y avait un larbin. Toutes les deux on croyait que ça ne pouvait exister que dans les films. C'est gênant un type qui surveille tous vos gestes. Nous étions mal à l'aise. Et puis on n'était pas à côté l'une de l'autre. On m'avait mise loin d'elle. Je n'étais rien, la sœur, un bouche-trou, et encore ! Les deux gars qui m'encadraient ne m'ont pas adressé la parole une fois. Pas une fois ils m'ont dit : « Vous voulez du sel, du pain », ou « ça va ? ». Rien. Ils parlaient avec leurs autres voisines et ils écoutaient Edith. C'était elle qui intéressait.

On l'avait invitée parce qu'elle était « nature ».

Ces gens « bien » se moquaient d'Edith. Dès le début du repas ils l'ont poussée à parler et ils riaient. D'abord Edith a pensé qu'elle avait peut-être plus d'esprit qu'elle ne croyait, ou que vraiment il ne leur fallait pas grand-chose pour s'amuser. En effet il ne leur fallait pas grand-chose.

Ils disaient : « Non, mais ce qu'elle est drôle ! Elle est impayable. » Et ils la poussaient : « Comment appelez-vous ça ? » Je pensais : Elle va leur répondre : « Un con ! » Mais non, elle ne pouvait pas comprendre qu'on l'avait invitée pour se foutre d'elle. Moi, je n'étais pas dans le coup, alors je commençais à bien m'en rendre compte. Et j'avais mal pour elle.

Ils étaient si vicieux qu'ils avaient ordonné le repas de telle sorte qu'il n'y ait que des choses difficiles à manger. Du poisson, par exemple. On ne peut pas savoir ce que c'est difficile à manger le poisson quand on n'a pas appris. On ne peut pas savoir ce que c'est que d'être attablée devant une sole. Ce n'est pas possible quand on ne sait pas ! Et nous n'en avions jamais mangé.

Après un plat ils ont fait apporter des rince-doigts. Nous n'en avions jamais vu. Les gens nous guettaient, ils attendaient ce qu'Edith allait faire. Moi aussi j'attendais. Je me disais : « Elle, elle va savoir. »

Edith ne pouvait pas perdre la face ; comme personne ne faisait quelque chose avec ces bols diaboliques, elle a voulu montrer ce qu'elle savait. Elle a pris le bol et elle a bu. C'était logique, un bol c'est fait pour boire. C'était ce qu'ils attendaient. Ils sont partis d'un éclat de rire général que j'ai conservé dans mes oreilles. L'air nonchalant ils se sont lavé les doigts. Et le repas a continué. Ils s'amusaient à mettre Edith dans la difficulté. Elle n'avait pas de pain. Pas à boire. Il lui manquait toujours quelque chose.

Les loufiats aux gants blancs participaient à la rigolade générale, ils s'en étaient fait les complices.

« Je voudrais du pain, disait Edith.

— Donnez du pain à Mlle Piaf.

— J'ai soif, s'il vous plaît, disait Edith.

— De l'eau pour Mlle Piaf, plutôt du vin n'est-ce pas ? »

A la fin Edith ne demandait plus rien. Elle avait compris.

On lui enlevait son assiette avant qu'elle ait terminé.

On a servi aussi du gibier. Personne n'y mettait les doigts. Ils dépiautaient tous leurs os avec leur fourchette et le bout de leur couteau. C'est facile quand on vous a appris, que vous n'avez jamais mangé autrement.

A voir le visage fermé, blanc, d'Edith, je savais qu'elle allait faire quelque chose, qu'elle pensait : « Je ne peux pas rester là comme une idiote devant leurs sales tronches. »

Elle a empoigné son pilon à pleine main. Elle les a bien regardés en face:

« Moi, je mange avec mes doigts, c'est meilleur. »

Personne n'a ri.

Quand elle a eu terminé, elle s'est essuyé les mains sur sa serviette et elle s'est levée :

« On rigole bien ici. Mais je ne peux pas rester. J'ai mon travail. Tu viens, Momone. M. Leplée nous attend. »

J'aurais dansé de joie. Il fallait voir leurs têtes. Ils n'avaient pas pensé à ça. Ils sont restés comme des cloches. Calmement Edith venait de les priver de leur plaisir. Ils avaient espéré un scandale, un vrai, quelque chose de bien drôle jusqu'au bout.

Ce soir-là, sur le trottoir, Edith a pleuré.

Elle était si bouleversée qu'en arrivant au Gerny's elle l'a raconté à Leplée. Elle avait des grosses larmes qui lui coulaient, j'en étais malade.

« Tu vois bien, papa, que je ne suis rien. Je ne sais rien. Fallait me laisser où j'étais. Sur mon trottoir.

— Mais ce sont eux les pauvres types, les imbéciles, les mal élevés, lui expliquait papa Leplée en lui caressant les cheveux. N'est-ce pas, Jacques ? »

Jacques c'était Jacques Bourgeat, un ami de Leplée. Pour nous c'était un vieux, il avait au moins quarante ans. Il était gentil, un mot, un sourire, c'est tout ce qu'on en savait.

Et Bourgeat répond :

« Mieux, petite. Tu viens de prouver que tu es une grande bonne femme. Quand on sait ce qui vous manque ce n'est pas difficile de l'avoir et tu l'auras. » Avec Edith on a trouvé qu'il parlait bien. Puis on n'a plus pensé à lui.

Cette nuit-là quand on est rentrées Edith m'a dit :

« Te retourne pas. On est suivies. T'en fais pas, on va le faire marcher. »

Nous voilà partie, mais il tenait bon.

« Et puis y'en a marre. C'est le soir des emmerdements. Attendons-le, on va bien voir ce qu'il veut. C'est pas un homme qui va nous faire peur. Non ! »

Grand, bien mis, le feutre sur les yeux, emmitouflé dans un foulard, je me dis : « Je connais cette silhouette-là. »

C'était Jacques Bourgeat.

Edith riait, elle ne pouvait plus s'arrêter.

« Je vous avais pris pour un vieux coureur, un satyre quoi !

— Tu as été si courageuse ce soir, je voudrais bavarder avec toi. Pour t'aider un peu... »

Elle venait de trouver un ami, un vrai. Puis c'était le genre d'homme qu'on n'avait jamais eu dans notre vie et qu'on ne pouvait pas trouver dans nos bistrots. Il était bien un peu coureur de petites femmes, un peu pince-fesses, le Jacquot, mais pas après des filles comme nous. D'ailleurs qu'est-ce qu'il aurait pu pincer ?

C'était un écrivain et un historien.

Non, ce qu'il était gentil et simple ! Il était si bon qu'Edith lui disait :

« T'es pas bon, Jacquot, t'es bête. Tu ne vois pas le mal quand il s'étale sous ton nez.

— Je n'aime pas ce qui est laid alors je ne le

regarde pas. Toi je te regarde car tu es belle en dedans.»

C'est Jacques Bourgeat, notre Jacquot, qui a commencé à apprendre à Edith des tas de choses. Pour elle il a écrit un poème qui est dans son livre, *Paroles sans histoire* :

> La vie te fut dure ;
> Va, ne pleure pas,
> Ton ami est là.
> La vie t'a blessée,
> Petite poupée ;
> Va, reviens à moi,
> Je suis près de toi
> La vie cette gueuse,
> Te fit malheureuse ;
> Va, console-toi
> Je souffre avec toi.

« Ce que c'est beau, disait Edith, et c'est pour moi. »

Au petit matin, il nous raccompagnait souvent. Edith l'écoutait avec passion. Mais il y avait des moments où elle lâchait. C'était trop compliqué pour elle. Il y avait des choses qu'elle ne comprenait pas, des mots qu'elle ne connaissait pas, et ça la rasait de demander toujours : « Qu'est-ce que ça veut dire ? » Jacques l'a deviné et patiemment il a commencé à lui apprendre le français.

Le premier, il a écrit pour elle une chanson. *Chand' d'habits* :

> Chand' d'habits, parmi les défroques
> Que je te vendis, ce matin,
> N'as-tu pas, tel un orphelin,
> Trouvé un pauvre cœur en loques ?

Autour d'Edith ça partait comme du feu d'artifice.

Il y a eu son premier gala au cirque Médrano le 17 février 1936 — il était donné pour la veuve d'Antonet, un grand clown.

A cause de l'ordre alphabétique le nom d'Edith était entre Charles Pélissier et Harry Pilcer.

« Regarde, Momone, mon nom est aussi gros que Maurice Chevalier, Mistinguett, Préjean, Fernandel, Marie Dubas... C'est un rêve, Momone, c'est un rêve. »

Qu'est-ce qu'elle était petite sur cette piste du cirque dans son rond de lumière avec « notre » robe de tricot. Elle était blafarde comme un clown avec ses pieds dans la sciure. Mais qu'est-ce qu'elle était grande, mon Edith !...

A la suite du gala elle a enregistré son premier disque chez Polydor : *L'Etranger*. Ça nous faisait rire, pas méchamment, parce qu'on avait trouvé que la mère Lajon elle avait plutôt été chouette, et c'était vrai. »

Par suite Canetti l'a fait passer à Radio-Cité. A la fin de l'émission, le standard a été embouteillé par des gens qui voulaient savoir qui était « la môme Piaf », et qui en redemandaient.

Sur le coin de la table, on lui a signé un contrat de six semaines pour Radio-Cité. Le soir, papa Leplée a dit à Edith :

« Tu aimerais aller à Cannes ?

— La Côte d'Azur !

— Oui, tu vas passer au bal des Petits Lits blancs, sur le Pont d'argent.

— Oh ! papa, ce n'est pas vrai ! »

Pour Edith, le Pont d'argent, le bal des Petits Lits blancs, ce n'était pas vrai ! Ce n'était pas possible !

On n'achetait pas de journaux, sauf pour faire nos souliers, mais tout de même on lisait des bouts d'articles au passage, surtout depuis qu'on était chez Leplée, parce qu'ils avaient parlé d'Edith.

Nous savions que le bal des Petits Lits blancs existait, et que ce n'était pas un endroit pour nous.

Dans la rue, les pieds d'Edith ne touchaient plus terre. Elle volait, moi aussi. On ne savait pas qu'on allait avoir besoin de drôles de parachutes.

La vie sentimentale d'Edith n'a jamais été simple. A ce moment, elle était franchement cintrée.

Côté boulot c'était bien, elle apprenait son métier, elle travaillait dur. Pour ne pas perdre la main, et puis c'était son vice, elle faisait des rues par-ci, par-là.

Elle s'était trouvée équilibrée du côté sentiment amitié avec papa Leplée, qu'elle aimait de tout son cœur de piaf, et avec Jacques Bourgeat, qui l'aidait à comprendre des tas de choses, et qui est resté dans notre vie l'ami de toujours. Edith durant toute sa vie lui a écrit plus de deux cents lettres, pour aucun homme elle n'a fait ça !

Mais pour l'amour, alors là, ça déraillait sérieusement. C'était la pleine période des marins, des légionnaires, des demi-sel[1]. C'était comme une folie en elle.

Tous ces gars-là ne venaient pas l'entendre chanter. On ne les aurait pas laissés entrer. Ils l'attendaient à la sortie. Ils ne manquaient pas de patience. Ils poireautaient tout près du Gerny's, à la Belle Ferronnière. Jamais il n'était descendu aux Champs-Elysées tant de gars de Pigalle. Toute la nuit, ils se les tournaient en attendant qu'elle vienne les récupérer. Je ne dis pas qu'il y en avait cinquante, faut pas exagérer, mais il y avait ceux qui étaient là pour elle, et ceux qui venaient aider les autres à passer le temps. Ça faisait pas mal de mecs.

Une artiste, vedette, à cinquante francs par jour, c'était pour eux beaucoup d'argent ; c'était le Pérou ! Les gars consommaient, c'est Edith qui payait. Elle a toujours été très « grand seigneur ».

Souvent Leplée venait bavarder avec les hommes

1. Semi-voyou, semi-bourgeois.

d'Edith. Il traversait la rue. Tous ces marins, ces affranchis, ces petites frappes, ça lui plaisait un peu trop ! Il y en avait qui avaient vraiment de belles petites gueules. Leplée était généreux. Entre Edith et son patron, les gars se rinçaient la dalle et en grand, et, même, ils prenaient des casse-croûte.

Louis Leplée n'avait pas attendu Edith pour connaître le milieu, les marins et la Coloniale, et les fréquenter, mais Edith en avait fait venir, tout un tas, presque à domicile, à sa porte. Et c'est à cause de ça qu'elle s'est retrouvée bouclée par les flics.

Pendant sept mois, Edith a été heureuse à sa manière, tant pis si ce n'est pas celle des autres.

Et le 6 avril 1936, tout s'est écroulé.

Louis Leplée a été assassiné.

> *Il a roulé sous la banquette*
> *Avec un p'tit trou dans la tête ;*
> *Browning, browning...*
> *Oh ! ça n'a pas claqué bien fort,*
> *Mais tout de même, il en est mort.*
> *Browning, browning...*
> *On appuie là, et qu'est-ce qui sort*
> *Par le p'tit trou ? — Madame la Mort.*

Browning, Edith l'a chanté plusieurs années plus tard, pas une seule fois sans que ça lui fasse mal. C'était toujours son « papa » Leplée qu'on crevait dans le noir.

Le rideau allait se lever sur le drame et ce soir-là au Gerny's il y avait rien de changé.

« Tu sais, ma petite môme — Leplée l'appelait souvent comme ça —, dans trois semaines, c'est Cannes, le Pont d'argent. Ça marche. Ça marche fort. Tout de même, comprends bien que ce n'est pas encore fait pour toi.

— Je sais, papa, j'ai beaucoup à apprendre.

— Il faut que tu travailles.

— Je sais. Mais pourquoi vous me dites ça ce soir ? Dites, il y a quelque chose qui ne va pas ? Vous n'êtes pas dans votre assiette ?

— Tu as raison. J'ai fait un sale rêve la nuit dernière ; je n'arrive pas à m'en débarrasser. Maman était là, à côté de moi, et elle me disait : « Mon pauvre Louis, prépare-toi. On va bientôt se retrouver. Je t'attends. »

Edith lui répond :

« Allons donc ! Songes, mensonges ! »

Mais on voyait bien que le cœur n'y était pas. Moi, il m'avait glacée d'un seul coup. J'avais une de ces envies de me tirer, la mort ça me foutait le trac.

« Ce n'est pas mon genre, mon petit, de croire aux rêves, mais celui-là... »

On était là, tous les trois, tout bêtes. On ne disait rien, on ne faisait pas de gestes.

« Je n'aimerais pas te quitter maintenant, Edith. Tu as encore besoin de moi. Ça va trop vite pour toi, tu risques de perdre les pédales, tu ne peux pas rester seule. Dans le fond, tu es une gosse, une candide, et dans le métier, on est méchant, très méchant. Il n'y a pas que les griffes et les ongles, il y a les coups bas. En attendant, sois sage, ce soir. Demain, tu as un enregistrement le matin à neuf heures et une soirée à Pleyel. Alors, au dodo. Pas de java. Promis ?

— Oui papa.

— C'est juré ?

— Oui, papa. Tenez. »

Elle a étendu la main et craché par terre.

Quand on est sorties, Edith m'a dit :

« Il n'est pas tard. »

J'avais compris, je savais ce que ça voulait dire.

Noblement, sans en penser un mot, j'ai dit :

« On ferait mieux de se coucher. T'as du boulot demain. »

Superbe, elle m'a envoyé paître.

« Mon boulot, je le ferai. Si tu es fatiguée tu n'as

qu'à te tirer. Moi, je vais boire un verre, sans ça, je ne dormirai pas. Avec son rêve, « papa » il m'a foutu le noir ! Faut que j'oublie ça. Tu y crois toi, aux rêves ? »

Je n'avais pas tellement d'opinion. Plus tard, j'en ai eu, mais là, je n'avais pas d'idées.

« Pas plus d'un verre.

— Je te le jure. »

Cette nuit-là, Edith n'était pas avare de promesses.

Quelle nuit ! Il y avait un de nos postes qui partait pour le régiment. Edith a tenu son serment : pas plus d'un verre dans chaque bistrot, c'est le nombre de bistrots et de boîtes qui a compté. Il y avait longtemps qu'on avait pas autant rigolé. On en avait besoin car avec « son papa » Leplée ce n'était pas tellement marrant.

Le conscrit était déchaîné. Il gueulait :

« J'enterre ma vie d'homme libre, les gars, il faut me soutenir. »

Il chialait, l'andouille.

Il n'a pas eu à se plaindre, on l'a soutenu, on l'a même porté jusqu'à la gare. Comment on a réussi à le hisser dans son train, poivré comme il était, je n'en sais rien ; mais à huit heures du matin, devant un café noir, Edith tenait une de ces G.D.B. qui font époque. Celle-là, nous devions nous en souvenir.

On habitait impasse des Beaux-Arts, au coin de la rue, au deuxième étage, sur la place Pigalle parce qu'on était riches.

En arrivant, on regarde l'heure. Huit heures ! Edith commande un triple café bien fort, l'avale et me dit :

« Momone, ce n'est pas possible. Faut retarder ce rendez-vous, je ne peux pas chanter. Faut que je roupille une heure ou deux. Je vais téléphoner. Viens avec moi. »

Quand elle était dans cet état, elle ne supportait

pas de rester seule. Je n'avais pas non plus les yeux
en face des trous. Autour de moi c'était flou et ça
bougeait beaucoup.

« Allô, papa ?

— Oui. »

Elle me regarde : « Qu'est-ce que je vais prendre ! »
Et elle lance :

« Voilà. Je ne peux pas venir. Je rentre seulement.
Je vous expliquerai. On ne peut pas remettre ça pour
midi ?

— Venez tout de suite. Vous m'entendez ? Tout de
suite.

— Bon j'arrive. »

Elle raccroche.

« Momone, il m'a dit « vous », faut y aller. Il est
fâché. Tu crois que ma voix était normale ? »

Dans le taxi, on était tellement emmerdées, qu'on
commençait a être dégrisées.

Edith m'a dit :

« Momone, il semble que ce n'est pas papa que j'ai
eu au téléphone. Qu'est-ce qui se passe ? »

83, avenue de la Grande-Armée, devant la maison, il
y avait beaucoup de monde. Des flics en pagaille, des
voitures de polices. On ne comprenait pas, mais on
avait la trouille.

A l'entrée de l'immeuble, un flic nous demande :

« Où allez-vous ?

— Chez M. Leplée. »

Un poulet, le feutre collé sur le crâne, a dit à Edith :
« T'es la môme Piaf. Alors monte, on t'attend. »

Moi, je suis resté sur le trottoir. J'aurais dû me
barrer immédiatement, mais je ne pouvais pas. Edith
m'avait fait signe de rester.

Autour de moi, les gens débloquaient.

« On a assassiné un homme. C'est Louis Leplée, le
propriétaire d'un cabaret.

— Dans ces milieux-là, disaient des espèces de levés-
tôt, faut s'attendre à tout. »

Tout en me demandant : Qu'est-ce qu'Edith fabrique là-dedans ? je les écoutais.

La bignole [1] faisait l'importante. Elle palabrait :

« Ils sont venus à quatre, tous des jeunes. Ils l'ont abattu d'une balle. Ils ont bâillonné sa femme de ménage, Mme Secci, une copine, ce n'est pas moi qui l'ai découverte... »

Ça avait l'air de la contrarier, cette femme. Elle aurait voulu être la première partout.

« ... c'est la voisine d'en face. Elle sort pour faire ses courses. Il était vers les huit heures. Qu'est-ce qu'elle voit ? Mme Secci. Cette pauvre vieille, ils l'avaient ficelée. La voisine m'appelle. J'aide à la délivrer, et elle nous dit : « Ils ont tué mon patron. » Quel choc ! »

Son choc, je m'en foutais. Ce que je voulais c'était savoir. Et Edith qui ne revenait pas !

« Et elle nous raconte que Leplée vivait encore quand elle est arrivée. Il dormait, à cette heure-là, c'était normal, il rentrait tard. Alors on a frappé à la porte d'une manière convenue, comme des intimes. Elle a ouvert. C'est un homme qui recevait des jeunes gens à n'importe quelle heure. Ils lui ont mis le revolver — l'arme du crime — devant la figure. Qu'est-ce qu'elle pouvait faire ? Ils l'ont attachée et bâillonnée, elle n'entendait pas tout, ils parlaient trop bas. N'empêche qu'ils lui ont dit, à Leplée : « On t'a « eu... tu ne nous auras plus ! » Un homme, dans son « lit, qui dormait, vous parlez d'un réveil ! »

J'écoutais à m'en faire péter les oreilles, mais je n'arrivais pas à y croire.

J'avais froid, mal au crâne, j'attendais Edith. Elle allait m'expliquer.

Edith est enfin sortie, encadrée par deux affreuses bonnes femmes baraquées comme des hommes. Tout de suite, j'ai reniflé les assistantes de police. Elles

1. Concierge.

avaient un air tendre qui ne trompait pas. Elles étaient suivies par deux inspecteurs.

Ma pauvre Edith tenait son béret de feutre d'une main, de l'autre, elle se tamponnait les yeux avec son mouchoir. Elle avait de grosses larmes qui coulaient, une pauvre figure creusée, ravagée. Les deux bonnes femmes la tenaient par les bras. Elles l'ont forcée à s'arrêter pour que les photographes puissent faire leur boulot ; tout ça, pour se faire photographier, elles.

Comme Edith n'a pas bougé, moi non plus. Seul son regard a croisé le mien. Son sourire, qui n'était plus qu'une grimace, disait : « T'en fais pas, Momone, attends-moi, et sois sage. »

J'ai vu Edith monter dans le panier à salade, suivie par les deux inspecteurs.

Je n'avais plus rien à apprendre. La concierge continuait à débloquer, elle racontait la même chose avec des enjolivures. Elle frisait sa salade au petit fer. Ses commentaires, elle pouvait se les mettre où elle voulait, j'en avais rien à foutre. Edith, Edith, Edith !...

Je suis rentrée dans notre hôtel, et j'ai attendu ; pas longtemps, il est venu des flics qui m'ont emballée.

C'était le genre rapide. Et leur conversation, si elle ne manque pas d'intérêt, elle manque de charme.

« Tu étais la copine à la fille Gassion Edith. La chanteuse ?

— Oui, m'sieur.

— Tu crêchais ici, avec elle ?

— Oui , m'sieur, mais je travaille.

— Montre ton bulletin de paye.

— Vous savez, entre Edith et moi, on n'avait pas besoin de ça. Je l'aidais, je lui servais d'habilleuse.

— Tu faisais la quête dans la rue ?

— Oui, m'sieur.

— Tu traînais sur la voie publique. Tu exerçais la mendicité, et tu es mineure. Allez, ouste, prends tes frusques, on t'emballe. Tu sais ce que c'est que le vagabondage spécial ? »

Il n'y avait rien à répondre.

C'était en 1936. Ils m'ont flanquée à la visite médicale. J'étais avec les putains pendant quarante-huit heures, et au bout des quarante-huit heures, comme j'étais mineure, on m'a envoyée au Bon-Pasteur, au pont de Charenton. Je devais y rester deux mois et demi.

Ils m'ont posé quelques questions sur Louis Leplée, mais là, ils ont vu que je ne savais rien. Même si Edith et moi on avait su quelque chose, si on avait eu notre petite idée, on l'aurait bouclée. Nous étions très jeunes ; pas assez pour ignorer que, dans le milieu, ce n'est pas comme dans la justice, il n'y a pas de prescription et qu'on y a la mémoire longue, très longue.

De toute façon, on n'était pas des filles à rancarder les poulets, et ça n'aurait pas ressuscité Louis Leplée.

J'avais le cœur serré, et je me faisais un de ces cinémas dans ma tête. J'ignorais tout du sort d'Edith.

J'en ai eu des nouvelles d'une manière dénuée de poésie mais peut-être même, à cause de l'endroit, plus pénible. Dans les chiottes de la maison de redressement il y avait du papier journal. C'est comme ça que j'ai vu la photo d'Edith. J'ai barboté toutes les feuilles qui parlaient de l'affaire. *Une chanteuse de cabaret compromise dans l'affaire Leplée*, ils ne se gênaient pas !

J'ai planqué les bouts de journaux sur moi. Ce n'était pas complet, il en manquait, mais j'ai quand même su qu'ils avaient gardé Edith à vue un maximum, qu'ils l'avaient tournée et retournée sur leur gril.

Qu'est-ce qu'elle avait dû prendre ! J'en étais malade pour elle, j'en ai chialé toute la nuit dans ma couverture qui puait la crasse des autres filles.

Les fréquentations d'Edith ne plaidaient pas en sa

faveur. Je voyais bien dans le gros comment ça s'était passé, mais pas dans le détail.

Quand je l'ai retrouvée, deux mois et demi plus tard, Edith m'a tout raconté. Elle n'avait rien oublié.

« Ah ! Momone, quand les cognes m'ont poussée dans la chambre de papa Leplée, que je l'ai vu étendu en travers, sur son lit, dans son chouette pyjama de soie, la tête sur le côté, je me suis mise à pleurer si fort que j'en étouffais. Il était beau, tu sais, trop pâle, mais il avait l'air de dormir. Ils m'ont obligée à faire le tour ; là, ce n'était pas beau. Un trou plein de sang, dégueulasse, à la place de l'œil. La directrice, Laure Jarny, écroulée dans un fauteuil de la chambre, reniflait dans son mouchoir. Elle répétait : « Ma pau- « vre Edith ma pauvre petite... » Moi je criais : « Ce « n'est pas vrai papa Leplée, ce n'est pas vrai. »

« Un poulet m'a dit :

« — Tu l'as vu. Viens avec nous. »

« Et ils m'ont embarquée quai des Orfèvres, à la P. J. C'était le commissaire Guillaume qui s'occupait de l'affaire, un sec, avec de grosses moustaches grisonnantes. A le voir comme ça, tu aurais presque aimé l'avoir pour papa, il donnait dans le genre « Je com- « prends tout ».

« — Vous n'avez pas l'air bête, mon petit, ne nous « faites pas perdre de temps. Vous n'avez qu'à dire la « vérité.

« — Je ne sais rien, j'étais en java avec des « copains. »

Il a refilé Edith à des inspecteurs, des jeunots ; ils sont souvent plus coriaces que les vieux.

Et ils ont commencé à la questionner comme témoin. Ce n'était pas une déposition, mais un témoignage. C'est encore mieux, ça permet tout.

La thèse de la police : Edith avait connu un type qui s'appelait Henry Valette, un mac, un ancien de l'infanterie coloniale. Quand elle est rentrée chez Leplée, elle l'a largué, pour se venger le Valette aurait buté Leplée. C'est simple, mais faut pas croire que les roussins vont au plus compliqué. Ils ont des cervelles vicieuses mais pas tellement grosses. Edith a eu de la chance, la femme de ménage de Leplée n'a pas reconnu Valette sur la photo.

C'était raté. Ils sont passés à une autre supposition.

C'était celle que j'avais lue dans le journal sous le titre *La môme Piaf a deux amours*. Edith, d'après eux, avait pour amant « Jeannot le mataf ». Elle le doublait avec « Georges le spahi ». Ce qui était vrai. Pour le malheur d'Edith, elle avait présenté Georges le spahi à Louis Leplée. On l'avait vu souvent au Gerny's ou à la Belle Ferronnière où il attendait Edith accompagné par Jeannot et Pierrot le balafré. Cette histoire collait très bien avec les autres mecs qui avaient fait le coup.

Elle avait aussi le malheur d'être vraie : Edith les connaissait tous.

« — Pendant des heures, ils m'ont posé les mêmes « questions :

« — Georges était votre amant ?

« — Oui.

« — Il était au mieux avec Leplée ?

« — Ils étaient copains.

« — Ne nous prends pas pour plus caves que toi. « C'était son petit ami.

« — Je n'y étais pas.

« — Si tu continues on va se fâcher. Ça va être ta « fête. Georges venait te chercher avec deux amis, « deux jeunes et un mataf ?

« — Oui.

« — Tu étais avec Georges à sept heures du matin ?

« — Non, j'étais avec des copains.

« — Georges est venu vous rejoindre ?

« — Non.

« — Tu mens. »

« Ça durait, ça durait, ça n'en finissait pas, Momone. J'avais le crâne qui pétait. Ils bouffaient des sandwiches, buvaient des canettes, fumaient. Je n'en pouvais plus.

« Le père Guillaume est venu me rechercher. Il m'a pris la main, en bon papa. Et je me suis retrouvée au même point dans son bureau.

« — Dites la vérité, vous voyez bien qu'on connaît « votre vie, vous ne pouvez rien nous cacher. »

« Heureusement qu'il n'en connaissait pas le quart. »

Edith a tout de même été relâchée. On l'a priée de rester à la disposition de la police.

Ce n'est que plusieurs mois plus tard que l'affaire a été classée. Pour Edith elle ne l'était pas.

CHAPITRE V

LE PREMIER PATRON : RAYMOND ASSO

Moi, j'étais au chaud, si l'on peut dire. A l'abri en tout cas, logée et nourrie. Et j'avais de la compagnie.

Ce n'était pas celle du Gerny's. Ça me foutait un bourdon terrible d'être retombée aussi bas.

Pas de nouvelles d'Edith. Ça valait mieux, j'aurais été mal notée, car j'étais passée de justesse à côté de l'affaire Leplée.

Je me croyais abandonnée. Là, j'avais tort.

Les gars que nous connaissions, nos macs et leurs copains, ont été très chouettes. Au bout de deux mois et demi, c'est un type qui s'appelait « la Boitouille », aidé de notre Henri, qui est arrivé à me faire sortir.

Tout un turbin. Il a été trouvé ma mère. Il lui a fait accepter de dire qu'elle allait me reprendre.

Ça devait être un charmeur, la Boitouille, parce que ma mère, du moment que je ne rapportais pas du pognon, je pouvais rester où j'étais, et pour que je sorte, il a fallu qu'elle se dérange. J'ai toujours pensé qu'en plus les macs avaient dû lui promettre une sérieuse dérouillée.

Je suis passée au tribunal vers trois heures. Ma
mère était là, elle faisait presque honnête. J'étais
étonnée de la voir. Bien obligée, les deux macs
l'avaient accompagnée, et ils l'attendaient dehors.

Tout était très bien. L'enquête judiciaire impeccable. L'assistance sociale avait dit que l'appartement
était propre, que mon père n'avait jamais bu, que
ma mère était sérieuse. Il y avait même des préci-
sions ; j'ai appris que j'avais des oiseaux et un chat
que j'aimais beaucoup. Moi, qui n'avais jamais rien
eu chez moi, ni bêtes, ni vêtements, ni caresses. Les
macs avaient soigné le détail. Je ne sais pas comment
ils avaient fait, mais ils avaient du génie, ces gars-là !
Dix minutes de plus et j'y croyais. Le juge m'a dit,
sévère et juste : « On va vous rendre à votre maman. »
On m'a ramenée au Bon-Pasteur prendre mes affaires.
A sept heures du soir, je sortais.

J'ai filé chez ma mère, il fallait être régulier jusqu'au bout. Et je suis repartie Chez Marius, rue des
Vertus, où Henri m'avait dit qu'Edith chantait à
l'orchestre.

Aussi simple que ça.

Quand Edith m'a vue, elle a eu son merveilleux
sourire, celui qu'elle avait eu pour moi chez Alverne.

Elle m'a dit :

« Te voilà enfin, t'as mis le temps, on va recommencer. »

La panade noire. C'était pire que ça, un gâchis
épouvantable. Tout le monde l'avait lâchée. Sur les
doigts d'une seule main, elle comptait ses amis :
Jacques Bourgeat, Juel l'accordéoniste, J. Canetti de
Radio-Cité qui lui a apporté pendant longtemps une
véritable aide.

Une des premières choses qu'Edith m'a dites c'est :

« Tu sais, je ne me suis pas dégonflée. Je suis allée
à l'enterrement de papa Leplée à Saint-Honoré-
d'Eylau. Je lui ai mis une gerbe dessus : « En souvenir de son petit piaf ». C'est Jacquot qui a payé la

gerbe. Si tu avais vu la gueule qu'ils faisaient ! Eux, ils avaient leur tête de cérémonie, moi, j'avais la mienne, celle de tous les jours, celle que papa Leplée avait aimée, mais brouillée par les larmes. Je ne devais pas être belle à voir. Comme robe noire, je portais la nôtre, celle en tricot. Les bonnes femmes avaient toutes des fourrures noires, des plates, et des à longs poils.

« Tous ces gens avaient l'air de penser que je n'étais pas à ma place. J'y étais, Momone. Et des comme moi, qui avaient le droit d'y être, il n'y en avait pas beaucoup !

« Le soir, j'ai été assez cloche pour passer au Gerny's.

« Il y avait peu de monde, c'était fermé, des gens qui étaient venus pour faire leurs adieux à Laure Jarny : des employés, la fleuriste, le maître d'hôtel. Enfin, tu vois ; des artistes aussi, et il y en a un qui m'a dit : « Ma pauvre Piaf, dommage que tu l'aies « perdu ton protecteur. Pour croire en toi il n'y avait « que lui. Maintenant tu vas retourner aux pavés. » Je lui en aurais volontiers balancé un de pavé.

« Je ne dirai pas son nom, il était grand et il chante encore.

« La vie, je croyais la connaître, eh bien je ne savais pas que les gens étaient aussi dégueulasses. Je ne l'oublierai pas. Quelle leçon ! »

Elle l'a oubliée, et a continué toute sa vie à faire confiance à des types et même des bonnes femmes — pourtant, elle était méfiante, elle ne les aimait pas tellement — qui n'en valaient pas la peine ; qui la trompaient, la blousaient. Un tas de bonimenteurs, bluffeurs, qu'elle traînait derrière elle, qui suçaient son fric comme des pucerons sur un rosier. Ils me débectaient tellement que, quand j'en avais trop marre, je foutais le camp. J'allais prendre l'air quelques jours.

On a parlé comme ça une partie de la nuit en

buvant à peine. Ce n'était pas de la rigolade, ce n'était
pas drôle à entendre. Edith m'a appris tout ce qui
s'était passé pendant mon absence.

Des soirs elle traînait, des soirs elle rentrait. Pendant des semaines elle a chialé comme une môme,
sur son lit, la tête dans son oreiller.

Un bon moment, elle a encore habité Pigalle. Maintenant, elle était dans un hôtel de la rue de Malte.

Si les « amis » avaient lâché Edith, la presse ne
l'avait pas oubliée et la police non plus. Ils la sur-
veillaient discrètement, à leur manière, ça rôdaillait
autour d'elle comme des chacals.

« Chaque fois que j'ouvrais un journal, j'avais les
jetons. On parlait de l'affaire Leplée, et comme j'étais
la seule femme qu'ils avaient à se mettre sous la
dent, ils me déchiraient. Leurs baratins étaient devenus un tragique, crapulard roman-feuilleton. Comme
je n'avais rien à dire de plus, ils inventaient. Ils ne
m'ont pas fait de fleurs. Ils avaient l'air de dire que
j'étais la complice ; mieux, celle qui avait poussé les
autres au crime. Ça me rendait malade de dégoût. »

Pour le travail, Edith croyait qu'elle avait de la
chance. Les directeurs de cabarets de tout poil bourdonnaient autour d'elle comme des grosses mouches
vertes. Ils ne lui offraient pas beaucoup, elle ne
pouvait pas avoir d'exigences, mais pour eux, elle
reniflait bon le scandale et c'était de la publicité
gratuite qu'ils s'offraient.

Edith a été engagée dans une boîte de la place
Pigalle qui s'appelait O'dett, du nom de son anima-
teur. Il faisait un numéro travesti en femme, très
drôle d'ailleurs. Il faut dire que c'était plutôt le genre
de la maison, mais dans le bon ton. Plein de snobs,
le décor était joli, à la mode. Ça plaisait.

« Ma pauvre Momone, si tu savais. J'avais le trac.
Un silence à vous geler sur place. Un cimetière en
plein hiver est plus accueillant que ces gens glacés
devant leurs tables. J'ai chanté : pas un murmure,

c'était des gens polis, leur politesse, elle me tordait les boyaux.

« J'ai salué. Je suis sortie comme j'étais entrée, mais je les entendais dans ma tête, bavant les phrases des journaux. « Il n'y a pas de fumée sans feu. » « Elle lui procurait des distractions. » « Quand on vient du trottoir, faut s'attendre à tout... » C'est dur de chanter sans être jamais applaudie. Faut avoir besoin de bouffer.

« O'dett était content. J'étais l'attraction. C'était plus la rue qu'ils venaient entendre chanter, c'était le ruisseau, l'égout ! »

Un soir, il faut croire qu'en prenant les tickets, ils avaient accroché leurs belles manières au vestiaire. Après la première chanson, dans le silence, quelqu'un a sifflé. Pauvre Edith, ce n'était qu'un début, elle allait connaître pire.

Un type bien, à cheveux blancs, s'est levé. Il s'est mis à leur dire ce qu'il pensait :

« On ne siffle pas au cabaret. Ce sont des mœurs de voyous de barrière.

— Vous ne lisez pas les journaux ? lui a répondu un autre type.

— Si, mais je laisse à la police le soin de juger. Elle l'a laissée libre. Et ici, elle n'est qu'une artiste comme une autre. Si vous n'aimez pas ce qu'elle fait, taisez-vous, ou alors applaudissez-la. »

Et il s'est mis à applaudir. Quelques-uns ont suivi.

Malgré ça, Edith n'a pas renouvelé son contrat, elle n'avait plus le moral.

« C'est là que j'ai commencé à dégringoler. Canetti a été très chouette, il m'a trouvé une tournée dans les cinémas de quartier, comme attraction, tu parles si j'en étais une ! Le premier cinéma où j'ai chanté, c'était le Pathé, porte d'Orléans. Eux aussi venaient voir la fille de l'affaire Leplée. Partout c'était pareil. Ma première chanson, je ne l'entendais plus moi-même tellement ils gueulaient contre moi. Des fois,

ça se calmait, des fois non. Je me faisait l'effet de
disputer un match de catch et je ne faisais pas souvent le poids. Mais je leur ai toujours passé mon tour
jusqu'au bout.

« Tu imagines, Momone, comment je pouvais en sortir : à plat, dégonflée, prête à chialer. J'ai pris de ces
bitures, mais c'était triste sans toi qui pourrissais au
fond de ta taule. J'avais l'impression d'être une paumée parmi des miteux.

— Et les gars, Edith ?

— Rien, du passage, je ne peux pas être seule. Je
n'ai même pas envie de t'en parler. Mais maintenant,
ma Momone, je t'ai retrouvée. On recommence. Ça va
marcher. »

Mais elle n'y croyait pas, elle voulait tout laisser
tomber, soit retourner à l'usine, ou retourner chanter
dans les rues. Les rues c'était possible et on les a
faites, mais ça ne me plaisait pas pour elle. C'était
un pis-aller. On avait connu autre chose. Ça sent si
bon les gens qui se lavent tous les jours, qui ont un
langage de roman ; et puis nos pieds avaient goûté au
tapis et c'est tout de même plus agréable.

Un jour, je l'ai traînée à l'église, nous avons prié,
pour qu'il se passe quelque chose, et il s'est passé
quelque chose...

Est-ce nos prières qui furent exaucées, ou les deux
Cinzano avalés d'un trait qui nous ont donné du
culot ? Un miracle, on ne peut jamais savoir s'il
est vrai, pour qu'il arrive on fait tellement de choses !

Dans un petit bar, nous avons refait tous nos plans.
Le mot magique « imprésario » nous est revenu en
mémoire. Vite, le Bottin ; dans la liste nous cherchons
le numéro de téléphone de Fernand Lumbroso l'impresario de Marianne Oswald (c'était une chanteuse
très connue des gens instruits). Que nous nous souve-
nions de son nom, c'était ça le miracle ! Un jeton de
téléphone dans une main, et la main d'Edith, si petite,

dans l'autre, je me retrouve avec elle dans une cabine, sous l'escalier du petit bar, près des W.-C., comme d'habitude.

On échange quelques mots au téléphone et on a un rendez-vous immédiat.

Inconscientes de notre tenue, malgré le coup de peigne donné en vitesse dans les lavabos, les cheveux imprégnés de l'odeur de la boule de savon pour les coller, nous débarquons chez Lumbroso.

Ce qui m'a épatée le plus, c'est que le contrat a été signé immédiatement : quinze jours à Brest, dans un cinéma. Elle passait pendant l'entracte, quatre chansons, vingt francs par jour. Merveilleux, quand on est sans un !

Rien qu'un coup d'œil de ce monsieur important et j'avais senti qu'avec mes yeux et mon jeune corps, je pouvais lui rembourser les billets de train, aller et retour, pour nous deux, et en première ! Je me trompais, il nous a filé des secondes.

Brest était aussi moche que la façon dont j'avais payé le prix du voyage. Alors, je me suis dit que la prochaine fois nous signerions pour plus cher, comme ça on irait peut-être à Nice !

Nous voilà parties en tournée. C'était la première.

Brest est un bled impossible, gris, mouillé. Ils appellent ça le crachin. Ça fait luire les pavés mais pas les gens. C'était triste.

Là-bas, enfin, le scandale de Leplée, ils s'en foutaient. C'était vraiment un bled perdu. Elle passait avec le film *Lucrèce Borgia* celui d'Edwige Feuillère.

En plus, il n'y avait pas grand monde en semaine dans le cinéma. Edith s'est fait, le premier soir, dans un café, des relations parmi les marins. A Brest, les cols bleus, ça ne manquait pas, il y avait ce qu'il fallait.

Le deuxième jour, on avait nos « matafs » à nous, installés les pieds sur les fauteuils, crachant des cacahuètes, mais chouettes, bien à nous. On avait même des enseignes de vaisseau. Ça faisait bien et Edith chantait pour eux.

Je passais dans son numéro. J'étais, ce qu'on appelle au music-hall, son « faire-valoir ». J'étais habillée comme Edith. Toutes les deux exactement pareilles : jupe et pull-over noir, col blanc et petit nœud rouge, la même coiffure, on avait la même taille à cinq centimètres près. Il n'y avait donc pas de problèmes, on était des sœurs.

Je présentais Edith. J'arrivais sur la scène et c'était moi qu'on applaudissait. J'annonçais : « Idylles des barrières, rengaines des faubourgs sont par la môme Piaf évoquées tour à tour. » Je tendais les bras vers les coulisses, et on voyait exactement la même fille qui en sortait, ça les faisait marrer.

Mon boulot était terminé, mais je ne quittais pas les coulisses. Déjà, Edith avait besoin d'avoir quelqu'un à elle, tout près, quand elle chantait.

Il y avait son accordéoniste, Robert Juel, qui la suivait en tirant sa chaise, et elle commençait. Rien qu'un accordéon. On n'avait pas les moyens. Mais ça allait bien à Edith, ça faisait simple. Ça faisait populaire, sans chichis.

Quand j'y pense, Edith avait un tour marrant. Des chansons un peu poisses, style Fréhel, comme : *Correqu'et Réguyer, Le Grand Totor*. Elle chantait aussi *La fille et le Chien, Entre Saint-Ouen et Clignancourt*. A part celles que Leplée lui avait fait apprendre, son répertoire c'était des chansons plutôt rigolotes.

A la sortie, on retrouvait nos petits marins. On n'était jamais seules. De ce côté-là, ça marchait pas mal. Et puis, les gars étaient gentils, ils ne posaient pas de questions, mais elle, Edith, n'avait pas oublié l'affaire Leplée. Je voyais ça à la façon dont, certains soirs, elle regardait son verre, l'avalait, puis disait, comme par bravade : « Un autre, le même. »

Le directeur du cinéma n'était pas content, il râlait tout le temps. Ce travail-là, Edith le prenait moins au sérieux que chez Leplée. Elle était négligée, elle arrivait en retard. La représentation ne plaisait pas aux gens « bien » de la ville.

Et surtout, nos marins faisaient fuir la clientèle sérieuse, qui n'était déjà pas nombreuse. Ils se tenaient mal, chahutaient, se payaient la gueule des bourgeois, partaient après l'entracte au début du film. Ils foutaient une pagaille terrible. Ça faisait rire Edith, mais pas le patron.

Le soir de notre départ, en la réglant, il lui a dit : « Alors, vous êtes fière de vous ? Vous êtes contente de votre travail ?

— Oui, a répondu Edith.

— Eh bien, vous ne repasserez plus jamais dans mon cinéma. »

Et là, il lui a balancé ce qu'il pensait. Ce n'était pas agréable à entendre.

Plus tard, il a offert à Edith des sommes folles. Il s'est dérangé. Il est venu à Paris pour ça. Edith lui a répondu :

« Non, je ne voudrais pas qu'à cause de moi vous ayez l'air d'un homme qui n'a pas de parole. »

Elle n'avait pas oublié, ce qui était assez rare chez elle, car elle oubliait tout à fait ce genre de choses.

Quand on est revenues à Paris, deux semaines plus tard, Lumbroso n'était pas très chaud. Le directeur avait fait des histoires.

On a recommencé les cinémas de quartier, et le premier soir, on a retrouvé l'affaire Leplée ; le scandale, ça ne vous lâche pas comme ça.

Quand Edith est entrée en scène avec Robert Juel, le public s'est déchaîné. Il hurlait :

« Sortez-la, elle et son maquereau ! »

Robert Juel a posé son piano à bretelles sur sa chaise, s'est avancé et a répondu :

« Les maquereaux, ils sont dans la salle. »

C'était comme ça tous les soirs. Robert s'est même

battu avec des types qui nous attendaient à la sortie. J'en pleurais de rage.

Ça a duré moins qu'on n'en a gardé le souvenir, mais on en sortait vidées, lessivées, des loques. Edith pleurait, elle tendait ses mains vers moi :

« Ce n'est pas vrai ! Ce n'est pas vrai, Momone, je vais me réveiller ! »

Est-ce que je pouvais lui répondre : « Si, c'est vrai, et pas près d'être fini... »

Grâce à Leplée, elle avait connu beaucoup de gens bien, qui l'auraient aidée comme Canetti, Jacques Bourgeat, Raymond Asso rencontré par hasard, et bien d'autres...

« Plutôt crever la gueule ouverte dans le ruisseau que de leur demander quelque chose ! Ils n'ont qu'à le savoir qu'on la saute ! »

C'était sa phrase. Ça ne nous avançait pas. Une mouise comme la nôtre, ils ne pouvaient pas la deviner.

« Tu vois, Momone, la chance c'est comme le fric : ça part plus vite que ça n'arrive », me disait Edith, avec un sourire qui lui tirait la figure.

Elle acceptait n'importe quoi, des trucs minables dans des salles sordides. Il fallait bien vivre.

On traînait... C'était moche.

Le premier homme un peu bien qu'elle a rencontré a été Roméo Carlès.

On allait tous les soirs au Globe, boulevard de Strasbourg. C'était un café fréquenté par les artistes. Chaque soir, des petits imprésarios, des tourneurs y passaient. Ils étaient sûrs de trouver — dans le tas de traîne-savates qui venaient y prendre un verre ou un crème — un artiste qui serait content de faire un « cacheton », des noms dévalués mais encore montrables, comme celui d'Edith. Le Globe était une sorte de Bourse du music-hall.

Roméo Carlès, le chansonnier, nous a payé un verre. Il ne connaissait pas Edith. Il l'a trouvée attendrissante, elle avait l'air malheureux. il lui a demandé :

« Qu'est-ce que tu fais ?

— Je chante. »

Dans le métier, on se tutoie sans se connaître.

« Je viens voir s'il n'y aurait pas quelque chose pour moi. »

Roméo ne lui a pas fait de cadeau.

« Ce n'est pas ici que tu dénicheras un beau contrat. Tu es petite, pas tellement bien habillée, tes rondeurs sont de sortie. Tu auras du mal à plaire.

— Je le sais. Mais en attendant..., avait répondu Edith, tu comprends... je la saute.

— Ça te plairait de chanter mes chansons ?

— Tu parles, avait dit Edith qui connaissait Roméo Carlès de nom, comme ça, mais pas plus.

— Alors, viens m'entendre un de ces soirs. Je passe au Coucou et au Perchoir. »

Ce soir-là, elle était contente. Tout de suite, elle s'est mise à gambader. Ça lui faisait plaisir qu'un type lui propose des chansons et ne lui parle pas de l'affaire Leplée. Ce qu'elle ignorait, c'est que Roméo était toujours dans la lune et que la môme Piaf, pour lui, ce n'était rien.

Le lendemain, elle décide :

« Momone, on va entendre Roméo. »

Ça m'embêtait parce qu'Edith était un peu partie et que, dans ce cas, elle faisait souvent des conneries.

Nous voilà en route pour le Perchoir, une boîte de chansonniers, en pleine vogue, rue Montmartre.

En entrant, Edith a commencé à se marrer. Roméo Carlès était en scène. Edith, de sa voix la plus forte, se met à crier :

« Je viens voir mon Roméo. Hé ! Roméo ! c'est ta Juliette ! »

Le Perchoir, c'était plutôt chic comme public. Les gens râlaient. On en était déjà aux : « Sortez-la. »

J'étais dans mes petits souliers mais je n'osais rien dire. Ça aurait été pire !

En bon chansonnier, Roméo a pris ça très bien, avec esprit. Il lui a donné la réplique. La salle a ri. J'ai même entendu : « C'est exprès. Ça fait partie du numéro ! »

Je pensais : « Pour les chansons, c'est foutu ! Après ça, il ne va rien lui donner. »

Pas du tout. Avant de chanter *La Petite Boutique*, de la scène, il a crié à Edith :

« C'est toi, ma Juliette. Alors, sois sage, écoute-la bien. »

Edith avait beau être un peu ronde, dès qu'il s'agissait de son métier, elle écoutait. C'était fini la rigolade.

> *Je sais dans un quartier désert*
> *Un coin qui se donne des airs*
> *De promesses aristocratiques*
> *J'y découvris l'autre saison,*
> *Encastrée entre deux maisons,*
> *Une minuscule boutique*

A l'entracte, elle s'est précipitée dans les coulisses. Elle a dit à Roméo :

« C'est vrai ? Tu me la donnes *La Petite Boutique* ?

— Tu ne le mérites pas.

— Oh si ! Tiens, écoute, je la chanterai comme ça... »

Et elle s'est mise à en chanter des passages. (Edith a gardé longtemps cette chanson à son répertoire.) Roméo était aux anges.

Il l'a taquinée :

« Tu me la paieras comment ?

— D'un baiser. »

Voilà comment ça a commencé entre eux, tout simple.

Ils sont restés ensemble un bout de temps : six

mois. Pour Roméo, Edith était un peu un à-coté. Il avait dans sa vie Jeanne Sourza — la chanteuse comique —, une fantaisiste pleine de talent.

Edith avait de l'amitié pour son Roméo. Physiquement, il était quelconque : le cheveu rare mais bien collé. C'était un homme gentil, surtout intelligent. Le côté « titi » d'Edith lui plaisait, l'amusait. C'est le premier qui, pendant cette triste et sale période, a fait confiance à Edith. Et à ce moment-là, ça comptait pour elle plus que l'amour.

« Tu vois, Momone, je ne suis pas finie puisqu'un homme comme Roméo Carlès me donne une chanson. »

Il a fait mieux. Il lui en a écrit une. C'étaient nous deux, elle et moi, qui la lui avions inspirée : *Simple comme bonjour.*

> *C'est une histoire si banale,*
> *Vraiment si peu originale,*
> *Que je n'sais comment en vérité*
> *J'vais vous l'expliquer...*
>
> *La blonde et la brune*
> *S'entendaient depuis toujours.*
> *La mort en a pris une*
> *C'est simple comme bonjour...*

Pour achever de lui remonter le moral, Lumbroso, qui était un brave type, « osa » lui trouver un petit contrat à Bruxelles.

« Tu pars tout de suite, ce soir même. Et puis, tiens-toi convenablement. Sois à l'heure. Ne te soûle pas. Sans ça, c'est fini nous deux. Je ne te dénicherai plus rien. Tu ne te rends pas compte, mais ton nom ne vaut plus grand-chose. Si, en plus, tu te conduis comme à Brest tu vas te griller sur la place ; ton avenir, je n'en donnerais pas ça ! »

Et il fait craquer l'ongle de son pouce. Il avait l'air de balancer une puce écrasée.

Edith a promis à Lumbroso tout ce qu'il voulait.

« Enfin, lui a-t-elle dit, dans ce patelin-là, ils me foutront la paix avec Leplée.

— Possible. Mais ce n'est pas le bout du monde la Belgique. »

Le soir même elle partait, et moi, je restais. J'étais encore mineure. Je n'avais pas de passeport. Pour en avoir un, il fallait l'autorisation de ma mère.

Arrivée à Bruxelles, Edith m'écrit : « Donne à ta mère ce que nous avons pour avoir ton passeport et rapplique. »

Tout ce que nous avions, ce n'était pas grand-chose : trois coussins de couleur et des casseroles bleues qu'on avait achetées un jour où Edith avait décidé qu'en faisant la cuisine, on ferait des économies. Elles n'avaient pas tellement servi ! Il y avait aussi un réchaud à alcool, mais lui je l'ai sauvé, ma mère ne l'a pas eu.

Grâce aux coussins et aux casseroles, la mère Berteaut a accepté de m'accompagner au commissariat, et de donner son autorisation. Ça avait tout de même pris du temps. Quand j'ai eu mon papier, Edith était rentrée. J'étais en rogne. Tout ça pour rien !

« T'inquiète pas, Momone, on y retourne. »

A Bruxelles, Edith avait rencontré un gars qui s'appelait Jean M..., un Belge, qui était musicien dans la boîte où elle travaillait, près de la place Brouckère.

Tout de suite, j'ai vu qu'elle était amoureuse. Quand Edith aimait, c'était comme si on lui avait envoyé un coup de « projecteur » sur la figure : elle devenait toute lumineuse.

Et la voilà partie :

« Momone, j'ai rencontré un gars formidable, beau, blond. Tu sais le vrai gars du Nord avec les yeux bleus... (Ça, j'en étais sûre. Les yeux bleus, elle ne pouvait pas y résister.) Mais d'un bleu que tu ne peux rencontrer que dans ces patelins-là. C'est à cause de leur ciel ! »

Et en avant la musique ! j'avais beau la connaître, d'avance, je marchais. J'étais bon public.

« Il faut que j'aie un autre contrat. Ce ne sera pas difficile. J'ai bien plu à Bruxelles. Je n'ai pas fait de conneries... »

Elle l'a eu, son second contrat.

« Momone, on part. Il faut que tu connaisses l'étranger, tu verras, c'est formidable ! Bruxelles, c'est déjà l'étranger. Tout y est différent. Tu ne vois plus les choses de la même façon, ni les gens. »

La preuve n'en a pas été longue à venir.

Elle m'avait tellement rebattu les oreilles avec ce Jean M..., son amoureux, que je le voyais. J'aurais pu le reconnaître... que je croyais ! Dans le train, tout le long du trajet, Edith a commencé à prendre ses précautions :

« Tu sais, il n'est pas tout à fait aussi bien que je te l'ai dit. Enfin, je veux dire... question physique...

Plus on approchait de Bruxelles, plus elle me le démolissait, son bonhomme.

Quand on est entré en gare, je vois sur le quai une espèce de gros type chauve, moche, vilain que ce n'en était pas croyable... Heureusement qu'elle m'avait préparée !

Edith me surveillait :

« Il n'est pas mal, hein ? Et puis, il est gentil. Tu vois, il est venu nous chercher à la gare. »

Je voyais.

Ensemble, on a cassé une petite croûte belge avec beaucoup de frites, pas mal de bière. Et puis, le Jean a dit à Edith :

« A ce soir, à la boîte. »

Ça n'a pas plu du tout à Edith.

« On va aller chez lui, lui faire une surprise. »

Et nous voilà parties, un peu minables, avec nos valises de fibre marron à la main.

L'adresse était fausse.

Edith m'a regardée. Elle était vexée. Dans ses yeux, il est passé une petite lueur dure que je connaissais bien.

« Dis donc, il m'a prise pour un con. Il va le payer. Démerde-toi, Momone, il faut que je sache où il crèche. »

Finalement, le soir à la boîte, mine de rien, j'ai réussi à savoir où il habitait. Il était en ménage avec une bonne femme, pas marié, mais depuis si longtemps avec elle que c'était officiel.

C'est vrai qu'il s'était foutu d'Edith. Quand je lui ai mangé le morceau, elle a été drôlement furieuse.

« Je veux bien raconter qu'il est beau, alors qu'il est moche comme un gros pou. Que je l'adore, alors que je m'en fous. Mais je ne veux pas qu'il me prenne pour une de ces grosses pouffiasses auxquelles il fait tout croire. Viens, Momone, on va lui offrir une sérénade. »

Comme on était en rogne, on a été chanter sous sa fenêtre. Tout de suite, il a ouvert. Il avait reconnu la voix. Il s'est montré, nous a fait un sourire faux jeton et nous a envoyé des sous. Il n'était pas tellement généreux mais il espérait qu'on allait partir. On est parties...

On a été s'en taper un petit coup. Un « mélécasse ». Ce n'est pas mal, ce truc-là ! De la fine avec un sirop de cassis. On avale d'abord la fine qui est dégueulasse pour avoir le peu de cassis, qui est si doux, au fond du verre.

Puis, on a remis ça, devant chez lui, en mieux. Au début, Edith avait donné dans la romance, mais ce n'était plus suffisant. On lui a chanté *Le Catéchisme*. C'est une chanson archicochonne qui parle des cierges pour les culs-bénits, mais pas dans le sens pieux... Puis une autre, très paillarde : *L'asseoir sur l'her-*

bette, qu'Edith avait transformée à la *Lulu de Mont- martre.* Ça donnait :

> *L'asseoir sur l'herbette,*
> *Je lui chatouillerai le bouton,*
> *V'là qu'est bon, bon, bon...*

Il a envoyé une nouvelle fois du fric. Sa bonne femme s'est mise à la fenêtre. Elle voulait voir. Elle a vu et entendu. On l'a insultée gaiement. On l'a traitée de tous les noms. Elle nous a dit des ordures en flamand. On s'en foutait. On comprenait pas, mais on devinait.

Avec les sous de Jean, on est reparties boire une autre fine et on est revenues. On est montées chez lui. Il ne nous a pas ouvert, il s'est douté que c'était nous. Le soir, Edith n'avait pas lâché son idée.

Dans la boîte où elle chantait, Jean faisait partie de l'orchestre. C'était lui aussi qui l'accompagnait. Quand ils se sont retrouvés, Edith tenait une de ces bitures rares !

Pour entrer en scène, elle devait descendre des marches. De chaque côté, il y avait les musiciens qui encadraient l'escalier. Elle a descendu les marches sur ses fesses... Mais alors, complètement ! Comme la scène dominait la piste de danse, le cirque d'Edith ne pouvait pas passer inaperçu. Elle s'accrochait à Jean, qui tapait du piano, en criant :

« Mon Jean, je t'aime. Je ne peux pas vivre sans toi, c'est pas possible ! T'es beau, je ne peux pas t'ou- blier. »

Ça n'a pas marché. Il a gardé l'air sérieux et pas dans le coup du monsieur que ça ne concerne pas.

Alors, on est allées aux halles du coin. On a acheté des camemberts et on est revenues. Edith m'a dit :

« Viens, Momone. »

Etant donné que j'étais dans le même état qu'elle, je l'ai suivie. J'étais bourrée comme une huître. On

a traversé la piste en tanguant au milieu des dan-
seurs, et on a offert les camemberts à Jean.

Edith gueulait.

« Tiens, Jean, c'est mon cadeau de rupture... »

Tous les Belges rigolaient. Ils n'en pouvaient plus.
Ils se tapaient sur les cuisses.

Ce n'était pas méchant... On aurait dû nous payer
ça ! Pas du tout !...

L'idylle s'est terminée sur le camembert...

Et Lumbroso, quand nous sommes rentrées, ne
nous a pas fait de compliments :

« Tes idioties de femme soûle, j'en ai par-dessus
la tête. Inutile de revenir. Il n'y aura plus jamais
rien pour toi. »

C'est une phrase qu'il a bien regrettée par la suite.
Mais on lui en avait tellement fait voir.

Sur le coup, en Belgique, on avait bien rigolé. Mais
quand on s'est retrouvées sans un, à Paris, ça n'était
plus drôle du tout. Edith avait beau crâner et me
dire :

« T'en fais pas, Momone, c'est une mauvaise passe.
Elle ne va pas durer. »

Ce n'est pas quand elle chantait dans la rue tous
les jours qu'on avait vraiment connu la misère,
c'était maintenant. C'est peu, quelques mois dans une
vie, mais qu'ils ont été très longs et durs ! On est
allées jusqu'à vendre nos fringues, celles un peu
bien, achetées pendant la période Leplée.

Pour rapporter un peu d'argent, j'avais trouvé un
truc : celui de la photo.

Je me baladais entre Clichy et Barbès. Je rencontrais un gars. J'allais boire d'abord un verre avec
lui. On bavardait, on s'échangeait nos vies. Arrivés
là, je sortais une photo d'un de mes petits frères,
un bébé d'un an avec un petit ours dans les bras.
Suivant le type, je disais : « C'est mon enfant. Son
père, il m'a abandonnée. Je n'ai pas de quoi payer
ses mois de nourrice... » Ou : « Il faut que j'achète

des médicaments... » Ou : « Je l'ai laissé en garde dans une loge de concierge et, pour aller le reprendre, il me faut des sous... »

Ça ne ratait pas, le type me refilait du pognon. En échange, il avait un rendez-vous pour le lendemain. Je n'y allais jamais. Je ne couchais pas, ce n'était pas utile. Je ne dis pas que je n'embrassais pas ; parfois, c'était obligatoire. Alors, je me les choisissais pas trop sales.

Edith acceptait ça. Elle ne pouvait pas faire autrement. Mais c'était moche et ce n'était pas fini...

CHAPITRE VI

NAISSANCE D'UN MONSTRE SACRÉ

C'EST à ce moment-là qu'Edith a revu Raymond Asso, par hasard, dans un bistrot à artistes, la Nouvelle-Athènes. Elle l'avait déjà rencontré à la belle époque du Gerny's dans des maisons d'éditions où il allait porter ses chansons. Il y venait aussi pour Marie Dubas dont il était, encore, le secrétaire.

C'était un drôle de gars d'environ trente ans, un ancien de la Légion étrangère. Il avait aussi été dans les spahis. C'était une référence ! Pour elle, il n'y avait pas de plus beau costume : la grande cape, le pantalon, les bottes, la chéchia... ça la faisait rêver. Moi aussi. On se disait l'une à l'autre : « Ce qu'ils sont beaux ! Non, ce qu'ils sont beaux ! » Ces types-là, nous les recevions en plein plexus. On aurait voulu faire l'amour enveloppées dans les plis de leur cape !

Aussi, quand Raymond parlait à Edith de sa vie de spahi, elle l'écoutait avec le cœur qui battait et plein de rêves dans ses mirettes. Tous les détails la passionnaient, même les soixante-douze plis réglementaires du pantalon rouge. Et le désert, le sable,

le soleil... c'était chaud, plein de couleurs. Elle le
voyait comme si elle y était.

Avec ça, normalement, elle aurait dû tomber dans
ses bras. Pas du tout. Elle n'y pensait pas, Et puis, il
avait quelque chose de sec, de pas liant; qui rendait
Edith réservée.

Leur première rencontre a été du genre :
« Te voilà, Edith. Ça marche ?
— Comme ça !
— Pas brillant ?
— Pas très.
— Raconte. »

Ils se sont mis à bavarder. Puis, ils se sont revus.
Elle avait confiance en lui. Il avait toujours l'air
de tout savoir. C'était un homme, un vrai, il faisait
solide. Il était mince, presque maigre, le poil long, le
ventre plat. Il n'était pas beau. Il riait rarement,
mais il avait de la présence.

Ensemble, ils parlaient métier.

Edith lui posait plein de questions, surtout sur
Marie Dubas. Elle avait un véritable culte pour elle.
Cette femme la fascinait. Edith voulait tout savoir :
comment elle travaillait, choisissait ses chansons,
comment elle vivait. Tout quoi !

Cette admiration, cette curiosité, elle l'avait bien
avant de connaître Raymond ; on chantait encore
dans la rue quand un jour qu'on avait des ronds,
Edith m'avait dit :

« On va aller à l'A.B.C. entendre Marie Dubas. »

On a pris deux places pour le poulailler. Et la
Marie Dubas, elle nous en a foutu plein l'estomac.

« Non, mais quelle bonne femme ! » disait Edith,
penchée en avant, ses petites mains blanches crispées
sur mon bras.

En deux chansons, successivement, les gens pleuraient ou riaient. Elle les retournait comme elle voulait. On ne pouvait pas dire qu'elle avait de la présentation. Moyenne, les cheveux, noirs, plats, pas très

jolie mais des yeux sombres, brûlants, qu'on n'oubliait pas ; une voix dont on n'avait pas à se demander si elle était belle, elle ne vous sortait plus de la tête. Une robe simple, chic. Des gestes... Fallait la voir imiter une femme dans le métro, on y était. Et quand elle chantait *La Prière de la Charlotte*, ses mains, ses bras... Ça vous déchirait le cœur, ces gestes de la misère.

Edith, les yeux pleins de larmes, priait et pleurait avec elle. Moi, je chialais à cause des deux. Edith répétait :

« Faire ça... Ça alors ! Faire ça... »

A la fin, elle a dit :

« Je vais dans sa loge. Viens, Momone. »

On a eu le culot d'y aller, avec nos jupes pendouillantes, nos vieux pulls, nos espadrilles. Marie a été gentille avec nous, comme si on avait été de vieilles copines. Elle a demandé à Edith :

« Vous aimez la chanson ?

— Je chante, a répondu Edith.

— Où ?

— Dans la rue. »

Marie Dubas, « la Grande », n'a pas ri. Elle a regardé Edith. C'était chaud. Ça rentrait dans le cœur. Et elle lui a dit :

« Vous, vous reviendrez me voir. »

Elle ne demandait pas. Elle savait.

Quand on est sorties de l'A.B.C. Edith m'a dit :

« Tu as vu comme elle m'a causé ! Elle ! Marie Dubas ! Vois-tu, Momone, cette femme-là, quand elle ne chantera plus, personne ne la remplacera. »

Et quand Marie Dubas a quitté la scène, elle n'a jamais été remplacée.

Dans l'intérêt d'Edith pour Raymond, il y avait surtout celui qu'elle avait pour Marie. Elle était sûre que lui savait comment on devient une Marie Dubas.

Au début de leur rencontre, Raymond n'était pas tellement franc du collier. On aurait dit qu'il avait

peur de s'engager. Tout de suite il aurait pu faire
quelque chose pour elle, mais il ne faisait rien ; des
conseils seulement, un peu du bout des lèvres. C'était
le genre : « Moi, je dis ça... mais tu fais ce que tu
veux. » Il trouvait qu'elle n'aurait pas dû accepter
n'importe quoi.

« Tu es bon, toi. Il faut bien bouffer. »

Il lui disait :

« Tu aurais besoin de quelqu'un qui s'occupe de
toi ; pour tout. Tu as beaucoup de choses à apprendre. »

C'était une offre, mais pas directe. C'était souvent
son genre, à Raymond, de parler en biais.

Edith ne comprenait pas ; ou elle ne voulait pas.
Elle sentait qu'il aurait fallu prendre le bonhomme
avec, et il ne lui disait rien. Alors, elle répondait :

« Oui, il me faudrait un imprésario. Mais depuis
que j'en cherche un, je ne l'ai pas trouvé.

— C'est plus que ça qu'il te faut : quelqu'un qui
te « fabrique » en entier. Je te le dis, tu as tout à
apprendre. »

Edith n'était pas à point pour comprendre ça.

« Avec papa Leplée, j'ai eu ma chance.

— Elle est passée, répondait Raymond. Tu es tombée de plus haut. Maintenant, on te demandera *plus*
qu'avant. Tu ne viens plus de la rue, tu viens du
Gerny's. Nuance... »

Edith était comme un animal qu'on a apprivoisé
mais pas dompté, ombrageuse comme un cheval qui
voit voler un bout de papier devant son nez. Probable
que parce qu'elle avait de la race, elle n'avait pas de
patience.

Tout ce que lui disait Raymond était trop vrai.
Elle ne voulait pas l'entendre, ça lui foutait le noir.
Alors, elle râlait.

« Ce qu'il raconte, y'a du vrai... Mais c'est un pes-
simiste, ce gars-là. Je m'en fous, j'arriverai sans lui. »

Cette phrase-là a retardé de plusieurs mois leur

véritable rencontre. Lui était encore hésitant. Il ne croyait pas assez en elle. Edith n'était pas amoureuse. Ça ne pouvait pas marcher.

Un soir, à la Nouvelle-Athènes, Raymond est venu, avec sa tête dure, fermée, celle des mauvais jours.

« Tiens, j'ai un contrat pour toi. Tu vas l'accepter et tu auras tort.

— Fallait pas te déranger », lui a répondu Edith.

Un contrat, moi, ça me plaisait. Et puis, Asso, il commençait à me courir. Je n'étais pas pour lui. Plutôt contre. Ses airs de tout savoir m'exaspéraient.

« C'est pour où ?

— Pour Nice. Un mois.

— La Côte d'Azur, a dit Edith, ça ne se refuse pas. Et où ?

— A la Boîte-à-Vitesse.

— C'est bien ?

— C'est possible.

— Tu n'avais pas besoin de prendre une tête d'enterrement pour annoncer ça. C'est plutôt le genre de nouvelles qui s'arrosent.

— Si tu voulais attendre, on trouverait mieux.

— Je ne peux pas. Et puis, je ne veux pas. J'ai envie de mettre de l'air entre Paris, l'affaire Leplée, et moi. A Bruxelles, j'étais tranquille. Là-bas, ce sera pareil. C'est la province. »

Pour des illusions, elle s'en faisait !

La province a toujours du retard sur Paris. Et, là-bas, la sale étiquette de l'affaire Leplée était encore collée sur le dos d'Edith. C'était bien pour ça qu'on lui offrait un contrat.

Je n'avais que dix-huit ans à peine, je ne pouvais pas comprendre Raymond. C'était une sorte de monsieur. Ce n'est que plusieurs années plus tard que j'ai compris ce que notre départ pour Nice avait représenté pour lui.

Probable qu'il ne voulait pas lui dire, mais il était mordu pour elle. Il avait un orgueil de coq perché sur son fumier : si une poule ne montait pas le rejoindre, il ne se serait pas abaissé à lui faire des avances.

Ce départ, il l'avait joué avec lui-même : « Si elle part, je la laisse tomber, si elle reste, je m'occupe d'elle. » C'était son genre, à Raymond.

Il a pensé que c'était foutu pour lui, qu'Edith lui échappait, surtout quand elle lui a dit :

« T'as rien trouvé pour Momone dans cette boîte ?
— Non.
— Tant pis, on se débrouillera. Je l'emmène quand même. »

Fallait voir´ sa tête. Il ne m'aimait pas. Il avait espéré que ce voyage nous séparerait. Probable qu'il avait pensé la rejoindre. Allez savoir ! Raymond était jaloux de l'influence que j'avais sur Edith. Il était jaloux de tout. Déjà, il la voulait en exclusivité. J'étais gênante et plus qu'un peu : je le jugeais, je lui donnais tort si ça me plaisait, je me foutais de lui.

Avant notre départ, il m'avait prise à part pour me faire la leçon :

« Ecoute. Tu as de l'influence sur Edith. Empêche-la de courir, de coucher avec n'importe qui, de boire.
— Fais-le toi-même. Elle est heureuse comme ça, et moi aussi. »

Entre ses dents, de rage, il m'avait craché :
« Tu sais que tu es son « mauvais génie ».

Quand il m'a dit ça, j'ai bien ri. Je me suis payé sa tête. Plus tard, ça m'est revenu. Moi, le mauvais génie d'Edith ! Ça me faisait rigoler, j'avais tort. Edith était influençable et, un jour, il a réussi à le lui faire croire.

Ce départ ne lui plaisait pas, et pourtant, il s'est occupé de tout. Il nous a acheté deux valises neuves : « Vous serez plus présentables ! » Il a pris des billets, des secondes : « Ça vous classera. » A cette époque, dans les trains il y avait trois classes.

Comme il connaissait ses bonnes femmes, il nous a

accompagnées à la gare et installées lui-même. On aurait dit un père qui conduisait ses mômes. Il nous a fait toutes sortes de recommandations :

« Ne mangez pas dans le compartiment. Allez au wagon-restaurant, c'est plus convenable. »

Nous, on ne voyait pas pourquoi. Nous étions à la portière, lui sur le quai.

« Oui, lui répond Edith.

— Je vais vous chercher de quoi lire. »

Et il est parti vers le petit chariot de librairie. Ils vendent n'importe quoi. Mais Raymond avait l'air de savoir choisir. Je le regardais de loin. C'est toujours marrant de regarder les gens quand ils ne vous voient pas.

Pendant ce temps-là, Edith me disait :

« Dis donc, il est temps de les mettre. Il commence à charrier, ton petit copain. »

Quand quelqu'un était désagréable à Edith, c'était toujours « mon » petit copain.

Lui, il revient l'air ravi.

« Tenez, Ça vous plaira certainement. »

Et il nous a tendu un livre. J'ai regardé le titre : *La petite fille comme ça.* L'auteur : Lucie Delarue-Mardrus. Je ne le connaissais pas. On n'en connaissait aucun.

Edith, ce qu'elle lisait, c'était minable : *Trompée au seuil de ses noces, l'Amour sacrifié, Vierge et mère, Séduite le jour de ses vingt ans,* etc.

Pour en finir avec ce bouquin, Edith ne l'a pas lu. Moi si. Je l'ai ouvert, et dès la première page, ça m'a foutu un coup ; jusqu'au bout. Cette histoire, j'y croyais. Longtemps avec Edith on a cru que les romans racontaient des histoires vraies.

Raymond était toujours planté là sur son quai. On n'en finissait pas de démarrer. Je regardais la grosse horloge. La grande aiguille avait l'air de jouer à saute-mouton avec les minutes.

Enfin, le train est parti !

Raymond a tenu la main d'Edith le plus longtemps possible. Edith la lui laissait, elle s'en foutait. Mais moi, je me suis dit : « Toi, mon vieux, tu es pincé. » A moi, il a quand même souri. Et puis, comme à des gosses, il nous a crié :

« Soyez sages... »

Pauvre Raymond, il était encore innocent.

L'histoire Edith-Raymond, c'est un film à épisodes. C'était écrit d'avance, mais Edith ne l'avait pas senti. Pourtant, pour ça, le flair ne lui manquait pas. Le premier épisode venait de se terminer sur le quai de la gare de Lyon.

Au premier arrêt, on est descendues du train pour aller dans les troisièmes où il y avait des voitures bourrées de soldats, sans oublier d'acheter au passage — chacune — deux bons litres de rouge. C'était plein de militaires, mais pas dans notre compartiment.

« On changera », me dit Edith.

On n'a pas changé, parce qu'à côté d'elle, il y avait un gars, trop bien fringué pour les troisièmes, un beau gars. Ça n'a pas été long.

Edith le dévorait des yeux. Elle s'est laissée glisser. Il lui a pris la main. Elle a abandonné tout naturellement la tête sur son épaule. Ce pouvoir qu'elle avait sur les hommes, ce n'était pas croyable ! Je les regardais, et je voyais l'amour, celui qu'on ne voit qu'au cinéma ! Ça commençait bien, le voyage !

J'ai eu bien le temps de lire *La petite fille comme ça*. Edith m'avait dit :

« Lis le bouquin. Tu me le raconteras. »

Je les regardais, je lisais, ça allait ensemble. Tout ça, c'était du roman.

Un moment, son homme s'est levé, a été fumer une cigarette dans le couloir. Alors, on a bu un coup, vite fait. Edith ne pensait plus à nos litrons et moi aussi. Elle m'a dit :

« Celui-là, je ne sais pas où il va. Il m'a dit qu'il

descendait dans le Midi, pas loin de Nice. Je m'arrangerai pour le voir, parce que je ne le quitterai jamais. J'en suis folle, Momone. »

En arrivant à Marseille, on a aperçu le soleil. Je roupillais à moitié, mais quand même, c'était beau. Puis on a plongé dans l'ombre sale à la gare Saint-Charles.

Le gars a dit à Edith :

« Je descends me dégourdir les jambes. Attends-moi.

— Embrasse-moi. »

Il l'a embrassée. Ce n'était pas nouveau, ils n'avaient fait que ça toute la nuit.

Il est descendu. Edith le regardait, moi aussi. Deux policiers l'ont encadré. Ils lui ont passé les bracelets sans histoires. Il était fait. Il s'est retourné, il lui a souri une dernière fois.

J'ai regardé Edith. Elle était toute blanche, la bouche ouverte comme pour crier. Je lui ai passé le litre. Elle a bu un bon coup. On ne s'est rien dit. Il n'y avait rien à dire. Le train est reparti.

« Momone, comment tu le trouvais ?

— Il était bien, il serait peut-être devenu moche. »

On n'en a plus parlé.

Edith n'a jamais ménagé Raymond. La première histoire qu'elle lui a racontée en rentrant, ça a été celle-là. J'ai vu, à sa gueule fermée, qu'il n'appréciait pas. A la place d'Edith, je n'aurais pas osé. Mais elle avait raison car il en a fait une chanson, un de ses grands succès. *Paris-Méditerranée* :

> *Un train dans la nuit vous emporte,*
> *Derrière soi, des amours mortes,*
> *Et dans mon cœur, un vague ennui...*
> *Alors sa main a pris la mienne,*
> *Et j'avais peur que le jour vienne.*
> *J'étais si bien contre lui.*

> *Lorsque je me suis éveillée,*

Dans une gare ensoleillée,
L'inconnu sautait sur le quai.
Alors des hommes l'entourèrent.
Le soleil redoublait ma peine,
Et faisait miroiter ses chaînes.
C'était peut-être un assassin...
Il y a des gens bizarres
Dans les trains et dans les gares.

A Nice, notre arrivée a été moins poétique. Pourtant, en sortant de la gare, la première chose qu'on voit, c'est un homme-sandwich. Edith me crie :

« Momone, il a mon nom sur le dos ! Rattrapons-le, on va lui payer un coup. »

Nous voilà parties derrière cette pauvre cloche. Heureusement que, dans son métier, on traîne les pieds. On le rattrape et on lit : LA MOME PIAF A-T-ELLE ASSASSINE ? EST-CE ELLE ? VOUS LE SAUREZ CE SOIR EN VENANT A LA « BOITE-A-VITESSES »...

Edith était effondrée.

« Ah non ! Ils ne vont pas remettre ça ! Assassiné ! Les salauds ! Les ordures ! J'en sortirai jamais ! »

Ça ne me plaisait pas pour elle, mais je voyais la chose autrement.

« C'est des vaches, d'accord. Mais c'est, tout de même, de la publicité. D'abord, les gens vont venir à cause du scandale, mais s'ils reviennent, ce sera pour toi. »

C'était le genre de raisonnement qu'Edith pigeait très vite. Elle a réfléchi un moment, pas long.

« Je veux bien endosser ça, mais alors, la femme qui dirige la boîte, elle n'y met pas le prix. Je veux plusieurs hommes-sandwiches, et pas « un » pauvre miteux. Si on utilise le scandale, faut le faire en grand. Je vais lui dire à cette taulière. »

Et elle le lui a dit. Edith, d'instinct, était déjà, à ce moment-là, une « bête de métier ». Elle a toujours su ce qu'il fallait faire. Si, dans sa vie, elle a commis des erreurs, dans son boulot, jamais.

N'empêche qu'il fallait avoir de l'estomac pour avaler *A-t-elle assassiné ?*

Ses preuves, elle les a vite faites. Engagée pour un mois à la Boîte-à-Vitesses, elle y est restée trois. C'était peu payé : cent francs par jour pour elle et son accompagnateur.

Nous n'avions plus notre copain, Robert Juel. Sans contrats à Paris, Edith n'avait pas pu le garder. En partant, elle avait engagé René Cloarec, un type qui avait beaucoup de talent. Il n'était pas encore connu et habitait faubourg Saint-Martin, dans un petit hôtel. Il était content de travailler avec Edith. Il est venu avec sa femme : une gentille, pas désagréable, mais qu'on n'a jamais fréquentée. Elle n'avait pas le genre artiste ; c'était une petite-bourgeoise bien popote.

Avec tout ça il nous restait cinquante francs, ce n'était pas lourd. Jamais on n'a autant bouffé de spaghetti : « Bourre-toi bien. Ça nourrit et ça ne coûte pas cher !

— Momone, il va falloir que tu travailles. Sans ça, tu ne vas pas pouvoir rester. Tu vas danser. »

Elle a dit à la patronne :

« Vous me donnez quinze francs de plus par jour et ma sœur fera son numéro de danseuse. Elle travaille à Montmartre dans les plus grosses boîtes. Je l'ai décidée à venir avec moi parce qu'elle a besoin de soleil. Voyez comme elle est pâle. Il faut l'engager si vous voulez que je reste. »

Le culot d'Edith était monstrueux. Je ne sais pas ce que l'autre a cru, mais elle a marché.

Dans notre chambre, Edith a organisé mes numéros. Elle a coupé une vieille robe de satin noir, m'a mis un nœud vert dans les cheveux, m'a regardée.

« Ça va, ça te fait un numéro. A cause du satin, tu danseras du classique. »

Elle a acheté un tablier noir d'écolier, m'a collé un nœud rouge.

« Avec tes chaussures plates, ça te fait un autre numéro. Tu fais de l'acrobatie. Tu t'appelleras « Bout de Chou ». (Je portais des talons plats, et j'en ai toujours porté à cause de mes cinq centimètres de plus qu'elle. Elle ne les a jamais tolérés.)

Et allez donc ! L'acrobatie ça marchait à peu près ; les leçons de papa n'étaient pas oubliées. Mais dans le classique ! Je changeais chaque soir, je ne gambillais même pas en mesure, je faisais n'importe quoi.

A Nice, Edith avait dégoté un petit hôtel pas trop mal, du côté du passage Emile-Négrin, que nous trouvions très chic. Mais eux, ils ne nous trouvaient pas bien du tout.

Un jour, quand même, on a eu honte. On rentre, la porte de notre chambre était ouverte. On aperçoit une femme de chambre qui poussait, avec un balai, un amas de saloperies : boîtes de sardines, de camembert, bouteilles vides, bouts de papier, de coton, tout ce qu'on voulait.

On se regarde. Edith me dit :

« C'était dans notre piaule, tout ça ? »

Dans la chambre, une bonne femme gueulait :

« C'est pas possible d'être aussi dégueulasses que ça !... les salopes... les salopes... »

On tombait de haut. Nous, on avait cru, au contraire, être bien : on foutait tout sous le lit !

On s'est cassées vite. On est revenues quand elle a eu fini le ménage. Je reconnais qu'on lui donnait du travail. Elle en a vu de belles, la chambre !...

A Villefranche, il y avait souvent l'escadre américaine. Les matelots rappliquaient à Nice. Alors là, c'était la java. Edith adorait les marins américains.

« Ils ne sont pas compliqués. Et comme leurs boniments, je ne les comprends pas, ils ne me fatiguent pas. Même s'ils t'engueulent, ça paraît gentil. »

Ils étaient blonds, roses, bien lavés. Edith les faisait rire. Elle leur disait : « *You, good boys* », avec un accent qui les faisait se marrer. Elle savait aussi : « *Yes — No — Good-bye — Good morning — Kiss me.* » Ça suffisait pour ce qu'ils avaient à faire ensemble ! Mais comme elle n'avait pas confiance en eux, elle les enfermait à clef, pour être sûre de les retrouver, chacun dans une chambre, qu'ils payaient bien entendu ! Après les avoir bouclés, elle partait faire son tour de chant à la Boîte-à-Vitesses. Je dis « les », parce qu'il y en avait parfois trois qui l'attendaient. Un matin, à cinq heures, il y en a un qui a cassé la porte de sa chambre. L'escadre levait l'ancre et Edith l'avait oublié ; elle était partie en java avec d'autres.

Edith faisait des concours de boisson avec eux. Elle buvait le cognac à la bouteille. Ils avaient beau venir des U. S. A. ils n'avaient jamais vu ça.

Ce qu'elle pouvait avaler, ce n'est pas croyable. Cinq, six apéritifs, un bon déjeuner arrosé de bon vin, pousse-café... Après s'être ingurgité tout ça, elle prenait un grand café au lait pour digérer. Et elle n'était pas malade...

On a rencontré Roger Lucchesi, le chef d'orchestre, qui était avec un copain. Ils nous ont emmenées en voiture du côté de Théoule. Nous n'avions jamais vu la Côte. Ce que c'était joli ! Les rochers rouges avec cette mer bleue, puis toutes ces petites maisons bonbon fondant... On croyait que ça n'existait que sur les cartes postales, que c'était un truc publicitaire pour faire venir les touristes !

On ne voulait pas avoir l'air, mais on n'en revenait pas !

A Nice, Edith a aussi chanté dans la rue. Pas beaucoup. Ça ne donnait pas grand-chose dans ce bled-là. Ceux qui font la manche la font devant les restaurants en terrasse, quai des Etats-Unis, au bord de la mer. Ils donnent dans la couleur locale, style *Sole mio* ou *Santa Lucia.* Les mômes de la cloche, ça ne va pas avec le climat du pays. On y a aussi fêté les vingt et un ans d'Edith.

Ce jour-là, il ne faudrait pas croire qu'il y a eu un gâteau avec des bougies ! On ne savait même pas que ça existait. Non, on est restées toutes les deux avec une bonne bouteille parce que ça faisait six ans et demi que nous vivions ensemble. Six ans... Quand on les raconte, ça passe vite ; mais à vivre, c'est long... C'est que, des repas, on en fait trois par jour... et il faut les trouver !

Nice terminé, on a repris le train, en troisième. Pas pour les soldats ou les marins ; c'était la seule classe qu'on pouvait se payer.

On n'a pas rencontré de gars, pas d'épaule pour la tête d'Edith. On se tenait la main parce qu'on avait le cafard.

Edith était sans illusions. Nice, c'était zéro. On avait bu, rigolé, et puis après ? On avait, une fois de plus, usé notre jeunesse. Pour Edith, rien ne l'attendait à Paris : pas de contrat, pas même d'espoir. Trois mois d'absence, et le nom de la môme Piaf était oublié, rayé. Elle le savait bien. Elle était déjà trop du métier pour ne pas savoir qu'elle était dans une impasse.

L'arrivée au petit matin, gare de Lyon, c'était sale, c'était noir. Mais ça sentait quand même bon, c'était chez nous. C'était notre ville. C'était Paname, celui qu'elle a chanté plus tard :

> *Oh ! mon Paname !*
> *Que tu es loin d'ici...*
> *Et que la Seine était jolie*
> *Sous le soleil du mois de juin.*

Nous étions minables sur le quai de la gare. Edith roupillait, moi aussi. Personne ne nous attendait.

Raymond ?... Edith ne lui avait même pas écrit, même pas répondu à ses lettres.

« Qu'est-ce qu'on va faire ? » dit Edith.

Je n'avais rien à proposer. J'étais vannée, à court d'idées.

« Naturellement, quand on a besoin de toi, il n'y a plus personne ! Heureusement que je suis là. Tu vas voir. »

De la gare, elle téléphone à Raymond Asso :

« Voilà, Raymond, tu m'as dit que tu étais prêt à t'occuper de moi. Alors, je suis d'accord. »

Elle a écouté puis elle a raccroché.

« Il m'a répondu : « Viens. Prends un taxi !... »

Je n'en revenais pas.

« Pourquoi as-tu pensé à lui ?

— Tu en vois un autre, toi ?... Il n'avait qu'à pas me dire : « Si tu as besoin de moi, un jour, appelle- « moi. » C'est fait.

— Tu ne me l'avais pas dit.

— Et alors ? »

Un peu plus, on se disputait. Mais j'étais trop crevée. Et puis celui-là, ou un autre... Il nous fallait bien quelqu'un pour s'occuper d'Edith et de moi.

Nous débarquons à Pigalle, à l'hôtel Piccadilly. Raymond nous attendait. Il habitait là avec une femme, Madeleine. Ça durait depuis si longtemps qu'on les aurait cru mariés. L'air plus vache que jamais, il nous a dit :

« Je vous ai pris une chambre. »

Seulement, dans son œil, il y avait quelque chose d'humide, comme du bonheur. On attaquait le deuxième épisode. A cause de ce mot « viens », la véritable carrière d'Edith allait débuter.

C'est Leplée qui a découvert Edith, mais c'est Asso qui l'a fabriquée. Ça n'a pas été facile, facile... mais quel beau boulot ! Le Raymond, c'était quelqu'un.

Tout de suite, il a posé ses conditions à Edith :

« Je vais t'aider. Le métier, je le connais. Les gens

du métier aussi. Je te garantis que, si tu m'écoutes, la mouise, c'est fini pour toi. Finie aussi la rigolade. Il va falloir que tu travailles dur, que tu fasses ce que je te dirai. Les macs, la boisson : terminé. Tu acceptes ou tu refuses. Si tu dis oui, je ne te laisserai pas tomber, jamais. Si tu dis non, alors frappe à une autre porte, je ne suis pas un guignol. »

Edith, ça l'a soufflée. Personne ne lui avait parlé comme ça. Les mots, le ton, tout y était.

Elle a dit oui.

Honnêtement, j'avais envie qu'elle dise non. Je ne sais pas ce que j'aurais donné pour ça. Et bien, ce jour-là si elle l'avait dit à cause de moi, j'aurais été son « mauvais génie ».

Edith ne regardait pas Raymond comme les autres hommes, ceux qu'elle mettait dans son lit. Il était celui qui pouvait lui faire de bonnes chansons, lui trouver des contrats, s'occuper d'elle. Tout ce qu'il lui avait dit, elle le croyait. Elle avait confiance. Seulement, ça ne suffisait pas. L'homme qui lui disait bonsoir au moment où elle se mettait au plume ne pouvait pas avoir d'autorité sur elle.

Puis, un jour, tout a changé. Elle a ouvert la porte de notre chambre en se marrant. Elle riait tellement qu'elle ne pouvait plus parler.

« Momone, tu ne sais pas qui je viens de rencontrer dans l'escalier ? Raymond !

— Et alors, tu le rencontres vingt fois par jour, il habite au-dessus.

— Momone, je suis folle ! Je suis amoureuse !

— Ah ! bon.

— Non, pas « ah ! bon »... Devine de qui ? »

Allez savoir avec Edith !

Triomphante, elle me crie :

« De Raymond Asso. »

Pour une nouvelle, c'en était une !

Elle m'explique :

« Je montais. Il descendait l'escalier. Je le regarde,

et je comprends tout : pourquoi on s'engueulait, pourquoi il m'énervait, tout ! Je l'aimais. Fallait-il que je sois gourde pour ne pas l'avoir compris ! C'est la première fois que ça m'arrive. D'habitude, je pense à ça avant tout...

— Qu'est-ce que tu lui trouves ?

— Enfin, Momone, faut être aveugle pour ne pas voir qu'il est beau. Il a des yeux sensationnels, d'un bleu... il n'y en a qu'un comme celui-là. »

A chaque fois, leurs yeux n'étaient jamais d'un bleu comme celui des autres. Le bleu, c'était le baromètre. Quand Edith disait de l'homme du moment : « Tu les trouves vraiment bleus, ses yeux ? Ils sont gris... et encore, pas d'un beau gris... », le gars pouvait faire ses valises ! Le beau temps, c'était fini pour lui. Des yeux bleus, on aurait pu en faire une collection. Toute la gamme des bleus, on les a eus. Et ses discours sur le sujet, je les connaissais :

« Momone, le bleu attire. C'est de la lumière. Et en plus, les yeux, ça ne trompe pas, c'est vrai. Tout ment : la parole, les gestes. On peut tout truquer, pas le regard. »

Mois, je lui donnais raison. N'empêche qu'elle s'est trompée quelquefois.

Puisque Raymond avait les yeux qu'il fallait, il était « bon pour le service ».

Je ne le trouvais pas tellement beau, plutôt quelconque. Pour moi, c'était un arbre d'hiver, noir, sec, un tronc pour les corbeaux, pas pour les piafs !

« Discute pas, Momone, j'ai eu le choc. »

Quand elle avait eu le choc, il n'y avait plus rien à dire ; qu'à attendre le contrecoup !

Avec moi, il n'a pas pris de gants :

« Tu vois, Simone, maintenant que ça marche entre Edith et moi, on va faire du bon travail.

— Tu n'es pas encore au bout de ton turbin. »

Très supérieur, comme toujours, il m'a envoyée paître.

« T'occupe pas. J'en ai vu d'autres. Je ne suis pas un enfant de chœur, et je vais t'affranchir : si tu veux qu'on soit copains tous les deux, il ne va pas falloir me mettre des bâtons dans les roues. Pour une fois, tu ne seras pas la plus forte. Compris ?

— Bien, mon adjudant ! »

Ça l'a fait rire. Moi pas.

Les premiers jours, tout baignait dans l'huile. Edith me cassait les oreilles :

« Momone, ce qu'il est bien. Ça c'est un homme. Et puis, il en sait des choses. Tu comprends, j'ai confiance en lui. Pour moi, Raymond, c'est mieux qu'un imprésario. C'était lui, l'homme qu'il me fallait ! Tu ne crois pas que c'est marrant la vie : il était là, à portée de ma main, et je ne l'avais pas vu. Non, mais qu'est-ce que j'ai comme chance de l'avoir rencontré ! »

Elle était tellement optimiste qu'elle n'en voulait même pas à Madeleine d'exister ! Mais moi, j'y pensais. J'étais sûre que ça allait faire des histoires. Ça n'existe pas les femmes qui lâchent leur homme facilement. Même quand elles n'en veulent plus, elles n'en font pas cadeau à une autre !

Au début, ça s'est plutôt bien passé. On était assez copines avec Madeleine, qui était du genre brave fille. Edith prenait des précautions, elle ne s'affichait pas. Quand elle restait seule avec Raymond, c'était pour le travail. Elle nous disait, à Madeleine et à moi :

« Pendant que vous ferez les commissions toutes les deux, nous, on va travailler avec Raymond. »

Les séances de travail avaient lieu dans notre chambre.

Je faisais traîner les achats tant que je pouvais. Edith m'avait dit :

« Momone, je compte sur toi. Il me faut au moins deux heures ! »

C'était pas facile quand on avait un bâtard, une boîte de sardines, un litron et un calendo à acheter. Et en plus, pas de montre ! Je regardais toutes les horloges que je rencontrais, je faisais tous les commerçants, je comparais tous les prix.

Madeleine s'étonnait :

« Je ne t'aurais jamais crue si économe. Edith est plutôt panier percé. »

Je répondais :

« Oui, c'est moi qui tiens le fric.

— Je vois ça » disait Madeleine.

Tout de même, elle commençait aussi à comprendre autre chose.

« Tu ne trouves pas qu'Edith et Raymond travaillent beaucoup ensemble ? »

Je répondais de mon air le plus innocent — et il l'était :

« C'est normal, ils ont beaucoup à faire. »

Je voyais que Madeleine n'était pas vraiment dupe. Sans doute qu'elle en avait déjà vu d'autres avec Raymond. Alors elle attendait que ça se passe, et moi, j'attendais avec elle. Dans le fond, quand j'y pense, c'était marrant : ensemble, on avait un peu l'air de deux coches.

Il faut rendre cette justice à Raymond que faire de la môme Piaf « Edith Piaf », ce n'était pas un boulot facile. Non seulement elle avait tout à apprendre, mais encore il fallait lui courir derrière. Dès que Raymond n'était plus à côté d'elle, elle se barrait. Elle ne supportait pas d'être seule, elle était toujours prête à écouter tout le monde, elle ne résistait pas au plaisir d'offrir un verre, à une partie de rigolade. Le temps, elle le gaspillait aussi facilement que le fric. Elle n'avait pas plus la notion de l'un que de l'autre.

Passés les premiers « Je t'aime » et « Je t'adore », Raymond a commencé à la faire travailler. Là aussi, il a eu des surprises. Il nous connaissait très peu.

Une ignorance comme la nôtre, il ne pouvait pas l'imaginer.

Dans notre chambre, il s'est passé de drôles de séances ! Edith vautrée sur le lit, Raymond assis à califourchon sur la chaise, la pipe au bec. Il a la tête un peu inclinée, il fume à petits coups, ça fait peuh... peuh... Il y a des klaxons dans la rue ; très loin des bouts de musique de bastringue... C'est la fête à Pigalle. Je dis :

« Edith, c'est la fête à Pigalle. Si on y allait ? »

Edith a l'air heureux. Elle relève la tête, sourit :

« Ça c'est une idée !

— Non, dit Raymond, ça c'est fini. »

Il me vient une envie de mordre. Je crie :

« Tu ne vas pas faire la loi ! »

C'est comme une fringale. D'un coup, mes dix-huit ans ont envie de manèges, de lumières, de musique.

« Si. »

Du bout du tuyau de sa pipe, Raymond me montrait à Edith comme avec un doigt.

« Tu l'entends, « ta » Simone ? La fête ! Et après ? C'est en allant à la foire que tu vas chanter ? Tu as autre chose à faire. Tu ne sais même pas lire.

— Tu charries.

— Même dans tes chansons, il y a des mots que tu ne comprends pas, je m'en suis aperçu. Si tu ne sais pas ce que tu chantes, comment veux-tu le faire comprendre aux autres ? »

En quelques minutes, Raymond venait de gagner. Ça m'embêtait, mais je savais qu'il avait raison.

C'était vrai. Edith ne savait rien, à peine « lire ». Elle déchiffrait un texte si lentement que sa lecture la rasait tout de suite. Quant à écrire... Elle m'écrivait à moi, et à Jacques. Pour lui, elle n'avait pas honte, ça n'avait pas d'importance ; et moi, j'en savais à peine plus qu'elle...

Au début, pour faire ses dédicaces sans faute d'orthographe, Raymond a dû lui faire des modèles

qu'elle a copiés et appris par cœur. Elle était la
« Grande Piaf » qu'elle se servait encore des phrases
d'Asso : « Avec toute la sympathie d'Edith Piaf »,
« En toute amitié... », etc.

Edith s'est assise sur le lit, les jambes pendantes.
Ce qu'elle faisait gamine !

Elle m'a regardée, l'air sévère.

« Dis, Momone, faut qu'on s'y mette. C'est vrai
qu'il y a des tas de mots qu'on ne comprend pas. »

Dans ces cas-là, c'était toujours « nous ». Il fallait que j'apprenne avec elle... Il n'y a qu'une seule
chose qu'elle n'a jamais encaissée, c'est le diction-
naire.

« Le Larousse, c'est un trompe-couillon. Tu cher-
ches un mot, tu le trouves, il te renvoie à un autre
et tu n'es pas plus avancée... Et pour la grammaire,
ils sont tous trop compliqués. Je connais le présent,
le passé et le futur. Ça suffit bien pour vivre. »

Elle m'agitait le bouquin sous le nez.

« Non, mais regarde ! Le conditionnel, le plus-que-
parfait, l'imparfait... A quoi veux-tu que ça me serve ?
On laisse tomber. »

Edith était bien trop intelligente pour ne pas sentir
qu'il lui manquait des tas de choses. Ça la travaillait :

« Tu crois que j'ai l'air si cloche que ça ? C'est
vrai que je ne sais pas grand-chose. Tu crois que
ça va me servir tous les trucs que m'apprend Raymond ? »

J'étais bien obligée de répondre : « Oui. »

Raymond se servait de moi. Quand Edith bâillait,
parlait d'autre chose, ou lui disait :

« J'en ai marre ! »

Sec, il répondait :

« Simone a compris, elle. Elle aime ça. Tu n'es
pas plus bête ! Alors prouve-le. »

Ça vexait Edith. Puisque je le faisais, elle aussi le
pouvait. Avec elle, il fallait changer d'hameçon, elle

ne mordait pas longtemps au même. Le jour où
Edith en colère lui a répondu :

« Simone, je l'emmerde ! »

Raymond lui a balancé comme une gifle :

« Et Marie Dubas aussi ?

— Qu'est-ce qu'elle vient foutre là-dedans ?

—Tu crois qu'il suffit d'ouvrir la bouche sur une
scène, toi ! Ce qui se passe après, tu t'en balances !
On va se soûler avec des gigolos de rencontre, et
c'est la belle vie ! Tu te goures. Je vais te dire ce
qu'elle vient foutre là-dedans, comme tu dis, Marie
Dubas. Si on lui parle de Baudelaire, elle ne demande
pas son numéro de téléphone pour qu'il lui fasse
une chanson. Si un homme lui baise la main, elle ne
la lui envoie pas sur la gueule. Si on lui sert du poisson, elle ne bouffe pas les arêtes, ou elle ne les
crache pas dans son assiette parce qu'elle ne sait
pas quoi en faire. Si on lui présente un ministre,
elle ne lui demande pas : « Alors, ça marche votre
« boulot ? »

— J'viens de la rue. Tout le monde le sait. Et
alors ? Si je ne leur plais pas, ils n'ont qu'à me
laisser.

— C'est ce qu'ils feront. Ce n'est pas une honte de
sortir du peuple, mais ç'en est une de vouloir rester
dans la crasse, l'ignorance. Marie Dubas sait se tenir
dans la vie, à table, avec les gens. Elle sait recevoir.
Il y a un minimum obligatoire et tu ne l'as même
pas ! J'en ai marre de toi, de tes caprices, de tes
conneries !... »

Edith suffoquait. Elle était pâle de rage, j'ai cru
qu'elle allait tout casser dans la pièce. Elle a piqué
une colère terrible. D'un seul coup, elle s'est tue. Il
y a eu un silence blanc. Puis Edith est devenue toute
humble. Elle me faisait pitié de la voir si petite, si
perdue.

« Je vais apprendre, Raymond, mais ne me lâche
pas. Je t'aime, tu sais, je t'aime... »

Alors, Raymond l'a prise dans ses bras, en l'appelant « ma petite fille ». Il lui caressait tendrement les cheveux. Après la sauce au vinaigre, il l'enduisait de miel, de confiture de roses, de douceur.

« Si tu m'aides, si tu m'écoutes, ma petite fille, tu seras la plus grande. »

C'était un chef, Raymond. Il savait y faire. Ce n'était rien d'appeler Edith « ma petite fille », c'est peut-être banal... mais elle n'avait jamais entendu ça. Les plus gentils, Louis Leplée et Jacques Bourgeat, lui disaient « mon petit ». C'était paternel et protecteur. Avec Raymond, c'était « Didou », « Didi », « mon Edith »... Ce style-là, on n'y était pas habituées. Des mots comme ça comptent pour des filles comme nous.

Alors, elle fondait, mon Edith.

« Ce qu'il est intelligent ! Ce qu'il en sait des choses et comment il les dit ! C'est tout de même autre chose d'être traitée comme ça. Je l'aime bien, tu sais... Qu'est-ce que je l'aime bien ! Il me fait faire tout ce qu'il veut. »

Ce n'était pas tout à fait vrai. Dans leurs relations, il y avait des hauts et des bas. Edith se fatiguait. Faut se mettre à sa place. Ce n'est pas marrant, à vingt et un ans, d'entendre tout le temps : « Ne fais pas ça », « Tiens ta fourchette comme ça, et ton couteau ne le pose pas sur la table », « Ne remplis pas ton verre à ras bord ». « Ne fais pas de bruit en mangeant, ne parle pas, mange la bouche fermée »...

Ça, c'est un truc qui n'est pas commode : manger sans ouvrir la bouche. Essayez donc quand vous n'avez pas appris ça toute môme à la table de famille !

Edith, ça l'empoisonnait. Elle aimait mieux être écroulée sur la table pour manger. Elle avait mieux ses aises. Elle s'en foutait de se tenir bien. Mais elle avait aussi un tel besoin d'apprendre, qu'elle arrivait tout de même à s'y intéresser. Raymond lui avait fait comprendre que c'était indispensable. Il y avait un souvenir cruel qui la hantait : celui du dîner chez de Rovera avec Maurice Chevalier. Il fallait qu'elle l'efface.

Quand elle avait fini d'apprendre quelque chose, Raymond attaquait un autre terrain.

« Tu ne sais pas t'habiller. »

Ça c'était vrai. Edith avait un goût terrible. Elle adorait les bouillonnés, les plissés, les petits volants, les rouges gueulards. Ça ne la gênait pas de porter du bleu, du violet, du jaune, du vert, en même temps. Elle trouvait que ça faisait gai. Je n'avais jamais rien fait pour arranger ça. Quand nous sortions ensemble, je la laissais se trimbaler habillée en carnaval. Moi, je me fringuais avec des petites robes bien simples, un peu collantes. Comme ça, les gars me remarquaient. J'espérais toujours que, grâce à ça, je pourrais m'offrir les plus chouettes. Ça ratait régulièrement. C'était toujours elle qui embarquait les mieux...

Le jour où Raymond a dit ça à Edith, il y a eu un certain tabac.

« Te mêle pas de ce que tu ne connais pas. Les fringues, c'est pas ton affaire.

— Sur scène, tu es bien avec ta petite robe noire.

— C'est le principal. Dans la rue, je fais ce que je veux.

— Dans la rue, tu dois continuer à avoir le même style que sur scène. Ça fait partie de ton personnage, de ta personnalité. »

Se tenir à table, apprendre à ne pas déconner, découvrir les mots gentils... ça nous avait déjà épatées. Mais entendre parler de « personnalité »... alors là ! vraiment, on était renversées. Seulement, ça, Edith l'a tout de suite pigé. Ça faisait partie directement de son métier.

Pour la connaître, cette fameuse personnalité, Raymond faisait parler Edith. Pendant des heures et des

heures, elle lui racontait des histoires. Elle adorait
bavarder. Moi, je me marrais bien en l'écoutant. A la
première seconde, elle devinait ce qu'il fallait dire
à un type pour lui plaire. Elle lui racontait, d'instinct, ce qu'il voulait entendre. Elle ne se trompait
pas. Elle n'avait pas d'efforts à faire. La vérité pour
elle, c'était ce qui lui plaisait au moment où ça
passait dans sa tête. Et comme il fallait qu'elle
séduise — elle aurait fait du charme à un bâton de
chaise s'il avait porté culottes —, elle arrangeait sa
vie suivant le gars. Il gobait tout. Il en redemandait.

Elle me disait :

« Momone, je ne mens pas. Je m'embellis la vie. »

Raymond y a eu droit comme les autres. Seulement, pour lui, elle a donné dans le poétique, dans
la romance : la pauvre petite bonne femme des
rues, des faubourgs, un peu paumée mais si atta-
chante...

Elle a fignolé. Le père acrobate. Sa mère, la chanteuse ratée. Moi, la demi-frangine qu'on protège. Les
hommes de passage. Les soirs de bourdon... Tout y
est passé !

Vrai ou faux, Raymond s'en foutait. Elle l'aidait
à fabriquer, à fignoler son personnage.

C'est en l'écoutant qu'il a réalisé qu'Edith ne pouvait pas chanter le répertoire des autres, qu'il fallait
lui en faire un à sa taille. Pas de la confection : du
sur mesure, du cousu main. Alors il s'y est mis. Il
lui a fait des chansons.

Raymond sortait son paquet de gris, de gros cul.
La tête baissée, il bourrait sa pipe lentement avec
des gestes toujours pareils. Son pouce, un peu élargi
du bout, écrasait le tabac, il relevait la tête, il respirait un bon coup profond, il allumait sa pipe, et il
se mettait à nous « raconter » sa chanson.

Il prenait des notes sur un calepin de blanchis-
seuse avec un bout de crayon mal taillé. Il n'avait
pas toujours besoin d'une histoire complète comme

celle du train dont il a fait *Paris-Méditerranée*. Il lui
fallait trois fois rien pour démarrer. Un jour, je lui
ai dit :

« Tu comprends, Edith, elle fréquentait la rue
Pigalle et...

— Tais-toi une minute... »

Il s'est mis à écrire. C'était parti. Et il nous a lu
le lendemain *Elle fréquentait la rue Pigalle* :

> *Elle semblait tout' noir' de péchés,*
> *Avec un pauvr' visage tout pâle,*
> *Pourtant y' avait dans l' fond d' ses yeux,*
> *Comm' qu'èque chos' de miraculeux,*
> *Qui semblait mettr' un peu d' ciel bleu,*
> *Dans celui tout sal' de Pigalle.*

C'est lui qui a créé, en chanson, le « style Edith ».
Ce que c'était chouette quand on discutait le coup
tous les trois. Ce que j'aimais ça !

Quand on travaillait comme ça, Madeleine venait
souvent. Elle nous apportait du café. Faut pas croire
qu'on l'avait mise au rancart. Pour le boulot, on était
tous de la même famille, les coudes serrés, on se
tenait chaud.

C'est à d'autres moments que ça se gâtait, quand
Edith voulait retenir Raymond pour la nuit. Mais
c'est surtout plus tard que les scènes ont commencé.
A cette période-là, on était en pleine « fabrication »
d'Edith et on s'y mettait tous pour aider Raymond.

Après les paroles, c'était Marguerite Monnot qui
envoyait la musique. C'était ça, le génie de Raymond
Asso : d'avoir mis Marguerite Monnot dans le coup.

La première fois qu'on les a vus ensemble, Raymond et Marguerite, Edith et moi, on n'a pas compris ce que ces deux-là pouvaient bien avoir en commun.

Asso, c'était un dur dans son genre, un nerveux.
Marguerite avait un ovale doux, des cheveux blonds,

l'air lunaire et toujours un petit sourire qui traînait sur sa bouche comme de la tendresse égarée. Il gueulait pour un oui ou un non. Elle rêvait.

Raymond avait dit à Edith :

« Je vais te faire connaître Marguerite Monnot. C'est elle qui a fait la musique de *l'Etranger*.

C'était une référence. Cette chanson-là, elle nous avait laissé des souvenirs !

Marguerite est arrivée à on ne sait quelle heure ! Elle était toujours en avance ou en retard... On était là, tous les trois, dans la chambre. On l'attendait. En entrant, elle a dit :

« Bonjours les enfants. C'est gentil chez vous. »

Raymond rigolait.

« Tu sais qu'on est à l'hôtel !

— Ah oui ? C'est bien tout de même... »

Pour dire ça, vraiment, il ne fallait pas regarder ! Ce n'était pas un palace, le Picadilly : on ne peut plus quelconque, même un peu miteux. Les tapis, c'était plutôt de la corde que de la laine. Ça ne faisait rien. Marguerite ne voyait jamais rien.

Tout de suite, elle a passionné Edith. On aurait dit qu'elle voyait au travers d'elle.

Avec confiance, elle a mis sa main dans celle de Marguerite.

« Je suis sûre que vous êtes une chic fille, vous ! Et puis, dites donc, qu'est-ce que vous avez comme talent !

— Oh ! » a fait Marguerite, du ton de la dame qui vient juste de s'apercevoir qu'on la violait.

Tout de suite, Edith l'a appelée « Guite ». Tout de suite, elle l'a aimée.

Quand Edith a été la première fois chez Guite, il y a eu un moment si plein d'émotion qu'on avait envie de chialer. Marguerite lui a dit :

« Touche mon piano. Mets tes mains dessus. »

Edith a posé ses mains sur les touches et a fermé les yeux.

« Guite, c'était mon rêve quand j'avais cinq ans, que j'étais aveugle, que j'entendais seulement.

— Alors, écoute bien. »

Marguerite avait de belles mains de virtuose. Elle a posé ses doigts sur ceux d'Edith.

« Joue, joue avec moi. »

Le visage d'Edith rayonnait. Elle avait un grand rire muet comme une gosse qui a trop de bonheur.

« Guite, tu viens de faire entrer la musique en moi. »

C'est comme ça qu'Edith a appris à pianoter. Elle adorait ça. Elle disait qu'elle comprenait mieux quand elle déchiffrait elle-même.

Raymond et Marguerite, ensemble, c'était le godillot avec la pantoufle de Cendrillon. Mais quand ils travaillaient une chanson, alors là, tout changeait. C'était un mariage d'amour. Ils ont mis Edith dans le coup.

Ça se passait comme ça : Edith lisait le texte — elle le lisait déjà comme si elle le chantait ; Marguerite rêvait, Raymond attendait... tant que la musique n'était pas faite, il n'était pas sûr de sa chanson.

A la fin de la lecture, « Ah ! mes enfants... », disait Marguerite. Ça ne voulait pas forcément dire que c'était bien. Elle écoutait encore une fois, puis ça partait.

« Je crois que je la sens. »

Et Marguerite, devant son piano, jouait. Elle était dans son monde à elle. D'ailleurs, elle n'en sortait jamais.

Edith disait :

« Guite, elle est toujours dans le cirage... »

Mais elle l'aimait très fort. Elles ne se sont plus quittées jusqu'à la mort de Marguerite en 1961 ; une mort discrète. Elle n'avait pas l'air malade. Enfin, on ne le savait pas, elle ne parlait jamais d'elle. Simplement elle avait l'air, encore plus, ailleurs. Elle est morte comme elle avait vécu : sans

bruit. Elle a glissé de la vie à la mort aussi légèrement qu'elle avait passé dans la vie.

Marguerite a eu une importance aussi grande pour
Edith que Raymond. C'est elle qui lui a appris ce
qu'était une chanson, qui lui a fait comprendre que
la musique n'était pas qu'un air, que, suivant la
façon dont on l'interprétait, il pouvait dire autant de
choses que les paroles — avec autant de nuances.

Edith dira toujours :

« Le plus beau cadeau que Raymond m'a fait, c'est
la Guite ! Quelle extraordinaire bonne femme ! Elle
n'habite pas la terre, elle loge ailleurs, dans un
monde plein de bleu, de choses propres et belles.
Tiens, les anges, je les vois comme Guite. »

Ça n'empêchait pas Edith d'engueuler Guite :

« Tu n'as pas les pieds sur terre ! Marguerite... (Là,
c'était grave. Edith adorait les diminutifs : Guite,
Momone, Riri, etc. Quand elle vous donnait votre
prénom, c'était sérieux.) Tu es impossible ! Il n'y a
pas de plus grande musicienne de chansons que toi.
Tu ne te montres pas. Tu ne t'occupes pas de ta
publicité. Tu signes n'importe quel contrat. On devrait
te flanquer un conseil judiciaire pour s'occuper de
tes affaires. »

Et Guite, ailleurs, répondait gentiment :

« Tout ça a si peu d'importance... Ecoute plutôt. Ça
va te calmer. »

Et elle se mettait à improviser. Ça pouvait durer
des heures...

Cela n'avait rien d'étonnant. A trois ans et demi,
salle des Agriculteurs, Marguerite Monnot jouait du
Mozart et touchait son premier cachet.

Sa carrière, elle aurait dû la faire dans les grands
concerts — elle avait été l'élève de Nadine Boulan-
ger et de Cortot — et pas du tout dans la chanson.

Sa première chanson, Marguerite l'a composée par
hasard. Tristan Bernard, le grand humoriste de

l'époque de l'entre-deux-guerres, lui avait apporté un poème : *Ah ! les jolis mots d'amour.*

« Tu ne mettrais pas quelques notes là-dessus ?

— Je ne saurai jamais.

— Essaie. »

La chanson était ravissante. Elle a été chantée dans un film par Claude Dauphin.

Après, tout aussi simplement, elle avait fait *L'Etranger.* Ce fut un tube[1]. Puis *Mon Légionnaire.*

Ensuite le succès n'a plus lâché Marguerite. Non seulement elle a fait presque toutes les chansons d'Edith, mais aussi *Irma la Douce* créée par Colette Renard, un mélange de poésie tendre et de faubourg, qui a traversé les mers et a eu un énorme succès en Amérique.

La musique coulait des doigts de Marguerite, il suffisait qu'elle pose ses mains sur son piano. Elle ne devenait réelle que quand elle composait ; et alors elle était la plus grande !

Quand on raconte, c'est facile, ça coule, on peut se laisser glisser dans les souvenirs. Mais entre nous trois — je devrais dire nous quatre parce que Madeleine ne se laissait pas oublier —, la romance changeait souvent de ton. Ça grinçait, ça manquait de lubrifiant ! Il y a eu des gueulantes à faire descendre les vitres. Edith a lâché plusieurs fois.

Se faire dire : « Tu t'habilles comme une pute... Tu bouffes comme un cochon... Un môme de six ans lit mieux que toi... » tout au long d'une journée, ça vous casse rapidement les pieds.

Edith et moi, nous n'avions jamais été tenues en laisse. Même du temps de Leplée, on avait vécu dans la rue, libres. Un maître, on ne savait pas ce que c'était, et surtout on n'en voulait pas. Quand elle en avait sa claque du bonhomme, Edith me disait :

---

1. Tube : en terme de métier, succès énorme, devenu une sorte de scie populaire.

« Ton Raymond, y m'emmerde. Viens, on va se barrer. »

Ce n'était pas moi qui l'en aurais empêchée. On étouffait dans la carrée de l'hôtel Piccadilly, on avait besoin d'air. Nos coups, on les faisait surtout la nuit, pendant que Raymond était avec Madeleine. Il sauvait, encore, les apparences. Ça aussi ça foutait Edith en rogne :

« Il est à moi ou il est à elle. Faudra qu'il se décide s'il veut que ça dure. »

Edith a toujours vécu entre vingt-trois heures et six heures du matin. Et les hommes qui ont voulu la garder, il a fallu qu'ils assurent les nuits, et pas seulement dans le lit.

Elle disait :

« La nuit, on ne peut pas vivre comme le jour. C'est chaud la nuit, plein de lumières. Les gens ne sont pas les mêmes, ils sont faciles. La nuit, moi, je ne rencontre que des potes même si je ne les connais pas. On n'a pas les mêmes gueules, on est tous beaux... »

Alors elle traînait de bistrot en boîtes et en café. On retrouvait nos macs, nos potes. On buvait avec eux. Au réveil, elle avait la gueule de bois, elle ne voulait pas travailler. Raymond se foutait en pétard.

Un matin, il y a eu de la bagarre, une soignée. Elle était couchée. Elle roupillait à moitié, moi à côté d'elle. Edith bâillait, on y voyait jusqu'aux amygdales.

« Raymond, fous-moi la paix, je ne veux pas te voir.

— Tu vas m'entendre.

— Crie pas, j'ai la tête en morceaux.

— Simone, fais-lui son café et secoue-toi. »

Je lui réponds :

« Va te faire foutre. »

Il hurle :

« En voilà assez ! Faut que ça cesse ! Edith tu vas changer ou je te laisse tomber ! Tu m'entends ? »

Il la secouait, elle se rendormait... Une vraie corrida ! Il lui a même filé une baffe. Elle a fini par l'entendre, il ne l'a pas lâchée. Cette bataille-là, il avait décidé de la gagner.

La mâchoire tendue, l'œil dur, il arpentait la chambre. Ça ne lui faisait pas beaucoup de chemin.

Moi, je ne disais rien. Je distribuais le café. J'écoutais. Il lui a tout déballé :

« Tu vis comme une putain sans en gagner le fric ! Tu vas laisser tomber tes marlous, leurs filles, ta bande de copains bons à rien qu'à te piquer tes quatre sous... Tu te laisses glisser dans cette merde ! Tu vas les laisser tomber. C'est nécessaire pour ta carrière. Quand tu passeras à l'A.B.C., tu les vois traînant après toi ? Ils rigoleront, les journalistes !

— Ils venaient bien au Gerny's, mes copains !

— Parlons-en ! Ça t'a réussi ! »

Puis, tout à coup, une chose a surnagé au milieu de tout ça...

« Je vais passer à l'A.B.C. ? Tu te fous de ma gueule !

— Non. J'y travaille et j'y arriverai. »

Sur le moment, elle n'a retenu que ça : l'A.B.C. ! On se regardait toutes les deux. Edith dans un grand music-hall ! On n'arrivait pas à y croire. Mais Raymond ne bluffait pas.

« Raymond, je ne peux pas leur faire ça ! Ils ont toujours été réguliers avec nous. Ils ne nous ont jamais laissées tomber. Sans Henri, je n'aurais même pas eu de robe pour le Gerny's...

— Tu ne t'occuperas de rien. Laisse-moi faire. Il faut qu'on te respecte. »

Ce mot-là, Edith ne pouvait même pas le comprendre. Dans la rue, il n'y a pas de respect.

Raymond a eu le courage d'aller trouver tous les macs d'Edith. Ils les connaissait tous, elle traînait

avec eux tout le temps. Ce nettoyage-là, quel travail !
Il n'y avait pas que des voyous sans envergure, des
mecs plus ou moins à la redresse ; il y avait des
durs, de vrais hommes.

Edith et moi avions été maquées. Ça n'avait pas
duré longtemps mais ils avaient conservé des droits
sur nous. Ça ne gênait pas du tout Edith de donner
de l'argent à un homme. Elle avait plutôt l'impression que c'était l'homme qui dépendait d'elle que le
contraire.

Comment Raymond a fait ? Il ne nous l'a pas dit.
Comme ça l'embêtait, Edith a préféré ne rien lui
demander. Tout ce qu'elle m'a dit, c'est :

« Dis donc, Momone, le Raymond c'est un homme.
Il faut en avoir pour faire ça. »

C'était quand même un ancien de la Légion. Il l'a
prouvé en liquidant tout ce bordel. Un vrai ménage !
Tout y a passé : les macs, Lulu de Montmartre, la
grosse Fréhel. Il a fait le vide total ! Il avait une
phrase magique. Si un gars osait lever la main sur
lui, ses yeux se rétrécissaient et il laissait tomber
sèchement : « J'ai horreur du contact des chairs. »
Cette phrase-là, elle m'avait soufflée. Elle devait
faire le même effet aux autres. Elle lui a toujours
réussi.

Ce n'était pas de l'amour-passion qu'Edith avait
pour Raymond. Elle avait confiance en lui. Il lui
était indispensable, elle ne pouvait pas se passer de
lui. Edith avait un instinct de bête et elle sentait
qu'il était le seul à pouvoir l'arracher à la rue.

Asso a été le premier contact d'Edith avec un
homme qui pensait à autre chose qu'à boire, à rigoler, à faire l'amour. On sentait, rien qu'à le voir, qu'il
en avait dans la tête. Il n'était pas très beau, pas très
jeune, mais il était mieux que ça. Edith ne s'y est
pas trompée.

Le vidage des macs, je sentais qu'il annonçait
autre chose, que ça n'allait pas s'arrêter là. J'avais

peur pour moi et pour Madeleine. Je connaissais mon Edith, c'était du donnant-donnant. Ça n'a pas loupé. Les soirées, les nuits, il fallait bien qu'Edith les occupe. Si elle ne godaillait plus à droite et à gauche, il lui fallait Raymond à domicile...

Alors Madeleine a commencé à faire des scènes. Elle s'est mise dans son tort aux yeux d'Edith qui n'attendait que ça. Fini, le demi-copinage avec Madeleine. Edith ne s'est pas gênée :

« Raymond, dis à ta femme qu'il y en a marre !

— Un peu de patience, Edith.

— Tu as viré mes potes, tu as fait le vide, tu m'as choisie. Alors laisse Madeleine ou, sans ça, c'est moi qui vais tout lâcher. Et toi en premier. »

Raymond aimait profondément Edith. Il l'aimait trois fois : comme sa femme, comme sa création et comme son enfant. Il savait aussi que rien ne pouvait retenir Edith. La victoire, il ne la tenait pas encore, mais il la sentait là, bien chaude dans le creux de sa main, comme le foyer de sa pipe. Il ne la lâcherait pas.

Il avait un vieux compte à régler avec moi. Je le gênais, il fallait que j'y passe. J'avais trop d'inconvénients pour lui. Et puis, les gars ont du mal à habiter à trois dans le même lit. C'est drôle, ils ne s'y font pas du tout. Au début, c'était toujours comme ça. Nous n'avions qu'une chambre, alors, il n'y avait pas d'autre solution. Dans la journée, j'allais bien me promener, mais la nuit, j'étais là...

On avait des accrochages, même pour les chansons. Sous prétexte que je lui avais raconté une histoire, donné une idée, comme celle de la rue Pigalle, je ne me gênais pas pour lui dire :

« Ben, moi, je ne veux pas de ça... Moi, à la place, je mettrais ça... »

Ça ne lui plaisait pas. Ça passait mal.

Il était aussi très exigeant. Toujours quelque chose à dire sur ma tenue. Il me visait particulièrement. J'étais encore une sale môme. Je n'avais que dix-huit ans et demi. Si je précise, c'est que ça compte à cet âge, une demie !... Alors, pour me venger de lui, quand il m'avait dit : « Regarde-toi, tu donnes le mauvais exemple à Edith », je le débinais auprès d'elle. Je ne lui laissais rien passer. Edith m'écoutait. C'était facile : moi je la faisais rire, lui pas...

Je me rendais compte que ça ne pouvait pas durer, que ce n'était pas tenable. Je m'entêtais, lui aussi. On n'était pas prêts à mettre de l'eau dans notre vin... Surtout moi !

C'était un malin, Raymond. Il était intelligent. Plus que moi. Son coup, il l'avait préparé de loin, fignolé avec amour. Il a commencé par prendre la décision de quitter Madeleine, de se mettre en ménage avec Edith. C'était naturel de dire qu'il ne pouvait pas faire ça si on restait au Piccadilly, à se rencontrer dans les escaliers.

Pour habiter avec Edith, il a choisi l'hôtel Alsina, avenue Junot. Un tout autre style : chambre avec salle de bain, téléphone, tapis, une entrée convenable. Ça changeait de classe ! Le contrat de l'A.B.C. était dans l'air, ça se sentait ; ça ne devait pas être du bidon parce que l'hôtel Alsina, ça coûtait du fric, et Raymond n'était pas cousu d'or, et Edith travaillait très peu.

Il avait décidé que je serais la finale du « grand coup de balai ». Maintenant, il lui restait à me larguer.

Edith était sortie. Il m'attendait dans la chambre. Tout maigre qu'il était, je trouvais qu'il occupait beaucoup de place dans notre piaule. Je le regardais. Il prenait son temps pour bourrer sa pipe. Je voyais ses doigts seuls s'agiter, l'allumer avec soin, la tête inclinée sur le côté, un doigt sur la pipe pour la faire tirer. Il me fixait en biais de son petit œil bleu. Je savais qu'il allait me balancer une vacherie mais je n'avais pas peur. L'intérieur en ébullition, j'étais sûre de pouvoir lui répondre à tout. Avec Raymond, on se parlait « d'homme à homme ».

Il a fumé un coup en silence, puis il m'a dit :

« Momone... »

Alors, j'ai compris que ça allait être sérieux. Il ne m'appelait jamais comme ça. J'étais « Simone », pas plus. Je me suis sentie me vider à l'intérieur, comme quand l'ascenseur descend trop sec.

Il était nerveux, il faisait craquer ses doigts. Il avait des mains sèches, plutôt belles, des mains d'artiste.

« Ma petite Momone... tu as toujours pensé que je ne t'aimais pas. Tu te trompes. Tu m'es plutôt sympathique.

— Pas de boniments entre nous.

— Comme tu voudras.

— Ta pitié, j'en ai rien à faire ! Vas-y tout droit.

— D'accord, ce sera plus facile. Tu sais que je fais tout pour Edith. J'ai misé sur elle. Je crois en elle. Et... tu n'es pas bonne pour elle.

— Le mauvais génie ! Tu l'as déjà dit. C'est pas mal trouvé mais faut le prouver.

— Ton exemple ne lui vaut rien. Tu cours, tu te soûles, tu l'entraînes. Je lui ai eu deux contrats : l'un au Siroco, l'autre dans une boîte aux Champs-Elysées, rue Arsène-Houssaye. Elle va faire, aussi, l'A.B.C. Elle doit changer de vie, de milieu. Il ne faut pas qu'elle perde ce qu'elle a appris. Tu es son passé. Avec toi, il est tout le temps là, étalé sous ses yeux. Il faut qu'elle l'oublie. Si tu restes, elle ne réussira pas. Il n'est pas question que tu ne la voies plus... mais...

— Non, sans blague ! Tu en as un sacré culot !

— Tu ne dois plus vivre avec elle. On va partir avenue Junot, tous les deux seuls, dans un autre hôtel. Moi aussi, j'abandonne mon passé. Je n'ai pas pris de chambre pour toi.

— Elle veut bien ?

— Oui.

— C'est pour ça qu'elle est sortie ? Elle savait que tu allais me déballer toute ta salade ?

— Oui.

— Alors, je n'ai plus rien à dire. »

J'ai emballé mes quatre fringues et je suis partie. Je ne voulais pas qu'il me voie pleurer.

J'étais trop jeune pour comprendre qu'il jouait son jeu, qu'il me mentait. Il comptait sur mon orgueil. Il ne s'était pas trompé.

Beaucoup plus tard, en parlant avec Edith, j'ai su qu'elle m'avait demandée en rentrant, et qu'il lui avait dit :

« Elle est partie. Elle a trouvé quelqu'un.

— Sans m'en parler ? La vache ! »

C'était le genre de chose qu'Edith ne tolérait pas : qu'on la laisse. Elle voulait bien le faire aux autres, mais pas qu'on le lui fasse !

Je suis partie, et je ne suis pas revenue...

J'ai remonté seule la rue Pigalle, notre rue ! Mes pas, ma solitude et mon chagrin m'ont fait aller de Pigalle à Ménilmontant ; par le boulevard, c'est tout droit. J'allais chez ma mère sans même savoir pourquoi. J'y ai trouvé deux bras presque tendres pour me serrer contre un cœur. Pour la première fois de ma vie, et la seule, je ne suis pas arrivée chez « ma mère », mais chez « maman »...

Dans ces quelques instants, j'ai tout oublié. Tout ce qui s'était passé avant : sa sécheresse de cœur, sa dureté, son âpreté à l'argent, son indifférence, tout !

Elle me serrait contre elle. J'étais enfin la gosse que j'avais toujours rêvé d'être. Cet élan de tendresse me rendait à nouveau la rage de vivre.

Je n'avais pas d'illusions, je savais que sa tendresse serait de courte durée.

J'ai repris mes habitudes d'avant ma rencontre

avec mon Edith. La semaine, je travaillais comme
ouvrière à la chaîne chez Félix Potin. Je mettais les
chocolats en boîtes. Le samedi, la piscine. Le dimanche, le cinéma.

J'étais paumée, sans ressort. Ça faisait des années
que je vivais avec Edith, que je vivais sa vie, ses
amours... Et voilà ! Edith et moi, c'était fini, j'en
étais sûre, et j'avais tant besoin d'être aimée... Elle
m'avait aimée. C'était même la seule.

J'avais tant besoin d'amour que je l'ai trouvé avec
un garçon que j'avais connu le samedi, à la piscine,
dans cette eau qui sentait la Javel. Après tout, elle
me désinfectait de Pigalle, des macs, des putes, et
des soldats... Je me sentais plus propre, et je l'étais
puisque, tout de suite, lui a cru en moi, en mon
innocence. C'était si bon de le voir me respecter. Il
n'osait pas me toucher. Il m'avait dit : « Mademoiselle », comme Mermoz à Edith. Je n'en avais pas
l'habitude.

Si je suis devenue sa femme avant d'être sa
fiancée, c'est que je n'en pouvais plus d'être seule.
J'avais besoin de parler, d'entendre un écho à ma
soif d'amour, de sentir quelque chose d'humain
près de moi.

Alors je me suis mariée comme ça. Sans rien
dire, sans faire-part ni repas de noces, sans la
fameuse pièce montée. Comme ça, un samedi, parmi
peut-être vingt couples qui attendaient leur tour, je
me suis mariée.

J'étais folle, je n'avais pas compris qu'abandonner
Edith, ce n'était pas possible. La petite vie bien sage,
l'usine, ce n'était pas pour moi.

Un jour, prise de culot, je lui ai téléphoné :

« C'est pas vrai ! C'est pas toi, Momone ? Viens, tu
verras, je suis bien installée. J'ai ma salle de bain !

— Non, j'aime mieux te voir ailleurs. »

Elle n'a pas fait d'histoires. Fallait-il qu'elle ait
envie de me voir ! On s'est donné rendez-vous dans

un café, du côté de Clichy, au Wepler. Ça faisait plus chic !

Quand elle est rentrée, j'ai vu que ça n'allait pas mal : à son sourire, ses yeux, ses vêtements. Elle était de bonne humeur. Elle brillait comme quand elle trompait un de ses hommes. Avec moi, elle « trompait » Raymond.

Elle voulait que je lui raconte tout. Mais cette histoire-là, mon mariage, elle n'était qu'à moi. Elle était si propre. Je la gardais pour moi seule.

Je me taisais. Edith ne s'en est même pas aperçue. Elle avait trop de choses à me dire sur ses nouvelles chansons, ses projets, les conseils de Raymond.

C'est curieux, je ne lui en voulais pas à lui. Je savais que, pour Edith, il était un passage utile, « sa » chance.

On avait renoué avec Edith. C'était reparti. On s'est vues, comme ça, plusieurs fois. Un jour, elle arrive, la figure tendue, rapetissée par la colère.

« Momone, faut que je te raconte ! Ça ne va pas se passer comme ça ! Tu te rappelles le légionnaire ?

(C'était vague dans ma mémoire.)

— Explique.

— Ben quoi ! L'histoire du légionnaire Riri ? de la porte des Lilas ? »

Encore un Henri ! Ça me revenait. Comme hier, je la revoyais l'histoire ! Il y avait bien quatre ou cinq ans. C'était les tout débuts, quand on chantait dans la rue et qu'on faisait les casernes. Il fallait faire drôlement attention parce que les gars, ils essayaient de se tailler sans payer. Edith me mettait à l'entrée de la cantine avec une boîte de conserve vide à la main. Je devais les faire cracher.

« Aie l'air sévère, Momone ! me disait Edith, faut leur en imposer ! »

Facile du haut de mes quatorze ans et demi et de mon mètre cinquante !

Cette fois-là, les soldats étaient, tous, déjà assis,

quand un légionnaire s'est amené, avec le képi blanc,
la ceinture rouge, tout le fourbi, quoi.

Il m'a regardée de son haut et a laissé tomber :
« Moi, je ne donne rien. »

Edith était à côté de moi. Toujours très royale,
dans ces cas-là, elle m'a ordonné :
« Laisse tomber, Momone. Laisse passer. »

Alors, le légionnaire a dit à Edith :
« On se voit à la sortie. »

Il n'était pas plus beau qu'un autre mais il avait
les yeux bleus.

On est partis tous les trois ensemble. Des Lilas à
la rue Orfila, ce n'est pas loin. On est rentrés tout de
suite à l'hôtel de l'Avenir.

Riri est rentré à la caserne à sept heures du matin,
et il en a eu pour quatre jours.

Nous, on n'en savait rien. Edith avait rendez-vous
avec lui, à dix-huit heures, le même soir. Comme il
plaisait à Edith, nous arrivons à l'heure à la caserne
des Lilas. On le demande au poste de garde.

« Qu'est-ce que vous lui voulez ?
— Je suis sa sœur, dit Edith, je viens le voir.
— Et celle-là, demande le planton en me regardant,
c'est sa sœur aussi ?
— Sûr, répond Edith, puisque c'est ma frangine.
— Il est puni. Revenez.
— Ce n'est pas possible. Il faut que je lui parle
de la mère. Elle est malade. »
Elle baratine tellement les gars du poste que le
caporal appelle le sergent.

« Faut voir l'adjudant », qu'il dit.

Edith me souffle :
« Momone, avec un peu de chance, ça va aller jusqu'au général...
— C'est pas réglo-réglo, dit l'adjudant. Enfin, puisque c'est pour la bonne cause, je vais l'envoyer chercher. »

On nous a amené Riri, le légionnaire, encadré par

des marsouins avec tous leurs accessoires : fusil, jugulaire, guêtres, tout quoi !

Le salaud, il n'a pas jeté un seul coup d'œil vers nous, comme s'il ne nous avait jamais vues.

Edith ne s'est pas dégonflée. Elle s'est jetée dans ses bras en lui murmurant :

« T'es mon frère.

— Tu manques pas d'air ! » qu'il lui a répondu.

Le poste entier rigolait. Ils n'étaient pas dupes. Riri a filé un rendez-vous pendant que le sergent ordonnait :

« Embrasse tes sœurs, eh ! abruti ! mieux que ça ! »

Les quatre jours terminés, ils se sont revus. Ça a duré une semaine, pas plus. Son régiment est parti on ne sait où. Et le Riri, Edith l'avait oublié... Moi aussi...

C'était ça l'histoire du légionnaire d'Edith. Je ne pigeais pas du tout pourquoi elle avait l'air en rogne.

« Ecoute bien, Momone. Pendant qu'on rigolait avec Riri porte des Lilas, Raymond, dont je ne connaissais même pas le nom écrivait une chanson qui était « mon » histoire. Il l'a appelée *Mon légionnaire*... C'est pas formidable ça ? Tu parles d'une rencontre !

> *J'sais pas son nom, je n'sais rien d'lui,*
> *Il m'a aimée toute la nuit,*
> *Mon légionnaire !*
> *Et me laissant à mon destin,*
> *Il est parti dans le matin*
> *Plein de lumière !*
> *Il était minc', il était beau,*
> *Il sentait bon le sable chaud,*
> *Mon légionnaire !*
> *Y'avait du soleil sur son front,*
> *Qui mettait dans ses cheveux blonds,*
> *De la lumière !*

— Voilà, Momone ! Et tu sais qui l'a créée, qui la

chante ? Marie Dubas ! Raymond lui a donné ! C'est
pas dégueulasse, ça ? »

J'avais beau expliquer à Edith que Raymond n'était
pas coupable, qu'il était libre avant de la connaître
de disposer de ses chansons, elle ne voulait rien
savoir.

« La Légion, c'est à moi, à personne d'autre ! Il
n'avait qu'à me la garder. C'était « ma » chanson,
« mon » histoire ! »

Quand elle était passionnée, elle était toujours de
mauvaise foi. Je connaissais trop mon Edith pour ne
pas savoir que l'histoire de la chanson du légionnaire,
donnée à Marie Dubas, Raymond avait dû en entendre parler pendant des jours et des jours... et surtout des nuits...

Elle a tapé avec son petit poing sur la table.

« Je m'en fous, je la chanterai. Tu m'entends ? Je
ferai oublier Marie Dubas ! »

Maintenant, on ne se souvient plus que Marie la
chantait...

L'histoire du légionnaire a une fin. Nous avons
revu Riri, tout de suite après la guerre je crois, dans
un grand music-hall qui s'appelait l'Etoile. Edith était
avec Yves Montand. Un soir, un gars a demandé à
la voir dans sa loge. Il lui a fait dire :

« Dites-lui que c'est Riri, son légionnaire. Elle
comprendra. »

Il est entré. Un type en veston, déplumé, avec un
début de brioche. Il était tarte comme ce n'est pas
possible !

Ce qu'on a pu rire !

« Tu vois, Momone, les souvenirs, quand ils reviennent, c'est comme certains plats : c'est bon quand tu
les bouffes, mais après, ils te le font payer de les
avoir aimés... »

Et elle a conclu, superbe :

« Le mien de légionnaire était beau. C'est lui que je
garde... »

A travers nos rencontres, c'était facile, pour moi, de voir la vie qu'elle avait avec Raymond. Elle me racontait tout.

L'alliance qui unissait Edith à Raymond, ce n'était pas l'anneau d'or du mariage, mais celui de la chanson. Edith a rapidement rendu à Raymond tout ce qu'il lui avait donné. C'est grâce à elle qu'il est devenu célèbre.

Comme les autres, Asso n'a pas fait plus de ses dix-huit mois auprès d'Edith. La seule différence, c'est qu'ils n'étaient plus ensemble depuis longtemps et qu'on disait toujours : « Piaf et Asso. »

A Paris, l'A.B.C., sur les Grands Boulevards, était « the » music-hall, la plus célèbre scène. Il n'y avait rien de mieux. Il était dirigé par Mitty Goldin, un gars qui faisait la pluie et le beau temps dans le métier. Il était venu d'Europe centrale à Paris, avec rien dans ses bagages que son génie hongrois. Celui-là, il pouvait se vanter d'avoir lancé tous ceux de la Chanson. Ils y sont tous passés, mais il n'y en a pas beaucoup qui ont débuté chez lui. Ils n'auraient pas osé se présenter à l'A.B.C. Même celui qui y levait le torchon[1] avait déjà été sur une autre scène. Il n'en manquait pas : le Concert Pacra, Bobino, la Gaîté-Montparnasse, Wagram, l'Alhambra, le Moulin-Rouge, etc., sans compter les petits music-halls de quartier et de banlieue, les grands cinémas : le Rex, le Gaumont-Palace, le Paramount... Et pourtant Mitty ne payait pas tellement. Mais, passer à l'A.B.C., c'était la consécration.

A cette époque, on faisait son nom sur la scène. Les disques venaient en plus, et après. C'était tout le contraire de maintenant. On ne se servait pas non plus de micro, et chanter exigeait une tout autre tech-

---

1. Expression désignant le premier lever de rideau. Elle est réservée au premier numéro d'un programme, le sacrifié... mais celui qui a le plus d'espoir !

nique. Ça demandait des « voix » et des tripes. Allez donc murmurer avec sentiment : « Je t'aime », pour une salle de deux mille personnes. Et ça, Edith ne l'a jamais raté.

J'ai reçu un fameux choc quand Edith m'a envoyé en pleine figure :

« Momone, ça y est, j'ai l'A.B.C. ! Et sais-tu comment je passe ? Devine ?

— En début de deuxième partie ? »

Redressée, en me toisant, elle m'a lancé :

« En *AMERICAINE !* »

En américaine, du premier coup, je n'arrivais pas à y croire !

« Ça n'a pas été tout seul. Raymond, c'est tout de même quelqu'un. Tu ne sais pas ? La première fois qu'il en a parlé à Mitty Goldin, l'autre a rigolé.

« — Ta môme, laisse-la dans sa rue. Elle n'est pas « pour ici. »

« Raymond l'a baratiné :

« — Je t'assure qu'elle a changé. Tu ne la recon- « naîtras pas. Ce n'est plus la fille des cinémas de « quartier. Je lui ai fait un répertoire. Dans un an, « tu te mordras les doigts de ne pas l'avoir décou- « verte.

« — Aujourd'hui, je dis non. »

« Tu connais Raymond, quand il se met quelque chose dans le crâne... Le lendemain, il y retournait.

« Je n'avais pas de mal à l'imaginer, fumant sa pipe, assis sur la vieille banquette crevée devant la porte de Mitty.

« Mitty sort, il lui demande :

« — Qu'est-ce que tu attends, Raymond ? Tu veux « me parler d'une chanson ?

« — Non. Je viens pour le contrat de la môme « Piaf.

« — Tu peux t'en aller.

« — Je reviendrai demain.

« — Demain, après-demain, ce sera non ! »

« Pendant des semaines, le Mitty Goldin n'a pas changé de disque. C'était non ! Tous les jours, Raymond allait lui faire sa petite visite. Le vieux salaud le faisait attendre, exprès, pendant des heures. Je ne sais pas combien de temps ça a duré, mais ça a duré...

« Mitty a commencé à en avoir marre.

« — Ecoute, Raymond, c'est pour toi. Elle lèvera « le torchon au premier spectacle.

« — Non. Tu me la prends en américaine ! »

« Et ce vieux coriace de Mitty a fini par céder... Ça s'arrose, Momone. Allez ! Je paie le coup à tout le monde ! »

Heureusement qu'on était dans un petit bar, et qu'il n'y avait pas beaucoup de clients. On a bien bu. Puis Edith a décidé :

« Finie la rigolade. On monte au Sacré-Cœur mettre un cierge à la petite sœur, celle de Lisieux. »

Nous voilà parties, un peu arrondies, chaloupant gaiement. Une chance qu'on était rue Lepic, tout près de la Butte, et que ça montait. On avait moins de risques qu'à la descente de s'étaler.

Pendant qu'Edith y était, elle a mis aussi un cierge au Sacré-Cœur, à la Sainte Vierge, un peu à tout le monde. Son bonheur, fallait qu'elle le partage. Elle a remercié tout le Paradis !

En sortant, on s'est arrêtées. Edith me tenait par le bras, elle serrait fort. Ce qu'on faisait petites, toutes les deux, devant ce Paris immense à nos pieds, avec ses lumières ! On aurait dit que le ciel s'était renversé avec toutes ses étoiles... Edith était dessoûlée. Elle avait sa voix grave et forte :

« Momone, l'A.B.C., c'est le premier échelon. Je grimperai si haut qu'on en aura le vertige. »

Je l'ai regardée, et j'avais peur qu'elle devienne trop grande pour moi.

« Ne me laisse pas en bas...

— T'es pas folle ! Mais écoute. Ma vie, maintenant, c'est du sérieux. »

Quelle affaire, cette histoire de l'A.B.C. ! On n'était plus au temps où on tricotait une robe. C'était l'autre qui s'annonçait : celui du succès, des millions, des voyages, de la gloire.

A n'importe quel moment, Edith me téléphonait chez ma concierge. La bignole râlait mais je m'en foutais. Edith me disait :

« Viens vite, Momone, j'ai une nouvelle pour toi. Faut que je te raconte. »

Et je cavalais en vitesse.

« Momone, ça y est, je connais la « Marquise » et le « Marquis ». Ils m'ont reçue dans leur bureau, en copine. »

Ça faisait un moment que nous attendions ça ! M. et Mme Breton (les éditions Raoul Breton), c'étaient des rois dans le métier. Il n'y avait pas une carrière qui pouvait se faire sans eux. C'est eux qui avaient découvert Charles Trénet, qui l'avaient poussé. On ne se l'arrachait pas du tout le « Fou chantant » au début, il ne plaisait pas à tout le monde. Leur catalogue d'éditions, c'était le Bottin de la Chanson.

Avec Edith, on avait fait de ces poses dans leur entrée... on se disait que, peut-être, lui ou elle nous remarqueraient. On était trop miteuses, trop minuscules...

Seulement, moi, je ne l'avais pas oubliée, Mme Breton : une petite brune, mince, vive, l'œil intelligent ; et une allure, un chic de marquise ! Pleine de bijoux, de bracelets, qui faisaient de jolis bruits.

« Avec Raymond, quand on est entrés dans leur bureau — qui est comme un salon —, je me suis dit : « Cette fois-ci, il y a quelque chose de changé ! »

« Leur entresol, près de la rue Rossini, il est noir, mais bien quand même.

« La « Marquise » m'a dit :

« — Alors vous passez à l'A.B.C., vous êtes heu-
« reuse ? »

« Je lui ai répondu : « C'est formidable ! » J'ai rien
trouvé de mieux.

« — Il n'y a qu'un petit ennui. Vous êtes l'« améri-
« caine » de Charles Trénet : sur l'affiche, votre nom,
« la môme Piaf », à côté du sien, ça ne va pas, ce n'est
« pas possible. »

« Elle disait ça, gentil mais sec. Je n'en revenais
pas. Ça recommençait comme avec Leplée. J'allais
encore changer de nom.

« — J'ai quelque chose à vous proposer. « La
« môme », c'est un nom de cabaret et c'est déjà
« démodé. Que pensez-vous d'« Edith Piaf » ?

« — Très bien », a répondu Raymond.

« On a bu le champagne. Elle m'en a versé sur la
tête.

« — Au nom de la Chanson, je te baptise « Edith
« Piaf ».

« Tiens, Momone, touche mes cheveux, là, ça porte
bonheur. Et je t'ai rapporté le bouchon, garde-le !
(Ce bouchon, il en a fait des voyages ! Puis, un jour,
je l'ai perdu.) « Edith Piaf »... qu'est-ce que tu en
dis ? »

Moi, je voulais bien puisqu'elle était contente, mais
ça me faisait quelque chose qu'on abandonne « la
môme ». C'était comme un morceau du passé, un
bout de mur déjà trop vieux qui s'écroulait d'un
bloc. Edith ne le voyait plus. Il n'y avait que moi
pour regarder ce tas de vieilles pierres par terre.
Ça me foutait un peu le bourdon.

Question robes, coiffure, maquillage, Raymond
n'avait plus rien à dire. La « Marquise », qui a toujours beaucoup aimé Edith, avait pris le relais.

Avant la première à l'A.B.C., elle l'a emmenée chez
un grand couturier, Jacques Heim.

Edith n'en revenait pas.

« Momone, si tu voyais ça ! Ces salons, et les

vendeuses, les robes ! Ce que c'est beau ! Quand
j'aurai du fric, tu t'y habilleras aussi. Tu te souviens quand on bavait devant les vitrines de
Toutmain [1] ou de Tout Fait [1], en revenant du Gerny's ?
Leurs robes à dix-neuf francs nous en foutaient
plein la vue ! Vrai, on n'était pas difficiles, on ne
connaissait rien.

« La « Marquise » a dit que je ne pouvais pas aller
partout avec ma robe de scène. Que pour les
cocktails, les réceptions, enfin tout leur bordel
chic, il fallait que je me nippe comme les autres
bonnes femmes. Qu'est-ce que tu crois ? »

Je ne pensais plus, j'étais assommée, dépassée.
Je m'essoufflais derrière Edith. Je n'avais plus d'air
dans mes poumons. Fallait que je respire deux coups
pour un.

La « Marquise » avait fait choisir à Edith une
robe violette avec une cape doublée de parme. Elle
était jolie là-dedans. Ce n'était pas discutable
qu'elle avait du goût, Mme Breton. Elle l'avait
emmenée, aussi, dans un institut de beauté : chez
Anna Pegova. Mais là, il y avait du tirage. Edith
râlait :

« Leurs produits, leurs crèmes, je ne dis pas que
ce n'est pas bien ; c'est doux, ça sent bon. Mais leur
maquillage, je ne m'y fais pas. Quand tu sors de
leurs mains, tu es encore plus tarte qu'en entrant !
Et puis, ma tête, moi je la connais. C'est une copine.
Quand je vois dans une glace cette bille de clown
inconnue qui me sourit, ça m'énerve. »

Trois semaines avant la générale Edith ne dormait
plus, ne mangeait plus, ne buvait plus.

« Momone, je ne peux plus supporter Raymond. Il
me rend dingue ce mec à force de tout savoir. Il
veut que je prenne des leçons de chant, de solfège.

---

1. Célèbres maisons de confection à bon marché aux Champs-
Elysées.

Ça jamais. J'ai dit non ! Ça me ferait perdre tout ce que j'ai. »

Elle a tenu bon. Elle, qui était prête à apprendre tout ce qu'on voulait pour son métier, n'a jamais varié là-dessus.

« Il m'énerve avec ses conseils, il me fout la migraine : « Fais ça... Ne fais pas ci... Dis ça comme « ça... Chante, ne gueule pas... » Il m'abrutit tellement que je ne comprends plus un mot de ce qu'il me dit.

« Des leçons, j'ai décidé d'en prendre, mais à ma façon, toute seule. Marie Dubas passe à l'A.B.C. juste avant moi. Je vais aller l'entendre et tu vas venir avec moi. »

Je travaillais en usine. J'avais un mari. Ce n'était pas facile, facile... d'être la sœur d'Edith ! Quand elle avait décidé quelque chose, elle ne s'occupait jamais des autres. J'avais trop d'orgueil pour lui parler de ma petite vie. Elle ne l'aurait pas comprise. C'était trop loin d'elle. Elle se serait foutue de moi.

Alors je me suis débrouillée et, pendant quinze jours, tous les jours et deux fois par jour quand il y avait matinée, nous sommes allées entendre Marie Dubas.

« Quelle leçon ! Momone. Non, mais regarde-là ! Ecoute-la ! »

A la dernière séance, Edith découvrait encore des « trucs » de métier qu'elle n'avait pas vus.

C'est Marie qui a fait comprendre à Edith que les gestes, la façon d'entrer, de marcher en scène, les temps de pause, les silences étaient la ponctuation de la chanson.

« Regarde, Momone, quand elle entre, elle n'a pas encore ouvert la bouche, elle existe déjà. Raymond m'explique bien, mais c'est pas pareil. Elle, je la vois. Je comprends pourquoi elle fait ci ou ça. Ça devient clair. »

Ce n'était pas pour l'imiter — Edith n'a jamais copié personne —, mais c'était pour contrôler ce

qu'elle faisait. Marie, pour Edith, c'était comme la
petite pierre avec laquelle on vérifie l'or de vos
bijoux quand vous les portez au clou.

Son admiration pour Marie, Edith l'a conservée
jusqu'à la fin. Souvent elle allait dans la loge de
Marie, elle se mettait dans un petit coin, et elle
l'écoutait faire sa propre critique. Ça aussi, c'était
une leçon.

Marie Dubas sortait à peine de scène, elle venait
de faire un tabac et elle disait :

« Non, au dernier couplet de *Pedro*, quand je
reprends : Pedro... Pedro..., c'est de la flamme, du
soleil, des castagnettes ; et, en même temps, une
charge. Je ne l'ai pas assez « envoyé ». Et vous ne
trouvez pas que dans *la Prière de la Charlotte*, j'en
rajoute... ? Ça doit rester tout simple. La Charlotte,
elle ne fait pas ça pour un bonhomme. Elle fait ça
pour quelque chose qui est là-haut, donc, qui n'a
pas besoin de « cinéma ».

— C'est une dame, cette femme-là, disait Edith. En
l'écoutant, je vois tout ce qui manque. »

C'est l'exemple de Marie Dubas qui a donné une
conscience d'artiste à Edith.

La générale, ce n'était plus qu'une question de
jours. Les nerfs d'Edith et de Raymond étaient à vifs.

Il avait fini par lui faire sa chanson sur ses potes
les légionnaires.

« Momone, celle-là, elle est bien à moi. Terminée,
la mendicité. Je ne chante plus les chansons des
autres, je chante les miennes ! »

Quel triomphe il y avait dans sa voix !

> *Ah ! la la, la la, belle histoire,*
> *Là-haut sur les murs du bastion,*
> *Et dans le soleil plein de gloire,*
> *Et dans le vent, claque un fanion :*
> *C'est le fanion de la Légion !*

Ah ! la la, la la, belle histoire,
Ils restent trois dans le bastion,
Le torse nu, couverts de gloire,
Sanglants, meurtris et en haillons,
Sans eau, ni vin, ni munitions ;
Mais ne peuvent crier : Victoire !
On leur a volé leur fanion,
Le beau fanion de la Légion !

Ah ! la la, la la, belle histoire,
Les trois qui sont dans le bastion,
Sur leur poitrine toute noire,
Avec du sang, cré nom de nom !
Ont dessiné le beau fanion !

Ils gueulent : « Présents de la Légion ! »

Qu'est-ce que j'ai eu comme chance de vivre l'aventure de l'A.B.C. ! J'ai vraiment vu Edith changer à
vue d'œil. De la regarder, ça me faisait comme au
cinéma, quand on vous montre une chenille toute
moche qui devient papillon. D'abord, on voit des
petits bouts d'ailes, collés, qui bougent un peu. On
ne sait pas bien ce que c'est. Puis ça grandit, ça
s'étire, ça se défripe, et hop ! c'est prêt à s'envoler,
c'est soyeux, c'est en velours, c'est plein de gloire.

Tous les jours, il y avait quelque chose de pas
pareil dans Edith. Je ne parle pas de la femme,
celle-là ne changeait pas. La preuve : le Raymond
était déjà trompé depuis longtemps avec des gars
sans importance. Non, c'était l'artiste qui se fabri-
quait ses ailes et qui allait les essayer dans les
projecteurs de l'A.B.C.

Trois jours avant la première, Edith m'a dit :
« Aujourd'hui, on répète toute la nuit. Je vais filer [1]

---

1. Filer : terme de métier qui signifie passer le tour dans
l'ordre, sans s'interrompre.

mon tour en entier, avec la robe, les éclairages, tout.
Il faut que tu viennes.

— Mais Raymond ?...

— Tu resteras dans le fond de la salle. Il ne te
verra pas. »

J'étais contente. Mais ce que c'était cruel, pour
moi, cette phrase-là !

« C'est important, Momone ; faudra que tu me
dises, le lendemain, tout ce que tu auras vu. Comme
il y a des tas de trucs que tu pourrais ne pas comprendre, que Raymond m'a appris, je vais te les
expliquer.

« D'abord, il y a un ordre dans un tour de chant.
Faut pas enfiler les chansons les unes après les
autres, comme ça, au petit bonheur la chance. C'est
comme un collier de perles, c'est la place de la perle
qui met en valeur sa beauté.

« Il y a les lumières. Tu vas voir, elles changent
à chaque chanson suivant son style. Il paraît que
le projecteur de papa Leplée, tout simple, en pleine
face, c'était enfantin !

« Là, j'ai du bleu, du rouge, des mélanges et pas
de pleins feux. La grande lumière, ça m'écrase.

« Il y a un truc marrant : les faux rideaux. Au
bout de la cinquième chanson, tu fermes le rideau
comme si ton tour était terminé. Le public doit
applaudir, te réclamer. S'il est mou, ça ne fait rien ;
au lieu de laisser le torchon tiré une seconde, on le
rouvre à toute pompe. Après, t'as les faux rideaux
de la fin, les rappels, le bis...

« A cause des lumières, je serai maquillée « scène ».
Ouvre bien tes mirettes. Pour ça, je ne fais pas
confiance à Raymond. Là-dessus, j'ai mes idées. Lui,
il me transformerait bien, s'il pouvait, en Marlène
Dietrich. C'est pas qu'il est bête et aveugle, mais
c'est un homme ; et pour la femme avec laquelle ils
couchent ils n'ont jamais une vue juste. C'est trop !
ou pas assez !

« Moi, je suis sûre qu'il faut que je garde mon air des rues : pâle, des grands yeux, une bouche, rien de plus. Pour la robe aussi, il y a eu de l'accrochage. Il voulait un peu de rouge, comme un foulard. Je lui ai dit : « T'es pas louf ! Pourquoi je danserais pas « aussi la java vache, comme la « Miss » !... »

Elle m'a baratinée, comme ça, pendant plus d'une heure.

Le lendemain soir, dans la salle, bien rencognée dans le fond de mon coin, je savourais, en solitaire, mon bonheur : Edith sur une vraie scène.

Le rideau était plein de lumière, le velours avait l'air vivant. Ça bougeait derrière. On entendait des machinistes : « Hé ! Jules ! Eteins la herse... Baisse la rampe... encore. Ça va, monsieur Asso ? »

Raymond s'est amené sur la scène, devant le rideau. Ça me faisait drôle de le voir, là, après neuf mois — le temps de faire un môme. Il avait sa pipe au bec. Son visage, d'habitude sec, luisait de sueur. Il était en chandail à col roulé. Il avait l'air d'une sorte d'ouvrier, il faisait prolo qui aurait eu de l'instruction. Ce soir-là, je le trouvais beau. Il a mis la main devant ses yeux : « Baissez le trois et le cinq au balcon, sucrez[1] le Un sur deux à la face. Faut pas l'écraser, les gars, faut la sculpter. »

Bon Dieu ! cette vache, qu'il connaissait bien le métier !

De son fauteuil, au troisième rang, Mitty a demandé : « On y va ? Prêt ? »

Raymond a sauté dans la salle et a crié : « Allez-y ! »

Et l'orchestre s'est mis à jouer. Ça m'a fait quelque chose : dix-huit musiciens pour Edith ! Ils étaient là pour elle, ils jouaient pour elle. Ça me paraissait aussi beau que dans une église, j'en avais les larmes aux yeux.

Cette salle noire, vide, qui sentait la poussière, le

---

1. Terme technique qui signifie : supprimer.

tabac froid, c'était comme une caverne magique ! Le
rideau s'est ouvert et Edith est entrée. La lumière
l'a prise et l'a accompagnée comme une aile d'ange
gardien. Le chef d'orchestre ne la quittait pas des
yeux, et elle s'est mise à chanter. Elle m'avait dit
de bien regarder, j'ai pas pu. Je me suis écroulée
sur le dossier du fauteuil de devant et, la tête
dans mes bras, j'ai chialé pendant toute la première
chanson. C'était trop fort. Mais après, j'ai bien ouvert
les yeux, les oreilles, tout noté. Je me faisais l'effet
d'une machine enregistreuse. Ça faisait « Clac, clac,
clac ». Tout prenait place dans ma tête. Je crois que
c'est comme ça que fonctionne, maintenant, la
mémoire d'un ordinateur.

Quelle nuit ! Quand elle a eu terminé son tour,
les mains me démangeaient d'applaudir. Ça ne se fait
jamais en répétition, ça porte malheur.

Le rideau baissé, il y a eu un silence.

« C'est bon, a crié Mitty, c'est très bon, Edith ! »

Raymond l'a ramenée. Il a sorti son calepin. Edith
était devant lui, si petite, l'air d'une enfant sage, ses
grands yeux levés vers lui comme devant le « maître ».
Il jouait vraiment les patrons !

« A la trois, tu marques un arrêt un peu trop
court. On n'a pas le temps de te recevoir, t'enchaînes
trop vite. Je suis monté au poulailler ; Edith, tu ne
les regardes pas assez. C'est pour eux que tu chantes.
C'est le populaire qui te fera ton succès. Quand tu
salues, regarde-les bien, qu'ils aient l'impression que
tu as tes yeux dans les leurs.

« Pour la six, « les Fanions », les pleins feux n'arrivent pas assez vite, les gars ! Il y a un trou. Elle a fini
de chanter avant que la lumière éclate. Faut que ça
parte ensemble, c'est la victoire. »

Ce soir-là, je me suis rendu compte du travail
qu'avait fait Raymond. Après tout, je n'étais pas
partie pour rien...

Mitty a crié :

« Les enfants, c'est fini pour ce soir. A demain. »
Et le théâtre est redevenu froid et triste.

Le lendemain, j'étais en avance à notre rendez-vous.
Je n'avais pas dormi de la nuit.

Ça faisait un petit moment qu'on se retrouvait
dans un bar, à Montmartre : Chez Jean Cyrano. Jean
était un chanteur de charme qui avait un certain
succès, vraiment pas plus ! Il donnait dans la poésie
douceâtre. Ce n'était pas pour ça qu'on se voyait chez
lui. C'était parce qu'il avait les yeux bleus !... Edith
disait : « Les yeux de Jean, c'est comme un morceau de ciel, le bleu les remplit tout, il déborde ! »
Elle ajoutait : « Ce n'est pas comme ceux de Raymond. S'il n'avait pas des cils noirs pour le mettre
en valeur, son bleu, ça serait plutôt du gris !... »

C'était facile à piger : Edith avait une touche avec
Cyrano. Elle a bien duré quelques semaines pendant
lesquelles les « yeux bleus » nous ont rincé à l'œil !

Pas plutôt arrivée, pas plutôt assise, elle m'a dit :
« Alors, Momone, hier soir ?
— C'était formidable ! »
Et on s'est embrassées.
« Tu n'as rien d'autre à me dire ? »
Elle était comme ça, Edith. Les compliments ça la
caressait, c'était pour le plaisir, mais elle avait besoin
des critiques, il les lui fallait, elle les réclamait. C'est
à ça qu'on reconnaît les grandes bonnes femmes.
« Question chansons, tu peux faire confiance à
Raymond. Il ne se trompe pas. »
(Ça m'arrachait un peu la bouche de dire ça, mais
c'était vrai.)
« La coiffure : ça va. Le maquillage : surveille ta
bouche. Tu mets ton rouge n'importe comment, tu
ne te dessines pas les lèvres, tu te les tartines
avec. »
Edith s'était toujours maquillée sans se regarder
dans une glace.
« Momone, mon style c'est : rien sur la figure. Mon

visage, je le donne nu au public, comme à un amant. Et la robe ? »

On lui avait fait faire une robe noire dans une sorte de tissu un peu cloqué — à la mode. C'était une jupe et un haut, très simples ; les manches longues et un petit col blanc.

« Je n'aime pas le col.

— Mais, j'en ai porté un chez Leplée.

— Ce n'était pas la même chose. Sur le tricot, ton petit col en fausse dentelle faisait un peu habillé. Mais sur la scène, avec les éclairages étudiés que tu as, j'aimerais mieux ton visage nu, comme tu dis. Tu comprends, de blanc, de lumineux, il n'y aurait plus que ta figure et tes mains.

— Ça me plaît, ce que tu dis. Ça me paraît vrai. Va falloir que je fasse avaler ça à Raymond. Tu sais, en ce moment, il se prend pour Dieu le Père... »

(Le soir de la générale, elle portait sa robe sans le col. Moi aussi je l'avais, ma victoire !)

En partant, elle m'a donné une boîte.

« C'est pour toi, pour demain soir, la générale. C'est un manteau. Tu ne le quitteras pas. »

Je me demande comment j'aurais fait ! Je n'avais rien à me mettre dessous d'un peu convenable.

Le lendemain soir, enveloppée dans mon manteau grenat foncé, à col de renard, je me croyais sûre de moi. Mais quand j'ai vu cette salle bourrée, ce mélange de populo et de Tout-Paris, j'avais la peur au bord des lèvres ! S'ils n'allaient pas l'accepter, mon Edith ?

C'était sa carrière qui se jouait. Elle avait, à peu près, trente minutes pour la gagner. Un mauvais A.B.C., et tout était à recommencer.

Les yeux me brûlaient à regarder ce rideau qui allait s'ouvrir sur elle. Elle est entrée sur cette scène, aussi sûre d'elle qu'elle l'était dans la rue ! Pourtant son trac, je le connaissais.

J'ai senti comme une vague qui parcourait ce

public. Cette petite bonne femme un peu déjetée, presque pauvre, dans sa robe courte (à l'époque, on chantait en robe longue), avec son beau visage de misère, blanc comme de la lumière, et cette voix qui contenait tout : leurs malheurs, leurs joies, leurs amours... ça les touchait direct, en plein. Pour le populaire : c'était eux. Et pour les autres : c'était ce qu'ils ne connaissaient pas, ce qu'ils avaient croisé au coin d'une rue sans vouloir le voir.

Dès la première chanson, ils ont applaudi. Autour de moi, au-dessus de moi, en moi, je les sentais qui retenaient leur souffle. La voix d'Edith, c'était comme un vent très fort qui les balayait, et qui remplissait leurs poumons d'un air trop grisant, d'un air neuf.

A la fin, les gens hurlaient, gueulaient : « Une autre ! Une autre !... »

De loin, en les saluant, je voyais qu'Edith tremblait. Elle avait l'air si fragile qu'on aurait dit qu'elle allait s'écrouler. Elle a eu d'autres succès, des succès énormes, mais celui-là, il n'était pas comme les autres. C'était celui qui l'emportait, comme une tempête, vers la gloire.

Moi, dans la salle, la gorge nouée, je me disais : « Ce n'est pas possible que je la retrouve comme elle était avant. Il y aura quelque chose de changé. Entre elle et moi, il va y avoir une frontière. Ce succès, entre nous, c'est la ligne Maginot. Il nous sépare. »

Tous ces gens qui l'applaudissaient, j'avais envie de leur crier : « Moi, je suis avec elle ! » J'en avais un orgueil fou qui me soûlait. J'étais sur mon fauteuil, là, assise comme tout le monde. C'était devenu ma place. Et elle, là-bas, sur scène, dans la lumière, c'était la sienne. Tout cet espace qui nous séparait me faisait peur. Et en même temps, toute cette folie, ce délire autour de moi me faisaient trembler de bonheur.

Ce soir-là, à l'A.B.C., c'était une page de misère crasseuse qui était tournée. Mais nous l'avions vécue ensemble, et j'y tenais. Près de huit ans de vie commune nous unissaient. Et ce soir, je savais qu'elle rirait, qu'elle boirait avec d'autres... J'étais trop jeune, trop sensible pour comprendre que ça n'avait pas d'importance, surtout avec Edith.

D'ailleurs, si je ne suis pas allée dans sa loge après, c'est que je l'ai bien voulu. Elle m'avait dit : « Momone, tu viendras m'embrasser. »

Mais ce n'était pas possible. Je savais comment ça se serait passé. Raymond m'aurait prise, comme il aimait le faire, par-derrière le col de mon beau manteau neuf, il m'aurait soulevée de terre, comme ça devant tout le monde pour montrer qu'il était le plus fort, et il m'aurait dit une bonne vacherie bien trouvée.

Il n'y avait pas que ça. L'A.B.C., c'était son triomphe, il était heureux. Il était bien dans sa peau de « patron », de fabricant d'un « monstre sacré ». Je n'allais pas lui gâcher sa joie. Pauvre Raymond, ce soir-là, il pavoisait auprès d'elle. Il n'y avait pas de quoi, il était fini.

Elle n'était pas ingrate, Edith, elle l'aimait bien, mais il avait fait son plein temps. Elle gardait ses amis pour la vie, mais pas ses amants.

Jamais elle n'a oublié ce qu'elle lui devait. Il avait toute sa reconnaissance, mais ce n'est pas un sentiment qui entretient l'amour.

Chaque fois qu'il a eu besoin d'elle, elle était là. Quand il est devenu vieux, malade, elle ne l'a pas laissé tomber.

Pour l'amour, c'était terminé, liquidé. Et avec Edith, ça ne se recollait jamais. Pas de replâtrage, il lui fallait du neuf : « Momone, on n'aime bien que quand c'est pour la première fois... »

Le lendemain, les journaux parlaient d'elle. Je les avais tous achetés. Une ruine ! Un critique a écrit :

« Hier au soir, sur la scène de l'A.B.C., une grande chanteuse nous est née... »

Pour Edith, c'est ce soir-là que le destin s'est mis en marche. Dans sa vie professionnelle, il n'y allait plus avoir de blancs, plus de chutes ni de retours en arrière.

CHAPITRE VII

PAUL MEURISSE : « LE BEL INDIFFERENT »

La vie d'Edith, en dehors de son métier, n'était pas un modèle d'ordre. Tout se mélangeait : ses amitiés, ses passions, ses passades et surtout ses amours. Elle n'en avait pas fini avec un qu'elle en commençait déjà un autre. En amour, elle avait des principes, surtout pour les ruptures.

« Momone, une femme qui se laisse plaquer, c'est une pauvre cloche. Les hommes ça ne manque pas, il y en a plein les rues. Seulement, c'est pas après qu'il faut se trouver un remplaçant, c'est avant. Après, c'est toi qui es cocue ; avant, c'est lui. Ça fait une sacrée différence ! »

Ce principe-là, Edith l'a toujours appliqué avec une belle conscience. Aucun homme n'a pu l'en faire changer. Elle trompait d'abord, elle voyait ensuite. Des fois, elle le leur disait ; d'autres fois, elle se contentait de rire en les regardant. Et s'il y en avait un qui croyait l'avoir trompée en premier, il se foutait dedans. Elle l'avait déjà coiffé au poteau avec une bonne longueur d'avance. Tant que le nouveau n'était pas prêt à s'installer chez elle, elle ne disait rien, elle gardait l'ancien. Il lui fallait un homme à la maison.

« Ce n'est pas possible, Momone, une maison sans homme. C'est pire qu'une journée sans soleil. Le soleil, lui, tu peux t'en passer, t'as l'électricité. Mais une maison où il ne traîne pas une liquette de bonhomme, où on ne rencontre pas une paire de chaussettes, une cravate, où il n'y a pas un veston d'abandonné, tout tiède, sur une chaise, c'est une maison de veuve, ça fout le cafard ! »

A l'hôtel Alsina, Raymond vivait ses derniers jours dans l'inconscience. Après son succès avec l'A.B.C., il était sûr de son avenir auprès d'Edith. Il croyait lui être indispensable.

Edith était heureuse. Il y avait de quoi, on la demandait partout. Son métier était devenu comme une maison en pierre de taille. Mieux, une sorte d'arc de triomphe, bâti en solide.

Pour que ce soit le bonheur parfait, il lui fallait un homme nouveau. Elle venait de le trouver.

« Momone, faut que je te raconte. Je me suis fait un drôle de gars. Pas comme les autres ! »

J'ai pensé : « Chouette, nous voilà reparties ! »

« Qu'est-ce qu'il fait ? »

— Il chante dans une boîte.

— Comment il s'appelle ?

— Paul Meurisse. »

Vraiment, ça ne me disait rien.

J'avais sur le bout de la langue : « A qui la faute ? » J'ai préféré la boucler. Son histoire, je voulais la connaître.

« Tu sais que je passe au Night-Club, rue Arsène-Houssaye. Tous les soirs, avant mon tour, je vais boire un coup à la Caravelle. C'est dans le même coin. J'y retrouve des copains.

« Tu me connais. J'étais là, sans penser à rien, quand je vois au bar un type bien, sapé comme une gravure de mode anglaise. Beau, très beau garçon. Le

cheveu sombre, brillant, plaqué comme une aile de
corbeau. L'œil noir... — Oui, il a les yeux foncés, faut
bien changer ! —, distingué comme un mylord. Un
peu trop mannequin mais ça doit pouvoir s'arranger.
Je lui envoie un coup de mirettes. Tu sais, mon air
candide, tout simple, le genre même à deux sous
mais pleine de cœur. Ça ne donne rien. Pas un fré-
missement dans le cil, pas un sourire.

« Il avait beau avoir quelque chose, je laisse tomber.
Le lendemain à la même heure, il était là. Je me
renseigne.

« — Il chante tous les soirs à l'Amiral, madame
« Edith. Avant son tour, il fait comme vous, il vient
« prendre un verre ici. C'est M. Paul Meurisse », me
confie le loufiat [1] du bar, sur le ton de : « C'est un
« prince incognito. »

« C'était pas marrant, ça ?

« Ça fait trois jours qu'on se regarde.

— C'est tout ? »

Elle s'est mise à rire !

« Tu ne peux pas comprendre. Un homme comme
lui, tu n'en as jamais vu.

« Dis donc, Momone, moi je ne veux pas en avoir
l'air, mais tu ne pourrais pas aller traîner dans le
coin et te renseigner sur lui. J'aimerais savoir d'où
il sort, cet oiseau-là. »

Le lendemain, je savais tout. Il avait vingt-six ans,
né à Dunkerque. Son père était directeur de banque.
Il avait fait ses études de droit à Aix-en-Provence, et
avait été clerc de notaire.

Après avoir débuté comme chanteur populaire
dans des music-halls de Marseille, Paul monte à
Paris et devient inspecteur de compagnies d'assuran-
ces — pour les sinistres, il avait tout à fait la tête
de l'emploi ! Travaillé par l'envie de faire du music-
hall, il se présente et obtient le prix d'honneur du

1. Loufiat : garçon de café.

concours du « crochet » de l'Alhambra. Mitty Goldin
l'engage comme boy, et tous les soirs, il fait son
tour de chant dans différents cabarets.

Je déballe ma petite histoire à Edith qui me
répond :

« On ne peut pas dire que ce soit un passé de
« rigolo ». Il ne fait pas non plus rêver d'aventures. Je
m'en fous, ce qui me plaît, en lui, c'est son air
vachement sérieux. Et puis, tu ne peux pas savoir
comme il parle bien !

— Tu en es déjà là ? T'as pas peur d'aller trop
vite !

— Ne me charrie pas. Il m'a parlé hier. Tu sais
comme j'ai de l'intuition. Alors, je suis allée toute
seule à la Caravelle, pour l'encourager. Parler à une
femme qui rigole avec des copains, c'est pas facile
pour certains gars. C'est peut-être un timide, ce
Paul.

« J'étais pas plus tôt assise, à jouer les éplorés qui
attendent le consolateur que, de son bar, il me
balance un de ces sourires distingués et froids à
faire grelotter un ours blanc. Moi, ça me réchauffe !
Je me dis : « Il prend le départ ! »

« Tout juste. Il s'amène tranquille.

« — Me permettez-vous de vous offrir une coupe
de champagne ? »

« Je n'attendais que ça. Le voilà assis à côté de moi.
Je crois qu'on était aussi gênés l'un que l'autre.
Tu comprends, je ne voulais pas me jeter à sa tête,
ce n'est pas son genre. Alors, on était tellement
« distingués » qu'on ne s'est pas dit plus de dix
phrases. A la fin, pour le dégeler, je lui ai envoyé :

« — Vous avez de beaux yeux. »

« J'ai gardé pour moi ce que je pensais depuis le
début : « Je voudrais bien les voir quand ils perdent
« le nord ! »

« Il a paru touché, a pris son temps et m'a
répondu :

« — J'ai remarqué les vôtres tout de suite, et votre
« sourire. Quand vous souriez, vous avez l'air de
« vous abandonner. C'est très émouvant.

« — C'était tellement bien dit que j'ai pensé :
« C'est pas possible, ses phrases, il doit les appren-
« dre par cœur ! »

« La glace était brisée. Il m'a bien accordé une
demi-heure de conversation.

« Il a terminé en me disant :

« — Il faudra venir m'entendre. Il me sera agréa-
« ble d'avoir vos critiques. »

« Je fais attention quand il me parle pour pouvoir
te répéter ce qu'il me dit ; parce que, sans le mot
à mot, ça perdrait tout son charme. »

Leur histoire, je la suivais comme un film à épisodes, un truc dans le genre des « Trois Mousquetai-
res ». On connaît la fin d'avance mais ça n'empêche
pas de marcher. Et j'en avais du plaisir ! Edith aux
prises avec un zèbre de ce gabarit, c'était plutôt marrant.

Le lendemain, c'était l'épanouissement. Ça commençait en défaite, mais quelle chute pour la fin
de l'épisode !

« J'ai été entendre Paul. Ça ne m'a pas plu. Il ne fera
pas sa carrière dans le chant, celui-là. C'est le genre
pince-sans-rire, le visage glacé, le veston bien tiré,
boutonné jusqu'en haut. Il chantait :

Ah ! viens, viens ma Nénette
Faire un tour sur les chevaux... de bois.
Ça fait tourner la tête,
Et ça vous donne la gueule... de bois.

« La clientèle pour ce style est réduite. Il ne fera
pas rire les places à vingt ronds avec ça !... N'empêche que je le trouvais beau, l'animal ! Je vais dans
sa loge.

« Il me demande, en nouant sa cravate :

« — Vous aimez ? »

« J'y vais franchement.

« — Non, pas tellement.

« — Bien.

« — Ça vous laisse froid ?

« (C'était le mot !)

« — Pas du tout. On ne peut pas plaire à tout le
« monde.

« — Mais à moi ?

« — C'est différent. Mais je ne pense pas vous
« séduire avec mes couplets...

« — Parce que vous croyez que vous allez me
« plaire ?

« — Ma chère amie, j'en rêve... »

« Alors là — tu es bien assise ? — il s'est cassé en
deux et m'a baisé la main...

« Pour de l'allure, ça en avait, Momone. J'étais au
théâtre ! Mais j'étais vexée ; je n'ai pas pu m'empêcher de lui dire :

« — Dites donc, Paul, vous êtes fâché ?

« — Pas du tout. Pourquoi ?

« — Vous ne l'avez pas embrassée, ma main. J'ai
rien senti. »

« Il a éclaté de rire.

« — Mais c'est un simulacre. Il n'y a qu'un goujat
« qui peut se permettre d'embrasser « vraiment » la
« main d'une femme. On l'effleure de ses lèvres, pas
« plus »

« J'avais l'air de quoi ! J'ai fait tout de suite un
rétablissement. Je l'ai regardé dans les yeux et je lui
ai dit :

« — Vous, ce n'est pas la même chose... Vous
auriez pu... »

« Momone, on en a encore des choses à apprendre.
J'aurais jamais cru que c'était compliqué comme ça,
un baisemain !

« Alors là, le Paul, il m'a renversé. Il m'a proposé,
aussi sec, de coucher avec lui.

« — Edith, je pense que le plus tôt sera le mieux.
« Je ne vois pas pourquoi il faut faire tant de chichis,
« ni pourquoi les femmes doivent dire non avant de
« dire oui. Voulez-vous boire une coupe, chez moi,
« un soir ? »

« J'avais envie de lui répondre : « Plutôt deux
qu'une ! » mais l'intimité en direct, avec lui, ça
ne venait pas du premier coup. J'ai fait ma princesse :

« — En doutez-vous ? »

« Il a ri comme un gosse. J'avais une de ces envies
de l'embrasser !...

« — Edith, je viendrai vous chercher à la fin de
« votre tour. Vous êtes adorable. Je vous baise les
« mains. »

« Et il me les a embrassées — pour de vrai —
toutes les deux. Voilà.

— Et alors ?

— il n'y a pas d'alors. C'est fait. Il est mon amant.
Il me change des autres. Tu ne peux pas savoir ce
qu'il est bien élevé. Il me tend mon manteau. Il est
toujours derrière moi. Il me fait passer devant lui. Je
ne suis pas habituée. Ça me fait un peu l'effet d'avoir
un larbin. »

Je la comprenais. Nos macs, c'étaient nous qui
nous effacions pour les laisser passer. On respectait
« l'homme ». Quant à Raymond, ça dépendait de ses
humeurs...

« Et avec Raymond ? Tu t'arranges comment ?

— J'attends. Je ne peux pas savoir si ça va tenir
avec Paul. »

Moi, j'étais sûre que ça allait durer. J'avais tout
de suite vu que Paul épatait Edith. Jamais encore,
un homme ne l'avait étonnée. Elle avait eu de l'admiration, c'était indispensable pour qu'elle aime. Mais
les gestes des hommes, leurs réactions, elle les
connaissait d'avance. Paul, elle ne pouvait pas savoir
ce qu'il allait faire ou dire. C'était un animal exoti-

que. Il aurait bouffé des orchidées à son petit déjeuner qu'elle aurait trouvé ça naturel.

J'avais une drôle d'envie de faire sa connaissance. Mais quand ?

Cette date-là, je ne l'ai pas oubliée. C'était en septembre 1939.

Avec Edith, on ne s'est jamais intéressées aux événements. La politique, ça nous passait très au-dessus. En 1938, au moment de Munich, j'avais bien essayé, du haut de mes vingt ans, de lui dire que, dans les kiosques, il y avait des journaux qui parlaient de guerre. Elle m'avait répondu :

« T'occupe pas de ça, Momone. C'est pas toi qui es chargée de fabriquer l'histoire. A la place que tu as, si on n'est pas démerdard, on paie la casse. Pas la peine, en plus, de se faire du mouron pour des trucs qu'on ne peut pas changer ! »

Sur ce sujet, elle n'a pas varié d'opinion. Il est vrai que, d'où l'on venait, la marche du monde, on n'en avait rien à foutre. Nos sujets de conversation n'étaient ni compliqués ni étendus. Tous les jours, il fallait trouver le fric pour un pain de cinq livres et un litron de rouge. Dès qu'on l'avait, la guerre, la fin du monde, on s'en balançait. Chez nous, on ne s'intéressait même pas aux grèves. Elles ne pouvaient rien nous donner, ni bien ni mal. On n'était pas des ouvriers. Notre classe, elle n'avait même pas de nom. Quand on était gamines, le seul qui avait un peu parlé de politique, d'histoire comme ça, c'était le père. Et ça n'allait pas loin !

Seulement, septembre 39, ce n'était pas pareil. Cette date-là, moi, j'ai des raisons pour ne pas l'oublier. Mon mari avait été mobilisé. La veille au soir, je l'avais accompagné à Vincennes.

Le fort de Vincennes, c'était un moulin. Ça entrait, ça sortait. Il y avait des sous-offs et des officiers en uniformes, des biffins avec tout leur barda. Et puis les autres qui avaient l'air de vrais chienlits : les vestes militaires, les bonnets de police mélangés aux frocs civils ; les pantalons d'uniforme aux vestons ; les richelieus jaunes avec des chaussettes à baguettes aux godillots avec ou sans molletières...

Ces drôles de soldats étaient debout à discuter, ou écroulés le long des murs, assis par terre. Il y en avait qui croûtaient, d'autres qui la sautaient. Moi, je n'y comprenais rien, mais j'essayais de rajuster ça avec les souvenirs du père qu'était poilu en 14. Et vraiment, ça ne collait pas. On n'avait pas l'air de prendre le départ pour la victoire !

C'est comme ça, au milieu de ces bruits d'hommes qui raclaient des pieds, qui toussaient, crachaient, juraient, qui se foutaient des gueulantes des adjudants, que j'ai quitté mon mari dans la cour du fort de Vincennes. On s'est embrassés. On était jeunes, on ne comprenait pas. J'avais sa photo dans mon sac ; lui, la mienne dans son portefeuille. Je ne l'ai pas revu. Il a été tué parmi les premiers. Alors, je n'en parle jamais. C'était un gars qui n'avait pas de chance. Peut-être bien que moi non plus...

C'est dire, ce matin-là après son départ, si j'étais prête à rigoler !

La concierge a gueulé dans la cour :

« Mame Simone, c'est votre sœur au téléphone ! »

Je descends en vitesse. Edith, quel bonheur !

Edith, à l'autre bout du fil : un vrai morceau de glace. Pas de bonjour, rien.

« Simone, veux-tu me dire pourquoi tu m'as plaquée ? »

Je ne manque pas de souffle mais là, je suis restée sans voix.

« Rentre immédiatement. »

Avec ces deux mots, je me retrouvais plusieurs années en arrière, quand j'avais fait une fugue et qu'Edith me commandait, comme à une môme : « Rentre ! »

« Mais où ?

— A l'hôtel Alsina, idiote, où je suis. »

Ça m'arrangeait plutôt, et de toutes les façons ! La guerre, quand on chante « les mômes de la Cloche », on s'en balance ; mais quand on est ouvrière dans une usine, ce n'est pas pareil. Avant que ça s'organise, on est mis à pied, et pour bouffer, la tringle. Et puis, au lieu de me retrouver seule avec mon cafard, j'allais rejoindre Edith. Ça, je n'y croyais plus. J'avais ma vie, elle avait la sienne ; et on était plutôt aux antipodes !

« Mais Raymond ?

— T'occupe pas. Il est mobilisé. Alors, tu viens ou tu ne viens pas ? Amène tes fringues, prends un taxi, et laisse la clef à ta concierge. »

Comme d'habitude, elle pensait à tout ; sauf à me demander si j'étais libre. Ma vie privée, elle s'en foutait, je lui appartenais. Raymond était parti, elle était seule ; je n'étais pas auprès d'elle, j'étais dans mon tort !

En quittant ma rue, la rue de la Séparation — elle était bien nommée ! —, je ne savais plus où j'en étais.

Il y avait comme une sorte de joie qui m'envahissait à chaque tour de roue, mon cœur se gonflait. J'allais retrouver Edith et ma vie avec elle. Dans ce taxi, j'ai compris que la vie que nous avions menée ensemble, c'était fort comme une drogue ; ce n'était pas facile de s'en passer.

Sans avoir eu le temps de m'éclaircir les idées, je me suis retrouvée dans la salle de bain de la chambre d'Edith, à l'hôtel Alsina, assise sur le bidet, à la regarder et à l'écouter. C'était brutal comme changement. Une salle de bain, c'était la première fois que j'en voyais une de si près ; et celle-là appartenait à Edith, donc à nous. Tout de suite, j'ai compris que les « séances salle de bain » allaient compter dans notre existence !

« T'es contente, Momone ?

— Ah, oui ! alors !

— Bon. Alors, passe-moi les épingles. »

C'était reparti...

Edith adorait se chercher des coiffures différentes. Elle était très adroite et se faisait ses mises en plis elle-même. Le coiffeur, ça la rasait. Elle n'y allait que quand elle était de très bonne humeur.

Tout ce qui était important pour sa vie, Edith l'a décidé dans sa salle de bain.

Nous y étions seules. Pas un homme n'aurait osé y venir nous déranger.

On jacassait comme de vraies pies, pendant des heures. Tout y passait : le métier, les projets, les changements d'homme, les grandes résolutions, les serments. Edith me parlait de ses idées sur tout. A force de voir des gens et des choses, son horizon s'élargissait et les sujets de conversation augmentaient.

Ce n'était pas ses bonshommes qui pouvaient la reconnaître. Elle ne les branchait que sur l'amour, elle ne leur parlait que de ça. Ils n'avaient droit à rien d'autre. Leur fonction, c'était l'amour.

Edith a toujours laissé croire qu'elle n'était pas coquette, qu'elle s'en fichait. Elle avait très bien pigé que ça faisait partie de son personnage, de sa publicité.

« Moi, je suis la petite fille toute simple. L'enfant du peuple, nature... La fleur du pavé... même pas jolie ! »

Elle ajoutait, l'air tout modeste :

« Je suis tarte. Je le sais que je ne suis pas belle. Je ne suis pas Greta Garbo ! »

Mais elle n'en pensait pas un mot. Ça faisait partie de sa légende. Et elle savait la soigner ! On écrivait partout qu'elle était une petite bonne femme de rien du tout — c'est tout juste si on ne la voulait pas bossue ! —, que sa beauté c'était son talent, que là, elle était la plus grande. Alors, Edith aboyait avec eux. Mais ça ne lui plaisait pas tellement. Quand nous étions ensemble, elle se rattrapait, elle faisait son inventaire sur un autre ton :

« Regarde-moi. J'ai des yeux qui ont une couleur pas ordinaire ; ils sont violets. Et ma bouche, elle est vivante, elle est belle. Mon front est peut-être un peu grand. Mais j'aime mieux ça qu'un petit front bas, rétréci. Au moins, il est vaste. Il ne me donne ni l'air con ni borné. Et puis, ce n'est pas grave, tiens, quelques boucles dessus, il est diminué ! »

Elle prenait des fous rires terribles qui faisaient craquer ses masques de beauté. Ils se lézardaient de partout et Edith criait :

« Momone, vise le ravalement de ma façade qui fout le camp. Tant pis, je vais en essayer un autre. D'ailleurs, celui-là, il ne vaut pas grand-chose ! »

Pour les marchands de produits de beauté, Edith était la cliente de rêve. Jobarde comme elle, il n'en existait pas deux.

« Momone, regarde sur le journal cette réclame : « Séduisez tous les hommes avec la crème à la fraise « du docteur X... » — « Eternellement jeune avec les « embryons de cellule de Chose » — « Effacez toutes « vos rides comme avec une gomme », etc. Tu y crois, toi ? »

Dans ces cas-là, j'étais toujours prudente.

« Ben, tu sais, tu n'en as pas tellement besoin.

— Ça viendra. Vaut mieux prévenir que guérir. »

Et elle achetait tout ce qu'elle voyait. Le premier jour, elle poussait des cris : « Regarde ! Non, mais ce que c'est bien ce truc-là ! Je ne me reconnais plus ! » Le deuxième jour, ou le troisième, elle faisait la grimace : « Ce n'est pas terrible leur machin. Il y a mieux. Tiens, on va essayer un autre. »

En vérité, elle n'avait besoin de rien. Elle avait une peau ravissante, blanche, rosée, douce. C'était un cadeau de la nature ; et solide avec ça ! Les rares fois qu'elle s'était lavée, c'était au savon de Marseille, ou

avec des savonnettes à la rose qui puaient et qui
auraient pu décaper un four, tellement elles avaient
de mordant !

Ce que j'admirais aussi chez elle, c'étaient ses
oreilles, grandes comme celles d'un bébé, bien ourlées,
un peu transparentes comme de la porcelaine.

Mais ce qu'elle avait d'extraordinaire, c'étaient ses
mains. Fines, petites, douces, avec dedans une merveilleuse chaleur. Quand elle vous prenait la main,
cette chaleur-là, elle vous montait jusqu'au cœur, elle
vous l'occupait en entier.

J'étais là, heureuse. Je passais des épingles, des rou-
leaux, des pots de crème à Edith. Je l'écoutais discuter le coup avec une sensation de bonheur et de
sécurité totale. Et le monde, sous nos pieds, était aussi
sûr que le Vésuve en éruption.

En sortant de la salle de bain je vois, assis sur une
chaise, un Chinois et, couché sur le lit, un type en
robe de chambre de soie qui lisait le journal. Je me
dis : « C'est possible, elle en a deux, un Jaune et un
Blanc ; on va coucher à quatre ! »

Je n'ai pas eu le temps d'avancer plus dans mes
pensées, Edith me dit :

« Tiens, Momone, voilà Paul Meurisse, il habite
avec nous ; et Tchang, mon cuisinier. »

Le Paul s'est levé, l'air pas content.

« Si tu m'avais prévenu, Edith, j'aurais passé une
veste. »

Pas possible ! Une veste ! Il ne devait pas être normal, ce type !

Quant au cuisinier, je ne comprenais pas, je n'avais
pas vu de cuisine ! Tchang s'est levé, a pris le cabas
à provisions qui était à ses pieds, et il est rentré dans
la salle de bain. Ça, il fallait y penser. C'était très
simple, il mettait une planche sur la baignoire et il
faisait la cuisine sur des réchauds. Sa spécialité : le
steak pommes frites !

« Qu'est-ce que tu dis de ça ? m'a demandé Edith.

Ça vous pose, hein ? d'avoir un cuisinier chinois. Et
puis, on fait des économies. »

Pour ça, j'étais sans illusions, le côté « bonne ména-
gère » d'Edith avant toujours coûté très cher !

Plus je regardais son Paul, plus je pensais qu'avec
lui, ça ne devait pas être possible de dormir à trois
dans le même plume ; et je me demandais où j'allais
atterrir.

« Momone, je t'ai pris une chambre à côté. Viens, on
va défaire ta valise. »

Paul s'est baissé, a pris la valise.

« Je vais vous la porter. Vous permettez que je vous
appelle Simone ? Edith m'a tellement parlé de vous. »

D'un coin de l'œil, je voyais Edith qui se fendait
la gaufre. Non, un homme comme ça, je n'en avais
jamais vu ! Ça existait ?...

Ma valise, elle a été vite défaite. Je n'avais rien.

« C'est bon, m'a dit Edith. J'ai pigé. Tu prendras ce
que tu voudras dans mes affaires. »

C'était facile. Nous avions la même taille, le même
gabarit.

« Comment trouves-tu Paul ?

— Etonnant ! Le coup de la valise, c'est drôlement
poli. Mais la robe de chambre en soie pour tirer sa
flemme dans sa chambre, je croyais que ça n'existait
que dans les films ! Il a l'air de faire ça tout naturellement. »

Le soir, nous sommes allés souper, comme il disait.
Il nous a présenté nos chaises, et il a attendu que nous
soyons assises. Il a mis sa serviette sur ses genoux.
Nous en étions gelées d'admiration.

Edith n'avait pas l'air d'y être encore bien habituée. Et moi, je me disais : « Il en fait trop. Il attige,
ce mec ! »

J'étais sûre qu'on ne pouvait rien apprendre de
plus que tout ce que Asso nous avait enfoncé dans le
crâne, et voilà qu'il y avait autre chose... Je n'étais pas
à mon aise. J'avais peur de faire des gaffes en man-

geant. Lui ça allait tout seul. Il devait avoir des siè-
cles d'éducation derrière lui. Il était chic, mais je ne
le trouvais pas drôle. Souvent, j'ai eu envie des hommes d'Edith, je trouvais qu'elle avait du goût, mais
celui-là je ne comprenais pas. J'avais tort. C'était
Edith qui avait raison. Paul lui a apporté ce qui lui
manquait : la classe.

Quand le maître d'hôtel nous a demandé ce qu'on
voulait, Edith a dit : «Je mangerais bien... », Paul l'a
foudroyée du regard, et a pris la parole : « Pour
madame, ce sera... » et il a défilé tout notre menu
pour terminer par : « Envoyez-moi le sommelier. »
Puis, d'un ton grondeur, il a dit à Edith :

« Tu sais bien qu'une femme choisit mais laisse
passer la commande par l'homme. De même que je ne
dois pas commander un vin sans te l'avoir proposé. »

Ça, on n'avait jamais entendu. Elle allait être gaie,
la vie, avec cet homme-là !

Raymond ignorait qu'il était doublé. Pour Edith,
un soldat en guerre, c'était loin ! Seulement, les
mobilisés ont des permissions. Et moi, il ne me sortait pas de l'idée qu'on allait voir rappliquer Raymond.

« Dis donc, Edith. Asso, qu'est-ce que tu vas en
faire ?

— Je le garde pour les chansons et je le laisse pour
le reste.

— Et s'il ne veut pas ?

— Pose pas de questions inutiles. Jamais un homme n'est resté avec moi quand je n'en ai plus voulu. »

Ça faisait bien à dire. C'était vrai, mais la liqui-
dation ne se faisait pas toujours sans tirage. Des
scènes, j'en ai vu quelques-unes !

Comme prévu, à sa première permission, Raymond
débarque. Il ne frappe pas, il était chez lui. Première
chose pas agréable pour lui : il ouvre et il me voit,
l'air installée.

« Tu es revenue, toi ?

— Tu le vois.
— Elle t'a reprise ?
— Faut croire.
— Où est-elle ?
— Je ne sais pas. »

Que si, je le savais ! Edith était avec Paul dans la chambre d'à côté.

« Ecoute, Raymond, tu devrais prendre un bain. Quand on fait la guerre, ça repose.

— Tu te fous de moi ou quoi ? Tu sais où elle est ?

— Non. Je vais voir si elle ne traîne pas dans le coin.

— Je vois qu'elles ont été vite reprises, les « bonnes » habitudes. Il est temps que je revienne.

— Parce que tu reviens ? Alors un conseil : ne te presse pas. »

Je voulais qu'il se fiche en colère pour qu'Edith l'entende crier. J'ai réussi. Il s'est tellement mis à gueuler qu'Edith s'est ramenée. En fait de bonjour, elle lui a dit :

« Tu te crois chez toi pour gueuler comme ça ? Si c'est tes affaires que tu viens chercher, tu n'as qu'à les prendre, il n'y en a pas lourd !

— Qu'est-ce que tu veux dire, Didou ?

— Y'a pas de Didou, de Didi, ni d'Edith. Y'a plus rien. Y'en a marre. Et puis, toi Simone, qu'est-ce que tu fous là à m'écouter ? Ça te regarde ? Non, alors file à côté. »

Raymond ne l'a pas loupée :

« Qu'est-ce qu'il y a à côté ?

— Une chambre, celle de Simone, ça t'intéresse ?

— Oui, beaucoup. Elle a une chambre maintenant ? Vous ne pieutez plus ensemble ?

— Dis donc, je ne demande pas avec qui tu couches ! Tu t'es barré, ça te regarde plus.

— J'ai été mobilisé.

— Eh bien, reste-le. Et tire-toi, tu n'as plus rien à faire ici. »

Je les ai laissés hurlant à pleine gueule.

Dans la chambre à côté, j'ai retrouvé Paul. En robe de chambre, assis sur le lit défait, il se faisait les ongles... C'était bien le moment !

Il m'a dit :

« C'est Raymond Asso ?

— Ça s'entend !

— Un peu trop. »

A côté, il y avait une sérieuse bagarre, et je me demandais si c'était déjà le moment d'appeler Police secours... Quand j'ai vu Paul enfiler sa veste, prendre son chapeau, son parapluie, et sortir. Ça en faisait toujours un de moins !

La scène a bien duré une heure. A la fin, il se sont calmés. J'ai entendu Edith qui pleurait, elle avait dû recevoir une baffe. Avec elle, c'était le seul moyen et Raymond ne s'était jamais privé de l'employer.

Je l'ai entendue qui disait avec sa voix de petite fille :

« Tu sais, Raymond, c'est toi qui as eu le meilleur de moi. Dans mon cœur, tu resteras toujours celui que je n'oublierai jamais.

— Quand même, ma petite fille, tu n'aurais pas dû me faire ça pendant que je suis soldat. »

J'avais pitié de Raymond. Je me mettais à sa place. Ça ne devait pas être drôle de débarquer en perm, pour découvrir *sa* femme, dans *son* plumard avec un autre.

Je n'entendais plus grand-chose. Ils devaient parler du métier. Raymond devait lui donner encore des conseils, les derniers. Je commençais à roupiller quand ma porte s'est ouverte. C'était Raymond.

« Tu es contente de toi, hein ? C'est ce que tu voulais ! »

J'attendais ma claque comme ponctuation, mais il est parti en claquant, seulement, la porte.

Edith l'a revu plus tard. Ils sont redevenus bons

copains. Mais, si elle était sans arrière-pensées, Raymond n'a plus jamais été le même. Il sentait bien qu'il n'était qu'un auteur dont Edith prenait ou refusait les chansons.

Ce jour-là, quand il est parti, ça m'a serré le cœur parce qu'on ne savait pas comment tout ça allait tourner, qu'on était quand même en guerre... Après tout, demain il pouvait se faire descendre !

Il est mort vingt-neuf ans plus tard, en 1968, cinq ans après Edith, presque jour pour jour, sur un lit d'hôpital. Il avait soixante-neuf ans. Son dernier geste a été de préfacer, d'une main tremblante, le dernier 45 tours d'Edith, avec une chanson inédite : « l'Homme de Berlin ». Encore une fois il s'occupait des affaires de « sa petite fille »...

Quelques heures avant de disparaître, mon vieux Raymond parlait toujours d'elle à tous ceux qui voulaient bien l'écouter :

« Edith me disait toujours : « Ne me laisse jamais « seule ! »

Pauvre Raymond, il se raccrochait à cette phrase qu'Edith a dite à tous ceux qu'elle a aimés suffisamment pour avoir envie, sur le moment, qu'ils la gardent toujours. Il y croyait. Il ajoutait : « Elle avait raison. J'aurais dû tenir bon malgré tout, et tous. Si j'avais été là pour la soigner, je ne l'aurais pas laissée mourir à l'âge où elle aurait dû remporter ses plus grands triomphes... Elle était faite pour le récital, avec un piano de concert ; et pas pour ces grands machins avec grand orchestre et chœurs... »

Ça bouleverse, ça fout le cafard de penser qu'au moment de mourir, Raymond voulait encore exister dans la vie d'Edith, la conseiller, lui dire ce qu'elle aurait dû faire.

Raymond n'avait pas toujours été gentil avec moi, mais j'avais de l'estime pour l'homme. De le voir repartir, dans son uniforme de soldat, le dos un peu rond, j'ai eu mal pour lui. Peut-être parce que nous étions de la même race. Tandis qu'avec Paul, j'avais tout le temps l'impression de vivre avec Louis XIV... Ça, c'était du spectacle !

Ce soir-là comme les autres, Edith est allée chanter. Quand nous sommes rentrées, Paul n'était pas là. La visite de Raymond n'avait pas dû passer ! Edith s'est mise à râler :

« S'il veut jouer au petit soldat avec moi, il va tomber sur un bec. S'il choisit le moment où je balance Raymond pour être jaloux, je vais lui faire voir du pays, moi, à ce prétentieux que j'adore ! »

Elle n'avait pas fini que Paul a ouvert la porte comme il serait rentré chez Maxim's, avec juste ce qu'il fallait de sourire poli et distant.

« Ma chère Edith, je te prie de m'excuser pour ce léger retard, mais j'avais besoin d'un peu de solitude pour réfléchir. Voilà : j'estime que tu ne devrais pas habiter Montmartre, ça manque de classe. Tu t'y exposes à des rencontres inopportunes qui ne me conviennent pas. Quand on a ton nom, on habite à l'Etoile. »

Faire une entrée comme ça, après la scène qu'il y avait eu, chapeau ! Il avait vraiment la grande classe, ce gars-là. Il possédait Edith à l'étonnement.

« C'est charmant, c'est très pittoresque, un cuisinier chinois dans un hôtel ; mais il serait mieux à sa place dans un appartement et toi aussi. »

Un appartement à elle... L'idée a plu tout de suite à Edith. Non seulement elle n'en avait jamais eu, mais la pensée ne l'en avait même pas effleurée.

« Qu'est-ce que tu en dis, Momone ?

— Je crois que Paul a raison. Ça te poserait. »

Notre rêve avait été d'avoir un jour deux pièces et une cuisine. L'Etoile, c'était se mettre au même rang que tous ces rupins.

C'est pour ça que nous nous sommes installés dans un appartement meublé, 14, rue Anatole-de-la-Forge, au rez-de-chaussée. Beau quartier, près de l'Etoile, situation agréable, à côté d'un bar, le Bidou-Bar, devenu rapidement notre G.Q.G.

Il faut reconnaître que Paul avait le geste. Quand nous avons débarqué, avec tout notre fourniment et Tchang, Paul a tendu les clefs à Edith — c'était lui qui s'était occupé de tout.

« Ouvre toi-même. Tu es chez toi. »

Edith a fondu et lui a sauté au cou.

« Oh ! Paul ! Tu es un amour ! »

La seule chose qui était gênante, c'est que Paul faisait tout ça avec son air de pasteur anglais, et la joie d'Edith retombait comme un soufflé raté. Elle commençait à trouver que d'être tout le temps distinguée, c'était fatigant..

La mise en ménage avec Paul, ce n'était pas pour nous un style connu. Il est arrivé avec des valises en cuir, et il a tout rangé lui-même ! Nous étions habituées, quand il y avait un homme à la maison, à nous en occuper avec amour. On lui défaisait ses affaires, on les rangeait. C'était même le seul moment où Edith mettait de l'ordre. Elle se chargeait surtout de compléter son trousseau à son idée. Elle adorait habiller ses gars. Même quand elle n'avait pas beaucoup d'argent, elle payait facilement pour eux. Ce goût-là, les macs d'Edith l'avaient cultivé et exploité sans peine. Elle donnait pour son plaisir.

Avec Paul, pas question. Il faisait tout faire sur mesure : les costumes, les chemises, les chaussures. Il choisissait ses chaussettes, ses slips. Et ses pochettes, ses pyjamas, ses foulards, ses cravates étaient en soie... Il n'y avait que lui qui avait bon goût. Ça la vexait.

« J'aurais aimé lui payer un costume, des chemises, des cravates... On n'a pas le même goût, mais j'en ai autant que lui ! Il a de l'éducation, mais il n'a pas de tact. Il pourrait bien, une fois, mettre une de mes cravates ! »

Le choix d'Edith était assez étonnant. On aurait

dit du Picasso. En tableaux, c'est bien, mais en cravates ! Fallait avoir de l'estomac pour les porter, et c'était vraiment au-dessus des forces de Paul !

Quand il a déballé toutes ses affaires, on était émerveillées. Il avait tellement de pyjamas, qu'il devait en changer au moins deux fois par semaine. Nous n'avions jamais vu ça. Quand il n'était pas là, Edith ouvrait ses tiroirs et son armoire, et m'appelait :

« Regarde, Momone, ce qu'il est chic ! »

On regardait toutes ces jolies choses, mais on n'osait pas les toucher ; c'était rangé comme dans un magasin de luxe.

« Tu savais, toi, qu'il y avait des hommes qui s'habillaient comme ça, tout en sur mesure ? T'en as peut-être rencontré, d'accord, mais t'as pas vécu avec eux. Ça change ! C'est la première fois que je n'en ai pas un qui sent l'homme. Paul sent l'eau de toilette, la lavande, le cuir fin. Il se rase deux fois par jour — le père ne se rasait que quand il faisait vraiment trop sale — et après, il se passe une lotion anglaise. Ça fait frais quand on l'embrasse. Tu trouves que c'est normal, tout ça (elle riait) ? Pourtant, c'est pas une gonzesse ! »

Paul nous fascinait avec ses belles manières si élégantes.

Mais il n'était pas drôle tous les jours.

Après les leçons de Raymond, il a fallu se farcir celles de Paul.

« Où vas-tu, Edith ? Tu sors comme ça ! Tu n'as pas honte ?

— Qu'est-ce que j'ai ?

— Des taches. Tu es couverte de taches. Une femme qui s'appelle Edith Piaf ne sort pas avec des vêtements sales. Etre soignée te donne de la classe, même si tu portes une robe de quatre sous. »

Lui, il était tellement propre, qu'Edith et moi,

ça nous inquiétait. Nous ne comprenions pas. Il nous obligeait à faire comme lui, à se laver les mains avant de se mettre à table.

Nous qui savions à peine qu'une brosse à dent existait, Paul a exigé qu'on ait chacun la sienne et qu'on s'en serve deux fois par jour. Surtout Edith qu'il embrassait et qui, à longueur de nuit, se tapait des harengs marinés pleins d'oignons !

« Chérie, viens, on va se coucher », disait Paul impeccable dans son pyjama et sa robe de chambre en soie sentant l'eau de toilette. Edith s'amenait dans ses chemises de nuit toujours trop grandes. (On en aurait mis trois comme elle dedans. Pas étonnant, elle les achetait n'importe où, n'importe comment. Elle regardait une vitrine, elle disait : « C'est celle-là que je veux », sans s'occuper de la taille. On ne s'était jamais préoccupées de savoir s'il en existait plusieurs !) Ses pieds dans des savates avec, en général, un vieux manteau de laine car elle était très frileuse. Alors, gentiment, Paul regardait derrière les oreilles d'Edith si elles étaient bien propres. Comme si elles avaient eu le temps de se salir ! Il demandait : « As-tu fait ta toilette ? » Comme s'il fallait faire sa toilette pour dormir !

Ça ne m'aurait pas plu. Elle se laissait faire, elle l'aimait. Quand Edith aimait un homme, il pouvait tout exiger d'elle, tout demander. Au début, parce qu'après, ça changeait.

N'empêche que toute cette propreté inquiétait Edith.

« Tu ne crois pas que de se laver tout le temps, comme ça, c'est une maladie ? »

Ça fait sourire ! C'était plutôt triste. Edith et moi, nous ne pouvions pas comprendre ça. Quand nous étions gosses, autour de nous, on croyait que la crasse et les poux protégeaient, que c'était comme un vaccin contre les maladies. Plus tard, quand elle a été débarrassée de ses bestioles, Edith prenait un chat, le plus sale possible, l'installait sur ses genoux et, les yeux dans le vague, lui cherchait ses puces...

Nous étions sûres que Raymond nous avait tout appris sur l'art de se tenir à table. Aussi, le jour où Paul a dit à Edith : « Ma chérie, j'aimerais qu'à table tu te tiennes différemment, à l'anglaise » ; nous nous sommes regardées, ahuries.

« Vois comment je tiens mon couteau (il le tenait comme un porte-plume), il me sert à pousser mes aliments sur ma fourchette.

— Et alors ? je ne suis ni gauchère ni acrobate. Moi, je mange avec ma main droite. »

Il a ri. Ça ne lui arrivait pas souvent...

Edith n'a pas résisté. Elle lui a répondu en toute simplicité :

« Paul, tu me les brises. Ces histoires de boustifaille, j'en ai marre. »

Tout ça n'aurait pas été grave si Edith et Paul n'avaient pas été étrangers l'un à l'autre.

Quand j'étais toute gosse, que je voyais un type qui n'était pas de chez nous, de notre milieu, je le regardais bien ; et, à sa manière de s'habiller, de se tenir, de parler, je me disais : « Ça, c'est un gars qui a ses bacs, ça se sent. »

C'était la frontière pour laquelle je n'avais pas de passeport. Edith pensait comme moi. Quand elle me demandait : « Comment le trouves-tu ? » Si je répondais : « Il a ses bacs », elle disait : « Ce gars-là, il n'est pas pour nous. Quand on n'a pas été à l'école, faut faire gaffe, on a vraiment l'air trop tarte. C'est dangereux, Momone, je pourrais le paumer ! »

Ce n'est que plus tard qu'Edith a compris que le talent remplaçait beaucoup de choses, qu'il avait sa place partout, qu'on pouvait aussi être intelligent sans être instruit. Mais au moment de Paul, nous n'en étions pas là. Il nous en imposait. Et puis, il parlait bien et Edith y était très sensible.

« Non, mais écoute-le, Momone. Ce qu'il parle bien !
Il parle comme on écrit. C'est joli ! Et puis, jamais un
mot plus haut que l'autre, pas de colères, de grossiè-
retés. C'est reposant un homme bien élevé et distingué comme lui. Cette idée d'habiter l'Etoile, c'est
bien. Probable que ce qu'il appelle la « classe », ça
tient dans une adresse, un numéro de téléphone, un
domestique... Enfin des petits trucs comme ça auxquels on n'aurait pas pensé sans lui. Tu vois, avec
Paul, pas de surprises : il rentre, il met sa robe de
chambre, il écoute la radio les pieds dans ses pantoufles, il est tout à sa petite femme. C'est pas un
cavaleur, lui. Ce qu'il est reposant ! »

Ce repos-là, Edith n'allait pas le supporter longtemps.

Je couchais dans le fond de l'appartement. Edith,
dans la chambre avec lui, dans un beau lit tapissé de
satin bleu. C'était normal, mais je n'avais pas tellement l'habitude d'être seule, je m'étais trop souvent
réveillée avec elle à côté de moi.

A part ça, rien de changé. Le matin, homme ou pas,
c'était moi qui la réveillais, et avec tout le cérémonial. J'aimais la regarder dormir ; elle avait l'air
d'un bébé. Je glissais un doigt dans sa main — elle
tenait toujours le poing fermé — elle me serrait le
doigt et elle murmurait :

« C'est toi, Momone ? »

Elle ouvrait un œil, puis l'autre. Elle tendait la
main et je lui donnais son café noir, bien fort. Alors
là, elle s'asseyait, se calait dans les oreillers et commençait à regarder la vie avec précaution.

« Fait beau ? Ouvre. Pas trop vite. »

Elle avait horreur du jour. Elle disait :

« Mon soleil, il s'allume en moi quand la nuit
tombe. C'est seulement à ce moment-là que je commence à voir clair. »

Elle ne s'occupait pas de l'homme qui était à ses
côtés ; il pouvait continuer à roupiller ou se réveil-

ler, elle s'en foutait. Je m'asseyais sur le lit, et ça
y allait, on se mettait à jacter.

Elle regardait vaguement le courrier, les articles
sur elle, gueulait, riait, vivait quoi. Puis elle envoyait
promener les couvertures, découvrait le bonhomme
qui ronchonnait et, dans sa chemise de nuit trop
grande, elle filait à la salle de bain où je l'accompagnais.

Edith me regardait en riant et ouvrait les robinets.
C'était gai ce bruit d'eau, on aurait dit un torrent.
Comme une môme qui a peur de se faire disputer,
elle mouillait le gant, le savon, jetait les serviettes
par terre en tampons ; comme ça, Paul lui ficherait
la paix. Et on entamait les choses sérieuses : pots de
crèmes et bla-bla-bla. C'était Edith qui avait trouvé
ça. Nous, ce n'était pas « Arsenic et vieilles dentel-
les », c'était « Pots de crèmes et bla-bla-bla ».

Quand elle avait envie de gâter le patron parce que
la nuit lui avait plu, et surtout qu'elle s'en souvenait,
qu'elle n'avait pas été trop ronde pour l'oublier,
elle me disait : « Occupe-toi du petit déjeuner de
Paul » ; mais le plus souvent, il se débrouillait tout
seul.

Il faut reconnaître que ce n'est pas le genre de
réveil dont rêve un amant.

Paul rêvait de petits tête-à-tête, style la « petite table
de Manon » avec des bougies. A cette table, ils
auraient eu l'air du chevalier Des Grieux dînant avec
la Gervaise de Zola.

Quand il en avait par trop marre d'être trois, il
disait en me regardant :

« Je n'en veux pas, qu'elle aille à la cuisine. »

Si Edith était de bon poil, elle haussait les épaules
ou se tapotait le front pour me faire signe : « Il est
sinoque ; fais pas attention, Momone. »

Si elle était en rogne, elle attrapait son assiette
et me suivait :

« Moi, je vais manger avec Momone à la cuisine. »

Paul restait seul. Il tenait bon, assis sur la pointe de ses fesses, finissait son repas, fumait, lisait en prenant son café. Ça ne réchauffait pas l'atmosphère. D'autant plus qu'on se ramenait de la cuisine en rigolant et en continuant notre conversation. Comme par hasard, le sujet en était toujours un « ancien ».

« Dis, Momone, tu te souviens de Riri le légionnaire, ou de Jeannot le mataf, ou mon « fiancé » de Paris-Méditerranée, ce qu'il embrassait bien, la vache ! ... »

Et des comme ça, il y en avait, il y en avait ! un vrai défilé de 14 Juillet.

Edith attaquait Paul :

« Pourquoi tu ne ris pas ? Ça ne t'amuse pas ?

— Pas précisément.

— Je me demande ce qu'il faudrait pour te faire rire !

— Certainement autre chose que tes histoires de paravents [1].

— Elles ne te plaisent pas mes histoires d'amour ? J'en ai pourtant eu de belles, de très belles. Pas vrai, Momone ? Alors, tu n'es pas jaloux ?

— Ton passé ne m'intéresse pas, il y a trop de monde dedans.

— Traite-moi de putain pendant que tu y es. »

Elle avait beau s'y prendre de toutes les manières — et on ne pouvait pas être de plus mauvaise foi qu'elle — Paul gardait son sang-froid.

Edith commençait à s'échauffer :

« C'est une banquise, ce Paul. Il faut que je sois complètement dingue pour m'être amourachée d'un manuel de savoir-vivre. Tu as envie, toi, de rigoler avec un des hommes à Borniol ? Moi pas. Je vais lui faire perdre sa bonne éducation. Il me foutra une tarte, tu m'entends ! Je l'aurai ma tarte. »

---

1. Histoires de paravents : terme qui désigne des histoires de coucheries.

Du moment qu'elle l'avait décidé, j'étais sûre que ça finirait par arriver. Mais comment ? Pour moi, quand Paul avait été fabriqué, on avait oublié de lui mettre des nerfs. Ce gars, il ne fonctionnait qu'avec sa tête, et dedans, il n'y avait que des bonnes manières.

Edith adorait la bagarre, les scènes, les cris. Il fallait que ça bouge autour d'elle, en elle, c'était sa manière de vivre. Elle chantait la fête, l'amour, la jalousie, la séparation ; elle ne chantait pas le coin du feu. Et ce qu'elle chantait, c'était toujours un peu sa vie et beaucoup *elle*.

A la porte à côté, il y avait le Bidou-Bar. Pour y aller on passait à quatre pattes sous nos fenêtres, pour que Paul ne nous voie pas. Quand on rentrait à des heures impossibles, rondes ou faisant celles qui l'étaient, Paul serrait les dents et se taisait. Il se serait cru déshonoré de venir nous y chercher, pourtant c'était tout ce qu'on méritait, et par la peau du cul encore !

Paul avait une manière de se taire qui fichait Edith en colère. Elle lui balançait à la tête tout ce qu'elle avait sous la main. Gelé comme un réfrigérateur, Paul me disait :

« Simone, il reste des assiettes à la cuisine, va donc les chercher. »

Puis, très digne, il allait s'allonger sur le lit avec un livre et ouvrait son poste de radio à tout berzingue. Ça plaisait aux voisins ! D'ailleurs, son poste, c'était son « copain », il l'aimait vraiment. Pendant des heures il écoutait de la musique classique, celle à laquelle on n'entendait rien, et bien entendu, les nouvelles.

Ça exaspérait Edith.

Autour de nous, c'était bien la « drôle de guerre ». En dehors de la défense passive, des petits malins qui bombaient le torse dans des uniformes fantoches, de tous ceux qui étaient « quelque part en

France [1] », mais toujours près de Paris, il n'y avait pas grand-chose de changé. Et comme il fallait bien satisfaire au repos du militaire et maintenir le moral des troupes, les boîtes, les music-halls, les cinémas, les théâtres étaient pleins de monde.

Le printemps avait été beau, et l'été s'annonçait bien. Edith, qui ne s'occupait jamais du temps qu'il faisait, me répétait : « Heureusement que j'ai Paul, ce printemps me chavire et les jours sont trop longs. »

J'ai toujours pensé qu'au lit aussi, Paul avait beaucoup de talent.

Ça n'empêchait pas Edith d'avoir envie de rigoler. Elle cafardait facilement. C'était sûr, il se passait quelque chose autour de nous qu'on ne voyait pas, mais qu'on sentait.

Pour la distraire, un jour, j'ai eu une idée géniale.

« On va faire tous les bistrots de la rue de Belleville en montant et en redescendant. »

Nous voilà parties. On est entrées dans tous les troquets. Et il y en avait. On les a tous faits en montant, mais pour redescendre, pas question. Arrivées place des Fêtes, c'est à quatre pattes que nous étions. Toutes les concierges du coin s'en souviennent encore.

Quand on est revenues, Paul n'était pas d'accord du tout. Edith, elle, voulait absolument lui faire partager son état. Elle avait le vin gai.

« Edith, il y en a assez. Va cuver ton vin ailleurs. Je ne veux pas de femme ivre dans mon lit.

— Tu es un emmerdeur, un pisse-froid. Tu es chiant comme un jour de Toussaint, tu sens le chrysanthème. »

Paul sans répondre est parti, avec sa radio sous le bras, s'enfermer dans la chambre.

« Ah ! c'est comme ça ! connard, salaud », hurle Edith, blanche de rage et d'alcool.

1. C'était la formule employée, le lieu devant rester secret.

Une de ces belles colères éthyliques où l'on se sent
de taille à attaquer la tour Eiffel.

Elle a ouvert la porte, s'est précipitée, a attrapé
la radio, l'a flanquée par terre, et l'a piétinée, hoque-
tante de colère et de boisson.

Paul s'est levé (cette fois, ça allait être la dérouillée), il a ramassé les morceaux de son appareil, a
regardé Edith qui vacillait, l'a prise par les épaules.

« Je suis déçu, c'est très mal ce que tu as fait. »

Et il est **parti**.

Nous n'étions pas assez dessoulées pour avoir honte.

Le lendemain, Edith offrait à Paul un autre appareil
de T.S.F. Heureusement car, quelques mois plus
tard, il allait être difficile d'en acheter un.

Tout de même, elle n'était pas contente.

« Tu vois, Momone, je n'y arriverai pas, je ne l'ai
pas eue, ma tarte ! Pourtant, cette fois, je la méritais. »

C'était peut-être un peu enfantin, mais cette trempe
qu'elle aurait dû avoir lui manquait. Il ne lui a pas
fallu attendre longtemps pour obtenir satisfaction.

Edith aurait certainement quitté Paul si elle n'avait
pas rencontré Jean Cocteau.

Un soir, nous dinions chez la Marquise. A côté
d'Edith, il y avait Jean Cocteau. Sûr que Mme Breton
avait dit à Jean la même chose qu'à Edith : « Chéri,
je veux te faire rencontrer un être unique ! » Elle ne
les avait pas trompés. Chacun dans leur genre, ils
n'étaient vraiment pas ordinaires. Jean Cocteau, c'était
un homme merveilleux.

Quand on s'est amenées pour dîner chez la Marquise, Edith n'était pas tout à fait à son aise.

« De quoi je vais avoir l'air, moi, à côté d'un homme
comme Jean Cocteau. »

Ça n'a pas été long. Jean lui a pris la main.

« Edith, je suis si heureux de vous rencontrer. Vous
êtes le poète de la rue, nous sommes faits pour nous
entendre. »

Avec un départ comme ça, Edith fondait. A table, ils étaient assis à côté l'un de l'autre. Mme Breton rayonnait, et moi, je me disais que mon Edith, c'était quelqu'un. La rue, ça devenait un souvenir du passé. Elle était là, à l'aise, riant, causant avec Jean.

Lui, il était poète, auteur dramatique, écrivain, dessinateur. Il comprenait la musique, le chant, la danse. Il jonglait avec les mots, il en faisait sortir des tas de choses comme un prestidigitateur de son chapeau. Elle, ne savait pas grand-chose. Lui, tout. Je ne pouvais pas détacher mes yeux de leurs mains. Celles de Cocteau étaient très belles, celles d'Edith aussi, et tous les deux, ils faisaient des gestes qui devenaient des paroles, qui s'envolaient comme des oiseaux. Ce que c'était joli de les voir parler avec leurs mains !

En la quittant, Jean lui a dit :

« J'habite rue de Beaujolais, au Palais-Royal, il faut venir me voir ; on causera tous les deux, petite Piaf, tu es très grande... »

Edith n'en revenait pas, elle me disait :

« Tu as vu comment il m'a parlé ce Jean Cocteau, Je vais le revoir. Il n'est pas comme les autres hommes que je connais. Avec lui, on apprend sans qu'il vous donne des leçons ! »

Récemment, Gilbert Bécaud a fait, avec Louis Amade, une chanson qui s'appelle *Quand il est mort le poète*. Chaque fois que je l'entends, je retrouve Jean, avec sa manie de dessiner des étoiles partout, sur les nappes en papier, sur les programmes, les livres. Sur tout il en déposait. Elles fleurissaient son passage.

« Tu vois, Momone, ce qui me manquait dans ma vie, c'était un poète, un vrai. Eh bien, maintenant, je l'ai. »

Nous aimions son petit air de Pierrot avec ses cheveux fous au-dessus de son front. Un critique de l'époque avait appelé ça « son toupet de clown ».

Ça nous avait mises en boule parce que nous trouvions que c'était plutôt comme une auréole.

« Momone, me disait très sérieusement Edith, les gens ne s'en rendent pas compte, mais c'est un saint cet homme-là, il est si bon ! Jamais une méchanceté, une saloperie sur personne. Il est toujours prêt à pardonner, à comprendre. »

Elle a dit à Paul :

« Je veux lire des livres de Jean Cocteau. Achète-m'en. »

Je ne sais pas s'il l'a fait exprès, mais il est revenu avec un bouquin qui s'appelait *Le Potomak* auquel on n'a rien compris.

« C'est pas possible. Cet homme, quand il parle on comprend tout, et quand il écrit, rien du tout ! Je vais lui demander pourquoi.

— Tu ne feras pas ça, a dit Paul, tu te rendrais ridicule. »

Elle l'a fait. Et Jean, avec sa gentillesse, lui a expliqué que c'était naturel qu'elle ne le comprenne pas ; et il lui a offert *Les Enfants terribles*. Ce livre-là nous a bien plu, et puis, on trouvait normal le coup du caillou dans la boule de neige. Les mômes de notre coin, ils faisaient des trucs comme ça.

C'est certainement Jean Cocteau qui a écrit, dans un article, les plus belles choses sur Edith :

« Regardez cette petite personne dont les mains sont celles du lézard des ruines. Regardez son front de Bonaparte, ses yeux d'aveugle qui vient de retrouver la vue. Comment chantera-t-elle ? Comment s'exprimera-t-elle ? Comment sortira-t-elle de sa poitrine étroite les grandes plaintes de la nuit ? Et voilà qu'elle chante ou plutôt, qu'à la mode du rossignol d'avril, elle essaie son chant d'amour. Avez-vous entendu ce travail du rossignol ? Il peine. Il hésite. Il racle. Il s'étrangle. Il s'élance et retombe. Et soudain, il trouve. Il vocalise. Il bouleverse. »

Edith trouvait ça si beau qu'elle l'avait découpé et le lisait à tout le monde. Elle pensait que quand un homme comme Jean Cocteau écrivait ça sur vous, on avait grimpé un échelon.

Avec Jean, on avait pris l'habitude de se rencontrer au Palais-Royal. Rue de Beaujolais, il y avait, sous la maison de Cocteau, une cave genre club privé où se réunissaient des artistes, des auteurs, des peintres. On y était entre nous. C'était bien la première de toutes les caves, quatre ans avant celles de Saint-Germain-des-Prés. Ça avait aussi un avantage : pendant les alertes on ne bougeait pas.

Elles étaient longues les nuits du black-out de ce Paris défiguré qui portait des lunettes bleues d'aveugle. Que c'était triste ces petites lampes bleues ! Qu'elle était loin, dans le passé, la Ville lumière !

Dans notre cave on oubliait, on était vraiment entre copains. Jean descendait de son appartement, en voisin, dans une robe de chambre bien chaude, accompagné de son ami Jean Marais qu'on appelait Jeannot. Ce qu'il était beau, l'animal ! Pour Jean, il avait de l'adoration. Venait avec eux Christian Bérard, le décorateur, qu'on appelait Bébé, une figure de poupon gentil, rond et rose avec une belle barbe qui s'étalait sur sa veste de velours. Il dessinait tout le temps, un peu partout, des tas de bouts de décors. Et Yvonne de Bray, l'œil noir, vif, intelligent, peut-être la plus grande des comédiennes de l'époque. C'était eux les têtes d'affiche de la bande à Jean. Edith était très fière d'en faire partie. Parce que Jean, ce grand bourgeois, frère d'un agent de change, malgré sa gentillesse, savait très bien se débarrasser de vous quand vous ne lui plaisiez pas.

Entre Edith et Jean, il y avait tout de suite eu le contact. Avec Jean, Edith ne trichait pas, elle lui racontait tout ce qui lui passait dans le crâne. Pour elle la grande affaire du moment, c'était Paul. Elle l'aimait encore. Alors, elle racontait ses malheurs à Jean.

« Paul me rend dingue. Je me sens paumée avec lui, explique-moi.

— Ma chérie, lui répondait Jean, on ne comprend jamais ceux qu'on aime quand on est avec eux. On ne les accepte pas comme ils sont, on les exige aux mesures de ses rêves, de ses désirs... Et ce sont rarement les leurs. »

Edith ne philosophait pas sur l'amour, elle voulait un homme qui l'aime. C'était simple !

Quand on rentrait, en taxi, Edith me disait :

« Jean, c'est un type formidable. Il n'est pas seulement intelligent, il est bon. Quand il me parle, qu'il m'explique Paul, je me dis qu'il a raison, qu'il faut que je fasse un effort. »

En rentrant elle demandait à Paul :

« Tu m'aimes ?

— Mais oui, répondait Paul de l'air du monsieur auquel on a posé une question pas convenable.

— Tu ne pourrais pas répondre autre chose, non ? Tu déclares « Je t'aime » sur l'air du « rôti de veau est servi » ! Si tu te fous de moi, faut le dire. C'est pas possible un mec comme toi. J'en ai ma claque de ton sourire blanc comme de la gouache. »

Et ça repartait, aussi sec, pour la nuit.

Le lendemain soir, elle retrouvait Jean, elle reprenait de bonnes résolutions, elle rentrait, elle se heurtait à l'iceberg et ça recommençait.

Une nuit, Edith, entre Yvonne de Bray et Jean, s'est mise à pleurer sur leur épaule. Edith avait l'émotion plus facile quand Yvonne était là parce qu'à elles deux, elles vidaient le casier de litres de rouge.

« Vous pouvez pas savoir. Je lui dis que je l'aime, il lit le journal, sur le lit, dans sa robe de chambre. Je lui dis que je ne veux plus le voir, que je l'adore, qu'il foute le camp. Il lit le journal. Ce n'est pas

possible. Je casse tout, je lui jette tout à la tête ;
les mots et ce qui me tombe sous la main ; il lit le
journal ! Il me rend folle...

— Mon chéri, calme-toi, je vais t'arranger ça. Un
peu de patience.

— Momone, je n'ose pas demander à Jean ce qu'il
va faire. »

Quelques jours plus tard, Jean lui téléphone :

« Edith, viens chez moi, j'ai quelque chose à te
lire. »

On a rappliqué en vitesse rue de Beaujolais. Il
y avait Jeannot, Yvonne de Bray et Bébé Bérard. Jean
Cocteau nous a lu *Le Bel Indifférent,* une pièce en un
acte qu'il venait d'écrire. C'était les tourments
d'Edith qu'elle avait racontés à Jean et dont il avait
fait cette pièce.

« Une pauvre chambre d'hôtel, éclairée par les
réclames de la rue. Divan-lit. Gramophone. Téléphone.
Petit cabinet de toilette. Affiches. »

« Au lever du rideau, l'actrice est seule, en petite
robe noire... Elle guette à la fenêtre et court à la
porte, surveille l'ascenseur. Puis elle vient s'asseoir
près du téléphone. Puis elle met un disque d'elle :
Je t'ai dans la peau, et l'arrête. Elle retourne au téléphone et forme un numéro... »

Le rôle de la femme, c'était Edith : une chanteuse
à succès, jalouse de tout ce qui entoure son amant...

C'était si « vrai » que je croyais l'entendre quand
elle disait : « Dans le temps, au début, j'étais jalouse
de ton sommeil. Je me demandais : « Où va-t-il quand
il dort ? Que voit-il ? » Et tu souriais, tu te détendais
et je me mettais à haïr les personnages de tes rêves.
Je te réveillais souvent pour que tu les plaques. Et
toi, tu aimais rêver et tu étais furieux que je te
réveille. Mais ta figure béate, je ne la supportais
pas. »

« Ça te plaît ? lui a demandé Cocteau.

— C'est formidable, Jean.

— C'est pour toi, Edith. Je te la donne et tu vas la jouer avec Paul.

— Ce n'est pas possible, je ne saurai pas. Je suis une chanteuse, pas autre chose. Et jouer avec Paul ! Oh non ! Jean, je ne pourrais pas. »

Elle était comme ça, Edith, à la fois elle ne doutait de rien, et elle avait toujours peur de ne pas savoir. En dehors de son métier, elle n'avait pas confiance.

Jeannot riait. Il avait des dents magnifiques, un sourire chaud. Il disait à Edith :

« C'est facile, Paul ne dit rien et toi tu joues la scène que tu as tous les jours avec lui. »

Ça paraissait simple.

Elle était seule à parler. Un monologue qui dure un acte entier, c'est long. Non, ce n'était pas si facile que ça. On s'en est aperçu dès la première répétition.

Naturellement Paul avait accepté de jouer. Une pièce de Jean Cocteau, mise en scène par Jean et Raymond Rouleau, ce n'était pas rien, c'était important. Donner de la présence à un rôle muet, c'était un tour de force qui lui plaisait.

L'une parlait trop, l'autre pas du tout. L'ennui c'est que celui qui savait parler sur une scène se taisait, et celle qui savait chanter parlait.

A la première répétition, Edith s'est écroulée. Heureusement Paul n'était pas là, c'était Jeannot qui le remplaçait.

Elle disait faux. Elle qui savait tout exprimer d'un geste ou d'un mot chanté sur scène, elle ne savait plus marcher, ses mains ne lui servaient plus à rien... Une catastrophe ! Elle était complètement paumée.

« Jean, le théâtre, ce n'est pas pour moi. Ça me fait de la peine, j'aurais bien voulu, mais c'est raté. Je ne saurai jamais. »

Jean avait beau lui dire : « Ce n'est que la première lecture. Tu vas y arriver. C'est ta pièce, ton rôle ; je

l'ai écrit pour toi », Edith était butée elle répondait : « Non. » Je la sentais au bord des larmes.

« Qu'est-ce que Paul va se foutre de moi ! »

Jean a regardé Yvonne de Bray qui était restée
tassée dans un coin, sans parler. Ils se comprenaient
ces deux-là... Elle a dit :

« Edith, tu vas jouer, je vais t'apprendre. »

Quel beau travail elle a fait, Yvonne ! Je crois que
même moi, entre ses mains, j'aurais réussi à jouer
la comédie !

C'était extraordinaire de voir Yvonne démonter
le rôle d'Edith, phrase par phrase, morceau par
morceau, comme les petites roues d'une montre. Une
fois toutes ses pièces remises en place, la montre
faisait tic-tac comme un cœur.

A la fin de la pièce, le bel indifférent se lève, met
son pardessus, prend son chapeau. Edith se colle
à lui, le supplie :

« — Non, Emile, non, ne me laisse pas... » Il se
dégage, la repousse et lui envoie une gifle. Il sort
tandis qu'Edith reste en scène, la main sur la joue,
disant :

« — Eh ! Emile... Oh ! Emile... »

Aux répétitions, Jean râlait, à sa manière, gentiment, poliment.

« Non, Paul, ce n'est pas bon. Elle t'irrite. Son
amour t'excède, il t'est insupportable, alors tu lui
balances une gifle, une vraie, à toute volée... Une
gifle d'homme, pas d'aristocrate qui envoie son gant
à la figure d'un marquis avant le duel... Allez, vas-y ! »

Correctement, élégamment, Paul envoyait une gifle
à Edith. Edith se marrait.

« C'est pas de sa faute, il ne sait pas. Je vais lui
montrer. »

Et à toute volée, elle a balancé un superbe aller
et retour à Paul... S'il avait pu écraser Edith, je crois
qu'il l'aurait fait ! Elle, très calme, très comédienne,
lui expliquait :

« L'aller, c'est pour prendre ton élan. Au retour, c'est le dos de la main qui frappe. Alors là, tu fais mal... Compris ?

— Compris, a répondu Paul qui continuait à porter beau en grinçant des dents.

— Parfait, a enchaîné Jean, on recommence. »

Paul a eu peur de se laisser entraîner par sa rage ; il a de nouveau balancé à Edith sa petite claque habituelle, si bien élevée.

Edith riait. Moi aussi.

Elle a tellement excité Paul que, le soir de la générale, aux Bouffes-Parisiens, il lui en a balancé une, soignée, qui n'était pas de la comédie.

Dans la loge, il a dit négligemment à Edith :

« C'est ce que tu voulais, tu es contente ? »

Elle a haussé les épaules :

« C'était du théâtre... »

Je crois qu'à la place de Paul, je lui aurais dévissé la tête ! Il s'est vengé autrement.

Elle s'était donné bien du mal pour recevoir sa tarte, enfin elle l'avait tous les soirs et j'ai toujours pensé que Paul se défoulait !

La pièce a été le succès de la saison 1940. Elle accompagnait, à l'affiche, une autre pièce de Jean Cocteau, *Les Monstres sacrés*, interprétée par Yvonne de Bray. Les décors étaient de Christian Bérard.

Edith était très fière de jouer, ça lui avait donné encore plus d'assurance en scène. Pour Paul, c'était plus qu'une expérience intéressante. *Le Bel indifférent* lui a rapporté d'autres pièces et même des films. Les critiques disaient : « Paul Meurisse, dans un rôle ingrat, fait preuve de dons de comédien exceptionnels. Il ne se contente pas d'être le faire-valoir de Mme Edith Piaf, il donne à son personnage une personnalité très marquée. »

La période de la « drôle de guerre », Edith l'a terminée par une « victoire ».

On lui avait demandé sa participation pour un

gala au profit des œuvres de la Croix-Rouge pour les soldats au front.

A l'affiche de Bobino s'étalaient les plus grands noms de la chanson. Le gala a commencé à minuit et s'est terminé vers cinq heures du matin.

C'est la seule fois où Edith a été au même programme que Marie Dubas qui a chanté *La Madelon*, que Maurice Chevalier avec son tube du moment :

> *Et tout ça, ça fait*
> *D'excellents Français,*
> *D'excellents soldats...*

Et je ne sais plus qui : *Nous irons faire sécher notre linge sur la ligne Siegfried*, la grande scie des soldats anglais. Dans la salle, il y avait des gars de la Royal Air Force qui se sont mis à la chanter ; ils avaient la cote et le bleu R.A.F. était la grande mode. Naturellement, Edith avait un petit tailleur de cette couleur.

Je crois que c'est Johnny Hess qui a chanté le *Lambeth Walk* que tout le monde dansait.

Edith, comme toujours, avait préparé son coup ; et il faut dire qu'on l'a reçu en plein estomac. Elle a chanté *Où sont-ils tous mes copains ?* :

> *Où sont-ils mes p'tits copains*
> *Qui sont partis un matin*
> *Faire la guerre ?*
> *Où sont-ils ces petits gars*
> *Qui disaient : On en r'viendra*
> *Faut pas s'en faire.*
> *Tous les gars d' Ménilmontant,*
> *Ils ont répondu : Présents.*
> *Ils sont partis en chantant*
> *Faire la guerre.*
> *Où sont-ils ?*
> *Où sont-ils ?*

Au dernier « Où sont-ils ? », côté jardin, le fond de la scène s'éclairait en bleu-blanc-rouge. Ça démarrait gros comme une cocarde, ça envahissait la scène et à la fin Edith paraissait enveloppée dans le drapeau de la France. C'était ça l'idée d'Edith. Alors les gens se sont levés, ils ont crié bis et repris en chœur, il y en avait même qui faisaient le salut militaire. Avec Paul, dans la coulisse, on n'osait pas se regarder tellement on avait la gorge serrée.

Après le passage d'Edith, nous sommes restés dans la salle, on a écouté les autres. Personne n'avait envie de se quitter. Cette nuit-là, à Bobino, on y croyait, la victoire, on la tenait. Il n'aurait pas fallu nous pousser beaucoup pour qu'on chante *La Marseillaise*.

Quand on est sortis, il faisait tiède, le ciel était tout brillant d'étoiles. On se sentait légers, on n'avait pas bu et on était grisé d'espoir.

En rentrant rue Anatole-de-la-Forge, le jour commençait à se lever, tout rose à l'horizon.

« C'est bien la première fois que j'ai envie de rire en voyant le soleil se lever ! » a dit Edith.

Paul a débouché une bouteille de champagne. On a trinqué à nous, à toutes nos espérances ! Paul souriait, détendu. On était heureux tous les trois, on était bien.

Machinalement, il a ouvert sa belle radio toute neuve, il a levé sa coupe et a dit :

« A aujourd'hui, au 10 mai. »

Et on a entendu la voix sinistre du speaker annoncer : « A six heures, ce matin, les troupes allemandes ont violé la frontière belge. Les Panzerdivisions avancent en Belgique... »

C'était fini, la rigolade, et bien fini.

Les semaines qui ont suivi ont été très courtes. Paul ne quittait plus son poste. Avec Edith, nous n'y comprenions pas grand-chose. Des noms émergeaient : Paul Reynaud, Daladier, Weygand et puis Pétain.

Paris avait l'air misérable. On faisait connaissance avec les alertes et celles-là nous flanquaient la frousse. Edith ne voulait pas descendre à la cave. Elle avait peur d'être enterrée vivante. Alors, on filait au Bidou-Bar. C'était défendu, mais ils nous recevaient quand même. On éteignait tout à cause de la D.P.[1], et on attendait. Paul nous y accompagnait, il ne nous lâchait plus.

On voyait passer de drôles de voitures. D'abord les réfugiés belges avec deux ou trois matelas sur leurs toits. Avec Edith, au début, on croyait que c'était pour emporter leurs lits avec eux ; c'était à cause des balles d'avions. Après eux, il y a eu les gens du Nord et de l'Est. Tous ces pauvres gens passaient, ils ne restaient pas. Ils suaient la peur, ils racontaient des histoires affreuses sur les boches. Surtout, ils nous disaient que Paris n'était pas sûr. C'était difficile à croire. Les gens partaient de Paris. Les quartiers se vidaient, d'abord les chics — le nôtre devenait désert — et puis les populaires. Les ministères, le gouvernement s'étaient repliés à Bordeaux.

Sur les murs de la capitale, on a vu une affiche annonçant que Paris serait défendu pierre par pierre. Alors la panique a fait fuir ceux qui étaient encore là. Après, il y a eu une autre affiche qui déclarait Paris ville ouverte.

A la T.S.F., on demandait aux gens de rester chez eux. Ce n'était pas possible, on n'avait plus confiance. C'était la débâcle d'un ventre qui a peur.

Nous n'y comprenions rien. On se serrait contre Paul, on s'accrochait à lui. On ne partait pas. Les journées avaient l'air de s'écrouler sur elles-mêmes.

Mon Dieu, que Paris était triste ce matin du 13 juin 1940 ! Derrière nos persiennes fermées, nous

1. D.P. : Défense passive.

regardions les gens entasser dans leurs voitures leurs
biens les plus précieux. La vieille concierge d'en
face est partie à pied avec sa valise dans une main
et, dans l'autre, la cage avec son canari. Je ne sais
pas où elle allait, mais pour elle, il n'y avait pas de
voiture. Il n'y avait plus de métro non plus.

Dans une pièce du fond, on entendait la T.S.F. On
la laissait ouverte jour et nuit. Elle parlait de bom-
bardements, de points de résistance : « Nos héroï-
ques combattants... » Les pauvres bougres, ils com-
battaient pour quoi ? C'était pas nous qui aurions
pu le leur dire.

Serrés, tous les trois, les uns contre les autres, on
n'avait plus qu'un seul cœur qui battait au même
rythme, celui de la déroute.

« Partir ? avait dit Edith, pour aller où ? on n'a
même pas de voiture. A pied ? ils seront usés jusqu'à l'os avant qu'on arrive assez loin. Et puis, ça
sera partout pareil. »

Comme elle avait raison ! C'est vrai qu'Edith ne
s'attachait qu'à son métier, à ses amours, mais
quand elle s'intéressait à quelque chose, elle voyait
toujours très juste.

Et puis, qu'avions-nous à défendre ? Notre peau ?
Ça nous paraissait sans importance.

Depuis le temps qu'on nous parlait de ces Allemands, de leur slogan : « Pas de beurre mais des
canons », on s'était dit que ces gens-là avaient certainement faim. Moi, je les voyais déjà s'abattre sur
nous comme ces bataillons de fourmis rouges qui
nettoient un bœuf en un rien de temps. Alors Edith,
toujours pratique, avait dit :

« Faut acheter de quoi se défendre : pain, conser-
ves, cigarettes, alcool, parce qu'ils carburent au
schnaps, ces types-là. »

Paul avait rouspété :

« Tu ne vas tout de même pas leur offrir à manger !

— Non, mais j'aime mieux qu'ils violent mon garde-manger que moi. Et puis, on en aura certainement besoin pour nous. Avec ça, on est parés. »

Paul serrait les poings si fort qu'on voyait ses os. Il ne pensait plus ni à se laver les mains ni à se faire les ongles ; il ne s'était même pas rasé, c'était devenu sans importance.

Avec Edith, on ne le voyait plus de la même façon. Ce n'était plus un mannequin. Je le regardais, penché sur son poste : il écoutait, la bouche amère, les derniers sanglots du pays qui agonisait.

Je ne sais plus pourquoi Paul n'était pas mobilisé ; je crois qu'il était réformé à cause de son cœur. Une chose est sûre, c'est qu'il était fragile.

Les Allemands allaient entrer ; ce n'était plus qu'une question d'heures. On ne savait pas ce qu'ils feraient des hommes apparemment valides : camps de concentration ou de prisonniers, otages ?... Et Paul restait avec nous. Il m'a fait de la peine. Il ne pouvait pas combattre mais, comme les autres, il sentait la peur, la guerre, la sueur ; il sentait, enfin, l'homme.

Il faisait son devoir, il était resté pour nous protéger. Ce n'était pas un lâche, et on était sûres qu'il se serait fait descendre pour défendre nos vertus. Entre nous elles ne valaient pas grand-chose.

Edith n'avait pas perdu son côté titi. Paul, toujours très simple, avait dit :

« Nous sommes en train de vivre des journées historiques. »

Elle lui avait répondu :

« Eh bien, merde, alors ! Si c'est ça l'Histoire, j'aime mieux la lire que la faire ! »

La rue était vide, personne. Dans le ciel, il y avait des nuages épais, noirs et roses. C'étaient les réserves d'essence qui brûlaient à Rouen et un peu partout pour retarder l'avance allemande. Ce brouillard, qui tombait tout poisseux sur Paris, rendait cette ville déserte encore un peu plus sinistre.

Le soir est tombé. Il y avait un silence de mort avec, parfois, un pas lent dans la nuit comme celui d'un gardien de cimetière. C'était rassurant, on se disait qu'on n'était pas tout seuls.

Toutes les lumières éteintes, nous attendions... On ne s'est même pas rendu compte que la nuit passait, elle aussi. Le temps n'existait plus.

Tout à coup, au matin, telle une parade de cirque, « ils » sont entrés dans Paris en chantant. C'était des gars pleins de santé, blonds et bronzés, avec des uniformes noirs. Derrière ce premier contingent, des camions remplis d'uniformes verts, et encore des gars heureux qui riaient, jouaient de l'accordéon. Ils n'avaient pas l'air d'avoir faim. Alors ? On nous avait trompés !

Avec Edith, prudemment, on avait gagné les Champs-Elysées. De loin, on regardait. Les cafés, les boutiques, tout était fermé, rideaux de fer tirés. Sur le moment, dans le soleil, en les voyant, on se demandait pourquoi on avait eu peur. Edith, cramponnée à mon bras, me disait :

« Tu vois, c'est fini. On ne se battra plus ! »

C'était vrai que c'était un cirque. Si seulement ça n'en avait été que la parade. On allait vivre avec la peur qui vous vide les tripes. Ça allait être un spectacle horrible. De gré ou de force, nous allions y assister sans un mot, sans un geste, pendant quatre ans.

Jour après jour, on a vu revenir les gens de notre rue. Le Bidou-Bar a rouvert. On n'a jamais revu la vieille concierge d'en face.

Un mois après, au Fouquet's, sur les Champs-Elysées, des types échafaudaient des combines avec l'occupant. La « collaboration » était commencée.

Comme tous les artistes, Edith a dû aller se présenter à la *Propagandastaffel* qui s'était installée aux Champs-Elysées. Elle y a rencontré beaucoup d'artistes. C'était obligatoire, sans cela, on ne pouvait pas travailler.

Et la vie a repris. Mais ce n'était plus la même.

Maurice Chevalier est revenu parmi les premiers à Paris. Il a refusé une voiture ; en débarquant à la gare de Lyon, il a pris le métro comme tout le monde.

Jamais Edith n'avait eu autant de contrats, de propositions gratuites de toutes sortes : galas pour les prisonniers, la Croix-Rouge, les music-halls... Pour tout, les gens faisaient la queue : pour le pain et pour les cinémas, les théâtres, les music-halls.

Je ne sais pas si c'était le choc de l'occupation mais Edith était très nerveuse. Elle ne retrouvait pas le Paul des jours de la défaite. Il était redevenu le gentleman, tiré à quatre épingles. Edith l'appelait le mannequin, l'iceberg. Il était plus renfermé que jamais, plus cramponné à sa T.S.F. qu'avant. Il écoutait la radio anglaise. Pour le faire râler, Edith lui disait :

« Ça ne sert plus à rien, c'est foutu. Je ne sais pas pourquoi tu écoutes ça, ils ne donnent pas de musique. »

Ou alors, elle se plantait devant lui, elle me prenait à témoin :

« Tu crois qu'il sait causer, ce mec ? Peut-être qu'à l'extérieur monsieur se déboutonne, mais pas ici. On n'est pas assez bien pour lui ! »

Pourtant, Paul aimait Edith ; seulement, leurs manières d'aimer ne collaient pas ensemble.

Ce qu'Edith a pu inventer pour lui faire perdre son sang-froid, ce n'est pas croyable ! Elle le tournait et le retournait sur le gril. Elle filait des rancards à des types dans des cafés, elle s'arrangeait pour que Paul le sache. Il la suivait en se cachant, il se gelait dehors à l'attendre pendant des heures.

Edith a même été dans une maison de rendez-vous. Quand elle en est ressortie, elle a trouvé Paul sur le trottoir. Il l'attendait avec un fiacre[1]. Il l'a prise par le bras.

« Tu vas rentrer tout de suite.

— Non, hurlait Edith.

— Tu vas monter dans ce fiacre immédiatement.

— Non », gueulait de plus belle Edith.

Je ne sais pas comment il a réussi à la faire monter de force, mais le lendemain, elle était toute pleine de bleus, un vrai champ de pervenches !

Pour se venger, Paul s'est offert une fille, une petite chanteuse qui avait un certain succès. Elle courait après Paul depuis qu'il était avec Edith. C'était plutôt une jolie femme. Edith disait à Paul en parlant d'elle : « Ta vieille ! » Tout ce qui avait dépassé vingt-cinq ans, pour nous, c'était vieux.

Le Paul a vu sa fille. Edith l'a su. Elle a attendu qu'il soit sorti et, la bouche en cœur, toute gentillesse, elle a téléphoné à sa poule.

« Est-ce qu'on peut se voir ?

— Oh non ! je suis malade, dans mon lit », a répondu l'autre, méfiante.

Alors Edith m'a dit :

« Viens, Momone, on y file tout de suite. Une occasion comme celle-là, on ne la retrouvera pas deux fois. »

Comme Marguerite Monnot se trouvait là, on l'a embarquée avec nous. Elle avait beau nous suivre de confiance elle a demandé :

« Où allez-vous ?

— On va faire sa fête[2] à la souris de Paul.

— Je ne savais pas que vous l'aimiez au point de lui souhaiter sa fête. »

Totalement dans les nuages et toujours gentille, Marguerite avait compris de travers.

1. Les taxis de l'époque.
2. « Lui faire sa fête » ou « Ça va être sa fête » : expression populaire qui signifie flanquer une raclée mémorable, comme une fête !

La fille était bien dans son lit, elle n'avait pas menti. On lui a filé une de ces tannées, à la dégoûter de Paul pour sa vie entière.

Nous avions retourné la malheureuse. Je la maintenais pendant qu'Edith lui flanquait une fessée.

Marguerite nous regardait, totalement ahurie. Elle n'avait jamais vu souhaiter une fête comme ça ! Absolument pas dans le coup, elle nous répétait :

« Mes enfants, moins fort, vous allez « vous » faire mal. »

C'est la seule fois où on a pu piquer Paul. S'il a trompé Edith, c'était bien fait, sans histoires.

Moi, je comprenais que, de temps en temps, il lui fallait quand même autre chose. Surtout qu'avec Edith on avait Simone. Dès le début, elle affranchissait son gars :

« Tu me prends avec elle, on ne détaille pas. Momone c'est la prime ! Et puis, si je la laisse seule, elle fera des conneries. »

Elle n'était pas toujours agréable avec moi, ni facile, la « tante Zizi ». (Je l'appelais comme ça quand elle me faisait par trop suer.) Depuis la mort de Cécelle, j'étais un peu devenue sa môme. Elle veillait sur moi, à sa façon, qui n'était pas marrante. Alors, je partais en cavale. J'avais besoin d'être seule, de vivre pour moi.

Cette fois-ci, je suis partie pour laisser Edith et Paul seuls. Déjà avant l'occupation « la Marquise » et même Marguerite m'avaient dit, chacun de leur côté, des phrases du genre : « C'est plus facile de s'entendre à deux », « De temps en temps un couple a besoin d'une petite lune de miel. »

Je me suis dit : « Je lui dois bien ça, à Edith. Des fois que, grâce à mon absence, ça se recollerait entre eux. »

Si j'en avais parlé à Edith elle m'aurait crié : « Je t'interdis de partir. T'occupe pas de ça. » Alors, je me suis barrée.

En marchant dans ce Paris qui n'était plus comme avant, je pensais à mes autres fugues qui se terminaient souvent à la fête. C'est gai, une fête. Il ne fallait plus y compter. En fait de musique, il n'y avait que celle des frizous. Tous les jours, à douze plombes bien précises, ils remontaient et descendaient les Champs-Elysées. Je n'avais pas envie de les voir. En trimbalant mon cafard, je pensais : Cette fois-ci je ne trouverai pas de manèges pour me faire tourner la tête.

D'habitude, passé le premier tournant de la rue, je revivais, j'étais enfin moi, je n'étais pas la sœur de quelqu'un. Un gars me regardait, je ne baissais pas les yeux, je savais qu'ils étaient beaux.

« Qu'est-ce que tu fais ? qu'il me disait.

— Rien.

— Je t'emmène à la fête ?

— Oui. »

C'était chouette de faire des tours de manège à vous couper le souffle, de manger des cornets de frites dans un vacarme infernal et de terminer la fête par un tour de bal. Je me laissais aller, je valsais avec l'amour. La suite n'est pas difficile à deviner. Un bonhomme, on en a encore plus vite fait le tour que d'un manège... Seulement, ce n'était pas les amours d'Edith que je vivais, c'était les miennes ! Elles se ressemblaient, d'accord, mais c'était à moi qu'on disait : « T'es belle », et « je t'aime » » !

Puis, d'un coup, je regardais mes godasses, ma robe fatiguée et je ne voulais plus qu'une chose : rentrer. Quel trac j'avais ! Mais ça faisait partie du jeu. Je savais que j'avais fait de la peine à Edith, qu'elle ne pouvait pas comprendre que j'aie besoin d'autres choses que d'Elle.

Alors, je revenais. Ça se passait toujours pareil : Edith gueulait. Je n'entendais rien, je m'en foutais. J'avais un truc. Elle pouvait hurler, faire les cent pas, se démener, moi intérieurement je comptais :

une, deux, trois, quatre, etc., et j'attendais que ses
yeux croisent les miens, qu'elle cesse de me regarder de profil. Il arrivait toujours le moment où elle
me regardait en face. C'était fini. Elle me serrait
dans ses bras, on pleurait de bonheur... Le plus gros
était fait. Elle me prenait la main en me disant :
« Allez, viens, con... »

Quel mot d'amour !

En attendant, je n'avais pas le cœur en fête. Qu'il
était triste, mon Paname ! Les hommes, je m'en foutais. La rigolade, je n'en avais pas envie. Alors, je
suis allée retrouver le père.

Il habitait à l'hôtel, rue Rebeval. Edith lui payait
sa chambre ; elle l'habillait, bien sûr pas chez O'Ros-
sen [1], plutôt à la Samar, mais il était propre. Il
commençait à faire usé, le pauvre vieux. Il était tout
content de me voir.

« Qu'est-ce que t'as fait de ta frangine ? Edith,
elle ne vient pas très souvent. C'est vrai qu'elle a du
travail. »

Il n'était pas peu fier de son Edith. Il ne se gênait
pas pour se faire un peu d'argent grâce à elle. Il
disait : « Je suis le père à Edith Piaf. » On lui payait
un verre, on lui donnait quelques pièces. Il montrait
la montre en or qu'Edith lui avait donnée.

« Faut pas croire ! Elle me gâte, ma fille ! C'est
pas une chouette toquante, ça ? »

Les gens riaient et ils se faisaient raconter des
histoires sur Edith enfant. Le père ne se gênait pas
pour broder un peu, il leur en donnait pour leur
argent.

Il était heureux de me revoir. On bouffait au restaurant, il me racontait des histoires, surtout celles
de sa fille. Elle avait pris de l'importance pour lui.
Parfois, il radotait un peu.

Il n'était même plus capable de faire l'acrobate. Il

_____

1. Le tailleur le plus chic de l'époque.

était bien fatigué : les privations, l'alcool... Ça m'a fait plaisir d'être avec lui.

Je m'étais fixé quinze jours ; j'ai tenu huit. En rentrant, j'ai eu ma scène :

« En voilà assez ! Tu peux repartir, j'en ai marre... Tu n'es qu'une salope. Et d'où viens-tu ?

— J'ai passé huit jours avec le père.

— Tu ne pouvais pas le dire ? Tu as bien fait de rentrer. Il était temps que tu rappliques.

— Et Paul ?

— Il m'emmerde. »

J'ai compris que c'était raté. Mon absence n'avait rien arrangé.

Après Paris, ils sont partis en tournée. Ce n'était pas drôle à l'époque. Rien n'était chauffé, ni les trains ni les hôtels. Ceux qui n'ont pas connu les tournées pendant l'occupation ne peuvent pas comprendre ce que tout ça avait de misérable, de sinistre... Ces gares, dans la nuit, avec les haut-parleurs qui gueulaient en allemand : « *Achtung ! Achtung ! Verboten !*... » Tout était *verboten :* le rire, la lumière, le vin...

On ne voyageait pas toujours assis. On était souvent sur les bagages, dans les couloirs ou dans les soufflets du train. Edith, tassée sur sa valise sous le manteau de Paul, faisait si petite, si misérable, que ça me serrait le cœur. S'il n'avait pas été là, on se serait bien débrouillées pour se retrouver au chaud contre un gars... mais il ne fallait pas y penser. Il nous surveillait. Je crois qu'alors elle l'aurait eue sa dérouillée.

Ce qui nous exaspérait, c'est que Paul descendait du train comme s'il avait voyagé dans une boîte, et que nous, on avait plutôt l'air de sortir d'une boîte de nuit, et après quelle nuit !

Ce que nous aimions, c'était de passer la ligne de démarcation. Après les contrôles, on respirait, enfin, la France !

Le Bel indifférent a prolongé Paul dans la vie d'Edith, mais pour elle, c'était terminé.

« Faut pas être ingrate, Momone. Paul, il m'a apporté quelque chose. Il n'a pas été inutile dans ma vie. Sans lui, j'habiterais toujours à l'hôtel, et je n'aurais pas de secrétaire ! »

Elle ne se moquait pas en disant ça.

Depuis quelques mois, on avait une secrétaire. Paul avait expliqué à Edith qu'elle ne pouvait pas s'en passer, que c'était utile, que ça faisait bien. C'est comme ça que Mme Andrée Bigeard est entrée dans notre vie...

C'était une brune à cheveux courts. Apparemment, elle avait l'air sérieuse dans son travail. Il était difficile d'en juger, elle n'avait rien à faire.

« Elle doit répondre au téléphone à ta place », avait dit Paul.

Ça donnait à peu près ça : la mère Bigeard décrochait l'appareil.

« De la part de qui ?

— De M. Chose...

— Je ne le connais pas, disait Edith, passe-le-moi. »

Et quand elle le connaissait, elle gueulait : « Qu'est-ce que t'attends pour me le passer ! » La troisième solution, c'était : « Momone, réponds-lui. »

On ne peut pas dire que la secrétaire nous était indispensable... Le téléphone, ça ne faisait pas un gros boulot. Les coups de fil ne pleuvaient pas sans arrêt, ce n'était pas encore la grande gloire. La secrétaire, pour Edith, était une copine de plus, rien d'autre. Nous n'avions pas une idée très exacte de ce qu'elle aurait bien pu faire.

Quand elle arrivait le matin, c'était pratique, ça nous permettait de roupiller plus tranquilles. Edith l'envoyait aussi faire des courses, acheter les journaux, pour découper les articles sur elle. Ça, c'était une idée de Paul. Quant aux factures (et il en arrivait), la première fois que la mère Bigeard lui avait

demandé : « Qu'est-ce que j'en fais ? » Edith avait
répondu : « Classez-les ! »

Pauvre Paul, c'est tout ce qui devait nous rester
de lui : une secrétaire.

Edith n'était pas contente, elle n'avait plus personne auprès d'elle pour lui faire ses chansons « sur
mesure ». Elle ne pouvait pas vivre sans avoir, à
portée de sa main, un « fabricant » de chansons. Elle
avait besoin de cette présence pour travailler.
Ses idées, ses désirs, il lui fallait quelqu'un pour
les mettre en forme, les comprendre, créer pour
elle.

Raymond, mobilisé, n'avait pas le temps de faire
grand-chose.

Roméo Carlès n'avait été qu'un accident. Sa poésie
n'avait pas le style d'Edith.

Il y avait bien eu, tout au début de l'année 1940,
l'épisode Michel Emer, il était entré dans la vie
d'Edith par la fenêtre. Ce matin-là, elle était de mauvais poil, très nerveuse. Elle préparait son passage
à Bobino, la générale avait lieu le lendemain. On
sonne à la porte. Edith me crie :

« N'ouvre pas, je ne veux voir personne. »

Je laisse sonner un coup, deux... On n'insiste pas ;
c'était un timide. Je traînais dans la pièce du devant,
une sorte de salle à manger-salon, quand on frappe
à la fenêtre. Je regarde. Sur le trottoir, il y avait un
militaire qui avait l'air d'un guignol dans son uniforme, il me faisait des signes. C'était Michel Emer.
Il avait des grosses lunettes, genre Marcel Achard, et
derrière ces carreaux énormes ses yeux brillaient
comme deux petits poissons au fond d'un aquarium.
Son sourire était blanc comme celui d'un nègre.
J'aimais sa bonne bouille de môme qui a grandi
sans s'en apercevoir, il m'attendrissait.

Edith l'avait rencontré en 1939 dans les couloirs de
Radio-Cité. Elle l'avait trouvé gentil. Il avait l'air
intelligent mais ce qu'il écrivait n'était pas pour elle ;

c'était plein de ciel bleu, de petites fleurs, d'oiseaux. C'était joli, mais ça manquait de tripes.

J'ouvre la fenêtre.

« Je voudrais voir Edith.

— Pas possible elle ne peut pas. Elle prépare Bobino.

— Dites-lui que c'est moi, Michel Emer, que j'ai une chanson pour elle. »

Je vais le dire à Edith.

« Vide-le, Momone. Ses chansons, ce n'est pas mon genre, je n'en veux pas. »

Je le retrouve, bien sage sur son trottoir, empoté dans son uniforme. Il y a des hommes à qui ça donne du prestige, mais lui, ce n'était pas le cas. Il n'avait plus du tout de présence : un paumé parmi d'autres.

« Elle a trop de travail, Michel, revenez demain ou ce soir.

— Je ne peux pas, je suis à l'hôpital militaire, au Val-de-Grâce, il faut que je rentre avant dix-huit heures. Je vous en prie, je tiens une très bonne chanson, j'en suis sûr. Dites-lui le titre, *L'Accordéoniste*. »

Il me faisait trop de peine.

« Allez, rentre et joue-la, ta chanson. »

Je lui ai ouvert la fenêtre et il sauté dans la pièce. Il s'est mis au piano et a chanté, mal, *L'Accordéoniste*..

Dès les premières mesures, Edith était là.

> *La fill' de joie est belle,*
> *Au coin d' la rue, là-bas.*
> *Elle a un' clientèle*
> *Qui lui remplit son bas...*
>
> *Ell' écout' la java,*
> *Mais ell' ne la dans' pas,*
> *Ell' ne regarde même pas la piste.*

Et ses yeux amoureux,
Suivent le jeu nerveux
Et les doigts secs et longs de l'artiste...

Arrêtez ! Arrêtez la musique !

Michel avait fini. Il nous regardait derrière ses hublots avec inquiétude. Il transpirait à grosses gouttes.

« C'est toi qui as fait ça, p'tit caporal ?

— Oui, madame Edith.

— Tu n'aurais pas pu me le dire que tu avais du talent ? Enlève ta veste, ta cravate, mets-toi à ton aise, on va travailler. Recommence et donne-moi les paroles. Demain je la chanterai à Bobino. »

Il s'était amené à midi, elle l'a lâché à cinq heures du matin. On lui avait soutenu le moral avec du saucisson, du camembert et du vin rouge. Pour un malade, il était en pleine forme. Un peu éméché, il répétait :

« Edith, je vais passer en conseil de guerre... « désertion en temps de guerre »... je n'y coupe pas, mais je m'en fous, je n'ai jamais été si heureux !

— T'occupe pas, répondait Edith, superbe, je connais des généraux. »

Elle n'en connaissait pas un seul. Mais ce qui était sûr, c'est que, si Michel avait été en danger, elle aurait été trouvé le ministre de la Guerre. Le culot d'Edith était monumental.

Nous ne savons pas comment il s'est débrouillé, mais le lendemain soir, il était à Bobino et Edith chantait sa chanson. Sur le moment, elle n'a pas marché comme on le pensait. La fin étonnait les gens, ils croyaient que ça n'était pas terminé. Ensuite, *L'Accordéoniste* s'est rattrapé, et en beauté : on en a vendu 850 000 en 78 tours. Un chiffre extraordinaire pour l'époque. Elle l'a chantée pendant vingt ans. De 1940 à 1960.

Edith avait dit à Michel : « Jure-moi que tu m'en rapporteras d'autres. » Il a juré. Seulement, quand nous l'avons retrouvé, beaucoup plus tard, Michel n'était plus le même garçon. Tout de suite, j'ai vu que ça allait mal. Il avait un visage d'homme traqué, il suait la peur.

« Edith, c'est fini. Mes chansons, tu n'aurais même pas le droit de les chanter. Je suis juif, il faut que je porte l'étoile jaune. Ça va commencer comme ça et après... »

Il n'y a pas eu d'après. Edith s'est débrouillée, elle a payé le passage de Michel en zone libre. Nous ne l'avons revu qu'à la Libération. Pour elle, il a fait de très belles chansons : *Monsieur Lenoble, Qu'as-tu fait de John ? La fête continue, Télégramme, Le Disque usé, D' l'autr' côté d' la rue* :

    Dans un' chambr' au sixième
    Au fond du corridor,
    Il murmura : « Je t'aime »
    Moi j'ai dit : « Je t'adore ».

    D' l'autr' côté d' la rue
    Y' a un' fille, un' pauvr' fille
    Qui n' connaît rien d' l'amour
    De ses joies éperdues
    D' l'autr' côté d' la rue....

Edith aimait beaucoup le talent de Michel qu'elle continuait à appeler le p'tit caporal.

« Ce qui me plaît dans Michel, c'est qu'il écrit et compose en même temps. Quand il vous apporte une chanson, elle est toute faite, et ça, c'est rare. Et puis, il a le don. Son air, on le retient tout de suite comme si on l'avait déjà entendu errer dans toutes les rues. »

Ils ont beaucoup travaillé ensemble.

Mais revenons en 1941, Edith cherchait un auteur

de chansons. Elle harcelait Marguerite Monnot au téléphone :

« C'est ton métier, Guite, trouve-moi quelqu'un.

— Pourquoi faire ? demandait Guite.

— Des chansons. Pas l'amour, j'ai ce qui faut.

— Je cherche, Edith... je cherche... »

Edith raccrochait.

« Je suis folle de lui demander ça ; elle a déjà oublié ce que je voulais. »

Dix minutes ou une heure plus tard, Guite rappelait.

« Tu as trouvé ? hurlait Edith.

— Justement, ma chérie, je voulais te demander de me rappeler ce que je devais te chercher. »

Edith avait bien rencontré Jacques Larue, un garçon charmant qui devait, plus tard, lui faire de très jolies chansons : *Le Bal de la chance, Marie la Française*. Mais un rendez-vous raté, où elle m'avait envoyée à sa place, avait retardé leurs relations.

C'est un film, *Montmartre-sur-Seine*, qui allait lui apporter ce qu'elle cherchait : un nouvel auteur de chansons et, en plus... un amant.

Le couple du *Bel Indifférent*, Piaf-Meurisse, avait attiré l'attention d'un metteur en scène, Georges Lacombe. La pièce avait tenu trois mois à Paris, bien marché dans toute la France, le public connaissait Paul et Edith, pourquoi ne pas en profiter ? Et Lacombe a proposé à Edith un scénario de film qui s'appelait *Montmartre-sur-Seine*.

Edith avait déjà tourné en 1937. Elle chantait dans « la Garçonne », aux côtés de Marie Bell. Ça n'avait bouleversé personne.

Dans *Montmartre-sur-Seine*, c'était différent. Elle ne chantait pas une chanson vite fait. Elle y avait un rôle, un vrai, le premier.

Paul avait paru content de tourner. Je ne sais pas si la présence d'Edith comme partenaire ajoutait quelque chose à son plaisir ; en tout cas, comme

ils travaillaient ensemble, Paul était resté à la maison où il continuait à mener sa petite vie devenue
sans histoires. Cette période de sursis, avant son
départ, n'était pas désagréable. C'était à nous, maintenant, que Paul était devenu indifférent.

Faire du cinéma amusait Edith. Le seul inconvé-
nient : il fallait décaniller le matin de très bonne
heure. La voiture du studio venait les chercher et
moi aussi ; Edith n'aurait pas supporté d'être seule
dans sa loge.

Dès le premier jour, à la cantine du studio, Georges Lacombe a présenté à Edith un beau garçon,
grand, bien habillé, un rien d'argenté dans les cheveux, de voyou dans l'œil et dans la manière d'allumer ses cigarettes : Henri Contet, le chargé de presse
du film.

Georges. a dit à Contet : « Je te la confie. »

C'était comme si c'était fait. Si Paul n'a pas fait
sa valise tout de suite, c'est uniquement parce
qu'Henri ne pouvait pas venir s'installer à la maison.

D'un coup d'œil, j'ai vu que celui-là était plus près
de nous, que c'était un gars pour nous. Ça n'a pas
traîné. Le soir même, dans notre séance salle de
bain, Edith m'a demandé :

« Il te plaît, cet Henri ?

— Il est très bien. Je crois qu'il va faire l'affaire.

— Alors, adopté. Il est journaliste à *Paris-Soir* et
dans un journal de cinéma, *Cinémondiale*. On n'a
jamais eu de journaliste, ça va nous changer ; et
puis, il nous sera utile. »

Le 8 août 1941, Henri Contet écrivait sur Edith :
« Pas de doute. Cette petite femme immobile et
grave, là-bas, sous la voûte de pierre grise, c'est
Edith Piaf. Je la surprends bien malgré moi, parce
que je suis très en avance au rendez-vous qu'elle
m'avait fixé. Piaf n'est pas seule. Un homme lui fait
face et je remarque tout de suite son expression
méchante et dure, une expression qui fauche toute

idée de pitié, de pardon, d'indulgence. Je crois reconnaître Paul Meurisse.

« ... Pourtant, non, elle ne pleure pas. On dirait plutôt une enfant malheureuse qui attend, qui espère on ne sait quoi, un bonheur de conte de fées ou un amour simple et naïf pareil à celui des romances populaires. J'ai envie d'inventer une chanson pour cette Piaf-là :

> *Celui que j'aimerai*
> *Aura les tempes grises.*
> *De l'or à son poignet*
> *Et de belles chemises...*

« ... Elle ne parle pas encore, mais je sais déjà ce qu'elle va dire. Je le vois. Car elle porte tout à coup, dans ses yeux, sur son front et dans ses mains tendues, une prière que je reconnais, une prière vieille comme le monde, une plainte bouleversante et inutile.

« — Garde-moi... Je t'aime encore... Je n'ai que toi... reste...

« ... De quoi donc est fait le cœur de Piaf ? Il est certain qu'un autre, à sa place, serait mort déjà.

« ... Edith Piaf a penché sa tête un peu plus, sa tête trop lourde. Je vois ses joues qui se sont creusées, son regard qui ne veut plus rien regarder.

« ... Que faut-il faire ? Consoler ? Mais comment ? Je songe à toutes ces chansons auxquelles la vedette a prêté ses propres larmes, son cœur immense et toute la force admirable qu'elle sait trouver en elle-même dans ses poumons et dans sa vie.

« Saura-t-elle être forte ? Ses épaules me paraissent si malheureuses. Malgré moi, dans ma tête une autre chanson pose ses premiers mots :

> *Elle veut savoir si la Seine*
> *Peut endormir toute sa peine ;*
> *Et lorsqu'elle a sauté,*
> *N'a plus rien regretté.*

« Mais j'entends venir un bruit de ruisseau, le rire mouillé d'une rivière. A petits sanglots retenus, Edith Piaf pleure. »

Je n'ai jamais vu un homme résister à Edith. Il n'y avait pas de raison pour que celui-là ne la prenne pas dans ses bras. Et il n'a pas hésité.

Plusieurs fois par jour, je lui disais :

« Non, mais ce qu'il est bien, Edith, ce qu'il est bien ! ».

Ça la rendait heureuse, et je n'avais pas à me forcer, je le pensais. C'était le beau fixe, le bonheur ; on aurait dit une midinette qui vient de se fiancer au prince de Galles.

Elle avait des côtés purs, très fleur bleue. Ça venait du temps où elle chantait dans la rue. Elle regardait les marchandes de fleurs près des métros.

« Tu crois qu'un jour un homme m'offrira un petit bouquet qu'il achètera, comme ça, en passant ? »

Depuis, elle avait reçu des fleurs, de quoi en revendre. Elle était satisfaite, c'était la preuve de sa réussite, mais...

« Tu ne me feras pas croire que ces pièces montées, ça s'offre avec le cœur ; ça s'achète avec du pognon. Un bouquet de violettes, faut y penser, faut mettre la main à sa poche et puis l'apporter sans avoir peur d'être ridicule. Ça c'est un geste... »

Et ce geste-là, tout naturellement, Henri l'a fait. Edith éclatait de bonheur, elle avait trouvé l'homme de son cœur.

La séparation officielle, avec Paul, s'est passée sans histoires. Edith et lui avaient fini par s'user mutuellement ; la lassitude, c'est bon pour les ruptures. Ça aide bien.

Ils ont attendu, tous les deux, que le film soit terminé. Ils n'étaient pas fâchés de se quitter, ils n'étaient pas très satisfaits l'un de l'autre. Paul a fait ses valises bien soigneusement. Il a embrassé Edith.

« Je te souhaite beaucoup de bonheur avec Henri. »

Faut lui rendre cette justice, il n'était pas aveugle. Quand il est parti, j'avais envie de lui faire la révérence, comme à un marquis, tellement il avait de l'allure.

CHAPITRE VIII

LE BIDOU-BAR

PAUL parti, on a changé d'appartement. On n'est pas allées loin, on a pris celui d'en face qui touchait vraiment au Bidou-Bar. Alors là, tout contre, on aurait pu faire percer une porte ; certains soirs, ça n'aurait pas été inutile pour rentrer chez nous, on aurait eu moins de mal à trouver le trou de la serrure.

Quand elle changeait d'homme, Edith aimait changer de décor. Elle disait :

« Tu comprends, Momone, les souvenirs, le lendemain matin, ça vous laisse toujours un peu la gueule de bois. C'est fait pour plus tard, quand on a eu le temps de faire le nettoyage, d'oublier tout ce qui n'était pas joli. »

Entre Henri et elle, ça a collé tout de suite ; ils étaient de la même race. Et puis il faisait des tas d'articles sur elle. Elle aimait ça, elle avait tout de suite compris que la publicité ça faisait partie du métier, que c'était très utile.

« Momone, ton nom, c'est comme un amant : si on ne le voit pas, s'il s'absente trop longtemps, on l'oublie. »

Pour Edith, Henri était surtout un beau gars qui lui plaisait. Elle ne se doutait pas qu'il allait être cet auteur de chansons dont elle avait tant besoin.

Henri, c'était tout le contraire de Paul. Il ne fuyait pas le Bidou-Bar, il s'y installait. Je ne le gênais pas non plus, la vie à trois ne lui faisait pas peur. Il m'aimait bien ; tout de suite, on a été copains.

Un soir, qu'on était attablés au Bidou-Bar, il a dit à Edith :

« Je ne sais pas si ça t'amusera de le savoir, mais j'ai fait des chansons. J'avais vingt ans. Il y en a une qui a été mise en musique par Jacques Simonot : *Traversée*. Lucienne Boyer l'a chantée ; ça n'a pas marché, ce n'était pas son genre.

— Tant mieux, c'est que tu ne fais pas dans le charme et le sucré. T'en as d'autres ?

— Tu sais, j'étais dégoûté, j'avais arrêté. Mais voilà, depuis que je te connais, ça m'a repris. »

Naturellement, Edith lui a sauté au cou.

Avec Raymond Asso, Henri Contet est celui qui a écrit le plus pour elle, et le mieux. Ses chansons sont restées dans le répertoire d'Edith. Parmi elles, *Y'a pas d' printemps*, qu'il a faite sur un coin de table, en vingt-cinq minutes, parce qu'Edith avait parié avec lui que ce n'était pas possible. *Coup de grisou, Monsieur saint Pierre, Histoire de cœur, Mariage, Le Brun et le Blond, Padam... Padam, Bravo pour le clown* :

> *Je suis roi et je règne,*
> *Bravo ! Bravo !*
> *J'ai des rires qui saignent,*
> *Bravo ! Bravo !*

Pour Henri, c'était gagné, pourtant il aurait dû y avoir du tirage entre eux, et du sérieux. Edith le voulait à elle seule et il était en ménage avec une autre chanteuse.

Ce n'était pas dans les habitudes d'Edith de partager longtemps *son* homme. Mais à Henri, elle pardonnait tout ; il savait la faire rire. A cause de cette femme, s'il a été l'amant d'Edith, il n'a pas été vraiment un de ses hommes. C'est dommage, ça nous aurait certainement empêchées de vivre la période de folie qu'on a passée de 1941 à 1944.

Nous étions en pleine occupation. Les restrictions, les rafles, le marché noir, les otages, les affiches et les *Ausweis* timbrés du « corbeau à pédales [1] » nous désaxaient. On avait tellement l'impression qu'il n'y avait rien de sûr qu'on vivait n'importe comment. On rigolait quand on le pouvait. On n'a jamais autant picolé. Il fallait se réchauffer et oublier. L'occupation nous restait en travers du gosier. Le rire faisait *provisoire*, et il vous laissait la gueule en palissandre.

Le nom d'Edith commençait à valoir de l'argent. Elle ne manquait pas de contrats, on la demandait beaucoup. Son cachet était de trois mille francs. Ce n'était pas mal, mais ça aurait dû être mieux ; seulement, à l'époque, elle n'avait personne pour la défendre. Il lui arrivait de passer dans deux endroits à la fois. Elle s'était fait alors une journée de six mille francs, c'était beau.

Mais l'argent lui coulait entre les doigts comme du sable. Les fuites étaient nombreuses. Il y avait le Bidou-Bar qui en raflait pas mal.

Le marché noir, aussi, pompait beaucoup de fric. Le kilo de beurre valait de quatre à cinq cents francs, en 1944 il est monté à douze et quinze cents francs. Tchang, le cuisinier chinois, remplissait le frigo le soir, au réveil il était vide. Pour son compte, il avait une technique au point :

« Mamamiselle, elle aime pas le beurre ; le rosbif,

---

1. C'était le nom que donnait Gavroche à l'aigle à croix gammée d'Hitler.

le gigot entamé, ça y plaît pas à Mamamiselle, alors, j'y enlève. »

Et il l'emportait chez lui pour ne pas le jeter... Brave Tchang, il avait une femme et cinq enfants à nourrir.

Il y avait tous les copains d'Edith : ceux d'un soir ou de plusieurs nuits, chacun utilisait son truc pour lui piquer du pognon. Celui-là faisait la gueule.

« Qu'est-ce que t'as à faire la tête ? demandait Edith. Rigole un peu. Tiens, bois.

— Je ne peux pas, j'ai pas le cœur à rire, j'ai des ennuis.

— De cœur ?

— Non, d'argent.

— Si ce n'est que ça, ça va s'arranger. » (Le gars y comptait bien.)

D'autres chuchotaient à l'oreille d'Edith :

« Mon vieux père est juif. Il faut lé faire passer en zone libre, j'ai peur pour lui. Je n'ai pas un rond.

— Combien ? » répondait Edith.

Le tarif, c'était de dix à cinquante sacs ; parfois cinquante ou cent pour l'Espagne. Edith ne pouvait pas toujours aligner la totalité, elle donnait une partie.

Il y avait aussi les bonnes femmes dont les fils ne voulaient pas se laisser prendre par le S.T.O.[1].

Si j'en juge par tout le fric qu'Edith a donné pour toutes ces bonnes causes, être passeur, quel bon métier ! Un mois ou deux après, on les voyait rappliquer avec une autre histoire.

De très nombreux stalags ou oflags, en Allemagne, la réclamaient comme marraine. Edith envoyait des colis. Pour les camps, le cœur d'Edith était tricolore et sa bourse toujours ouverte.

« Les soldats, disait-elle, je les ai trop aimés, ils m'ont donné trop de plaisir pour que je les laisse tomber. »

---

1. Service du travail obligatoire en Allemagne.

On avait encore ceux qui ne lui vendaient pas des courants d'air, mais qui lui fourguaient des tas de trucs, utiles ou non.

Edith n'était pas vaniteuse mais elle était fière de son nom ; alors, ils l'exploitaient. Ils y allaient de leur « madame Piaf » qui n'en finissait pas. Faut savoir ce que c'est que d'avoir été « la môme » — « Eh ! la môme ! amène-toi, t'as de belles mirettes ! » ou « Barre-toi, la môme, on t'a assez vue » — pour comprendre l'effet que ça lui faisait quand on lui disait « madame Piaf ».

« Quand on a votre nom, madame Piaf, il faut avoir des renards blancs.

— Tu crois, Momone ? »

Quand vous voyez briller les yeux d'une gosse devant un arbre de Noël, allez donc lui dire : « Il n'est pas pour toi »...

Et s'il n'y avait eu que ça ! Le deuxième appartement de la rue Anatole-de-la-Forge, c'était pire qu'un moulin : un asile ; ça entrait, ça sortait, ça couchait un peu partout, dans nos lits, par terre, sur les fauteuils. C'était facile. Quand nous sortions en bande, déjà bien amochés, du Bidou-Bar, comme il y avait le couvre-feu et plus de métro : « Couchez là, disait Edith. On va en boire un dernier et casser une petite croûte. »

On était sans défense ; il nous manquait un homme. Dommage qu'on n'ait pas eu Henri comme patron. Il était bien et beau. Il avait la ride intelligente et harmonieuse comme un plan de Paris. Ça donnait de la classe à son côté titi qui plaisait tant à Edith.

« Vois-tu, Momone, ce gars-là, c'est le genre qui vous met la main aux fesses si correctement qu'on ne peut pas se fâcher. Ça ne déplaît même pas ! »

Elle ne mentait pas. On ne pouvait pas, Edith et moi, monter un escalier devant Henri, sans que, hop ! rapide et gentil, il nous caresse les miches. Fait par lui, ce geste-là, c'était plutôt une politesse.

Avec Henri, c'était la valse hésitation ; il voulait venir mais sa régulière le gardait. On en a eu des scènes à cause de ça... périodiquement il annonçait :

« Les petites, cette fois-ci, c'est décidé. Préparez tout, je viens. Je m'installe ici le mois prochain. »

Alors on lui achetait des slips, des chaussettes, des mouchoirs, des chemises, des pyjamas, tout le nécessaire quoi, au prix fort, sans points textiles. On le rangeait dans le tiroir de la commode ; on était heureuse. Edith me disait :

« C'est dans huit jours ! Cette fois-ci, on va l'avoir notre homme à la maison. Ça va changer. »

Henri ne venait pas. Alors, Edith prenait une colère, vidait la commode à grands coups de pied. Le linge s'envolait en l'air avec ses espérances. Elle hurlait :

« Jette-moi toutes ces saloperies ! »

Le mois suivant, on remettait ça.

Le jour J. l'Henri se ramenait. Je regardais ses mains : pas de valise ; c'était foutu. Quel bon comédien ! Il avait le visage bouleversé, des larmes plein les yeux.

« Mon Edith, pardon. Elle a pleuré, elle s'est accrochée à moi, j'ai cédé. Laissons-lui encore quelques jours... »

Le coup « Je me mets en ménage avec toi le mois prochain », il l'a fait durer pendant des mois. Edith voulait tellement y croire qu'après chaque déception, elle se remettait à espérer.

A la fin, on a bien compris que ce ne serait ni pour aujourd'hui ni pour demain, que ça ne serait jamais.

Henri aimait les chanteuses, mais il aimait aussi son confort, et l'autre était une chanteuse-ménagère. Elle le tenait mieux que propre, son bonhomme : chemises bien repassées, plis du pantalon impeccables et grolles brillantes. Il n'avait pas à se plaindre, Henri ; il était aussi soigné que Paul...

Sans homme à la maison, il n'y aurait plus rien pour freiner Edith. Elle avalait mal cette histoire, d'autant plus qu'il y avait de bonnes copines pour lui remonter le moral, comme Léo Marjane. C'était une fille qui chantait bien. Elle avait vraiment la vogue avec des tubes comme : *J'ai donné mon âme au diable, Mon ange, Seule ce soir, Mon amant de la Saint-Jean...*

Pour nous snober, elle venait dans sa voiture à cheval qu'elle conduisait — c'était le dernier chic. Elle portait souvent des culottes et des bottes qu'elle tapotait avec sa cravache.

« Bonjour, Edith. Je passais dans ton coin, alors je suis venue voir si tu étais, enfin, en ménage avec ton garçon coiffeur (Henri Contet) ! »

Quand Léo Marjane était partie, Edith me disait : « Mon garçon coiffeur, elle se le ferait bien ! »

Dans la journée tout allait à peu près. Henri lui racontait des tas d'histoires, de potins — il était bien placé pour ça — sur les copains et les copines, toutes les vedettes de l'époque : Jean Tranchant, Johnny Hess, Georges Ulmer, Léo Marjane, Roberta, Andrex, André Claveau, Maurice Chevalier, Georgius, Lucienne Dellile, Line Clevers, Marie Bizet, Lucienne Boyer et bien d'autres...

Edith adorait ça, elle était très potinière et avait facilement la dent dure. Son esprit était plutôt mordant. D'une chanteuse qui avait une mèche blanche dans les cheveux et qui s'appelait Yolanda, Edith avait dit : « De blanc, en elle, il n'y a que sa mèche et elle est artificielle. »

Il n'y a pas que ça. Edith bossait beaucoup avec Henri et la Guite qui traînait toujours dans un coin de la maison. Plus exigeante qu'Edith dans le boulot, ça n'existait pas. Ses accompagnateurs, à ce moment-là, étaient Daniel White, un jeune de vingt-sept ans environ, ou Walberg, plus âgé. Elle les faisait marner comme des forçats. Mais ça, personne ne s'en est jamais plaint. Dans le boulot, ce petit bout de femme avait l'autorité d'un dictateur. Au milieu du charivari de sa maison, de ses folies, elle gardait l'esprit clair. Elle se jetait dans son travail comme une nageuse olympique dans sa piscine. Elle avait toujours un record à battre. Sa résistance était d'acier. Moi, je me demandais en quoi elle pouvait bien être fabriquée, où elle trouvait ses forces...

Les séances de travail commençaient dans l'après-midi vers dix-sept ou dix-huit heures. Elles se terminaient au petit matin. Et quand elle passait son tour alors elles démarraient sur le coup d'une heure du matin.

Si Raymond lui avait appris la technique de son métier, la grammaire, c'est Henri qui l'a aidée à s'en servir, à dépasser les connaissances professionnelles, pour devenir la Grande Piaf.

Asso était autoritaire, un maître sans souplesse. Contet ne commandait pas, ne s'entêtait pas, il essayait de comprendre. Il savait l'écouter, discuter avec elle, ça aidait beaucoup Edith à trouver ce qu'elle cherchait. C'est avec lui qu'elle a commencé à se faire, sans le savoir, les griffes et les dents de la Patronne, de celle qui allait, à son tour, former les autres.

Edith lisait des centaines de chansons. Elle s'était fait une idée très précise sur ce que devait lui apporter un texte !

« Une chanson c'est une histoire, mais il faut que le public puisse y croire. Pour lui, je suis l'amour. Faut que ça déchire et que ça gueule, c'est mon personnage ; j'ai le droit d'être heureuse mais pas longtemps ; mon physique ne me le permet pas. Il me faut des mots simples. Mon public, il ne pense pas, il reçoit en plein dans ses tripes ce que je crie. Il me faut de la poésie, celle qui les fait rêver. »

Quand Edith avait choisi *sa* chanson, elle se la faisait jouer. Elle apprenait les paroles et la musique en même temps, elle ne les séparait jamais.

« Il faut que ça rentre ensemble en moi. Une

chanson, ce n'est pas un air d'un côté et des paroles de l'autre. »

Quand on voulait lui donner des conseils qu'elle ne « sentait » pas, elle répondait :

« Moi, mon Conservatoire, c'est la rue. Mon intelligence, l'instinct. »

Enfin, quand elle savait sa chanson, pour l'auteur et le compositeur, ça devenait dramatique. Leur martyre commençait.

En pleine répétition, Edith s'arrêtait sec ; tellement que le pianiste continuait à jouer. Elle criait :

« Arrête ! »

Ou :

« Ta gueule ! Ça ne va pas, Henri, change-moi ce mot. Il ne fait pas vrai dans ma bouche, et puis, je ne peux pas le dire, il est trop compliqué pour moi. »

En même temps, elle attaquait Guite qui attendait, en rêvant, que son tour arrive.

« Guite, réveille-toi ! Ecoute. Tu vois là « Tralala lalaire », ça ne va pas. C'est trop long, ça fait mou, ça s'étire comme de la guimauve. Je n'ai pas l'air de pleurer, j'ai l'air de fondre comme une vieille bougie. Là, c'est un cri qu'il me faut. Tiens, quelque chose comme : Tralala lala ! Plus sec à la fin, plus court. Faut que ça s'arrête net parce que la fille, elle n'en peut plus. Si elle continue, elle va se mettre à chialer, alors elle coupe. Tu vois ? »

Ils voyaient tous, mais il fallait le faire, le trouver. Ça durait des heures.

Une des plus belles séances du genre, on l'a eue un jour. C'était, je crois, pour *C'est merveilleux*. Les paroles étaient d'Henri Contet et la musique de Marguerite Monnot.

> *Quand on est tous les deux*
> *Le bonheur nous surveille.*
> *C'est merveilleux...*

Quand on est amoureux
Les beaux jours se réveillent
C'est merveilleux...

La vie est peinte en bleu
A grands coups de soleil
Puisque je t'aime
Et que tu m'aimes
C'est merveilleux !

Henri l'avait écrite pas assez populaire au goût d'Edith, et Marguerite avait fait une musique trop céleste. Guite adorait les violons ; dès qu'il s'agissait du bonheur, ça devenait tout de suite le grand orchestre Pasdeloup, elle redevenait l'enfant prodige.

Il se sont bagarrés pendant dix jours !

Cette période de fièvre enfin terminée, Edith essayait sa chanson tout le temps : dans la salle de bain, dans son lit. Elle réveillait Henri, ou d'autres pour leur chanter par téléphone la dernière.

Pendant qu'elle apprenait une chanson, les gestes lui venaient, elle ne courait pas après, elle attendait qu'ils naissent tout naturellement des paroles. Pour eux, elle était très sobre, le contraire de sa vie !

« Tu comprends, les gestes ça distrait l'œil et l'oreille, quand on regarde trop, on écoute moins bien, je ne veux pas qu'on me voie, je veux qu'on m'entende. »

Une fois, un journaliste lui a posé la question :

« Travaillez-vous vos gestes devant la glace ? »

Elle n'a jamais autant ri.

« Vous me voyez, moi, devant une glace, étudiant des gestes ! Mais je ne suis pas une comique, je ne travaille pas des effets pour faire marrer le public. »

Quant à la mise en scène de ses chansons, Edith la cherchait uniquement sur scène. Ensuite elle améliorait sa chanson en direct, face à son public. Puis, quand elle s'apercevait qu'elle pensait à autre chose en la chantant, elle la retirait de son tour.

« Je fais tout par cœur, ça ne vaut plus rien, c'est mécanique. »

C'est dans cette période pas ordinaire qu'Edith a trouvé et mis au point sa manière de travailler. Ensuite, elle l'a fignolée, mais elle n'a plus jamais varié de méthode. Et c'est cela, avec une volonté farouche, qui lui a permis de devenir la grande dame de la Chanson.

Papa Leplée, Raymond, Jean Cocteau, Yvonne de Bray, tous lui avaient ouvert l'esprit, appris quelque chose ; maintenant, elle le ressortait.

C'est ce travail acharné, le travail de fourmi de cette cigale qui a fait écrire à Jean Cocteau : « Madame Piaf a du génie. Elle est inimitable. Il n'y a jamais eu d'Edith Piaf, il n'y en aura plus jamais. Comme Yvette Guilbert ou Yvonne George, comme Rachel ou Réjane, elle est une étoile qui se dévore dans la solitude nocturne du ciel de France. »

Quand elle avait bien bossé, Edith était heureuse, elle était bien, elle roucoulait auprès d'Henri. Seulement au moment où elle avait envie de le garder, son bonhomme, de se mettre bien au chaud contre lui, de couler dans la nuit avec lui, il lui disait :

« Mon Edith, il faut que je rentre.

— Reste encore un peu, suppliait Edith, pour une fois... »

Henri savait se défiler avec élégance.

« Mon Edith, ma toute petite... le couvre-feu... la nuit n'est pas sûre. »

Elle cédait :

« Va vite, mon amour. Je tiens trop à toi, qu'il ne t'arrive rien. »

Et Henri disparaissait dans la nuit sinistre de l'occupation. Il ne risquait pas grand-chose : comme journaliste, il avait un *Ausweis* de nuit. Je l'avais vu, mais Edith ne l'a jamais su. Ça valait mieux, elle aurait eu trop de peine ou aurait trop gueulé.

Pour qu'Edith ne s'inquiète pas, Henri et elle avaient fabriqué tout un système d'appels téléphoniques. Quand il était rentré chez lui, il nous appelait, laissait sonner deux fois, raccrochait, nous rappelait, ça sonnait trois coups et il raccrochait. Nous savions alors qu'il était bien arrivé. On savait aussi qu'il ne reviendrait plus avant le lendemain.

Tout ce trafic, c'était pour rassurer Edith. Je la regardais, elle avait un méchant pli de la bouche. Ça lui faisait mal, elle imaginait son Henri chez l'autre. Ce n'est pas le genre de choses qui plaît.

Il faut rendre cette justice à Edith, elle n'épargnait pas sa rivale. En pleine nuit, à n'importe quelle heure, elle appelait Henri chez lui. Si c'était la femme qui répondait, elle disait : « Passe-moi Henri, c'est pour le travail ! » Elle lui parlait boulot ou amour, suivant ses humeurs. Quand elle raccrochait, elle me disait : « Tu crois que l'autre a pris l'écouteur ? »

C'est comme ça qu'une de leurs meilleures chansons à Henri et à Edith est née : *C'est un monsieur très distingué.*

« Henri, j'ai eu une idée. Je voudrais que nous fassions une chanson sur Paul Meurisse. Alors, viens.

— Ce n'est pas possible, Edith. Il y a le couvre-feu. Explique-moi, je t'écoute.

— Voilà, il m'est venu une phrase : *C'est un monsieur très distingué.* Après, je ne sais pas. Mais elle (c'est-à-dire moi), dans la chanson, pourrait être une pauvre gosse pas très fortiche et lui, il lui en imposerait à cause de ses belles manières, il se foutrait de sa gueule. Tu vois ?

— Oui. On verra ça demain.

— Non, faut pas la laisser refroidir, je sens que j'ai des idées. Moi, je peux sortir la nuit, j'ai un

Ausweis. Je prends le fiacre et je viens te chercher. Ils n'arrêtent pas les fiacres. »

Elle l'a fait. Dans la voiture elle jubilait :

« Je l'ai eu Momone, je l'ai eu. Qu'est-ce qu'elle doit râler, sa bonne femme ! »

Naturellement, la chanson, cette nuit-là, n'a pas avancé beaucoup.

« Je veux une nuit entière avec toi, j'y ai bien droit. »

Deux jours plus tard, Henri venait avec un livre.

« Pour t'aider à faire notre chanson je t'ai apporté *Back Street.* C'est une histoire que tu comprendras. »

A cause de ce bouquin, ils ont été à deux doigts d'une méchante rupture, Edith a lu le livre dans la nuit ; sans boire, elle ne pouvait pas lire quand elle avait bu. Elle avait conservé de son enfance une vue facilement trouble ; alors, quand elle buvait, tout se brouillait.

Le lendemain, dans la salle de bain, elle m'a déballé tout ce qu'elle avait sur le cœur ; et c'était gros. Assise sur le bord de la baignoire, elle m'a raconté l'histoire de *Back Street,* cette pauvre fille qui passe toute sa vie dans la marge de l'homme qu'elle aime.

« M'avoir donné ça à lire, il se fout de moi ! La pauvre cloche du livre, c'est moi, je suis « madame « Back Street ». Et comme si ça ne suffisait pas, il a fait la pesée avec cette chanson : *C'est un monsieur très distingué...* La même histoire ! Il s'est bien payé ma gueule. La chanson, je la chanterai parce qu'elle est trop bonne, mais pour le reste, il va dérouiller. Il me l'a fait payer trop cher, ma nuit d'amour. Quand je pense que je lui ai servi son petit déjeuner au lit ! Attends un peu, je ne vais pas laisser passer ça ! »

Quand Henri s'est amené, il avait un bouquet de violettes à la main — il lui en apportait souvent —, Edith lui a dit :

« Mets ça là, t'as l'air d'un gars à qui on a posé un lapin. »

Il s'est penché pour l'embrasser, elle l'a envoyé promener.

« Ce n'est pas le moment. Assieds-toi. Pourquoi m'as-tu donné ce bouquin à lire ? C'est moi, la pauvre idiote qui use sa vie à t'attendre ? Alors, monsieur veut que je reste ici, que je pleure, que je tricote, que je lui mijote des petits plats qu'il ne viendra pas bouffer, que je visionne son bonheur de loin... Tu te fourres le doigt dans l'œil jusque-là. Je vais te faire voir comment je les joue, les « Back Street », les pauvres cloches inconsolables de s'être laissées fêler par les toquards de ton espèce. Alors, tu me vois avec la gueule défaite de la sacrifiée ? A qui ? A un lever de torchon ! Moi ! Edith Piaf ! Non, mais tu ne m'as pas regardée. Des hommes, je ne t'ai pas attendu pour en avoir. Et la liste va s'allonger, il y aura autant de noms que dans le Bottin... J'en fais le serment, je vais t'en faire porter tellement que, tes cornes, elles passeront chez les voisins du dessus ! »

Si Cocteau avait été là, avec un texte pareil il faisait une nouvelle pièce.

Ce serment-là, hélas ! je savais qu'elle le tiendrait.

Sa vengeance, Edith l'avait à portée de la main. Il s'appelait Yvon Jean-Claude. A dire vrai, il avait déjà assuré quelques intérims. A moins d'être complètement givrée, Edith ne pouvait pas s'endormir sans sentir une jambe d'homme contre la sienne. Quand il s'agissait de s'offrir un gars, elle pensait un peu comme un homme. Elle disait :

« Moi, ce n'est pas la même chose. »

Cet Yvon Jean-Claude était un brave garçon, un jeune chanteur. Il était grand, brun, il avait l'air d'une figurine de mode de la Samaritaine de luxe.

Edith, pour *C'était une histoire d'amour*, avait eu une idée de mise en scène pour laquelle il lui fallait une voix d'homme. Elle avait entendu Yvon, il lui avait plu. Chaque soir, il était planqué derrière le rideau au fond, et quand Edith chantait :

C'était une histoire d'amour,

Yvon reprenait :

C'était une histoire d'amour...
C'était par un beau jour de fête...

Ce n'était pas foulant. Il rentrait avec nous. Elle ne le payait pas mais il couchait à la maison. Il avait droit aux repas, au Bidou-Bar et parfois au lit d'Edith.

Le soir de la scène « Back Street », Edith m'a dit :
« Momone, tu vas voir. Henri va en baver autant que moi. L'enfer de la jalousie, il va le connaître. Il va avoir mal, fais-moi confiance. »

Henri, à moins d'être aveugle et sourd, ne pouvait plus ignorer qu'Yvon était, lui aussi, avec Edith.

Un après-midi, Henri a ouvert la porte de la chambre d'Edith, a fait : « Oh ! pardon ! » et l'a refermée. Je me suis sentie devenir verte. J'ai pensé : « Ça y est, c'est la catastrophe, ce n'est pas possible autrement. »

Pas du tout, Henri est allé attendre dans le salon. Quand Edith l'a rejoint, il avait l'air naturel. Il a ri, plaisanté, puis il est parti comme d'habitude.

Le lendemain, il n'est pas venu, il n'a pas téléphoné. Edith ne voulait pas en avoir l'air, mais elle se rongeait, elle regardait le téléphone d'un air mauvais. Chaque fois qu'il sonnait, elle criait à Andrée Bigeard : « Qui est-ce ? » Elle était vraiment inquiète, et moi aussi.

« Qu'est-ce qu'il va faire à ton avis ? Il va plaquer sa poule ? »

Il me semblait qu'à la place d'Henri, c'était Edith que j'aurais plaquée.

Le lendemain, Henri est revenu avec une chanson, *Le Blond et le Brun* :

> *Dans ma p'tite ville, y'a deux garçons,*
> *Y'en a un brun, y'en a un blond,*
> *Qui m'aiment tous deux à leur manière.*
> *Le brun a l'air triste et sérieux,*
> *Et le blond rit de tous ses yeux.*
> *Je crois bien qu'c'est l'brun que j'préfère ;*
> *Oui, mais le blond n'a qu'à s' ram'ner*
> *Avec son air de rigoler,*
> *C'est pour lui qu'j'ai envie d'êtr' belle.*
> *J'crois bien qu'c'est l'blond que j'préfère*

La chanson finissait quand même par la mort du blond, de celui qui se marrait tout le temps. Il se tuait.

Pas utile d'être bachelier pour comprendre : le blond, c'était Henri. Il était châtain clair, avec pas mal de poils blancs. Ça plaisait à Edith. Elle me disait :

« Regarde-le dans la lumière. Henri, tourne la tête (il la tournait), ce que c'est joli... Il est blond argenté. »

Moi, je voulais bien...

Henri a laissé sa chanson et il est parti en disant : « Adieu, les petites ! »

Naturellement, elle n'a pas raté le coup. Elle a lu *Le Blond et le Brun* à Yvon. J'ai vu les yeux d'Yvon se remplir de larmes.

« Qu'est-ce qu'il a, cet idiot ? » a demandé Edith.

Yvon est parti en courant.

« Encore un dingue. Va voir, Momone. »

Pauvre petite gravure de mode pour catalogue de la Samar... Il pleurait comme un gosse, il répétait une des phrases de la chanson :

« — C'est le blond que je préfère »... C'est lui, c'est Henri qu'elle aime, je ne suis rien pour elle !

Il n'était pas facile de lui dire le contraire. Je l'aurais bien consolé, mais vraiment, ce n'était pas mon type.

Henri, ses éclats, il ne les faisait jamais à chaud, toujours à froid. Le lendemain, il a allumé une cigarette (l'allumette dans le creux des deux mains comme quand il y a du vent, ça faisait homme sur le trottoir qui allume sa cigarette avant de faire son coup). Ce geste lui allait bien, il le savait. Il a regardé toute la pièce — il avait l'air de faire un panoramique avec ses yeux —, a jeté son allumette.

« Tu voudrais que je vienne ici ? Non, mais regarde autour de toi. Tu parles d'une maîtresse de maison ! Ce n'est pas une maison que tu tiens, c'est un bordel ! Une sous-mac qui a rempilé et continue à faire des passes pour le plaisir. »

C'était vache. Ils ont gueulé un bon coup ensemble. Puis Henri a éclaté de rire.

« Pas possible, tu vas y arriver. Je vais devenir jaloux ! De toi !... »

Il l'était, mais ça ne pouvait plus rien changer. Edith est redevenue insupportable. On a vraiment connu la « java des amants ».

Il y a eu des fois où ce n'était pas marrant. On partait toutes les deux en balade, on repérait un gars avec son copain, on buvait un verre avec eux (Edith choisissait toujours le mieux, elle me laissait le plus tarte), on allait aux toilettes et, là, elle me disait :

« Ecoute, Momone, si tu ne couches pas avec le copain, il va nous filer le train à mon type et à moi ; on ne pourra pas s'en débarrasser. »

Ça me rasait, je n'étais pas toujours disposée.

« Momone, sois gentille. Qu'est-ce que ça peut te faire ? Ça n'a aucune importance. Faire ça ou s'envoyer un verre de pinard, c'est pareil ! »

Moi, je trouvais qu'il y avait une différence. Mais quand elle me disait : « Fais ça pour moi, Momone », je ne résistais pas.

La rogne d'Edith contre Henri n'était pas terminée. Elle avait décidé de lui en faire baver. Elle a étalé le grand jeu.

Une fois, Edith avait filé rendez-vous à un gars qui habitait Pantin et qui s'appelait Hémond. Henri était chez nous bien tranquille, les doigts de pied en éventail. Il buvait un petit alcool en le chauffant dans sa main : la parfaite béatitude.

Elle m'avait affranchie sur ses intentions :

« Momone, pas un mot à Henri, on se tire en douce. Je vais rejoindre Hémond. »

Edith était de bonne humeur. Ça l'excitait de préparer un coup contre Henri. Pour se mettre dans l'ambiance, elle avait picolé sec au déjeuner. Sur le coup de quinze heures, elle annonce la couleur :

« Je vais au théâtre.

— Dans l'état où tu es, tu ne vas rien y comprendre. »

J'étais aussi bien arrondie. Henri, mécontent mais gentil, nous conduit jusqu'à la porte du théâtre.

« Je ne peux pas vous laisser seules. Je rentre avec vous », dit Henri.

Naturellement, on était en retard, c'était commencé.

« Tant pis, dit Edith, je ne verrai pas mon Hémond. »

La première réplique qu'on entend c'est : « Aimons-nous les uns les autres. » Edith prend un fou rire, elle se met à crier :

« Hémond, c'est lui que je veux. Henri, tu es là, tu entends ? »

Henri, furieux, nous a laissées tomber.

J'étais ronde, mais pas assez pour ne pas entendre les « chut », « silence », « assis » qui partaient de partout. Il faisait noir, on se cassait la gueule. L'ouvreuse essayait de nous placer. Les acteurs continuaient à jouer et Edith criait :

« Y peuvent bien s'arrêter le temps que je rentre. On va rien comprendre à cette pièce... »

Enfin, le garde de service et les ouvreuses ont réussi à nous faire asseoir ; mais pas à faire taire Edith, ce n'était pas possible.

Jamais je n'ai vu ça. Assises à nos places, on a joué avec les acteurs. De la salle Edith leur donnait la réplique, des conseils, criait :

« Te laisse pas faire. Dis-lui que tu n'en veux pas, qu'il est trop tarte... T'as raison, Jules, c'est bien envoyé. Pas vrai, Momone ?... Ce qu'on rigole, ça, au moins, c'est une pièce ! Ils jouent bien, mais ce qu'ils disent est rien con ! Momone, je suis lui tu es elle ; tu me dis « Va-t'en », qu'est-ce que je répond ?

— Merde ! »

Et on riait, pliées en deux. Jamais on n'avait trouvé une pièce aussi drôle. Je ne me souviens ni du théâtre, ni du nom de la pièce, ni des acteurs et encore moins comment ça s'est fini. On a dû nous vider.

Edith avait décidé qu'elle était amoureuse d'Hémond. Même pour vingt-quatre heures, c'était vrai. Elle n'était pas une tricheuse (en rien et elle l'a payé de sa vie). Pour elle chaque gars avait quelque chose d'intéressant : une belle cravate, un beau regard, sa bouche, ses mains, ses yeux ou son rire. Il avait le truc qui accrochait.

Hémond a duré à peine quinze jours. Mais Edith a cru à sa passion, et c'était ça qui rendait fou Henri. Comme c'est agréable d'entendre votre maîtresse vous dire :

« Je l'aime, il n'est pas comme les autres. Henri, il faut me comprendre. »

Cette fois-là, il a pris une colère, une vraie. Il l'a traitée de folle, pocharde, putain, détraquée, hystérique, nymphomane... Il avait du vocabulaire. Je ne comprenais pas tout, mais j'appréciais.

Une heure après son départ, Edith était désespérée, elle avait totalement oublié sa passion pour Hémond.

« Ecoute, Momone, j'ai eu tort. Mais c'est pas possible qu'il me fasse ça. Il va appeler. Il sait bien que j'ai peur pour lui. Je ne vais pas le perdre pour cet Hémond, je m'en fous de ce type, il ne compte pas tandis qu'Henri... »

Et ça n'en finissait pas. Je commençais à être aussi nerveuse qu'elle. Elle pleurait, la tête dans son oreiller, et déchirait son drap avec ses dents. Une vraie crise.

« Téléphone chez lui, Momone, dis-lui que j'ai une chanson à travailler tout de suite. »

Je téléphone, Edith avait pris l'écouteur.

« Raccroche, Momone, c'est sa poule. »

Le lendemain, elle avait les yeux gros comme des œufs durs, tellement elle avait pleuré.

« Va le voir, Momone. Je ne peux pas vivre sans lui. »

J'avais déjà entendu ça pour d'autres.

J'ai téléphoné à Henri. Il m'a donné rendez-vous dans son bureau à *Paris-Soir*. Faut dire que, là, il en « installait ». Il faisait vachement sérieux. Le téléphone marchait tout le temps. Il donnait des ordres. Je n'en perdais pas une miette de son cinéma sur grand écran.

« Si tu m'as fait venir pour te regarder, faut le dire. J'ai tout mon temps. »

Il a ri. C'était fini.

« Vous êtes de sacrées souris, toutes les deux, et de drôles de farceuses. Allons, viens, on va boire un verre.

— Non, viens chez nous. Edith t'attend. »

En rentrant avec lui, ce jour-là, j'ai compris Henri. J'ai senti ce qu'il pensait comme si j'étais lui. J'ai vu la maison avec ses yeux : le vrai foutoir ! Il était une heure et demie, deux heures. Il y avait des gens couchés partout : toujours le pauvre Yvon Jean-

Claude ; sa sœur Annie Jean-Claude qui s'est mariée avec le cinéaste Dorffmann ; la mère Bigeard qui faisait on ne sait pas trop quoi dans ce désordre ; Tchang qui fricotait, il avait appris à cuire des haricots et du poulet ; un gars inconnu qui pianotait ; un autre qui buvait...

C'était triste à vomir.

Il fallait être Edith Piaf pour conserver un homme *bien* au milieu de ce bordel lamentable. Il fallait, aussi, être elle pour oser lui demander de venir au milieu de tout ça.

Edith était encore au lit. Henri est entré. Elle lui a crié :

« Henri, c'est toi, je t'aime ! »

Quand un homme entendait ça, avec la voix de la môme Piaf, il sentait ses tripes l'abandonner. Ce pouvoir qu'elle avait sur les hommes, ce n'était pas croyable !

Avec Henri, c'était reparti, mais tout de travers. Edith a tout de même fait une dernière tentative, elle voulait qu'il lui reste quelque chose de lui : un enfant.

« Tu comprends, Momone, il sera beau, intelligent. Un père, on devrait toujours le choisir, on ne devrait pas confier ça au hasard. »

Edith ne parlait jamais de Cécelle. Une seule fois elle m'avait dit, le 31 janvier, pour la Sainte-Marcelle : « Ma petite aurait dix ans aujourd'hui. Si ta mère l'avait prise quand on la lui a apportée, la gosse vivrait peut-être encore ! » Elle se faisait des illusions. Ma mère, comme nourrice, je savais ce qu'elle valait.

Ce matin-là, Edith était très calme, très sérieuse quand elle a dit à Henri :

« Mon amour, je sais que tu ne viendras jamais ici, que c'est raté. Alors, je veux garder quelque chose de toi qui ne me quittera pas. Je veux un enfant. »

Henri était tout ému. Il répétait comme un grand idiot :

« Tu veux un enfant, un enfant de moi ? »

Ce n'était pas aussi facile, sinon il y a longtemps qu'elle en aurait eu un.

Quand elle avait eu sa petite Cécelle, on lui avait dit : « C'est un miracle. Vous aurez beaucoup de mal à en avoir d'autres. »

Nous sommes allées trouver un professeur, le meilleur, maintenant elle avait les moyens.

Il lui a dit que c'était peu de chose, qu'il lui fallait une petite opération gynécologique, qu'elle en aurait pour quarante-huit heures d'hospitalisation.

« D'accord, a dit Edith, je veux bien entrer dans votre clinique, mais j'amène Momone. »

La veille d'y entrer, Edith m'a dit : « Viens, on va se faire plaisir. » On a acheté des brassières, des langes, des culottes, des bonnets, des petits chaussons, même une robe de baptême.

Nous avions tout acheté en double, en bleu et en rose. On ne savait pas si ce serait une fille ou un garçon !

Il n'y avait qu'Edith pour oser ça.

Très « futur père », Henri nous a accompagnées à la clinique du Belvédère à Boulogne. En le quittant, Edith, accrochée à son bras, lui disait : « Après mon opération, tu me le feras, mon enfant. » On était tout émus, alors, on a bu une bouteille de champagne.

Quand l'infirmière nous a vues déballer toute notre layette, elle nous a prises pour des cinglées.

« Mais, madame, vous n'attendez pas un bébé.

— Pas aujourd'hui, a répondu Edith, mais c'est pour m'aider à y croire. Et puis, comme ça quand il viendra, je suis sûre qu'il ne manquera de rien, mon gosse. »

Elle ne rigolait plus, Edith.

« Mademoiselle, j'ai eu une petite fille, Cécelle, je n'avais pas un rond, je n'avais rien pu lui acheter, elle a été habillée par charité. Maintenant, j'ai les moyens, alors j'ai voulu tout ce qu'il y a de plus beau. Mais vous ne pouvez pas comprendre ça, il faut y être passé. Cette foi-ci, mon gosse ne manquera de rien. J'ai pris de l'avance sur le destin. »

L'infirmière ne savait plus où elle en était. Mais elle était plus près des larmes que du rire.

J'ai rangé toute la layette dans le placard. Ça faisait joli, ces piles, par couleur. J'ai dit :

« Ça pourrait être des jumeaux, une fille et un garçon.

— Laisse la porte ouverte, Momone. De mon lit je verrai toutes ses petites affaires, ça me donnera du courage pour demain. »

Nous avions aussi emmené nos munitions. Dans les cliniques, comme boissons, ils ne connaissent que l'eau et les tisanes. On ne peut rien fêter avec ça.

« Tu comprends, Momone, c'est du sérieux, il faut que je me prépare au choc de l'opération. »

La technique d'Edith n'était certainement pas connue dans le coin, ce n'était pas la leur.

Pour se mettre en état, on a porté des toasts à l'une, à l'autre, au futur gosse, à Henri... on lui devait bien ça !

Pour créer l'ambiance, on avait apporté notre phono et nos disques. Ils n'ont pas apprécié dans la clinique. On est venu nous dire de la boucler et on nous a filé des calmants. Mais on était résistantes.

Comme sans musique ça faisait triste, on s'est levées et, en chemise, on s'est trimbalées dans les couloirs, notre bouteille à la main. On a chahuté, rigolé, offert à boire aux infirmières... Un vrai scandale ! Enfin, on nous a couchées de force, et l'infirmière du matin nous a trouvées ronflant comme des anges qui auraient pris une sérieuse cuite...

Quand le professeur a vu Edith dans cet état, il nous a foutues à la porte. Il paraît que les cures de désintoxication, ce n'était pas chez lui... Il a fallu partir avec armes et bagages à l'heure où on dormait le mieux.

Voilà comment Edith n'a pas eu d'enfant avec Henri. Mais ça lui en avait donné l'idée et, à chaque « nouveau » elle disait :

« Celui-là, il serait bien pour avoir un gosse... Celui-ci, il ne vaut rien... »

Alors, dans l'esprit d'Edith, il était privé d'enfant. C'était devenu une façon, pour elle, d'estimer un gars. Ceux qui étaient « bons pour », elle les gardait plus longtemps. Ils n'ont jamais su pourquoi !

La période Contet a duré un peu plus d'un an. Pour s'y retrouver, ne pas oublier les dates, il aurait fallu leur faire des certificats à ces gars-là !

Entre Edith et Henri, l'amour était terminé. Elle l'a conservé comme ami et comme auteur et puis elle s'amusait bien avec lui. Cet ancien ingénieur n'était pas bourgeois pour deux sous, et pas conformiste. Il était à sa place chez tout le monde, dans toutes les situations. Il avait des relations partout. Elles allaient nous être très utiles.

Rue Anatole-de-la-Forge on n'avait pas la cote d'amour. Le coin était trop bourgeois pour supporter la manière de vivre d'Edith. Elle ne payait pas non plus ses termes, ça l'embêtait. Quand, à la fin du mois, la concierge s'amenait, la gueule enfarinée, toute mielleuse, Edith lui disait :

« Posez ça là. Simone, offre un verre à madame. »

Royale, elle ajoutait :

« Je trinquerai avec elle. »

Et elle lui filait un bon pourboire.

Plusieurs mois après, les quittances étaient toujours « posées là ».

Toute sa vie, elle a été couverte de dettes. Si elle ne payait pas sur le moment, ça attendait. Pauvre Andrée, avec son paquet de factures, qu'est-ce qu'elle avait comme ennuis ! C'est elle qui recevait les engueulades, de tous les côtés.

On ne pouvait pas parler argent avec Edith. Elle en gagnait, ça suffisait. Elle ne voulait pas savoir si ses dépenses dépassaient ses rentrées.

Tout se déglinguait. L'affaire Contet avait raté. On avait froid : le chauffage de l'immeuble était arrêté, les poêles fumaient, on les laissait s'éteindre, on oubliait de faire des provisions de charbon au « noir ». Edith supportait très mal le froid ; elle s'emmitouflait, des pieds à la tête, dans des machins de laine, et ça la mettait de mauvais poil. Aussi, quand le proprio nous a foutues dehors, on était plutôt contentes.

Ce vautour n'a pas trop pleuré sur ses sous. Qu'Edith ne paie pas lui facilitait les choses pour se débarrasser de nous. La liste de nos méfaits était longue, paraît-il : tapage nocturne, ivresse et la suite. La concierge, malgré les petits verres et les pourboires, avait dit qu'on se tenait comme des putains, que les hommes entraient et sortaient à toutes les heures du jour et de la nuit, bref, que dans une maison bourgeoise, ça n'était pas convenable !

Quand Edith a dit à Henri :

« On s'en va parce que, d'après le proprio, nous nous conduisons comme des putains. »

Il a répondu :

« Ça tombe bien, mes petites, parce que je vais vous caser dans un bordel !

— Un vrai ?

— Pas tout à fait, une maison de rendez-vous. Dans les beaux quartiers, rue de Villejust (actuellement rue Paul-Valéry). Vous serez logées au dernier étage, bien tranquilles. Vous aurez tout le service de la maison à votre disposition. Elle est bien fréquentée, belle clientèle. Vous allez être là-dedans comme des cocottes en pâte.

— T'as le mot pour rire, toi au moins, lui a répondu Edith.

— Mes petites, là, ça doit marcher. Vous plairez

aux tauliers, j'en suis sûr. Ça va être très chouette !
Vous aurez chaud : dans ces maisons-là, la clientèle
craint les courants d'air ! Et puis, tu seras un peu
débarrassée de toute la bande. Tu pourras remplumer
tes finances. »

Quand on a débarqué toutes les deux, avec Mme
Bigeard, dans la maison, le taulier et la taulière
nous ont sauté au cou. On s'est embrassés comme des
potes de régiment. On les appelait les Fredi : ils
avaient certainement un autre nom, mais je ne l'ai
jamais su. Lui, c'était un rital [1], physiquement une
sorte de Tino Rossi en plus grand et en moins joli.
Elle, une grosse blonde décolorée qui traînait tout
le temps en chemise de nuit, l'épaule découverte, le
nichon à l'air. Elle avait une graisse un peu croulante. Elle appelait ses filles « mon chou », « mon
chou », « mon chéri », mais ça ne l'empêchait pas
d'avoir l'œil ouvert. Elle ne leur passait rien : « Alors,
mon chou, tu n'étais pas en forme aujourd'hui,
M. Robert n'était pas satisfait », ou : « Mon chéri,
veille à tes dessous. Tu mets trop souvent les
mêmes, ça ne plaît pas, M. Emile me l'a dit. Il ne
faut pas décevoir le client, il y va de la réputa-
tion de la maison. »

C'était une maison discrète, on ne connaissait les
clients que par leur petit nom.

Avec les Fredi, mâle et femelle, tout de suite ça
a bien collé. Edith les a affranchis dès l'entrée :
« Je n'ai pas d'argent.

— Eh bien, ça ne fait rien, nous attendrons. »

Ils nous ont fait crédit, mais quand on a eu du
fric, il se sont rattrapés, et avec les intérêts ! Le coup
de matraque ! Seulement, en pleine occupation, on
avait chaud et tout le ravitaillement qu'on voulait !
Et puis on n'était pas seules, on se sentait en famille.

Nous avions une chambre et une salle de bain.

---

1. Rital : Italien.

Mme Bigeard, elle aussi, avait sa chambre et sa salle de bain. On était dans une maison de passe, mais on avait notre secrétaire — « Momone, c'est ça la classe ! » Moquette partout, jolis meubles, le grand confort quoi ! Edith était ravie.

Le soir même, on s'était fait des tas de copines. Les chambres de « travail » de ces demoiselles étaient dans les étages en dessous du nôtre, et au rez-de-chaussée surélevé il y avait le grand salon.

La maison fonctionnait de deux façons — ils n'étaient pas fous, les Fredi. Dans la journée, c'était le système des call-girls : les filles n'étaient pas là, on les demandait par téléphone. Le soir, c'était plus classique, ça rappelait les bordels de luxe d'avant-guerre genre One-two-two, Sphinx ou Chabanais. On dînait ou soupait au salon. Il y avait un pianiste en permanence. Il faisait bon, on était bien. La première fois, Edith a fermé les yeux :

« Momone, tais-toi, laisse-moi écouter mes souvenirs. Le pianiste, l'odeur de femmes parfumées... Ce ne sont pas les mêmes airs, ni les mêmes parfums, mais ça sent le bordel comme quand j'étais aveugle ». Près de dix-sept ans plus tard, je pourrais croire que je vais entendre la voix de mémé : « Edith, tu as assez « écouté la musique, viens te coucher. »

Dans cette maison il y avait une ambiance pas ordinaire. Ça ne manquait pas d'animation. On était très copines avec les filles. Rien à voir avec la pute de trottoir ou de boxon. Elles savaient parler d'un tas de choses : livres, musique, théâtre. Il le fallait. Les hommes qui venaient là étaient des grosses légumes du régime « Travail — Famille — Patrie », du marché noir, de la collaboration. Les Fritz qu'on y rencontrait n'étaient pas des 2e classe, mais des généraux, des colonels, discrets, *corrects* comme on disait, jamais en uniforme, toujours en civil. Des truands de première classe, des gros de la Gestapo (français et allemands). La rue Lauriston, où ces

fumiers travaillaient, était tout près. Entre deux
interrogatoires, deux passages à la baignoire, ils
venaient détendre leurs nerfs surmenés. Ceux-là,
personne ne les aimait ; les Fredi avaient trop peur
d'eux pour ne pas les recevoir. Et j'ai gardé le meilleur pour la fin : des gars de la Résistance... Naturellement ils étaient incognito. Ce n'est que beaucoup plus
tard que nous l'avons su. Fredi bouffait tranquillement son avoine à tous les râteliers. Et je peux dire
qu'il mettait les bouchées doubles.

Henri Contet, là-dedans, était heureux comme tout.
Ce carnaval lui plaisait, il n'en perdait pas une miette.
Il poussait le culot jusqu'à aller entendre les émis-
sions de radio de la B.B.C. dans la chambre d'Edith,
pendant qu'à l'étage au-dessous le général von
« Truk » batifolait avec « Mamoizelle Franzaise » !

Nous n'avions pas d'homme qui habitait avec nous,
aucun n'est venu avec sa valise. Ils passaient dans la
vie d'Edith comme dans sa chambre : en coup de
vent. « J'en ai marre d'aimer, ça me fait trop mal.
J'ai mis mon cœur en vacances, je lui ai donné
congé », disait Edith qui crânait mais qui, dans le
fond, avait un peu le cafard.

Entre le travail et les visites, on n'avait pas le temps
de penser. Des visites, on en a eu de tous les genres.
Il est même venu nous voir un de nos anciens
macs, Henri, dit Riri, le plus fidèle, notre préféré.

Il a apporté à Edith une superbe gerbe de fleurs.

« C'est pour toi. Tu comprends, faut voluer dans la
vie. »

Qu'est-ce qu'on a ri !

Notre mac était arrivé, il avait (é)volué ! Au doigt,
il portait un bouchon de carafe, pas du toc, du
vrai ! et il apportait des fleurs !...

« Alors, ça marche les affaires, lui a dit Edith, tu
fais dans quoi, maintenant ?

— J'ai toujours mes gagneuses, des bonnes filles
bien travailleuses. Mais ce n'est pas ce qui me

rapporte le plus. Je me suis mis dans les affaires. »

On ne lui a pas demandé quel genre d'affaires. Dans ce milieu, la qualité qui vous conserve les pieds bien au sec, c'est la discrétion. Nous ne l'avons jamais oublié.

Il nous a payé une bouteille de champagne et on a parlé du bon vieux temps. Il nous a donné des nouvelles des anciens potes :

« Vous savez, il y en a qui ont mal tourné. Ils sont à la Gestapo. D'autres qu'ont pas eu de chance, ils sont dans les camps où ils sont tombés pour marché noir.

« Et puis la grosse Fréhel a eu des ennuis. Elle chantait à Hambourg quand il y a eu le bombardement. Le phosphore coulait dans les rues, le bitume était devenu liquide. Les gens brûlaient dedans, debout, comme des torches. Les maisons s'écroulaient. Les flammes éclairaient tout, on aurait pu lire son journal si on avait eu le temps. Il paraît que la ville entière hurlait. Ça cramait de partout et Hambourg puait le cochon grillé. La Fréhel, elle a eu tous les cheveux, les sourcils, les cils brûlés, et les jambes. Quand elle raconte ça, tu trembles, tellement t'as les chocottes. Tu sais comme je suis sensible, moi, j'en avais mal au cœur. Après des coups comme ça, je crois que les chleus ne la gagneront pas, la guerre. Faut faire fissa pour leur piquer du pognon. »

Il est parti en nous disant :

« Mes gosses, je suis heureux de vous laisser ici, bien au chaud, dans un endroit convenable. »

La Guite venait tout le temps. Elle arrivait en vélomoteur (on était tous sur des deux-roues), avec un foulard sur la tête pour ne pas se décoiffer (c'était la grande mode, on se faisait même des turbans avec). Ça n'empêchait pas la Guite d'avoir les cheveux au vent. « Je ne comprends pas, disait-elle, sur ma tête, ils s'envolent. » Ça nous faisait rire et Guite se fâchait : « Je ne vois pas pourquoi vous riez. Je ne suis pas distraite, je pense à autre chose, c'est tout. »

Elle était si peu distraite qu'un jour elle est arrivée sur un autre vélomoteur que le sien.

« Mes enfants, je suis contrariée. Je viens de m'apercevoir que je me suis trompée de vélomoteur. J'en ai pris un qui ne m'appartient pas.

— Tu n'as qu'à le rendre.

— Mais à qui ?

— Rapporte-le où tu l'as pris.

— Je ne m'en souviens pas. »

Avec Edith, on a toujours pensé que Guite ne savait pas que nous habitions dans une maison de passe. Un jour, elle nous a dit :

« Il y a beaucoup de mouvement dans votre hôtel, mais il y fait bien chaud. Ils sont bien gentils ici, ils vous reçoivent bien. »

Elle avait pris les Fredi pour les concierges.

Charmante, adorable Guite, si lunaire qu'on avait envie de la prendre par la main pour la conduire.

Edith recevait beaucoup. Elle fréquentait très peu les gens de la chanson. Elle préférait les comédiens, ils défilaient sans arrêt.

Son grand ami était Michel Simon. Quel homme extraordinaire ! Il était laid mais on s'en foutait. Je passais des heures à l'écouter en oubliant sa tête... Je serais tombée amoureuse de lui, uniquement pour son intelligence, seulement je n'étais pas son genre. Il était très porté sur les petites putains de la rue Saint-Denis. Ça lui plaisait. Mais chez nous, il venait pour bavarder avec Edith. Pour moi, c'était deux monstres ensemble, ils me fascinaient.

Michel ne parlait pas tellement de son métier, mais des choses de sa vie, il lui en était tellement arrivé ! Il parlait aussi beaucoup des bêtes, de sa guenon, qu'il aimait comme une femme. Il racontait très bien, et sa voix, pas comme les autres, si spéciale, ajoutait

quelque chose de vrai, de douloureux à ce qu'il disait.
Il n'encaissait pas sa tête, sa laideur le hantait.

« Avec ma gueule, il n'y a que les putes qui veulent
de moi (ce sont de braves filles), et les bêtes qui
m'aiment. Ma guenon, elle me trouve beau. Elle a
raison parce qu'avant de trouver un singe aussi beau
que moi ! Et puis, il vaut mieux avoir une sale
gueule que pas du tout... »

Cela faisait rire Edith. Moi, ça me serrait un peu
le cœur.

Michel Simon voyait Edith avec un visage dans
son genre à lui. Il trouvait qu'elle était, en femme,
ce qu'il était en homme, aussi monstrueuse que lui.
Ça le rassurait, il n'était plus seul.

« Tu vois, Edith, nous, on n'a pas besoin d'être
beau pour réussir. »

Ce qu'il y avait d'étonnant c'est qu'au bout d'un
moment, je finissais par voir Edith avec les yeux de
Michel. Moi qui l'avais toujours trouvée jolie, je me
disais qu'il y avait tout de même quelque chose
d'anormal en elle : ses épaules étroites, son grand
front, sa petite figure.

Pourtant, elle était mieux à la ville qu'à la scène.
Elle perdait son air souffreteux ; on s'apercevait qu'elle
avait des hanches rondes et de bonnes cuisses.

Avec Michel, ils se racontaient leur vie. Ils s'aimaient
aussi déconner, ils riaient de grosses bêtises. L'al-
manach Vermot ne leur faisait pas peur. Ensemble,
ils buvaient bien. Quand j'avalais mon premier
Cinzano, elle en était déjà à son dixième et Michel
aussi. Ils se tenaient la tête l'un à l'autre. Michel
disait : « On est moches, on n'est pas beaux, mais
on n'est pas des petites natures ! »

Qu'est-ce qu'on a eu comme visites !

Jean Chevrier venait avec Marie Bell, de la Comédie-
Française. Elle faisait très femme du monde, ça ne
l'empêchait pas de venir dans notre bordel. Nous les
recevions au salon ; ensuite elle montait discrètement

avec son Jean. Ils n'étaient pas encore mariés à l'époque.

On avait aussi Marie Marquet. Quand elles se rencontraient, avec l'autre Marie (Bell), c'était toujours un peu acide. Elles ne s'aimaient pas beaucoup. Edith appréciait Marie Marquet, elle lui trouvait le grand style. C'était d'ailleurs une grande bonne femme, à tous les points de vue : la taille (quand elle étendait les bras, on passait dessous toutes les deux) et le talent. Personne ne disait les vers comme elle : un rêve ! Edith l'écoutait avec respect : « Marie, quand je t'entends, je prends des leçons, parce qu'un poème, c'est une chanson sans musique, ça présente les mêmes difficultés. »

C'était assez marrant de voir cette femme de grande classe évoluer, pas choquée du tout, dans notre maison de passe. Elle nous racontait des histoires extraordinaires. C'est elle qui nous a fait connaître les pièces d'Edmond Rostand : *Cyrano de Bergerac, L'Aiglon, Chantecler...* Elle nous parlait de la maison d'Arnaga, près de Cambo, au Pays basque, où Edmond Rostand avait vécu. Le poète et elle s'étaient beaucoup aimés. C'était une très belle histoire d'amour qui enchantait Edith.

On avait aussi nos habituées, comme Madeleine Robinson et Mona Goya.

Madeleine Robinson était la meilleure copine d'Edith. Elles avaient deux goûts en commun : la bouteille et les hommes. Les bitures qu'elles ont prises ensemble sont restées célèbres. Mais ce qu'il y avait de plus extraordinaire et de plus instructif, c'était de les entendre parler des hommes. En les écoutant, j'ai pris des leçons qui m'ont bien servi.

Mona Goya, elle, c'était une marrante. Elle riait tout le temps. Elle avait du chic, Mona, elle était jolie, elle plaisait, une vraie croqueuse d'hommes. Avec Edith, elles avaient trouvé un truc assez marrant. Les soirs de pénurie, elles laissaient les rideaux ouverts, la lumière allumée. Le flic qui faisait sa ronde sifflait. Elles ne bougeaient pas. Le gars finissait par monter et, s'il était bel homme, on lui offrait un verre pour le dérangement et on le gardait un moment...

On n'a pas eu que des choses drôles. On a eu de tout.

Un jour de 1943, Edith a été convoquée au commissariat pour sa mère. Ce n'était pas la première fois, mais ça allait être la dernière.

Depuis qu'Edith était célèbre, sa mère faisait scandale sur scandale. Plus d'une fois, on l'a retrouvée à Fresnes : elle avait été ramassée sur la voie publique, ivre morte de vin et de drogue, une vraie clocharde. On allait la repêcher, on l'habillait entièrement... et ça recommençait.

Quand Edith passait à l'A.B.C. en 1938, un soir, une femme vêtue comme une cloche s'est accrochée à la portière du taxi. Elle avait les cheveux dans la figure, elle avait bu et elle criait d'une voix terrible, avinée, rauque, une voix de misère :

« C'est ma fille... c'est ma fille... »

Raymond Asso s'était fâché et il en avait débarrassé Edith pour un temps.

Mais depuis, elle allait pleurer partout :

« Ma fille, c'est Edith Piaf. Elle roule sur l'or et elle me laisse dans la misère. »

Elle menaçait Edith d'aller dans les journaux. Elle l'a fait, d'ailleurs : elle est allée en 1941, demander des secours au service des œuvres sociales de *Paris-Soir*. Son numéro était bien au point, mais il ne marchait pas toujours parce qu'elle ne dessoûlait pas. On ne la prenait pas au sérieux. Et, en 1943, on en avait tellement pris l'habitude que, cette fois-ci, Edith m'a dit : « Occupe-t'en. »

Au commissariat, les flics m'ont appris qu'elle était morte d'une façon horrible : dans le ruisseau.

Elle vivait à Pigalle avec un jeune homme — c'était la drogue qui les unissait — un pauvre petit camé, une épave ; ils prisaient ensemble. Un soir, le garçon se lève de leur grabat pouilleux pour aller chercher de la came. En partant, il jette un coup d'œil sur la mère d'Edith : elle ronflait. Quand il est remonté, elle était toujours dans la même position, il l'a touchée, elle était froide. Pris de peur et soûl de drogue, il a descendu le corps dans le ruisseau.

Elle est morte comme le père l'avait prédit, dans le ruisseau.

C'est Henri qui s'est occupé de tout avec moi. Edith a fait enterrer sa mère à Thiais. Elle n'a pas voulu venir à l'enterrement. Elle n'a pas été sur sa tombe.

« Ma mère, disait Edith, il y a longtemps qu'elle est morte pour moi, un mois après ma naissance, quand elle m'a abandonnée. Elle n'a jamais été qu'une mère d'état civil. »

C'était vrai. Entre Edith et sa mère, il n'y avait, en réalité, aucun sentiment. Elles se forçaient toutes les deux, mais le cœur n'y était pas. Elle n'avait revu sa fille que par intérêt.

Edith travaillait beaucoup. Dans son métier, ses contacts avec l'occupant ont, parfois, failli tourner assez mal. Malgré son prénom, elle n'avait rien d'une héroïne comme Edith Cavell. Mais elle était trop titi parisien, trop gavroche, pour tolérer qu'on touche à sa liberté, pour ne pas être frondeuse.

En 1942, quand elle était passée à l'A.B.C., le soir de la générale, il y avait bien sûr une tripotée d'officiers allemands, de toutes les couleurs. Vert pour la Wehrmacht, noir pour les S.S., gris pour la Luftwaffe, bleu pour la Kriegsmarine. Mais tous ces décorés, galonnés n'étaient pas seuls, l'A.B.C. craquait de Parigots de tout poil. A la fin de son tour, Edith leur balance en pleine poire : *Où sont-ils tous mes copains ?* avec le drapeau tricolore en projection lumineuse. Ce fut du délire.

Le lendemain, la riposte allemande ne s'est pas fait attendre. Edith a été convoquée par eux. Le fridolin lui a passé un sérieux savon.

« Enlevez cette chanson de votre répertoire. »

Edith avait les chocottes, mais elle a répondu :

« Non.

— Alors, je vais l'interdire.

— Interdisez. Mais tout Paris se paiera votre tête. »

A la fin, ils ont transigé. On a seulement supprimé le drapeau tricolore.

Les occupants aimaient beaucoup ce qu'elle faisait. Vingt fois, ils l'ont invitée à venir chanter dans de grandes villes allemandes ; elle a toujours refusé.

Mais pour chanter dans les stalags, elle était toujours prête, et elle n'a jamais voulu garder les cachets qu'elle y touchait, elle les versait pour les prisonniers. De ces voyages, elle revenait bouleversée. Tous ces soldats, ces hommes, c'était les siens, ceux qu'elle avait toujours aimés. Ils la recevaient comme une princesse.

Andrée Bigeard avait demandé à être de tous les déplacements à ma place.

« Tu aimes donc tellement les Fritz ?

— J'aime bien les voyages.

— Celle-là, elle ment », m'avait dit Edith.

D'ailleurs, on n'était pas bouchées au point de ne pas avoir remarqué qu'Andrée Bigeard recevait beaucoup d'hommes dans sa chambre.

Au début, Edith se marrait. « Dis donc, c'est l'influence de la maison qui fait perdre la tête à Andrée. Qu'est-ce qu'elle reçoit comme bonshommes, j'aurais jamais cru ça d'elle ! »

Plus tard, on a compris qu'elle profitait de sa situation au cœur de l'ennemi pour faire de la résistance, et que ceux qui venaient la voir étaient des terroristes, comme les appelaient les fridolins.

Ces voyages outre-Rhin étaient très utiles à Andrée mais pas de tout repos pour elle.

Un jour qu'Edith chantait dans un stalag, un officier supérieur lui a demandé :

« J'espère, madame, que vous êtes contente, que
vous appréciez l'hospitalité du Reich. Comment trouvez-vous l'Allemagne ?

— Parlons-en, lui a répondu Edith, la chambre est
glaciale, les carreaux sont cassés, la nourriture est
infecte et on ne peut même pas avoir un peu de
vin ! L'Allemagne, c'est dégueulasse ! »

Le type est devenu tout rouge. Il a attrapé son
téléphone et s'est mis à gueuler dedans en allemand. Edith s'est dit : « Cette fois-ci, je suis
allée trop loin. » Pas du tout. Une heure après, elle
était logée dans le meilleur hôtel, on lui servait
un repas convenable avec une bouteille de bordeaux
bien français.

Une autre fois, toujours dans un stalag, Edith avait
appris que les prisonniers français avaient mis, sur
l'air de l'hymne hitlérien, les paroles suivantes :

> *Dans le cul, dans le cul,*
> *Ils auront la victoire.*
> *Ils ont perdu*
> *Toute espérance de gloire.*
> *Ils sont foutus,*
> *Et le monde en allégresse*
> *Répète avec joie, sans cesse :*
> *Ils l'ont dans l' cul,*
> *Dans le cul !*

A la fin de son tour, Edith annonce :

« Pour remercier ces messieurs les officiers, je
vais vous chanter un air allemand. Mais comme je ne
connaîs pas les paroles, je le fredonnerai seulement. »

Et la voilà qui démarre de sa voix la plus forte.
Avec un bruit impressionnant de bottes, tous les Alle-
mands se sont dressés et ont écouté, au garde-à-vous,
Edith qui leur chantait en réalité *Dans le cul*.

Comme l'ambiance était excellente, Mme Bigeard a dit à Edith :

« Demandez la permission d'être photographiée avec tout le groupe de prisonniers. »

Après avoir trinqué avec le commandant du camp « à Stalingrad », « à la victoire », à tout ce qu'ils ont voulu, Edith a dit :

« Colonel, je voudrais une faveur.

— Accordée d'avance, a répondu l'autre en claquant des talons.

— J'aimerais avoir un souvenir de cette belle journée : une photo avec vous tous et une avec *mes* prisonniers. »

L'Allemand a accepté. A Paris, Edith a donné la photo à Andrée. Elle a été agrandie. Chaque tête de soldat français a été isolée et collée sur de fausses cartes d'identité et des papiers de travailleur volontaire en Allemagne. Edith a demandé à revenir au stalag. On le lui a accordé. Alors, dans sa boîte à maquillage à double fond, Andrée a transporté tous les faux papelards qu'elle a fait parvenir aux prisonniers. Ceux qui ont pu s'évader ont été bien aidés par ces papiers. Quelques-uns ont été sauvés grâce à eux. Edith et Mme Bigeard ont renouvelé ce genre d'opération chaque fois que cela a été possible. Edith disait : « Non, je n'ai pas fait de résistance, mais j'ai aidé mes soldats. »

On serait bien restées jusqu'à la fin de la guerre dans notre bordel de luxe. Malheureusement, le père et la mère Fredi avaient un peu attigé : trop de marché noir. Vers la fin, les occupants étaient devenus vertueux et, pour faire des exemples, ils se débarrassaient des types du noir. Il y avait eu aussi des filles qui avaient arnaqué des clients, et parmi eux, un officier allemand. Les salopards de la Gestapo avait la visite méchante. Ils ne venaient plus pour la rigolade mais pour leur sale travail. Ça se pourrissait, ça se décomposait, et un matin

du printemps 1944, Henri est venu nous affranchir :
« Les petites, ça sent le roussi dans le coin, il faut partir. »

Edith, toujours rapide dans ses décisions, a dit :
« On se replie sur l'hôtel Alsina. »

On a quitté les Fredi en leur laissant un drapeau de deux millions. C'était ça qu'on leur devait encore, malgré tout le fric qu'on leur avait déjà donné. Quand je disais qu'ils coûtaient cher, je n'avais pas tort. Ils nous avaient piqué notre fric si régulièrement tout en nous faisant crédit qu'on était pratiquement sans un !

Le lendemain de notre départ, la maison de la rue de Villejust était cernée et les patrons mis en cabane.

C'était fini, la belle vie !

CHAPITRE IX

LA DECOUVERTE : YVES MONTAND

A L'HOTEL Alsina, on a retrouvé nos habitudes. Mais au début, ça n'a pas été une très bonne période.

La guerre sentait mauvais pour les Allemands. Leurs affiches, bordées de deuil, portaient des noms d'otages qui auraient pu être nos voisins. Ça nous enlevait le goût de la rigolade. Pour les Allemands, nous étions tous des terroristes ; même la mémé du coin qui vendait des journaux. La zone libre n'existait plus. Les juifs étaient parqués, embarqués comme un bétail maudit. Fini, l'occupant *correct* chargé de séduire la population. Les rues commençaient à sentir la peur.

On n'avait pas le moral. On n'avait plus d'argent. Plus de Tchang. On s'était séparées de Mme Bigeard en pleurant.

Tout ça, c'était pas drôle. Compter, se restreindre mettait Edith de mauvaise humeur. Rue de Villejust, elle avait vécu comme une folle : tout pour la bouffe et la boisson. Avec les Fredi, comme on était perpétuellement en dettes, on ne s'était même pas acheté de vêtements. On vivait sur nos restes, et ils n'étaient pas beaux.

Plus de fric : plus de potes, Edith ne les rinçait plus à gogo. Ce n'était pas gai. Ça aurait pu lui servir de leçon, pas du tout. Quand elle a eu du pognon, elle n'a rien changé, elle s'est à nouveau laissée avoir.

Edith est partie chanter dans un stalag. Elle a emmené Mme Bigeard, qui était comprise dans ce genre de contrat, et qui chialait d'émotion et répétait : « C'est la dernière fois... » Toutes les trois, on en était sûres.

Je me souviens de la gare de l'Est dans la nuit. Elle puait le cuir de soldat, plein de sueur et de graisse rance. L'odeur de bottes, c'était celle de l'armée allemande. Le train, il était loin que j'étais encore plantée là, à remâcher la misère de ce troupeau qui partait à l'abattoir, sur le front russe. Pour eux, *fertig* les perms, les Gretchen, le pays. C'était l'occupant, mais c'étaient quand même des hommes, ça me serrait le cœur.

Quand je suis rentrée à l'Alsina, le portier m'a dit : « Le valet de chambre du père de Mme Piaf a téléphoné. Il a demandé que vous le rappeliez d'urgence. »

Ce valet de chambre, c'était une histoire marrante. Edith n'avait pas laissé tomber le père. Un jour, il lui avait dit : « Maintenant que t'es arrivée, j'voudrais un valet de chambre. Ça ferait bien auprès de mes potes. » Qu'est-ce qu'on avait ri ! Comme c'était le genre d'idées qu'avait Edith, elle a mis tout de suite une annonce en me disant : « Le pauvre vieux, il n'en a peut-être plus pour très longtemps. Alors, donnons-lui son valet de chambre. Mais faudra le payer cher pour crécher rue Rébeval ! »

C'était vrai. Le père n'avait jamais voulu abandonner son hôtel crasseux, minable, délabré, sans confort.

Un valet de chambre là-dedans, ce n'était pas possible... Pourtant, il l'a eu.

Je ne sais pas pourquoi, j'étais inquiète. Le père, quand il téléphonait, descendait dans le café du coin. Comme c'était pour du fric, il le faisait lui-même. J'ai appelé le valet de chambre qui devait être là à attendre. Je l'ai eu tout de suite.

« Voilà, je voulais dire à Madame que son père, il est mort ! »

Je ne m'en rendais pas compte mais j'avais des grosses larmes. Je l'aimais bien, le vieux. Et puis, c'était tout un morceau de ma vie qui s'enterrait dans le trou où on allait descendre papa.

Je n'ai pas hésité, j'ai appelé Henri Contet. Ensemble, on est allés rue Rébeval. Pas possible de prévenir Edith. Elle est tout de même revenue à temps pour l'enterrement. Ça lui a fait beaucoup de peine.

A l'hôtel du père, il y avait tout un tas de parents qui nous attendaient : cousins, petits-cousins qu'on n'avait jamais vus. Ils voulaient tous des souvenirs. Quand le père vivait, ils ne lui auraient pas donné un verre de flotte ! Edith a donné au valet de chambre la belle montre en or du père Gassion. Aux autres, elle m'a dit : « Donne-leur les pipes. » J'ai distribué ses vieilles pipes puantes et culottées qu'il aimait tant.

Au Père-Lachaise, on l'a mis dans le trou. Il y avait les filles du boxon de Normandie. Elles chialaient de bon cœur et elles n'osaient pas embrasser Edith. Henri était avec nous. Les gars de Borniol l'avaient placé parmi « ces messieurs de la famille ». La terre sur le cercueil, ça m'a fait mal. Edith me serrait la main bien fort. On se comprenait, c'était toute notre enfance, notre jeunesse qu'on enterrait.

Tout allait mal. Notre Henri, quand il venait, était gris, tout terne. Il n'avait pas le cœur à la chanson. Tout le monde se terrait. Même la Guite qui ne venait pas. Elle avait paumé son dernier vélomoteur et, à l'hôtel, on n'avait pas de piano. Guite ne savait parler qu'avec un clavier sous ses doigts.

Ce n'était peut-être pas le moment, mais Henri avait mis dans la tête d'Edith qu'elle entre à la SACEM :

« Ça t'occupera. Tu as déjà fait des chansons. Comme tu ne peux pas les signer, tu ne touches rien dessus. Fais-toi inscrire à la SACEM (Société des Auteurs Compositeurs et Editeurs de Musique). Quand ils t'auront reçue, ça te rapportera des droits d'auteur.

— T'es pas dingue, Henri, je ne pourrai jamais passer un examen ! »

J'ai tanné Edith pour qu'elle le fasse. Elle ne voulait pas mais elle y est allée.

« J'ai fait ma demande. Momone, qu'est-ce que c'est sérieux ! C'est pas des marrants là-dedans. Pour les examens, il faut son extrait de naissance, de casier judiciaire, une photographie, et passer une drôle d'épreuve : on doit écrire, comme ça, tout de suite, sur le sujet qu'ils vous donnent, une chanson de trois couplets. J'ai les jetons. »

On était début 1944 quand Gassion Edith, dite Edith Piaf, a été convoquée pour l'examen.

« C'est pas possible, Momone, j'ai jamais passé d'examen de ma vie. Sûr, je vais le louper. Devant tous ces barbus qui vont me juger... » (Pour elle, un juge, un professeur, ça portait la barbe et elle en avait horreur.)

Une heure avant l'examen, elle était à zéro. Pour se donner du courage, elle s'est envoyé quelques verres de remontant. Puis elle est descendue rue Ballu, à la SACEM.

Seule, enfermée dans un petit bureau, avec du papier devant elle et son sujet, « Rue de la Gare », elle a perdu les pédales.

« Momone, cette feuille de papier, elle montait, elle descendait. Les mots « rue de la Gare » cavalaient sur le papier comme des pattes de mouche. Ils me disaient plus rien. Qu'est-ce qu'elle m'enquiquinait, cette putain de rue ! Il m'est venu des machins du genre :

> *Rue de la Gare*
> *La fille s'égare*
> *Elle a perdu son cœur*
> *Avec lui, son bonheur...*

des trucs ballots, à la con. Je ne savais plus écrire un mot. Et je n'avais pas pensé aux fautes d'ortho-graphe ! Ça se brouillait dans ma tête. Je suis sortie de là sans savoir ce que j'avais écrit, le cœur dérangé, et un de ces mal au crâne ! C'est raté. J'aurais pas dû picoler. Mais tu sais bien, Momone, qu'à jeun, je n'ai pas d'idées. »

C'était foutu.

S'il y a un homme qui est bien tombé, dans la vie d'Edith, c'est Lou Barrier. Et lui, il est resté auprès d'elle jusqu'à la fin.

Ce type, il était formidable. Rien que sa manière de s'amener a été sensationnelle. Le concierge de l'hôtel, au téléphone, dit à Edith :

« Il y a un M. Louis Barrier qui veut vous voir.

— C'est bon. Je descends. (Elle raccroche.) Tu connais ça, Momone, Louis Barrier ?

— Ça ne me dit rien. »

On n'avait pas tellement de visites ; on dégringole et on trouve, planté dans l'entrée de l'hôtel, un grand garçon blond, sympathique, qui tenait sa bicyclette à la main et qui avait des pinces à vélo à son pan-talon. Il était là, tout tranquille.

« Voilà, madame Piaf, je suis venu vous voir parce que je suis imprésario. »

On s'est regardées et on a éclaté de rire. L'impré-sario qu'on attendait depuis plus de dix ans, en Rolls avec un gros cigare au bec, il nous arrivait avec son vélo à la main et ces petites pinces à son pantalon... C'était si drôle que ça ne pouvait que réussir. Comme références, il n'avait rien ; juste son air honnête et franc. Tout de suite, Edith a eu son fameux choc. Louis lui a plu.

« Je voudrais m'occuper de vous. Je sais que vous êtes sans personne. Pas d'homme pour vous défendre. Jamais vous n'avez eu d'imprésario. Maintenant, il vous faut quelqu'un. Vous en avez vraiment besoin. Vous êtes en pleine ascension, c'est le bon moment. Alors, me voilà ! »

Nous dire ça, juste au moment où on se sentait redevenir cloches, il fallait être quelqu'un et avoir un drôle de flair !...

« D'accord, lui a dit Edith, vous, vous me plaisez. »

Ils n'ont signé aucun contrat, pas le plus petit bout de papier. Entre eux, ce n'était pas utile. Edith a toujours eu une confiance totale en Loulou. Pour elle, il a eu un dévouement de saint-bernard. Il est un des rares à ne l'avoir jamais tutoyée. C'est toujours lui qui l'a repêchée, et elle n'était pas facile, Edith.

Le soir même, elle avait décidé de coucher avec lui.

« Momone, un homme, on ne le connaît que quand on l'a essayé au lit. T'en sais plus sur un bonhomme, en une nuit au plumard, qu'en des mois de conversation. Quand ils parlent, ils peuvent te bluffer tant que ça leur plaît. Vas-y voir ! Au pieu, ils ne peuvent pas tricher, c'est l'épreuve de vérité. C'est au moment où ils se croient les maîtres que nous les tenons le mieux ! Il y a des fois où je me suis bien marrée. Ça ! Ils m'ont fait passer de bons moments, les hommes ; mais pas toujours comme ils le croyaient ! »

Comme elle l'avait décidé, elle a essayé Louis (qu'elle a appelé Loulou). C'était facile, il ne demandait pas mieux. Mais ça s'est terminé très sec, ça a

tourné court pour la bagatelle, et d'une façon plutôt
marrante.

Edith était d'accord quand il lui a demandé de
venir visiter sa garçonnière. Je ne me serais pas
souvenu de leur départ pour l'amour s'il n'y avait
pas eu le retour d'Edith... Je n'ai jamais tant ri !...
Elle était folle de rage :

« Momone, file-moi un verre, j'étouffe.

— Il ne t'a pas donné à boire ?

— Tais-toi. Ne me parle plus jamais de cette cloche ! C'est peut-être un bon imprésario, mais pour le
reste, il manque de pot ! Quel con ! On débarque dans
son petit deux-pièces, pas mal arrangé, je me dis :
« Il a du goût. » Il avait bien fait les choses : champagne, amuse-gueule, des fleurs... Ça partait bien. On
boit une coupe, puis deux. C'est du genre câlin. Il me
prend dans ses bras, me le fait au sentiment, je me
sentais fondre... Le bon moment quoi ! Le voilà qui
se lève.

« — Je vais te faire un peu d'ambiance ! »

« Il met un disque. Devine ce qu'il a osé, Momone ?
Il m'a fait entendre une chanson de la vieille poule
d'Henri. A moi ? Après tout ce que j'ai supporté,
avec Henri, à cause d'elle ! Pire qu'une baffe dans
la gueule ! Je me suis contenue. J'ai fait ma douce :

« — C'est joli, ça. Qui le chante ? »

« Et il me balance le nom de cette pochetée.

« — Tu es bien, avec elle ? C'est ta poule ? »

« Alors là, il se paie un petit air suffisant... Il croyait
que ça faisait bien dans le tableau ! Je me suis levée
d'un bond et je l'ai renseigné :

« — Avec elle, t'as pas besoin de moi. Tu lui dégot-
« teras tellement de contrats que, dans un an, tu
« n'auras même plus de quoi t'acheter des pinces à
« vélo ! »

« Et j'ai démarré en lui criant :

« — Garde ton ambiance pour elle. Et n'aie pas peur
« d'user le disque, il y en aura toujours en magasin !

« Avant de me faire ce coup-là, t'aurais dû prendre
« tes renseignements. »

Le lendemain, il s'était mis au parfum, notre
Loulou. Il est revenu tout désolé.

« Edith, je vous demande pardon. Je ne savais pas. »

Elle lui a éclaté de rire au nez.

« Ne fais pas cette tête-là. Une heure après, j'avais
oublié (ce n'était pas tout à fait vrai). Et t'en fais
pas, je te garde. Occupe-toi bien de moi. »

Barrier s'est merveilleusement occupé d'elle. Pour
la carrière d'Edith, il a été très important. S'il avait
fait son temps, telle une étoile filante comme amant,
comme imprésario il a été très efficace. Tout de suite,
on l'a vu au résultat. A une époque difficile, il a eu
un contrat de quatorze jours au Moulin-Rouge qui
était un des grands music-halls du moment.

On retrouvait la bonne fièvre du travail. Elle nous
laissait quand même du temps pour bavarder. Assise
sur le bidet, dans la salle de bain, j'écoutais Edith.
Ça lui plaisait.

« Momone, toi, tu sais m'écouter comme personne.
C'est fou le talent que tu as dans ce rôle. »

Ce jour-là, elle était sentimentale. On nageait entre
les écueils des souvenirs d'amour. Elle adorait parler
de *ses* hommes :

« Tu te rappelles José, le petit Espagnol ? Il n'a fait
qu'un soir, mais je ne l'ai pas oublié. C'était entre
Jeannot le mataf et Riri le légionnaire...

— Mais non, c'était bien avant.

— Tu crois ? C'est drôle. Je les mélange un peu. »

Il aurait fallu leur donner des numéros, aux gars
d'Edith, pour s'y retrouver. Même elle, s'y perdait.
C'étaient des calculs à n'en plus finir. Elle oubliait
leur place, mais elle s'en foutait. Ce qui comptait,
c'était ce qu'elle allait me raconter. Ça commençait
par :

« Il n'était pas si mauvais que ça. On en a eu de
meilleurs, mais... »

Le marrant, c'est que le meilleur, on ne le trouvait pas. Dès qu'elle le décortiquait, elle disait :

« Il n'était pas si bon que ça !... »

De toute façon, elle terminait toujours par :

« Il m'a aimée... non, ce qu'il m'a aimée ! N'est-ce pas, Momone ? »

Rarement, elle disait : « Ce que je l'ai aimé celui-là ! » Après le départ du gars, elle ne faisait plus de différence entre eux, sauf les vedettes. Tous les grains de son chapelet d'amour avaient la même grosseur.

« Pour s'y retrouver, j'ai une idée, Momone. On va les classer par période : *La Rue, Les Marins et la Coloniale, Les Macs, La Folie*... Tu t'en souviens de celle-là, après Leplée ? »

Un peu, que je m'en souvenais ! Edith avait une telle fringale d'amour qu'elle se réfugiait dans tous les bras. Elle avait donné l'adresse du père aux bureaux des imprésarios, et le pauvre vieux courait dans tous les hôtels où il pensait la dénicher. Des fois, il en faisait cinq ou six avant de la trouver.

« Avec Asso, Meurisse, ce sera la période « professeurs ». Contet, c'est « le bordel ». Et puis, et puis... »

Même avec ce classement, on ne s'y retrouvait pas ! Celle qui allait venir allait durer longtemps. Edith l'a appelée sa période « usine », parce qu'elle s'est mise à fabriquer des chanteurs en série. Elle l'a débutée avec Yves Montand.

Loulou avait dit à Edith :

« C'est fini, on n'a plus à t'imposer une américaine dans ton spectacle. Maintenant c'est toi qui la choisira. Pour le Moulin-Rouge, on te propose Yves Montand.

— Non, je ne le connais pas. Je veux Roger Dann, le fantaisiste, c'est un copain. »

Roger n'était pas à Paris. Pas question de faire venir quelqu'un de province, tout était devenu trop difficile. Nous étions en juillet, à un peu plus d'un mois de la Libération.

« Bon, a dit Edith, faites auditionner votre Yves Montand. Je viendrai l'entendre. »

Assise dans le fond de la salle du Moulin-Rouge, Edith attendait. On a vu s'amener sur scène un grand gars brun, le type italien, beau mais mal habillé : une veste à carreaux à hurler, un petit chapeau genre Trénet. Et avec ça, il chantait des vieux trucs américains, des fausses rengaines du Texas. Il copiait Georges Ulmer et Charles Trénet. Qu'est-ce que c'était mauvais ! Je regardais Edith, sûre qu'elle allait se tirer avant la fin.

Au bout de trois chansons, il est venu à l'avant-scène et a dit, hargneux :

« Je continue ou ça suffit ?

— Ça suffit, a crié Edith, attends-moi. »

Celui-là, c'était sûr qu'il allait dérouiller. Edith savait qu'il rageait d'être auditionné par elle, qu'il ne se gênait pas pour la traiter de « marchande de cafard », « chanteuse réaliste des rues », « emmerdeuse de première »...

De loin, c'était marrant de les voir : lui debout au bord de la scène, elle en bas, si petite que son nez arrivait aux chevilles d'Yves. Il se serait cru déshonoré de se baisser vers elle. Ce qu'Edith avait à lui dire, c'était pas long :

« Si tu veux chanter, viens dans une heure chez moi, à l'hôtel Alsina. »

Il était soufflé, l'Yves ; et si furieux qu'il en était tout pâle. N'empêche qu'une heure plus tard, dans la chambre de l'Alsina, il avait perdu tous ses moyens.

Edith n'a pas pris de gants.

« On va commencer par tes qualités, ça ira plus vite. T'as une belle gueule, de la présence, des mains qu'ont de l'expression, une bonne voix chaude, grave, elle fera fondre les femmes. T'as l'air d'en vouloir et d'être intelligent. Pour le reste, zéro. Tes fringues sont bonnes pour le cirque, t'es ridicule. Ton accent marseillais est affreux, tu mets quatre accents circonflexes sur tes *o*, et tu gesticules comme un polichinelle. Quant à ton répertoire, il ne vaut rien. Tes chansons sont vulgaires. Ton genre américain, il me fait rigoler.

— Il plaît. J'ai fait des succès avec.

— A Marseille, il y a quatre ans qu'ils n'ont rien vu. Et à Paris le public est content qu'on se foute de la gueule de l'occupant. C'est pas toi qu'il applaudit, c'est les Américains ! Quand ils vont être là, à côté d'eux tu feras toquard. T'es déjà démodé. »

Yves broyait sa rage. On l'entendait grincer entre ses dents. Edith se marrait.

« Merci, madame Piaf. J'ai compris. Vous ne voulez pas de moi. Je ne suis pas votre type.

— Là, tu te fous dedans. Tu es mon type et je ne veux pas t'empêcher de gagner ta vie. Quatorze jours avec toi, ce sera vite passé. »

Il était tellement en rogne qu'il en étouffait. Il allait se tirer sans l'ouvrir quand Edith l'a rattrapé.

« Attends, j'ai pas fini. Je suis sûre que tu es un chanteur, un vrai. Je suis prête à te faire travailler. Si tu veux m'écouter, m'obéir, fais-moi confiance, tu deviendras le plus grand. »

Il lui a répondu : « Merci bien ! » et il est parti en claquant la porte.

J'étais renversée. Ça n'avait pas duré plus de quinze minutes. Dans ce quart d'heure, j'avais découvert une femme que je ne connaissais pas. Cette Edith-là, je n'avais même pas pensé qu'elle pouvait exister. La manière dont elle venait de décortiquer le bonhomme ; il était comme une cosse de petit pois qu'elle ouvrait et avec certitude elle avait choisi le plus beau. Elle l'avait senti derrière tout ce qu'il avait de ridicule, de faux, de mauvais. Moi ça me renversait. Elle m'avait toujours étonnée, Edith, mais à ce point-là, jamais.

Assis sur le lit, elle regardait la porte. Et je

voyais qu'elle pensait vite, et à des tas de choses.

« Pas mon type ! Ce que les hommes peuvent être bêtes... Il est beau à faire rêver, cet imbécile-là. Ce gars-là, Momone, il va révolutionner la chanson. C'est lui qu'on attend. C'est lui le nouveau, celui de l'après-guerre.

— Tu crois qu'il va les accepter, tes leçons ?

— Oui. »

J'en étais moins sûre. C'était un orgueilleux, Yves. Et, en plus, un Italien. Ils n'aiment pas être commandés par une femme, c'est pas dans leurs habitudes.

Le lendemain, à la répétition, il avait enlevé sa veste, il chantait en chemise.

« Tu vois, Momone, j'avais raison. »

Après lui, c'était le tour d'Edith. Au passage, elle ne l'a pas loupé, elle lui a demandé :

« Tu m'as déjà entendue chanter ?

— Non, madame Piaf.

— Alors, comment sais-tu que je suis une « marchande de cafard » ? Tu peux m'appeler Edith et m'écouter. Comme ça, tu jugeras toi-même. »

Il est resté jusqu'à la fin, puis il a disparu sans un mot. Pourtant Edith l'attendait. Elle avait raison. Il est venu à l'Alsina.

« Voilà, Edith : si votre proposition tient toujours, je suis d'accord.

— Ça t'emmerde, hein, d'obéir à une femme ?

— Non. Je vous ai entendue chanter. J'ai compris. Vous savez tout ce que je ne sais pas. »

On a bu un coup, porté un petit toast à chacun et le travail a commencé.

« Tu as pensé à ton costume ?

— Oui, mais...

— T'as pas de fric ? et alors ! Tu vas pas chanter en smoking ! C'est les restrictions, tu vas t'habiller avec rien : une chemise et un pantalon. Pas blanche, la chemise, t'aurais l'air de te les rouler dans ta carrée. Pas de débraillé, faut respecter le public. Et puis, ça te couperait en deux. Une chemise de la même couleur que ton pantalon. Tu es long, mince, tu as des reins de matou de barrière, faut t'en servir. »

Je n'en revenais pas de l'autorité d'Edith. La leçon qu'elle lui donnait, elle avait l'air de la connaître par cœur.

« L'accent marseillais, ça fait rigoler. Laisse-le à ceux qui n'ont que ça. Je vais te refiler un truc de comédien. Tu vas te mettre un crayon entre les dents. Tu vas parler et dire tes chansons avec. Je t'ai fait aussi une liste de mots pleins d'*o*. Tu me la réciteras plusieurs fois par jour.

— Avec le crayon ? De quoi je vais avoir l'air.

— On n'est pas ridicule quand on bosse. Vas-y. »

Ce n'est pas facile de parler avec un crayon entre les dents. Yves bavait, jurait. Edith rigolait. C'était plutôt marrant de voir sa belle gueule d'homme barrée par ce putain de crayon.

Quand Yves était là, il n'y avait plus de place dans la chambre. Il l'occupait en entier avec son mètre quatre-vingt-sept et ses quatre-vingt-deux kilos.

A le voir, planté là, docile et volontaire, le front plissé comme celui d'un chiot qui a des problèmes, il m'attendrissait. Il avait peur d'avoir l'air con, et il le faisait quand même. Ça me plaisait.

Tout de suite, on est devenus copains tous les deux. Il me changeait de tous ceux qu'on avait eus. Il vous donnait envie d'air pur. C'était un jeune loup devant la vie, plein de force, le ventre plat, les muscles durs et longs. Son sourire, il vous arrivait direct, honnête, franc. Il riait tout le temps comme s'il y avait toujours du soleil.

Après la leçon, on est sortis ensemble. On marchait tous les deux, côte à côte, dans l'avenue Junot. Il a envoyé, d'un coup de ses tatanes — il chaussait au moins du quarante-six ! — un caillou valdinguer au diable. Il s'est arrêté, les deux mains dans ses poches, et il m'a dit, sérieux :

« Je crois que je peux lui faire confiance. Je vais travailler dur. »

Il s'y est mis tout de suite. En quatorze jours, même avec ses chansons pourries, Yves a fait des progrès extraordinaires. Il est vrai que ses leçons, maintenant, il les prenait à domicile. Il était le nouveau patron. Edith en était très amoureuse. Une fois de plus, je me disais qu'elle avait vraiment bon goût et qu'elle savait les choisir, ses hommes. Yves est toujours beau gars mais à vingt-deux ans, quand il était dans une pièce, on aurait dit que le soleil venait d'entrer avec lui.

Ce n'était pas de l'aimer qui l'empêchait de le faire travailler. Il turbinait le double. Elle ne lui laissait rien passer. Edith avait décidé qu'il arriverait très vite, elle ne pouvait pas se tromper ! Comme dans le boulot elle était increvable, les séances duraient des heures. Il y a des fois où elle était vraiment emmerdante. Yves et moi, on se regardait, on avait envie de s'évader. Pas possible, elle nous tenait, tous deux, serrés dans sa petite main.

« Momone, ne le distrais pas ou va-t'en. Quand il aura fini, je vous donnerai une heure pour aller vous promener. »

On en avait besoin. La chambre était trop petite. Edith avait horreur qu'on ouvre les fenêtres. Au bout d'une demi-heure, Yves, avec ses poumons d'athlète, nous avait pompé tout l'air. Ce n'était plus tenable.

Pas question qu'il file seul. Il n'en avait pas le droit. Je l'accompagnais. Edith ne se méfiait pas, mais elle prenait ses précautions. Elle préférait que je ne le quitte pas.

« Celui-là, Momone, il a trop de vie, trop de santé. Faut pas le lâcher dans la nature. »

Je commençais à penser que si je devais lui cavaler derrière, tous les jours, ça n'allait pas être marrant. Il avait beau être tout sourire, ce n'était pas le genre de gars qui se laisse mettre un collier et qu'on peut tenir en laisse.

Dans le boulot, on aurait dit deux enragés. Quand ce n'était pas l'un qui attaquait, c'était l'autre. Il en voulait, Yves ! Il avait une bonne mâchoire solide, avec de bonnes dents bien longues, et la patience et lui, ça faisait deux.

Il ne savait encore rien que, déjà, il demandait :

« D'accord, Edith, il me faut un nouveau répertoire. Où vas-tu me trouver des chansons ? Comment vas-tu faire ? A qui vas-tu les demander ?

— Mon amour, t'inquiète pas, c'est parti. Ça marche.

— Comment ? Avec qui ? J'ai le droit de savoir. »

Ce n'était pas un facile, Yves. Ils avaient autant de personnalité, ils étaient aussi coriaces l'un que l'autre. Ça promettait de jolies séances de pancrace ! Quand elle en avait marre, Edith coupait court :

« Tu me fais confiance, oui ou non ? »

Cette phrase-là, je n'avais pas fini de l'entendre. Ils étaient tout le temps prêts à tout remettre en question. Edith aimait que ça bouge, c'était ça qui lui plaisait. Elle allait être servie. Yves, c'était un bagarreur, un vrai.

Je savais qu'elle lui mentait : elle ne lui avait pas encore cherché une seule chanson.

« Tu comprends, Momone, sa vie, je ne la connais pas. On ne chante bien que ce qu'on a dans les tripes, ce qui vous a fait mal ou vous a fait rêver. Lui, il s'est cru un cow-boy, mais ça, c'est des idées de môme qui va au cinéma. Il a le crâne farci de vieux westerns d'avant la guerre. Ma parole, il se prend pour Zorro ! Faut qu'il me parle. Faut qu'il me raconte quand ses mains travaillaient ou qu'il glandait. A quoi il pensait : à une petite môme, aux dimanches, aux planches. Yves, c'est un gars d'ici. Tous les autres doivent se retrouver en lui. Pour ça, faut qu'il ait eu les mêmes désirs qu'eux.

Et après douze ans, il n'y en a pas beaucoup qui rêvent d'être sur un canasson dans les plaines du Far West ! Son style, je le vois à peu près, mais il faut que j'en sois sûre. »

En écoutant Edith, je croyais entendre Raymond Asso quand il la faisait travailler dans la petite chambre de Pigalle.

« Momone, tu l'écouteras avec moi. »

Comme ça, plusieurs soirs, j'étais au théâtre en écoutant Yves. Ça me plaisait. Il racontait bien. Sur scène, ses gestes ne valaient rien, il en faisait trop ; mais dans la vie, c'était sans bavures, la perfection. Je savais qu'Edith pensait comme moi : « Ce qu'il a de bons gestes, l'animal ! »

« Tu le sais, je suis italien, un mangeur de spaghetti. Je suis né à cinquante kilomètres de Florence, dans un petit bled, le 13 octobre 1921. La madre m'a baptisé Yvo et mon père s'appelle Livi. Quand j'ai débarqué dans la famille, j'avais déjà un frère et une sœur. Mes parents disaient que la vie était très dure. C'était la misère, le chômage. Moi, je ne m'en apercevais pas, j'avais deux ans en 1923 quand mon père s'est sauvé en France, avec nous tous. Le fascisme, ça ne lui plaisait pas. Il avait peur que ses fils soient pris de force dans les Balillas [1] : « Mes « garçons ne porteront pas la chemise du deuil de « l'Italie. » Il avait raison. Cette Italie en chemises noires, c'était bien son deuil qu'elle portait d'avance, celui de ses fils et de ses femmes.

« On s'est arrêtés à Marseille. On n'avait plus un sou, on ne pouvait pas aller plus loin. Mais c'était du provisoire. Le père voulait émigrer en Amérique... Tu sais, pour nous autres, Italiens, c'est la terre promise, celle où l'on fait fortune.

« En Italie, on a tous un parent qui nous a écrit, de là-bas, qu'il a réussi. On ne sait pas dans quoi,

1. Formation des jeunesses fascistes, à partir de six ans.

on ne sait pas si c'est vrai, mais on y croit. Ça aide à vivre.

« Tu me charries parce que je copie les Américains, mais j'ai toujours entendu parler de leur pays comme d'un paradis. Quand ça allait très mal, mon père disait : « Vous verrez en Amérique... », et toute la famille se mettait à rêver.

« La mamma économisait sou par sou pour le voyage. Seulement, au premier coup dur qui arrivait chez les Livi, tout repartait. Tant pis. On est des durs, des entêtés, chez nous, on recommençait la cagnotte. Longtemps, j'ai mis de l'argent dedans. Puis, un jour, j'ai compris que c'était pas possible, qu'on n'irait jamais, qu'on se payait du rêve avec notre misère. Alors, j'ai décroché.

— Quand t'étais môme, tu traînais dans la rue ?

— Je n'avais pas le droit, j'allais à l'école et la mamma guettait mon retour. Elle ne plaisantait pas sur les heures, elle n'aimait pas trop me voir lambiner. Les gens d'ici croient qu'à cause du soleil, en Italie, on est des petits marrants, des paresseux, des je-m'en-foutistes. Ce n'est pas vrai. La vie est très sévère chez nous, surtout dans le Nord. Il y a des tas de choses avec lesquelles une famille italienne ne rigole pas : le travail, la vertu des femmes et des jeunes filles. Un garçon qui a la chance d'aller à l'école, faut qu'il marche droit. On croit toujours qu'avec l'instruction il pourra manger à sa faim, et avec lui sa famille parce qu'on a un sens étroit de la tribu.

— Alors, toi, tu as été à l'école ?

— Oui. J'apprenais pas mal. Il y avait des choses qui me plaisaient, d'autres moins. Je me souviens qu'un de mes profs avait mis sur mon carnet trimestriel : « Elève intelligent mais indiscipliné. Fait le « pitre en imitant les dessins animés américains. » Qu'est-ce que papa m'a engueulé ce soir-là ! »

Ni Edith ni moi, nous ne pouvions comprendre la

vie d'Yves. Il avait été un petit garçon. C'était une espèce qu'on n'avait jamais rencontrée. Ça l'énervait, Edith, elle insistait :

« Tu ne connaissais pas la rue ! Je ne sais pas moi, mais à Marseille, la rue, ça doit être comme si on traînait dans une fête. Pleine de bruits, de couleurs, d'odeurs... Ça doit vous entraîner, vous griser. Je n'aurais pas pu résister.

— Je me suis rattrapé plus tard, quand j'ai quitté l'école. Mon père avait trop de mal. Trois enfants et une femme à nourrir, ce n'est pas facile. Alors, à quinze ans, je me suis mis à travailler. J'ai fait des tas de métiers : serveur, apprenti barman, ouvrier dans une usine de pâtes alimentaires (le paradis pour un Italien !) ; et comme ma sœur était coiffeuse, j'ai même été coiffeur pour dames. Tu me vois ? »

Il riait et il avait l'air de tenir un fer à friser dans sa main. Il le faisait tourner en l'air, bouclait une mèche. Son sourire avait changé, il était tout plein de pommade. Je riais mais Edith ne le lâchait pas des yeux. Je savais qu'elle travaillait...

« Refais ces gestes, Yves, c'est bon.

— Si c'est pour ça que tu me fais raconter ma vie, ça ne m'amuse plus. »

Edith n'était pas folle, elle décrochait.

« Mon amour, que tu es bête ! Je t'aime... Embrasse-moi... »

L'entracte fini, elle revenait à son sujet. Elle ne lâchait pas.

« Tu chantes pas souvent dans tout ça !

— Penses-tu ! Je ne bossais pas que pour la croûte mais pour être libre, avoir le droit de faire ce que je voulais. Tout mon fric passait à acheter des disques de Maurice Chevalier et de Charles Trénet. J'en crevais d'envie de devenir comme eux. Pour moi, ils étaient les plus grands ! Je savais toutes leurs chansons par cœur. J'étais allé les voir quand ils étaient passés à Marseille. Et devant ma glace, dans ma chambre, je refaisais tous leurs gestes. Je travaillais comme ça pendant des heures, et j'étais heureux. Et puis, un jour, j'ai réussi à chanter sur une scène minable de la banlieue mais, pour moi, c'était déjà l'Alcazar [1] ! C'est à cause de ce bastringue que j'ai changé de nom.

« — Yvo Livi », m'a dit le patron, c'est pas bon. C'est trop typé et ça sonne mal.

« C'est très drôle la façon dont j'ai trouvé mon nom. Quand j'étais gosse, ça je te l'ai dit, la mamma, elle n'aimait pas me voir traîner autour de la maison. Comme elle parlait mal le français, elle criait : « Yvo, monta... Yvo, monta... » Ça m'est revenu. J'ai francisé mon prénom : Yves ; et « monta » est devenu Montand.

« J'ai fait plusieurs petites salles de dixième puis de second ordre, et enfin j'ai grimpé jusqu'à l'Alcazar. Le patron, c'est M. Emile Audiffred. C'est à lui que je dois mes débuts. Il a été très chic pour moi. Il me disait : « Tu verras, petit, tu seras mondial à Marseille ! » Et on riait tous les deux. N'empêche que le premier soir, j'avais un de ces tracs...

« A Marseille, quand il va au théâtre, le public emporte des trompes d'auto, des tomates, des œufs pourris, dans l'espoir de s'en servir si ça ne lui plaît pas. Pour moi, ça a bien marché, ils m'ont fait un succès. Pas assez pour en vivre ! Mais mon nom, ils le connaissent. Je peux y retourner demain et tu verras !

« La guerre n'arrangeait rien. Je suis devenu métallo. Ma spécialité : sableur. C'est très mauvais pour les poumons. J'avais droit à trois litres de lait par jour. Après, j'ai été docker sur le port.

— Pourquoi », tu n'aimais pas le lait ?

---

1. L'Alcazar est le doyen des music-halls français. Il a été fondé en 1852.

— Si. Mais dans une usine, tu as des horaires fixes. Tu pointes. Docker, c'est moins régulier. Je pouvais chanter sans me faire foutre à la porte.

« Je savais bien qu'à Marseille, on ne pouvait pas faire une carrière. Alors, j'ai tout plaqué, je suis monté à Paris, et j'ai eu mon coup de chance en février 1944, je suis passé à l'A.B.C.

— C'est marrant, ça. On aurait pu se rencontrer. Ça a marché ?

— Pas très bien. Je me suis fait traiter de zazou par le poulailler, à cause de ma veste !

— Et de février à août, qu'est-ce que t'as fait ?

— Des cinémas, ce que je trouvais. J'ai surtout bouffé de la vieille carne de vache enragée. Yves a ouvert ses grandes mains, dans un geste déjà « à la Piaf ». Tu vois, je n'ai pas eu une vie facile. J'ai eu une vie dure. »

Edith et moi, on s'est regardées. C'était comme une marée de souvenirs qui montait en nous. « Une vie dure »..., nous, on savait ce que c'était. L'école jusqu'à quinze ans, ça nous faisait rêver. Une maman qui vous défend de traîner dans la rue, un papa qui travaille, une *vraie* famille... On n'avait pas connu.

Ce gars qu'on croyait si près de nous, d'un coup, avec ses souvenirs, il venait de prendre ses distances. Son enfance nous éloignait de lui. Mais après, on pouvait comprendre. Edith avait fait les mêmes rêves que lui : le nom sur une affiche, la scène, le rideau qui s'ouvre, les lumières, la *réussite*. Ils étaient, quand même, de la même race, avec cette rage de vivre, de vaincre, d'être plus que les autres, qui leur dévorait le ventre.

Quand ils étaient comme ça, face à face, je me demandais lequel allait bouffer l'autre. Pour le moment, Yves filait assez doux. Il aimait Edith et il attendait tout d'elle. Mais ça ne pouvait pas tenir longtemps !

Yves pensait qu'elle lui poserait des questions sur

les femmes, sur ses conquêtes. Edith s'en foutait, et ça, Yves, ça le vexait. Il aurait bien voulu qu'elle sache qu'il était un tombeur ; que les filles, rien qu'à voir sa belle gueule, se sentaient tout chose... Ça ne l'intéressait pas : elle était sûre qu'avant de la connaître, un homme n'avait eu que des poules à coucheries. L'Amour commençait avec elle.

Pour Edith, Yves, c'était du jamais connu. Elle découvrit un pouvoir qu'elle ne connaissait pas : fabriquer une vedette. C'était plus fort que l'alcool. Ça grisait mieux.

Au bout de quelques jours, elle a décidé qu'elle en savait assez sur lui.

« Tout ce que tu m'as raconté, c'est ça qu'il faut que tu chantes. Montre tes mains. »

Il les a ouvertes, comme pour se faire dire la bonne aventure.

« Ce sont celles d'un gars qui a pointé pour entrer et sortir de l'usine, d'un docker. Tu as eu des ampoules, il ne faut pas l'oublier. Tes mains, elles viennent du peuple, il faut qu'il le sache. Maintenant, il va falloir trouver des types qui écrivent pour toi, et ça ne va pas être facile. Il te faut des chansons qui racontent quelque chose, qui te permettent de créer un personnage, de le faire vivre. Mais pour bien rentrer dans sa peau, il faut que tu sois à l'aise dedans. Je veux que tu chantes l'amour, tu es fait pour ça.

— Non, a crié Yves, je ne peux pas. Je suis un homme. Bêler l'amour, c'est bon pour une femme. Je ne suis pas un Piaf ! »

J'ai cru qu'Edith allait lui sauter dessus. Elle s'est mise à gueuler si fort que ça résonnait dans tout l'hôtel. Comme c'était la première fois qu'Yves la voyait en colère, il restait debout, comme un grand imbécile, à la regarder. A la fin, il s'est mis à rire.

« Eh bien, qu'est-ce que tu as comme souffle !

— Tu ne comprends donc pas qu'on ne peut pas

se passer de chanter l'amour ? C'est ça que le public
veut. Tu as une place à prendre à côté de tous ces
Pierrots qui pleurent à la lune. Un homme, un vrai,
qui crie l'amour, on l'attend, on le réclame ! Et
puis, c'est marre ; tu me fais confiance ou pas ? »

Mais quand il s'était fourré quelque chose dans
le crâne, pour l'en déloger, c'était du travail. En plus,
il était jaloux comme un mec du temps des croisades.
Il lui aurait bien bouclé une ceinture de chasteté,
à Edith. Tout de suite, il s'est mis à détester le premier qu'il a eu sous la main : Henri Contet.

« Ne demande jamais, pour moi, une chanson à
ce type. Je ne te le pardonnerais pas ! »

Ça facilitait les choses... On était au début d'août
1944, il nous restait Henri !

Cette journée avait plutôt mal commencé. Le
téléphone sonne. Je vois Edith mettre la main en
cornet et chuchoter dans l'appareil. J'étais tout près
d'elle ; j'entends : « Oui. Cinq heures et demie.
D'accord, ici. Monte. » Yves regardait par la fenêtre.
Il n'avait pas l'air d'avoir entendu.

« Qui est-ce ?
— Ça te regarde !
— Oui.
— Loulou Barrier. »

J'étais sûre qu'Edith mentait. Vers cinq heures,
Yves annonce :

« Edith, je vais faire un petit tour.
— Reviens vite, mon amour.
— Sois tranquille.
— Tu n'emmènes pas Momone ?
— J'ai le droit d'être seul, non ? »

Celui qu'Edith attendait, c'était Henri. Il n'y avait
pas une minute qu'il était là, qu'Edith me regarde.
Nous avions entendu un léger bruit dans la chambre à côté, la mienne. Elle s'est mise à sourire et
j'ai vu s'allumer dans son œil la lueur que je connaissais bien, celle des méchantes farces et des ven-

gcances éclairs. Elle a monté sa voix d'un ton pour
dire à Henri :

« Je t'ai fait venir, mon Henri, pour que tu me
fasses des chansons.

— Tu sais, en ce moment, avec les événements,
je n'ai pas beaucoup d'inspiration.

— Justement, il me faut des chansons fortes, des
chansons pour un gars qui a beaucoup de talent :
Yves Montand. »

Henri s'est marré.

« Tu me feras toujours rire ! Alors, c'est vrai ce
qu'on dit ? Tu t'occupes de lui, de ce faux cow-boy ?

— Justement, il laisse tomber le genre.

— Ecoute, Edith, je vais être franc avec toi. Ton
gars il ne vaut rien, c'est un toquard. Il n'a pas
de présence. Il est vulgaire. Son accent est épouvantable. Il a des gestes de chanteur 1900. Il n'est
pas possible... »

Au lieu de lui voler dans les plumes, j'entends
Edith lui répondre, suave :

« Tu crois ?

— J'en suis sûr. Couche avec lui si ça t'amuse, mais
pour le métier, il n'a rien dans le ventre.

— T'as raison, Henri, je crois bien que je me suis
trompée. C'est une panne [1]. »

Sur le pas de la porte, en partant, ils en rajou-
taient encore :

« J'ai bien fait de te voir, Henri, tu m'as ouvert
les yeux.

— Ton Yves, il ne remplira jamais une salle... »

Il était à peine sorti qu'Edith a ouvert la porte
communicante. Yves était derrière, blanc de rage.

« Ça t'apprendra à écouter aux portes !... Mais tu
t'es blessé ! »

Yves tenait dans sa main les morceaux d'un verre.
Il avait dû le serrer si fort qu'il l'avait brisé. Il

---

1. Terme de métier : médiocre, sans talent.

saignait comme un taureau dans l'arène. Sa voix était plate, blanche, déformée par la colère :

« Ne recommence jamais, tu m'entends, jamais. J'ai eu envie de te tuer. »

Pendant quelques jours, on a eu à s'occuper d'autres choses que de chansons...

C'était le 20 août 1944. Depuis le débarquement de Normandie de juin, ils avaient fait du chemin sur les routes, et Paris se tapait un 40° de fièvre en attendant l'entrée du général Leclerc à la tête de sa 2e D.B.

L'armée allemande se tirait. Quelle débâcle ! Les Parisiens l'appelaient « la diarrhée verte ». Les brassards tricolores des F.F.I. fleurissaient sur les bras de tous les hommes, des vieux, des jeunes et des gosses. L'odeur de la poudre grisait. Elle sentait, enfin, la victoire. Paris pavoisait.

Et Edith attendait l'arrivée du général Leclerc, comme une môme le défilé du 14 juillet. Pour elle, c'était lui le libérateur. De Gaulle, ça ne l'intéressait pas. Elle disait : « C'est un homme politique. Ce n'est pas un vrai général, il ne marche pas à la tête de ses hommes ! »

Le jour où de Gaulle est allé de l'Arc de Triomphe à Notre-Dame pour entendre le *Te Deum*, Edith ne tenait plus en place. Yves n'était pas avec nous. Je crois qu'il était avec les F.F.I. Pendant ces jours-là, les hommes partaient de chez eux aux nouvelles. C'était normal. Il n'y avait plus de jalousie : on les prenait comme ils étaient quand ils rentraient ! On a profité de notre liberté et, à pied, comme au bon vieux temps où on chantait dans les rues, on est descendues de Montmartre à l'Etoile.

« Viens, Momone, je veux voir Leclerc avec sa canne. Je veux l'embrasser cet homme-là. »

Quelle belle journée ! On était potes avec tout le monde !

A l'Arc de Triomphe, on n'a rien vu ; à peine aperçu la tête blond-roux du général de Gaulle. De Leclerc, pas de traces. Mais quel peuple ! Il grimpait sur les chars qui portaient des noms de chez nous : *Lorraine, Alsace, Belfort*...

Comme toutes les filles, on a embrassé des soldats, des marins, des bérets rouges, noirs, de tout. Ils ne savaient pas qu'ils embrassaient Edith Piaf, mais elle leur plaisait bien. On serait bien restées avec eux. En revenant, Edith me disait :

« Ça me chavire de penser qu'il n'y a pas si long-temps, les soldats français, pour moi, c'étaient les loqueteux entourés de barbelés. Aujourd'hui, on les a retrouvés, nos gars. »

Comme tous les artistes qui avaient chanté sous l'occupation, Edith est passée devant le Comité d'épuration. Pour elle, ça n'a pas fait d'histoires. Et la vie a repris, mais on respirait mieux.

Yves et Edith étaient de plus en plus jaloux l'un de l'autre. Et la « tata Zizi » m'avait donné ses ordres :

« Momone, je compte sur toi. Ne le quitte pas de l'œil. Ce type-là, je m'y connais, c'est un cavaleur. Il trouvera le moyen d'embarquer une fille devant ton nez sans que tu le voies. N'allez pas dans les bis-trots, c'est mal fréquenté... Fais-le marcher, ça lui fera du bien. »

C'était facile ! Je faisais trois pas quand il en allongeait un... Yves rigolait « Tiens, pour te semer, je n'ai qu'à faire comme ça... » Il ouvrait ses compas en grand, tournait au premier coin de rue, et je l'avais paumé.

Des fois, il m'installait dans un bar. « Attends-moi, j'en ai pour cinq minutes. » C'était presque vrai, je n'attendais jamais longtemps. J'avais un moyen de chantage : « Si tu es trop long, je bois. Et si je suis soûle, je ne réponds de rien. Je débloquerai en ren-trant... »

Ce qu'il faisait, je ne lui demandais pas. Je ne voulais pas le savoir. Quand il revenait, l'œil tout rigolard, on buvait le dernier ensemble, à cause d'Edith. Elle était méfiante, elle nous reniflait à l'arrivée. « Vous êtes encore allés boire... » Ce n'était pas grave qu'on ait bu. Mais si j'avais été seule à sentir l'alcool, quelle danse !

Le travail avait repris. Edith donnait rendez-vous à Henri à l'extérieur. L'histoire du verre cassé lui avait suffi mais ne l'avait pas fait céder. Rien ne l'empêchait de faire ce qu'elle avait décidé.

« Il y a du tirage avec Henri. Il ne veut pas travailler pour Yves. C'est trop drôle, maintenant qu'il y a longtemps que c'est fini entre nous, il est jaloux ! J'avais bien besoin de ça ! »

Il lui a cédé. Elle lui a fait faire ce qu'elle voulait.

« Ça y est, Momone, j'ai des chansons ! Henri les a faites avec Jean Guigo. *Battling Joe*, c'est l'histoire d'un boxeur malchanceux qui devient aveugle. *Gilet rayé*, celle-là, elle raconte la vie d'un valet d'hôtel qui finit au bagne. J'ai aussi *Ce monsieur-là* : un petit-bourgeois qui ne peut pas s'en sortir sans se suicider. Et *Luna-Park*, l'histoire d'un ouvrier de Puteaux qui trouve son bonheur à Luna-Park. Maintenant, ça va être sérieux. On ne va plus travailler dans le vide. Yves ! viens vite ! »

Il roupillait, tranquille, dans la chambre à côté. Il s'est amené. Qu'il était beau, l'animal, dans l'encadrement de cette porte qui le serrait comme un cadre trop petit : torse nu, avec ses épaules larges, ses hanches étroites, son ventre plat... Je comprenais Edith.

« Ecoute-moi, Yves. »

Et elle lui a fredonné sans s'arrêter les chansons.

« Ce que c'est bon ! Chanter ça, c'est formidable ! Qui les a faites ?

— Jean Guigo et Henri Contet. »

Yves a respiré un bon coup. Son ventre s'est

creusé. Puis il a laissé tomber un « Tu as gagné » rageur qui en disait long.

« Eh bien, maintenant, on va se mettre au travail, mon amour. »

Et ils s'y sont mis.

Son accent, il l'avait perdu en scène. Dans la vie, dès qu'il ne faisait pas attention, il revenait. Edith lui disait : « Attention, Yves, ta pointe d'ail qui revient ! »

Il savait chanter. De ce côté-là, ça marchait. Sa voix était bien posée, très belle. Restait à mettre en scène ses chansons. Surtout il y avait les gestes. Il avait pris de mauvaises habitudes. Pendant des heures, elle s'acharnait après lui. La sueur dégoulinait sur la figure d'Yves, mais il tenait. C'était le seul à avoir la même puissance de travail qu'Edith. Ils se tapaient des quinze heures d'affilée. Autour d'eux, personne ne voyait plus clair. Au piano, le gars, il avait l'air d'une mécanique. Eux, ils continuaient...

« Non, Yves. Le début, ça ne va pas. C'est pas parce que t'envoies des coups de poing dans le vide que t'es un boxeur. Un seul coup suffit, et le public voit tout le match. Si tu te mets en garde, on sait bien que tu n'es pas un pêcheur à la ligne ! T'as pas besoin de t'agiter. Vas-y. Reprends à : « C'est un nom... »

C'est un nom maintenant oublié
Une pauvre silhouette qui penche,
Appuyée sur un' canne blanche...

Mauvais ! T'as l'air d'un vieux gâteux. Un aveugle, c'est pas ça. C'est encore un homme, Battling Joe. Il est foutu parce qu'il ne voit plus. C'est ça qu'il faut que tu nous montres. Travaille tes gestes. Tes personnages, ce sont des caricatures.

— Tu m'emmerdes », lui répondait Yves.

Seulement, le lendemain, il travaillait ses gestes devant la glace. Edith avait horreur de ce procédé, c'était contre ses idées. Mais lui ne pouvait pas s'en passer, c'est comme ça qu'il avait appris. Ce qui était marrant, c'est qu'il ne se voyait pas en entier dans la glace de l'armoire, la chambre était trop petite. Il fallait qu'il se mette de profil dans la porte de la salle de bain. Comme il ne se voyait jamais de face, mine de rien, quand on se baladait tous les deux, je voyais mon Yves, en douce, essayer au passage un geste dans les glaces des magasins.

Pour compléter le tour de chant d'Yves, Edith lui avait écrit deux chansons.

« Tu vois, pour toi, j'ai fait mes premières chansons d'amour : *Elle a des yeux...*

> *Elle a des yeux*
> *C'est merveilleux*
> *Et puis des mains*
> *Pour mes matins.*
> *Elle a des rires*
> *Pour me séduire*
> *Et des chansons*
> *La la la la...*
> *Elle a, elle a*
> *Des tas de choses*
> *Toutes en rose*
> *Rien que pour moi*
> *Enfin, je l' crois...*

...et

> *Mais qu'est-ce que j'ai ?*
> *Mais qu'est-ce que j'ai ?*
> *A tant l'aimer*
> *Que ça m'en donne envie d' crier*
> *Sur tous les toits :*
> *Elle est à moi !*
> *J'aurais l'air fin si j' faisais ça,*

C'est pas normal
Me direz-vous
D'aimer comme ça, faut être fou...

Il avait conservé quand même quelques chansons américaines comme *Dans les plaines du Far West.*

« Sans elles, Edith, on ne me reconnaîtrait pas ! »

Yves l'avait, enfin, son répertoire ! Le plus important était fait, pas le plus dur.

« Maintenant, Yves, il va falloir roder tout ça en public ; mais ne te bile pas trop. T'es prêt ! Et n'oublie pas que, dans une salle, il y a des hommes et des femmes. Les gars, il faut qu'ils te trouvent beau, que tu sois tout ce qu'ils voudraient être. Les femmes, avec ta gueule, c'est facile ; elles feront l'amour avec toi pendant ton tour. Mais attention, pas jusqu'à la fin. Garde du sentiment pour la dernière. Alors le gars qui est à côté de madame lui prendra la main. Ils seront heureux. C'est lui qui l'embarquera, pas toi. Et c'est un seul cœur qui t'applaudira. Tu verras comme c'est bon les jours où le public a du talent. »

Nous n'étions qu'en septembre 1944. En deux mois Edith avait fabriqué un nouveau Montand. Maintenant, quand j'écoutais Yves, ce n'était plus le même. Comme Piaf, lui aussi me vidait les tripes. Ses gestes me bouleversaient. En chemise et pantalon marron, il était tous les hommes de ses chansons. On y croyait. Ça vous arrivait direct ; on le recevait et on disait : « Encore ! » Il était loin, le petit gars du Moulin-Rouge.

Il faut être du métier pour comprendre le travail qu'ils avaient fait. Je crois que je les admirais autant l'un que l'autre.

Edith avait chargé Loulou Barrier de placer Yves dans la tournée qu'elle allait faire dans toute la France.

« Tu me le placeras en américaine.

— Edith, soyez raisonnable. Il n'a pas encore les reins assez solides pour ça.

— C'est la place d'Yves. Pour lui, je n'en accepterai pas d'autre. S'ils veulent m'avoir, ils prendront Yves.

— Vous ne croyez pas qu'on ferait mieux de l'essayer d'abord tout seul ? Je lui trouverai une tournée dans le Midi. On y connaît son nom.

— T'es pas louf ! Si tu lui proposes ça, c'est fini entre nous deux, Loulou. Me séparer d'Yves pendant plus d'un mois ! Avec une tournée où il y aura des filles qui lui cavaleront après, avant même qu'il y ait pensé ! Ecoute-moi bien. Ce gars-là, il est à moi. C'est moi qui l'ai fabriqué. Il restera avec moi. Ce n'est pas un bouche-trou, Yves, c'est une vedette, une vraie. Il sera mon américaine, et ça, dans le métier, c'est un début !

— Passer juste avant vous, vous croyez que c'est facile ?

— Ne me les casse pas, c'est décidé. »

Loulou s'est tu : la patronne avait parlé. Il n'avait pas tort, Barrier. Passer avant Edith, avec un répertoire qui était très près du sien, il fallait pouvoir le faire.

La première ville de la tournée, c'était Orléans. Edith m'avait commandé : « Tu iras dans la salle pendant le passage d'Yves et tu me diras tout. » Agréable mission !

Quand le rideau s'est levé, qu'Yves est entré, son physique a plu. Il se tenait tellement droit, il avait l'air si fort, qu'on aurait dit qu'il allait atteindre le ciel, arriver dans le monde des étoiles et s'y accrocher ! La force, ça plaît. Il plaisait, mais ça ne passait pas... Je sentais qu'il s'en fallait d'un rien, mais quoi ? Son succès a été médiocre.

Quand on les voyait sur scène, dans le même spectacle, on pigeait tout de suite qu'Yves était l'élève d'Edith. Il avait tendance à rouler les *r*. Il prenait les lumières comme elle. Leurs éclairages se ressemblaient. Et surtout, il avait des gestes qui étaient très « piafesques ». J'en avais eu l'intuition aux répétitions, mais en public, ça frappait. Le soir, il était à cran. Elle aussi.

« Edith, j'ai senti que ça ne marchait pas. Pourquoi ? On s'est foutu dedans ?

— Non. Une ville, ce n'est pas toute la France. C'est la première. Tu débutes. N'empêche qu'ils n'ont jamais vu ça.

— Je débute ! Me fais pas rire. J'ai fait tout le Midi, la Côte, je suis même monté jusqu'à Lyon. Partout j'ai eu un boum terrible !

— Et à Paris, tu t'es cassé la gueule. Si ça ne te plaît pas, laisse tomber. »

Le succès de Montand était inégal. Chaque soir, je me payais un trac épuisant. Dans la journée, Yves avait l'air presque méchant. Il remâchait des tas de choses qui ne voulaient pas passer.

« T'occupe pas, disait Edith, il fait sa crise ! »

A Lyon, on a frisé la catastrophe. Avant d'entrer en scène, Yves avait retrouvé son sourire :

« Ici, ça a toujours bien marché pour moi, c'est mon public. Tu vas voir, je vais prendre ma revanche. »

Pauvre Yves, il a été si près de la mise en boîte que j'en avais la bouche sèche. Edith était blanche de peur. Pendant le tour de chant d'Yves, c'était elle qui commandait dans les coulisses. Elle faisait sa régie : lumières et rideaux. Ce soir-là, si elle avait commandé le faux rideau prévu, à la cinquième chanson, c'était perdu pour lui. On ne rouvrait pas. Il n'allait pas plus loin.

Quand il est sorti de scène, il était dans les vapes, comme un boxeur sonné.

Pour la première fois, je n'ai pas assisté au tour d'Edith. Elle m'a crié :

« Vas-y, Momone, ne le laisse pas. »

Tout de suite, à mon entrée dans sa loge, Yves a attaqué. Il avait retrouvé ses esprits.

« Je suis con d'avoir cru que ceux-ci me feraient confiance, qu'ils me comprendraient. Je m'en fous. C'est moi qui les aurai, pas eux ! »

Il a arraché sa liquette. Son torse nu brillait de sueur.

« Passe-moi ma chemise, je me change, je vais écouter Edith. Il faut qu'elle voie que je suis là, près d'elle, et qu'ils ne me font pas peur. »

J'avais eu une telle trouille que j'avais envie de rire. Yves s'en est rendu compte. Il a posé sa grande main sur mon épaule et m'a envoyé son sourire des bons jours, ceux où on était complices.

« Tu vois, Simone, moi, il ne faut pas me mettre en colère. Ce soir, ils m'ont foutu en rogne. Tu les as entendus me réclamer mes anciennes chansons. Ils veulent des conneries, ils ne les auront pas ! C'est fini. Jamais plus je ne les chanterai. Ce que je fais est bon, je le sens, et il faudra qu'ils l'aiment ! »

La bagarre était commencée. Yves ne lâcherait pas.

Pour Marseille, nous passions aux Variétés, et j'avais tout de même les jetons. A la répétition, Edith a fait travailler Yves avec une sorte de rage. Ils étaient aussi durs l'un que l'autre. Quand ce n'était pas Edith qui lui disait : « Reprends », c'était Yves qui le voulait.

Le soir, elle est venue dans le fond de la salle avec moi. Elle me serrait la main. Nous avions encore plus le trac que lui. Quand il est entré, le public l'a applaudi. Ça ne voulait rien dire : c'était le retour d'un enfant du pays. A cause de ça, ils allaient être plus durs. Dès la première chanson, les doigts d'Edith se sont crispés sur ma main. Nous avions compris : ça ne passait pas. Ici, ils l'avaient connu, aimé, avec ses chansons américaines. Ce nouveau Montand, ils ne le comprenaient pas. C'est de justesse.

qu'ils ne l'ont pas sifflé. C'était presque pire, ils sont restés froids... Eux, des Marseillais !

Yves nous attendait dans sa loge, assis sur une chaise toute bancale.

« Tu les as vus, Edith ! Et quand je pense qu'ici je faisais un malheur [1] ! »

Devant nos têtes de catastrophe, il a éclaté de son grand rire sain, son rire de géant.

« Je m'en fous, ma chérie, mon amour. C'est moi qui les aurai. La prochaine fois que je reviendrai, ils me feront un triomphe, et ils en redemanderont. En attendant, j'ai une surprise pour toi : nous dînons chez mes parents. »

La petite cuisine des Livi, avec tous les bruits de Marseille qui la remplissaient, ce qu'elle m'a plu ! Et sa famille. Ce qu'ils étaient braves !

Quand Yves leur a présenté Edith, il leur a dit : « Voici ma fiancée. » Elle en avait les larmes aux yeux. Quelle chance il avait d'avoir cette famille !

Le lendemain, Edith m'a bouleversée.

« Momone, hier soir, en voyant Yves, j'ai eu envie d'être vierge. »

C'est vrai que, pour lui, on avait envie d'être toute neuve. Pour aucun homme, elle n'avait pensé ça.

Le mariage, ça travaillait Yves. Il n'arrêtait pas de lui dire : « Edith, marions-nous. Je voudrais que tu sois ma femme. » S'ils ne se sont pas mariés, à mon avis, c'est qu'Yves s'y est mal pris. Il ne lui demandait pas ça au bon moment. Ça le prenait toujours dans des endroits où il y avait du monde, ou en mangeant, ou quand Edith buvait et qu'elle avait envie de se marrer. Ça le rendait sentimental, et elle avait horreur de ça. Avec Edith, un quart d'heure de fleur bleue, un petit bouquet, c'était suffisant pour le sentiment. S'il avait la larme à l'œil, pour elle, un homme n'était pas viril.

1. Terme de métier, d'origine marseillaise, signifiant : un succès triomphal.

Ce qu'elle aimait dans Yves, c'était sa force, son goût de la bagarre, sa jeunesse. Entre eux, il n'y avait pas une grosse différence d'âge. Mais elle avait déjà tellement vécu, et lui si peu !

En rentrant, au petit matin, dans la salle de bain, elle se relevait les cheveux, se faisait des coiffures, se regardait et, satisfaite de son examen, disait :

« Il n'y a rien à dire, je ne suis pas plus mal qu'une autre... »

Pour son corps, elle n'avait pas de complaisance ni d'indulgence. Elle se regardait, l'œil critique, et elle soupirait avec philosophie :

« Ce n'est pas la Vénus... Que veux-tu, on ne peut pas lui en vouloir, il a beaucoup servi... »

Une seule chose l'agaçait vraiment et elle ne se privait pas de le dire :

« J'ai les seins qui tombent, le cul bas et les fesses en goutte d'huile. C'est pas du neuf ! Mais pour les hommes, c'est encore une occase... »

Et elle allait se coucher, contente. Elle riait. Le rire d'Edith, c'était quelque chose. Elle riait comme elle faisait tout, plus fort que tout le monde.

« Qu'est-ce qu'il m'adore, Yves ! Et moi, Momone, j'en suis folle. »

Ça devait être vrai. Il est le seul qu'elle n'a jamais trompé...

En rentrant de tournée, Edith est passée à l'Alhambra, avec Yves en américaine. Paris, ce n'était pas la province. Ça pouvait être mieux ou pire.

Loulou Barrier, Edith et moi, on n'était pas à la fête. Ça la serait peut-être le lendemain de la générale mais, avant, on aurait eu besoin d'un sérieux remontant. Comme à Marseille, Edith est venue dans le fond de la salle. En entrant en scène, quand Yves a souri, ses dents étaient si blanches que j'ai dit à Edith :

« Regarde, il a un sourire bleu. »

Tout de suite, on a compris que ça y était. La tournée avait été très dure pour lui, il en avait tellement bavé qu'il était prêt à tout ; et ça lui avait donné une présence de chef. En scène, il s'imposait.

« Ce n'est plus le même, Momone. Tu te rappelles ses débuts ? Regarde-le. Je ne le garderai pas... »

Comme c'était Yves Montand la révélation de la soirée, le lendemain, il avait la première place dans les journaux.

Dans la chambre de l'Alsina, il remuait l'air comme un ouragan. On aurait voulu pouvoir faire comme les chiens et rabattre nos pavillons tellement il bourdonnait autour de nous.

« Lis ça, Edith : « Un nom à ne pas oublier : Yves « Montand. » Momone, regarde : « Une vedette nous « est née. » Edith, je l'ai eu : « Une révolution dans « la chanson. » T'avais raison, Edith, je suis « Enfin, « le chanteur qu'on attendait ! » Tu es contente, hein ?

— Oui, disait Edith agacée par ce chien fou, je connais ça.

— Je sais, tu l'as eu avant moi. »

Ça, c'était le petit choc qui fêle la porcelaine...

« Ils sont quand même moins cons qu'en province.

— Fais gaffe, Yves. On vous lance à Paris, mais on vous fait en province !

— Tu casseras pas ma joie, j'en ai trop ! »

Le soir, devant l'Alhambra, il a regardé l'affiche.

« Tu aurais dû exiger que mon nom soit plus gros. »

Très sec, elle lui a envoyé :

« Après ton « triomphe » de Marseille, c'était facile ! ça s'imposait ! »

Montand avait cette faim féroce, sans pitié, des jeunes. Dans la vie comme à table, il avait un solide appétit. Mais Edith n'était pas de celles qui se laissent dévorer.

La jalousie d'Yves, fallait la supporter. Je m'étais

dit : « Son succès va le calmer, il pensera à autre chose. » Va te faire foutre ! Edith était sa propriété, sa chasse gardée... Il avait tout d'un garde, le flingue à la main, qui surveille sa biche. Il ne laissait pas le passage pour un braco.

Il la réveillait la nuit :

« Tu rêvais à qui ? à un de tes anciens amants ? »

Elle l'envoyait au diable, mais le lendemain elle me disait :

« Tout de même, tu te rends compte comme il m'aime ! »

Seulement, ça allait une fois ou deux, mais pas tout le temps. Si elle regardait un gars, qu'elle le laissait rôder autour d'elle, faire le beau, Yves prenait des rages froides.

« Tu ne vois donc pas que c'est un minable, une pauvre cloche, qu'il se fout de toi ? »

Elle l'envoyait paître, et pendant des heures, ils s'engueulaient. Ensuite, pendant vingt-quatre heures ils s'adoraient. Je les aimais bien mais ils commençaient à me fatiguer sérieusement.

On vivait d'autant plus dans la fièvre, qu'après l'Alhambra, ils devaient passer à l'Etoile (qui était après la Libération le music-hall le plus chic, le mieux coté)... Quelques jours avant la première, ils nageaient dans le bonheur. Moi, je reprenais des forces. J'en avais besoin, entre les séances de salle de bain du matin, et les balades à pied avec Yves. J'en avais ma claque de leurs confidences et de leur goût de l'espionnite. Chacun de leur côté, ils me disaient : « Ne le lâche pas d'une semelle », « Surveille-la quand je ne suis pas là et dis-moi tout. »

Question boulot, entre eux, ça roulait dans un bain d'huile. Yves avait son nom presque aussi gros que celui d'Edith, malgré Loulou Barrier :

« Faites attention, Edith. Au même programme que vous, il devient dangereux. Ne lui donnez pas trop de place.

— T'en fais pas. Le monsieur Piaf de la chanson qui me bouffera, il n'est pas encore né. L'Etoile ce sera le bouquet de mon feu d'artifice. Je veux qu'il réussisse. Après... »

Elle y a mis le paquet. Pendant plusieurs jours, elle a donné plus de cent coups de téléphone : à tous ses amis, aux journalistes, aux gens les plus importants du métier. Edith faisait toujours les choses en grand !

Yves a, très vite, eu de l'argent. D'autant plus qu'il en connaissait la valeur et ne le foutait pas en l'air. Il n'a jamais été aux crochets d'Edith. Il était trop fier pour ça. Elle lui a quand même offert quelques costumes, des chaussures en croco, et surtout la première panoplie du parfait « piafiste » : le briquet, la montre, la gourmette, les boutons de manchettes.

Comme toujours, Edith dépensait sans compter, si bien que la veille de la générale de l'Etoile, il ne lui restait que trois mille francs. Ce n'étaient pas les quinze jours de l'Alhambra qui nous avaient remplumées.

« Momone, je veux être belle pour Yves demain soir. Viens, je vais aller me nipper. »

On n'était pas sur la porte qu'Yves demandait : « Où vas-tu ? »

Depuis qu'on était à l'Alsina, on n'avait rien pu s'acheter. Et comme on y était arrivées avec pas grand-chose, ce n'était pas brillant.

« Je vais aller m'acheter une robe, des gants et un chapeau. (Elle n'en avait jamais porté, mais ce soir-là, il lui en fallait un. Elle trouvait que c'était mieux, plus chic.)

— C'est ridicule. Tu n'as besoin de rien. Je te défends de dépenser de l'argent. Après, tu n'auras plus un sou (ce qui était vrai). »

Edith lui a répondu :

« Merde ! »

Nous sommes parties faire nos courses sans plus nous occuper de lui. Il était furieux.

Quand nous sommes revenues, il ne nous restait pas un franc. Edith jubilait, elle a étalé sur le lit une paire de gants ! Pour arriver jusqu'au magasin, on avait bien rencontré quinze bistrots ! Comme elle était heureuse, elle n'avait pas seulement bu, elle avait payé des tournées ! Les « je te défends » d'Yves, elle s'en foutait comme de son premier lange. Elle avait tort. Il a pris une colère épouvantable, une vraie colère de mari à qui on aurait piqué son pognon. Ce n'était pas le cas, mais il avait des principes, Yves : une femme, ça doit obéir à son homme.

« Tu es couverte de dettes. Tu balances le fric par les fenêtres. Tu finiras clocharde...

— Qu'est-ce que ça peut te foutre puisque ce ne sera pas avec toi !

— Je te l'avais interdit, ça devait te suffire.

— Personne ne m'a jamais rien interdit. »

Ils gueulaient si fort qu'ils ne s'écoutaient même plus. Pour finir, Yves lui a envoyé un aller et retour soigné, à lui dévisser la tête. Il avait de la poigne. Elle a pleuré. Il a claqué la porte. Il est revenu. Ils se sont embrassés. Un vrai cirque ! Puis ils ont dit : « Ça détend bien, avant une générale ! » N'empêche qu'ils avaient tellement hurlé qu'ils étaient enroués et, une heure avant le spectacle, ils se gargarisaient devant leur lavabo.

Ce soir-là, Edith, à l'avant-scène, a présenté Yves Montand au public. C'était la première fois qu'elle le faisait. Quand Yves est entré en scène, la salle, qui croulait sous le Tout-Paris mélangé au populaire, était électrisée.

Dans les coulisses, Edith commandait tout pour lui, comme si elle n'avait pas dû passer, elle-même, tout de suite après. Chaque fois qu'Yves faisait une fausse sortie, Edith l'épongeait, lui tendait son verre d'eau. Au rideau final, nous avons compté treize rappels. Elle murmurait : « C'est bon signe. Ce chiffre va lui porter bonheur. » Elle respirait. Enfin elle était délivrée : son champion avait gagné.

Dommage qu'il y ait des lendemains matin ! On a eu droit à la répétition du matin de l'Alhambra, en mieux... Yves était comme un coq après la victoire. Il n'arrêtait pas de pousser des cocoricos ! La presse délirait, et lui aussi. Il n'y en avait plus que pour lui.

Deux fois le même coup pour Edith, ça en faisait un de trop. Je le voyais à sa tête. Pourtant, elle l'avait voulu. Calée dans ses oreillers, elle le suivait des yeux. A son sourire, je savais qu'elle allait lui balancer une vacherie.

« C'est bon de te voir heureux. Tu en avais besoin, mon amour... Mais tu as encore des petites choses à apprendre... On ne transpire pas en scène... Ça te donne l'air d'un docker. On... »

Rageur, Yves l'a coupée :

« C'est toi qui me fais suer. Hier soir, c'est moi qui l'ai arraché mon succès, et personne d'autre ! »

Malgré cet accrochage, le soir, au dîner qu'Edith avait donné, Yves éclatait de joie dans son smoking tout neuf. Il n'y en avait que pour lui, on ne pouvait pas en placer une. Moi, son orgueil de môme qui a gagné la course, ça me faisait rire. Pas Edith.

« Qu'est-ce que j'ai eu comme rappels ! Treize ! Simone les a comptés. N'est-ce pas, Simone ? »

Edith a coupé net la suite :

« Avec tes rappels, tu commences à nous faire chier ! »

Un courant d'air glacé est passé. Il a givré l'enthousiasme d'Yves. La leçon était pénible pour un garçon de vingt-deux ans. Yves l'a comprise, mais il a fallu du temps pour qu'elle passe.

A la maison, apparemment, il n'y avait rien de changé. Mais je n'aimais pas la façon dont Edith le regardait. Elle avait l'air de le guetter. Cet air-là, je ne le lui avais pas encore vu. J'étais sûre qu'elle préparait un coup.

De son côté, Yves s'inquiétait.

« Simone, qu'est-ce qui se passe ? Edith et moi, ce n'est plus pareil. Pourquoi ? »

Je le savais, mais comment lui dire ? Il était devenu trop rapidement une grande vedette. Il échappait aux mains fragiles qui l'avaient fabriqué. C'était la chanson qui fêlait cet amour que j'avais cru si fort. Et... il ne résistait pas aux bravos. J'avais envie de lui crier : « C'est votre métier qui vous fait détruire votre bonheur. » Ce n'était plus possible. Yves était, déjà, devenu un monstre, lui aussi. Il n'y avait plus qu'à laisser glisser.

Un matin, Edith a éclaté :

« Momone, ça ne peut plus durer. Je n'encaisse plus le côté « Ris-Orangis [1] » d'Yves ; de ringard [2] racontant ses campagnes : « M'as-tu vu à l'Alhambra... à « l'Etoile »... Dans un an, je serai bonne à passer la brosse à reluire sur les godasses de monsieur !

— Ça ne durera pas, Edith. Il comprendra. Il faut lui laisser le temps. C'est normal qu'il ait la tête qui tourne, il est grisé.

— Possible. Mais moi, je n'aime pas les hommes qui ne supportent pas l'alcool. Qu'il fasse gaffe ! Je vais lui régler son compte, et en vitesse ! Je prends un amant pour qu'il me parle d'amour, et pas de mon métier ! Ça, je sais le faire toute seule. »

Le jour même, elle disait à Loulou Barrier :

« Je ne veux plus de contrats avec Yves dans mon programme. »

Loulou a répondu :

« Il était temps. Ce n'était plus possible, pour les directeurs, de vous engager ensemble. »

Quand Edith aimait, c'était toujours la première

1. Ris-Orangis : maison de retraite des artistes de variétés.
2. Ringard : artiste raté.

fois, pour la vie et jamais pareil. Moi, je trouvais qu'il n'y avait que les bonshommes qui changeaient.

L'amour d'Edith, c'était comme une feuille de température. Ça démarrait en flèche, elle se tapait un 42° à faire péter le thermomètre. La fièvre dégringolait, et elle se mettait à vivre en dents de scie — j'appelais ça le régime « montagnes russes ». Puis, c'était la chute, la sous-température. Au-dessous de 35° elle avait froid, son cœur était frileux, alors elle cherchait quelqu'un d'autre pour le réchauffer.

Pour vivre avec Edith, il fallait une belle santé !

Le dernier gros coup de fièvre avec Montand, on l'avait eu avec l'Etoile.

Il avait un côté naïf, Yves. Il avait cru que sa réussite allait en fiche plein la vue à Edith. Il se trompait. Pour qu'elle la supporte, il aurait fallu qu'elle reste la patronne, qu'il soit aux petits soins pour elle. Ce n'était pas le cas. Il lui disait : « Je t'aime. » C'était vrai. Mais il godaillait à droite, à gauche. Edith le savait. Trop de fois, je l'ai vue pleurer. Elle me disait : « Momone, ce type me fait trop de mal, ça peut pas durer. » Elle le disait, mais ce n'était pas vrai. Yves, nous allions l'avoir encore un bout de temps.

La fin d'un homme, je savais comment ça se passait. C'était triste, c'était la bagarre. Edith s'énervait, elle buvait. On ne dormait plus la nuit. En pleine nuit, enfin, plutôt en plein matin, Edith me téléphonait : « Momone, viens » ; ou me secouait si je couchais près d'elle. Alors, elle commençait : « Tu te rends compte, ce qu'il m'a fait ! » Ça durait une heure, puis elle me disait : « Oh ! mon pauvre chou, tu meurs de sommeil, va te coucher. » Je repartais. Là-dessus, dix minutes après, elle me rappelait et ça recommençait.

On n'en était pas encore là. Le grand amour était seulement en baisse de température.

Faut dire qu'Yves n'y a pas mis du sien. On a eu des scènes qu'il aurait pu ·éviter. Un soir, il est rentré l'air tout naturel, tout content de lui. Edith ne l'a pas raté :

« T'aurais dû dire à ta poule qu'elle te nettoie quand elle te renvoie. T'es dégueulasse. Regarde ton épaule (le veston d'Yves était plein de poudre et de fond de teint) ! J'aime pas les laissés-pour-compte. Quand je crois que c'est des primeurs, je veux bien les avaler ; mais pas quand je sais que ce sont des restes ! »

Il aurait dû la boucler. Il a voulu jouer les gros bras. Elle l'a envoyé valdinguer :

« J'en ai soupé, jusque-là ! de tes airs de caïd marseillais. Les faux durs, ça me fait rigoler. Les Jules, les vrais, je sais comment c'est fabriqué. La loi, tu ne la feras pas chez moi. Alors, si tu en as marre, fais tes valises, je ne te retiens pas. Va retrouver tes poules, elles s'occuperont de toi ! »

Ce coup-là, ça sentait le sérieux. Yves a fait marche arrière et en vitesse ! Il a ri trop fort ; on ne peut pas dire que ça sonnait juste. Il l'a prise dans ses bras et lui a roucoulé des trucs tendres. Il avait la manière, la vache ! Il la tenait fort, la serrait contre lui, et ça y allait des « Je t'aime ». Elle pesait pas lourd dans ses bras. Et si fragile que je me disais : « C'est pas possible, elle va lui céder. »

« Mon Edith, tu le sais bien que tu es seule dans mon cœur. Les salauds qui t'ont raconté que je te trompais, ce sont des jaloux, notre bonheur les empêche de dormir. Tu es toute ma vie. Tu me crois, dis... »

Elle souriait aux anges. « Oui », qu'elle a dit comme on soupire de plaisir. Dommage qu'il en ait rajouté. Il a démarré dans son rêve. Il n'a pas fait attention parce que c'était ça qu'il voulait.

« Quand ils verront nos deux noms, mariés sur

l'affiche, aussi gros l'un que l'autre, ils comprendront tous que, nous deux, c'est pour la vie... »

Elle s'est arrachée de ses bras. Il avait tapé juste. Avec son petit sourire triste de « môme-des-rues-qu'a-pas-eu-de-chance », elle lui a dit :

« Oh ! tu sais ! L'amour pour la vie avec moi, ça ne dure pas toujours. (Puis elle a pris ses distances.) Pour les deux noms sur la même affiche, rideau. C'est fini ! J'ai donné mes ordres à Loulou. »

On a beau avoir un mètre quatre-vingt-sept, être baraqué comme un chef, une réponse comme ça, ça vous rétrécit son bonhomme d'un coup...

Leurs noms sur la même affiche, ce n'était pas fini. On allait encore les voir, et à cause d'elle.

Marcel Blistène, pendant l'occupation, avait eu une idée de film pour Edith. Il lui en avait parlé et elle avait dit : « C'est bath, ton idée. Je te jure qu'on le fera ton film. » Il n'était pas question de le réaliser, il se cachait. Mais, en décembre 1944, le Marcel se ramène avec son histoire. Elle est simple, c'est du sur mesure : une grande chanteuse prend un gars dans sa vie, l'aime, le forme et puis s'en va toute seule.

Quand elle l'a lue, Edith a ri.

« Marcel, tu t'es pas foulé, mais t'as deviné. C'est l'avenir que t'as prédit. D'accord pour ton film. Seulement tu prendras Yves Montand dans ta distribution. »

Marcel Blistène était d'accord, mais pas le commanditaire. Cette distribution ne lui disait rien. Il faut le comprendre, c'était son pognon qui allait marcher. Une affiche de cinéma avec Edith Piaf et Yves Montand, ça ne faisait pas grimper au plafond.

Quand Edith voulait quelque chose, elle savait y faire. Le 15 janvier 1945, boulevard Saint-Michel, au Mayfair où Yves passait chaque soir, Edith organise un cocktail pour le commanditaire. Yves chante.

Blistène demande à Edith de bien vouloir interpréter une de ses chansons. C'était arrangé d'avance.
Elle se fait prier : « Rien qu'une, et c'est bien
pour toi... » Elle chante, et le financier, bouleversé,
dit à Marcel :

« Cette femme a du génie et le garçon a un très
bon physique. C'est d'accord. »

C'est comme ça que le tournage d'*Etoile sans
lumière* a été décidé. Aux côtés d'Edith, il y avait
Marcel Herrand, Jules Berry et deux débutants :
Serge Reggiani et Yves Montand.

Quelques années plus tard, quand Yves disait :
« Edith, je lui dois tout », il disait bien la vérité.

Yves avait beau avoir un appétit d'ogre, une envie
de tout bouffer, dans la vie il n'était pas sûr de lui.
Le jour des essais, il était plutôt pâle.

« T'en fais pas. Tu es fait pour ça, tu es un comé-
dien-né. Ça marchera très fort. »

Une fois de plus, Edith voyait juste. Le tournage
du film a été sans histoires, sauf à la fin. *Etoile
sans lumière* se termine par une image à la Chaplin.
On voit la grande vedette quitter le studio, toute
seule, et sa petite silhouette, de dos, diminuer à
l'horizon... Pour cette fois seulement, la grande
vedette, ç'a été moi.

Edith, ce jour-là, s'était un peu arrondie. Elle
partait bien, mais au bout de trois mètres, elle
chaloupait. Marcel criait :

« Marche droit ! »

Edith rigolait.

« J'peux pas. J'ai trop de chagrin !

— T'as surtout l'air d'être soûle.

— Fous-moi la paix, et prends Momone ! »

Marcel m'a regardée et m'a dit :

« Mets ses vêtements. On va te coiffer comme elle
et, de dos, on ne fera pas la différence. »

J'avais beau me dire qu'on ne voyait que mon
dos, ça m'a tout de même fait de l'effet de marcher

sous l'œil d'une caméra. Quant à Edith, ça la faisait se marrer.

« Je t'ai trouvé un métier, tu seras ma doublure. Marcel, faudra lui donner un cachet. »

Yves parlait beaucoup du film. Ça le travaillait. Il avait raison : pour lui, c'était plus important que pour elle.

On était toujours à l'Alsina. Ça avait l'air de marcher entre eux, mais moi, je savais que ça n'allait plus durer longtemps. Edith vivait *à côté* de lui, pas *avec* lui. Ils vivaient ensemble, mais ça sentait l'habitude.

Avec la Libération, Marguerite Monnot, la Guite, était revenue dans notre vie. Et puis, elle aimait Yves. Elle disait : « Il est aussi beau qu'il a de talent. » Ça plaisait à Edith. Quand elle lui parlait de ses amours, la Guite les trouvait toujours merveilleuses. Il n'aurait pas fallu la pousser pour qu'elle les mette en musique !

Edith avait un projet mais ce n'était pas facile d'en parler à Guite. Tout de même, elle s'est lancée :

« Ecoute, j'ose pas te dire ça à toi, mais quand il me vient des paroles de chanson, j'entends de la musique avec. Tu comprends, tout m'arrive en même temps. Tu crois que je pourrais essayer, comme ça, de faire un petit bout d'air ? »

Il fallait être la Guite pour ne pas mettre en boîte Edith. Elle qui ne savait même pas le solfège ! Dire ça à un compositeur comme Marguerite Monnot, c'était charrier, et pas mal culotté.

« Essaie, Edith, je t'aiderai.

— Tu vas pas te foutre de moi ? J'ai un petit morceau de mélodie qui me travaille. Je peux y aller ?

— Vas-y. »

Edith nous a joué, comme ça, d'un coup, la ligne mélodique de ce qui allait devenir *La Vie en rose*.

« Je ne le sens pas, a dit Guite.

— Alors, t'aimes pas ?
— Et les paroles ?
— Je ne les connais pas. C'est seulement un petit air qui traîne dans ma tête.
— En tout cas, ce n'est pas un air pour toi, tu ne le chanteras jamais. Faut que tu continues. Et pourquoi tu ne passerais pas l'examen de la SACEM comme auteur mélodiste ?
— J'ai déjà été retoquée[1] pour les paroles. Avec la musique, ils vont m'allonger pour le compte. »
Guite a ri.
« Ça n'a pas d'importance. Moi, ils m'ont bien recalée la première fois. Et avant moi, Christiné, le compositeur de « Phi-Phi »... et il y en a eu d'autres ! »
On n'en revenait pas. Marguerite Monnot recalée ! D'un coup, ça a regonflé Edith.
« Je vais me représenter. »
Il faut croire que *La Vie en rose* avait envie de naître, qu'elle était prête à sortir. Edith avait une copine, une chanteuse, Marianne Michel, qui était montée de Marseille. Son protecteur était propriétaire d'un cabaret aux Champs-Elysées, et pour elle, ça commençait à bien marcher. Mais, comme toutes les débutantes, elle n'avait pas de répertoire. Edith prenait un verre, par-ci, par-là, avec elle. Et l'autre lui cassait les pieds ; elle se plaignait :
« Je ne trouve pas de bonnes chansons. J'aurais besoin d'un tube pour me lancer. Edith, vous ne pourriez pas m'en faire une ?
— J'ai un air qui me cavale après. C'est votre genre. Ecoutez. »
Et Edith lui a fredonné l'air qu'elle avait joué à Guite.
« C'est formidable. Et les paroles ?
— Attendez. Je crois que je les tiens... »
Et sur le coup, comme ça, Edith a écrit :

1. Retoquer : recaler.

> *Quand il me prend dans ses bras,*
> *Qu'il me parle tout bas,*
> *Je vois les choses en rose...*

Marianne, ça ne lui plaisait pas beaucoup :

« Vous aimez ça, les « choses » ? Si vous mettiez la « vie »...

— Ça, c'est *la* bonne idée ! Et le titre sera *La Vie en rose.* »

Le lendemain, la chanson était faite. Mais comme Edith n'était pas encore à la SACEM, impossible de la signer.

On fonce chez la Guite.

« Voilà. J'ai mis des paroles sur l'air de l'autre jour. Ecoute. »

Guite a explosé.

« Tu ne vas pas chanter une sottise pareille ?

— C'est pas pour moi, c'est pour Marianne Michel. Mais je pensais que tu allais me la mettre au point.

— Non, vraiment, je ne la sens pas. »

C'était le bide. Puisqu'on lui résistait, il fallait qu'elle y arrive. Edith ne supportait pas qu'on lui dise non. On avait un petit pote plein de talent, un gentil garçon, bon compositeur, mais plutôt fauché : Louiguy. Edith l'a fait venir. De son petit bout de refrain il a fait *La Vie en rose* et il ne l'a pas regretté.

Marianne Michel a créé *La Vie en rose.* La chanson est devenue un succès dans le monde entier, comme on n'en avait jamais connu. Elle a été traduite en douze langues. C'est en japonais qu'elle nous faisait le plus rire. Edith me disait :

« T'es sûre qu'il ne chante pas : « Je vois ma vie « en poissons roses » ? »

Les grands Américains comme Bing Crosby, Louis Armstrong l'ont mise à leur répertoire. Et ce ne sont pas des tendres pour les chansons françaises. Elle a

été le lien et le fond sonore du film *Sabrina* avec
Audrey Hepburn, Humphrey Bogart et William Hol-
den. On a vendu plus de trois millions de disques à
l'époque, en un an ; et ça se vend toujours. Un
night-club de Broadway a pris le nom de *La Vie
en rose.* C'était l'air le plus populaire à New York.
Avec Edith, nous l'avons souvent entendu siffler
et fredonner dans les rues. Sa chanson a eu un tel
succès qu'Edith râlait : « Ce que je suis con de
ne pas l'avoir chantée ! » Elle l'a fait, mais deux ans
plus tard seulement.

À la maison (pour nous, l'endroit où on habitait,
c'était toujours la « maison » ; hôtels, appartements
meublés, on faisait pas la différence. Cette manière de
parler étonnait Yves. Lui, il savait ce que c'était)...
à la maison, avec Yves, ça se détériorait du côté
cœur. Du côté métier, au contraire, on était en plein
boum.

« Tu gamberges trop sur les films. Tu dis qu'ils
te mèneront en Amérique. Possible. Mais tu peux
y aller aussi en chantant. Et puis, tu es taillé pour
réussir les deux. Un récital à l'Etoile fera de toi
« l'unique », « le plus grand »...

Elle voulait aller jusqu'au bout, que sa réussite
soit solide. Yves, c'était son œuvre. Elle ne mêlait
pas le sentiment au boulot, même si ça marchait mal
avec lui.

Avant son récital à l'Etoile, Yves avait perdu ses
airs dominateurs. Il n'étalait plus. Il répétait à en
avoir les jambes molles et la voix enrouée. Chaque
fois qu'à son idée, il accrochait, il criait :

« Edith, ça ne va pas, hein ?

— Mais si, t'arrête pas. File-moi ton tour en
entier. »

À la fin, Yves s'est écroulé :

« Je ne vois plus clair. Je ne sais plus où j'en suis.
J'ai la trouille... »

Elle l'a regardé. Fallait voir son air. Il contenait

tout : satisfaction, vengeance... Elle s'est tournée vers moi et elle m'a dit :

« Tu vois, Momone, il se fait. »

Ce qu'elle aimait en lui, c'était son côté bosseur et fonceur. « Dans la chanson, c'est un vrai dur. Il fera la loi. » Et le soir, elle se serrait contre lui. Ça redonnait un peu de renouveau à leur amour. Celui qui naît des fièvres du travail.

Avoir le culot, en 1945, de donner un récital à l'Etoile — deux bonnes heures de spectacle, avec en scène un seul gars, toujours le même, alors que le public avait l'habitude des variétés — il fallait en avoir dans le buffet pour l'oser. Même Edith Piaf ne l'avait pas encore fait. Je crois qu'avant Yves, à l'Etoile, seul à l'affiche, il y avait eu Maurice Chevalier. Oui, c'était vraiment culotté !

Aussi, malgré notre confiance, on avait les foies. Qu'est-ce qu'elle l'a couvé, bichonné, son Yves ! Là, il était remonté en flèche. Il n'y en avait que pour lui. Henri Contet lui avait donné deux nouvelles chansons : *La Grande Ville* et *Il fait des...*

Le matin de la générale, Yves a dit :

« Ecoute, Edith, je voudrais te demander quelque chose : tu ne mettrais pas un cierge pour moi ?

— Imbécile, c'est déjà fait ! Et j'y retourne avec Momone. »

On s'est retapé le Sacré-Cœur, et le cierge à la petite sainte Thérèse de Lisieux. Ça devenait une habitude...

Le soir de la générale, devant l'Etoile, elle lui a quand même dit :

« T'es content, il n'y a que ton nom sur l'affiche. »

Yves a répondu, un peu amer :

« Et si je me ramasse, je serai tout seul. »

Edith est restée dans les coulisses tout le temps. Elle ne l'a pas lâché. Moi, j'étais placée près de la famille Livi qui était montée de Marseille. Je les regardais éclater de bonheur, carrés dans leurs fauteuils de velours. Ce que ça devait être chouette, pour eux, de voir ce grand garçon qui était leur môme à eux, sur cette scène. Ils en avaient oublié l'Amérique. La fortune, elle a aussi des cheveux en France !

A l'entracte, j'ai couru dans la loge d'Yves. La porte en était interdite mais pas pour moi. Je vivrais cent ans, que je verrais toujours son regard m'interroger : « Alors ? »

« Ça marche !

— Il n'y en a pas de partis ? Ils n'en ont pas marre ?

— Ils sont accrochés, solides. Tiens bon. »

Je suis restée dans les coulisses. Et il a tenu jusqu'au bout. La deuxième partie c'était la plus dure. D'un coup, le public pouvait décrocher, en avoir assez de revoir le même bonhomme. On en tremblait d'énervement. Quand Yves a chanté :

> *Mais qu'est-ce que j'ai ?*
> *A tant l'aimer*
> *Que ça m'en donne envie d' crier...*

Il a tourné la tête une seconde vers elle. C'était pour elle, ce cri d'amour. Il le lui donnait. J'ai vu des grosses larmes couler des yeux d'Edith. Qu'est-ce qu'on était émues.

A la fin, cette salle, bourrée de snobs, de gens du métier, qui étaient venus voir le dompteur se faire bouffer — et pourquoi pas ? — debout, applaudissaient et hurlaient : « Une autre ! une autre ! »

En sortant de scène, après le dernier rideau, Yves a pris Edith dans ses bras et lui a dit : « Merci. Je te dois tout. »

Dans sa loge, on a regardé le Paris des générales défiler. Elle m'a dit : « Cette fois-ci, c'est fini. Il n'a plus besoin de moi. »

Ces mots-là, ils ont été comme un grand coup de solitude. Ils nous ont glacées.

Il n'avait plus besoin d'Edith mais, encore une fois, elle s'est occupée de lui préparer son avenir. Marcel Carné venait souvent au bar de l'Alsina. Il aimait bien bavarder avec Edith. Il était allé à l'Etoile et ils en avaient parlé ensemble.

« Il a un très bon physique, Montand, et une présence rare, avait dit Carné.

— N'oubliez pas son nom. Ce n'est pas qu'un chanteur, c'est un grand comédien. Le cinéma, c'est à sa mesure. »

Un an plus tard, Yves tournait, en premier rôle, avec Nathalie Nattier, dans *Les Portes de la nuit*, sous la direction de Marcel Carné. Et pourtant, ce n'était ni lui ni elle qui devaient le faire. La première distribution prévoyait Jean Gabin et Marlène Dietrich.

Edith travaillait beaucoup. Loulou ne la laissait pas chômer. Yves continuait à être jaloux et il n'aurait pas voulu la quitter. Ce n'était pas possible ; lui aussi avait ses engagements. La Chanson, qui les avait réunis, les séparait de plus en plus.

Le soir du réveillon de Noël, Edith chantait. Yves et moi, nous l'attendions. Je ne sais pas pourquoi, je ne nous trouvais pas tellement gais. On était là à attendre. Mais quoi ? Edith, bien sûr, mais derrière elle, il y avait autre chose qui venait et nous le sentions. Et puis, ces fêtes-là, avec Edith, on ne les a jamais aimées. Pour ça, faut les avoir connues étant môme. Et ce n'était pas le cas. On n'y avait pas eu droit. On regardait le bonheur des autres derrière la glace des vitrines ! celles des jouets, des pâtissiers, des restaurants...

On a fini la nuit, tous les trois ensemble, gentiment. Edith avait l'air encore très amoureuse. Ça se passait bien mais, avec maladresse, Yves a dit à Edith :

« Notre réveillon, il faut qu'il compte pour deux, parce que le 1er janvier, je serai à Marseille chez les parents. »

Sur le coup, ça a eu l'air de glisser. Mais le lendemain, elle fulminait :

« Tu te rends compte, Momone ! Il me casse les pieds avec ses serments d'amour, et je passe après sa famille ! Avec lui, malgré ses belles paroles, je passerai toujours après quelque chose. »

La nuit du Jour de l'An, on s'est retrouvées toutes seules, comme deux cloches. Après le tour d'Edith, nous sommes allées au Club des Cinq, faubourg Montmartre.

Les « Cinq » étaient cinq gars qui s'étaient connus à la 2e D.B. du général Leclerc et qui avaient fondé une sorte de club privé, très chic. Chaque soir, ils invitaient une vedette différente. Plusieurs fois, ils avaient demandé à Edith de venir. Elle n'avait jamais eu le temps.

Ce soir-là, elle m'a dit :

« Je ne veux pas rester à l'hôtel. Viens, on va y aller. »

On était totalement paumées. Il n'y avait pas grand monde et, manque de pot, on n'y connaissait personne. On était là, désemparées, sans homme. Et pour que ce soit plus sinistre, on s'envoyait à la gueule des confetti et des boules.

On nous avait collé des coiffures en papier. Edith avait eu un béret de marin, et moi, un truc genre Directoire. On était tellement à la dérive qu'on ne s'est même pas arrondies. Pour ça, faut avoir le moral, envie de rigoler, ou un bon coup de bourdon.

On n'avait rien. On était vidées. A minuit, on s'est embrassées. La fête était passée. On venait d'entrer dans la nouvelle année.

« Dis donc, Momone, y en a qui disent que la façon dont on commence l'année, ça la marque pour trois cent soixante-cinq jours. Alors, qu'est-ce qu'on va se marrer en 1946 ! »

Je ne sais pas si c'est vrai, mais ce qu'il y a de sûr, c'est qu'on l'a plutôt mal débutée.

Il n'y avait pas trois jours qu'Yves était revenu qu'ils ont eu un sérieux accrochage. Le dernier.

Edith répétait avant de partir en tournée. Comme d'habitude, elle était toute à son boulot ; pas maquillée, les boucles tombantes, fringuée avec un vieux pull et une jupe ; toute possédée par sa chanson. Quand on a entendu la voix d'Yves, coupante comme le couteau du père Deibler, crier :

« Arrête ! Ça ne va pas ! »

Edith, comme une bonne machine bien docile, a stoppé.

« Qu'est-ce qui ne va pas ?

— Ça ne vaut rien ce que tu fais. Ça sent le truc, le métier. Ça ne vient ni de là ni de là. (Et il se tapait sur le ventre et sur la tête.)

— Répète un peu ce que tu viens de dire. » (Elle avait les mains sur les hanches, le cou tendu. Dressée sur son mètre quarante-sept, elle le regardait. Elle n'en croyait pas ses oreilles.) « Répète, que je te dis. Je ne dois pas avoir les oreilles débouchées !

— Ce n'est pas bon. Moi, je ferais...

— Toi, tu ne feras rien du tout. Tes « moi je », tu peux te les mettre où tu veux. Ils me font suer. Le jour où j'aurai décidé de prendre des leçons de n'importe qui, je te sonnerai. Maintenant, je vais perdre une minute de plus et te filer, gracieusement, un dernier tuyau. Ce que tu appelles, avec mépris, le « métier », les « trucs » : eh bien, souhaite d'en avoir beaucoup en réserve parce que tu en auras besoin un jour — comme nous tous — pour te sauver la mise, le soir où tu n'auras rien dans les tripes. Et file. Je t'ai assez vu. »

Les conseils d'Yves, cinq ans plus tard, elle pouvait les accepter. Mais pas ce jour-là.

Ils n'ont pas eu le temps de *vraiment* se récon-
cilier. Edith est partie en tournée du côté de l'Alsace.

Je savais que, dans le même programme qu'elle,
en première partie, il y avait neuf garçons qu'on
appelait « les Compagnons de la Chanson ». Elle les
connaissait comme ça, pas plus. Pendant l'occupation, à l'occasion d'un gala organisé à la Comédie-
Française par Marie Bell, on les avait entendus
chanter.

Tout de suite, Edith les avait baptisés « les boy-
scouts de la Chanson ». Leur numéro était sympathique parce que ça ne déplaît jamais de voir neuf
garçons, plutôt beaux gars et bien bâtis, chanter de
bon cœur des chansons qui ne fatiguent pas les
méninges ; que les trucs de patronage, il y en a que
ça rafraîchit ! Mais pas plus.

Aussi, quand j'ai appris qu'elle allait les retrouver
là-bas, je ne pensais à rien. Pourtant, avec elle,
j'avais toujours l'esprit à ça. Tout de même, avoir le
choc pour neuf, ça faisait beaucoup ! Quand je pensais à celui qui allait prendre la succession d'Yves,
ça ne pouvait pas être eux, et je me disais : « Qu'est-
ce qu'elle va encore me ramener ? »

Je n'étais pas partie en tournée avec elle. Elle
m'avait dit qu'elle voulait quitter l'Alsina, que je
reste là pour m'occuper de sa nouvelle maison, que
Loulou la cherchait. J'ai tout de même été étonnée
quand il m'a dit :

« Edith m'a téléphoné d'Alsace, en me demandant
de lui trouver un appartement tout de suite. Elle
veut beaucoup de pièces, je ne sais pas pourquoi.
Tu as une idée, toi ? (Je n'en avais pas l'ombre.)
Alors, je lui ai trouvé quelque chose, 26, rue de Berri.
Viens le voir. »

La maison était simple d'apparence. Je ne me dou-
tais pas qu'elle serait si riche d'événements grâce
à Edith.

Il fallait traverser une cour et là, dans le fond, il y avait un genre d'hôtel particulier avec un petit jardin et des arbres qui semblaient pleurer d'ennui et rêver de campagne. Quand on a été installées, pour les distraire, on leur a offert deux poules naines : un coq, « Pupuce », et sa poule, « Nénette ». Ce n'est pas ça qui les rendait plus gais ! Ils gardaient leur air paumé, ils ne savaient pas pourquoi ils étaient nés là. Je les aimais bien, ils me ressemblaient. Je ne savais pas, non plus, ce que j'étais venue fiche là.

On montait trois marches et on entrait. C'était tout en rez-de-chaussée. Je ne sais plus le nombre de pièces, mais c'était grand, pas mal meublé et ça coûtait assez cher. Loulou m'a demandé : « Ça te plaît ? » Je ne savais pas pourquoi, je n'étais pas excitée.

« C'est pas mal, mais c'est grand.

— C'est ce qu'elle veut.

— Elle ne va tout de même pas y loger les boy-scouts ! »

On a ri. Mais je crois que, ni l'un ni l'autre, on n'en était tellement sûr.

Avec elle, on ne pouvait pas savoir si elle allait s'y installer en rentrant. Alors, la veille de son arrivée, j'ai pris mes précautions. Au téléphone, elle m'avait dit : « Viens me chercher à la gare. » Pas plus. J'ai tout de même mis des fleurs, et apporté quelques affaires.

J'ai attendu son retour, l'esprit un peu brouillé. Je reniflais dans l'air quelque chose qui ne me plaisait pas.

Je suis allée la chercher à la gare. Comme d'habitude, quand on avait été séparées, elle m'a dit avec l'œil soupçonneux de la mère qui pense que sa fille a profité de son absence pour perdre son capital : « T'as pas bonne mine. J'espère que tu n'as pas fait de conneries ! » Puis elle m'a prise dans ses bras et elle m'a embrassée. Tout de suite, je redevenais *sa* Momone.

Installée dans le taxi, elle lance au chauffeur :

« 26, rue de Berri. »

J'étais sur le cul. Nous n'allions pas à l'Alsina. Une chance que j'aie pensé aux fleurs. Timidement, je lui ai demandé :

« On ne va pas retrouver Yves ?

— Fini. J'ai pris des résolutions. Il n'a plus besoin de moi. Il saura mener sa barque tout seul. Tu verras, Momone, que je ne me trompe pas. Pour moi, j'ai des tas d'idées. Je vais m'occuper des « Compagnons ». Je vais leur faire un numéro formidable. Les gens n'auront jamais vu ça. On va leur donner du nouveau.

— Ils sont d'accord ?

— Ils ne le savent pas encore. C'est dans le train que j'ai goupillé tout ça. Mais ils marcheront.

— Dis donc, Edith, neuf d'un coup, ça fait beaucoup. Tu vas disparaître au milieu d'eux. Ça a de l'appétit, neuf garçons de cet âge-là.

— T'occupe pas. Faut changer, c'est le secret de la jeunesse. »

Nous sommes arrivées rue de Berri. Pour Edith, c'était la surprise. Ça avait l'air de lui plaire. Mais ce qui l'occupait surtout, c'était de me parler de sa chorale. La patronne avait des ambitions : ce n'était plus un qu'il lui fallait, mais neuf.

« Ils ne sont pas au point. J'aurai du mal, mais je vais changer tout ça. »

J'attendais qu'elle en sorte un, qu'elle prononce un nom. Mais ça ne venait pas. Je me demandais si elle allait les essayer tous, à tour de rôle, avant de se décider. Avec Edith, ça n'aurait pas été étonnant !

« Dis donc, il va falloir retrouver Tchang et le reprendre. Et puis, je veux une secrétaire. »

On ne pouvait pas s'y tromper, c'était l'installation. Je n'osais pas lui parler d'Yves, mais j'y pensais. Il savait qu'elle rentrait aujourd'hui. Il ne connaissait pas la rue de Berri, mais Loulou lui donnerait l'adresse. Qu'est-ce qu'il allait faire ?

Je l'ai vu. Et leur séparation fut une des plus pénibles à laquelle j'ai assisté.

Dans la nuit, ne voyant pas Edith rentrer à l'Alsina, il est venu rue de Berri. Il a d'abord sonné timidement.

Edith m'a dit :

« Si c'est Yves, n'ouvre pas. »

J'avais le cœur qui me faisait mal. A travers les persiennes fermées, je le regardais. Il a sonné comme un dingue. Puis, il s'est mis à taper avec ses deux poings.

Le bois résonnait, c'était lugubre. Puis il a cessé tout ce vacarme, et la bouche près de la porte, il a dit d'une voix forte :

« Edith, ouvre-moi... Je sais que tu es là, ouvre-moi. »

Il est resté un moment encore, immobile. Il me faisait de la peine.

J'allais et je venais de la fenêtre à la chambre d'Edith. Elle avait mis ses boules dans les oreilles et sa tête sous l'oreiller. Et elle me criait :

« Je ne veux pas l'entendre. Je ne veux pas recommencer avec lui. Fais-le partir, Momone, sinon je ne m'en guérirai jamais ! »

Elle l'aimait encore mais elle n'en voulait plus. Je souffrais autant qu'eux. On avait eu tellement de bons moments ensemble. Je l'aurais bien ouverte, cette porte, pour les voir se serrer l'un contre l'autre, heureux et désespérés, prêts à recommencer leurs bagarres.

J'aimais Yves. Il était net, on savait ce qu'il pensait. Quand il vous regardait dans les yeux, avec sa belle gueule saine, on n'avait pas envie de lui mentir. C'était un homme, un vrai. Alors, de le voir souffrir comme ça, j'en étais malade.

Je ne sais pas combien de temps ça a duré. Puis j'ai vu Yves partir avec beaucoup de dignité, tout droit, tout raide. On sentait qu'il avait du mal à tenir. Il a traversé la cour avec l'allure un peu fatiguée d'un matou qui n'a pas eu de chance dans une bagarre.

Je suis restée là. J'ai vu le jour naître. Edith dormait comme une enfant. Quand j'ai retapé son oreiller au réveil, il était encore tout humide de larmes.

CHAPITRE X

A LA CONQUETE DE L'AMERIQUE

Les « Compagnons » ont pris la suite de la période « usine ». En voilà une qui n'était pas près de s'arrêter. On allait en voir d'autres... des bons et des mauvais !

Neuf gars, ça déplace de l'air. Un bonhomme c'est déjà absorbant, mais quand il faut multiplier tout par neuf, ce n'est pas reposant. Ça fatigue un peu. Surtout qu'on ne multiplie pas le plaisir. Ça, il n'y en a qu'un à la fois qui le donne.

Quand j'ai vu débarquer toute cette patrouille, avec ses valises, je n'avais pas envie de rigoler. Qu'est-ce qu'on allait avoir comme salades ! Ils habitaient là sans y habiter. Ils avaient un logement en commun, rue de l'Université. Ça allait et venait. Comme toujours avec Edith, couchait là qui voulait.

La nouvelle secrétaire, c'était Yvonne (je crois), une petite gentille. Elle avait les yeux qui lui faisaient le tour de la tête tellement elle était étonnée. Une maison comme celle-là, elle ne connaissait pas.

Elle voulait tout voir, tout comprendre en même temps, mais elle n'y arrivait pas.

Tchang, lui, il avait une sagesse toute chinoise : « Ça y plaît à Mamamiselle ? Ça y plaît à Tchang ! »

Quant à moi... Et bien, pour dire vrai, pour la première fois, j'étais paumée. Ça me dépassait, il y en avait trop. Moi, je ne peux pas aimer en bloc, il faut que je détaille. Je me suis dit : « Attendons. On va bien voir surgir un chef de file. »

Edith était parfaitement heureuse. Sa peau rayonnait comme quand elle était amoureuse. Et, dans la salle de bain, ça y allait le bichonnage et les essais de coiffure !

Le soir, on aurait dit qu'on se serrait autour d'un feu de camp. Ils étaient tous assis, en rond, autour d'Edith. Il n'y avait pas à s'y tromper : la flamme, c'était bien elle. Elle m'avait dit : « Ecoute-les bien. Tu verras, ils ont tous quelque chose à raconter. Je ne sais pas encore ce que je vais faire d'eux. Il faut d'abord que je les connaisse. » Cette technique-là avait fait ses preuves.

En les écoutant, j'ai appris que Fred, le soliste, était instituteur à Annonay. Du même patelin, il y avait René qui était un peintre devenu ténor. Jo, toujours du coin, avait des parents qui fabriquaient du papier ; ce qui n'avait rien d'étonnant, c'était la ville qui voulait ça. Le rouquin Albert, de Pessac, dans la Gironde, était un acrobate-illusionniste devenu ténor. Marc, le Strasbourgeois, avait fait la classe d'harmonie au Conservatoire. Guy, la basse, avait un père directeur de banque ; comme Jean-Louis (Jaubert), Colmarien, qui faisait l'Ecole des hautes études commerciales et qui voulait devenir footballeur professionnel. Enfin, les Lyonnais Gérard et Hubert, qui auraient dû être commerçants.

Il n'a pas fallu longtemps à Edith pour les juger à sa façon et, pour elle, ils sont devenus : Jo le Grand — Guy le sale caractère — Paul le Nouveau —

Albert la Tache de Soleil — Gérard le Marrant — Marc le Pianiste — Fred le Soliste — Hubert le Beau Gars — Jean-Louis le Manager.

« Comme ça, Momone, je m'y retrouve.

— Mais qu'est-ce que tu veux en faire de ta patrouille ? Tu vas jouer les cheftaines ?

— Je vais les transformer. Tu vois, quand ils chantent, ils ont encore des culottes courtes, je vais leur apprendre à porter des pantalons.

— Et ils vont marcher ?

— Comme un seul homme. »

C'était bien ce qui me tracassait. Lequel était le futur patron ? Il ne pouvait pas y avoir neuf gars à la maison, tous bien balancés, normalement baraqués, sans qu'il y en ait un qui sorte des rangs pour entrer dans les draps d'Edith.

J'allais le savoir très vite. Mais avant, j'ai vu Edith ramasser, auprès d'eux, un bide.

Les petites parlotes style feu de camp ; les bonnes parties de rigolade genre louveteaux ; les grosses joies de gamins lâchés dans la nature, ça avait un côté « cure de jouvence par la jeunesse » pas désagréable. Et ça nous épatait parce que nous, à l'école de la rue, on joue vite au « père et à la mère » ; et nos chants, c'est plutôt les rengaines des pavés que « les colchiques dans les prés »...

Alors, Edith s'est mise à leur parler boulot. Après tout, ils étaient là pour ça.

« Voilà : votre répertoire, il ne vaut pas grand-chose. Avec ça, vous ne dépasserez pas les scènes de province où on a conservé le goût du patronage ! Ça n'ira pas plus loin. J'ai rien à dire contre vos vieilles chansons françaises ; *Perrine était servante*, c'est très chouette. Mais vous ne l'entendrez pas siffler dans la rue par le petit télégraphiste. Et sans ça, il n'y a pas de succès. »

Jean-Louis Jaubert, le manager, ne l'a pas laissée continuer.

« Ecoute, Edith, la goualante des rues, ce n'est pas pour nous. On n'est pas un chanteur, on est une chorale. Il nous faut des morceaux pour orchestre vocal. Et justement, nous, on n'a pas besoin qu'on nous chante dans les rues. On vient nous entendre comme on va au concert.

— Tu te goures totalement. Et les disques, y as-tu pensé ? Si vous trouvez, dans toute la France, mille retraités abrutis pour vous acheter, ce sera un succès ! Ou vous chantez pour le public spécialisé, ou vous chantez pour le public tout court. Il faut choisir.

— C'est tout choisi. Nous avons trouvé des salles pour nous écouter. Nous ne cherchons pas la gloire !

— Eh bien, vous êtes des cons ! »

J'ai trouvé la soirée plutôt fraîche...

Edith avait décidé qu'elle les transformerait. Il fallait qu'elle y arrive. Si elle s'entêtait comme ça, c'est qu'il y en avait un à son goût ! En attendant, elle râlait ferme. Du côté métier, ils n'avaient pas la cote.

« Momone, on n'a pas idée d'être aussi bornés. Ce qu'ils sont cloches (et elle part d'un éclat de rire à la Piaf) ! Ça y est ! J'ai trouvé. Ils vont chanter *Les Trois Cloches.*

Il y avait un moment qu'Edith avait mis en réserve, pour elle, cette chanson de Gilles. Elle ne l'avait pas encore chantée. Elle l'aimait mais elle ne la sentait pas.

En dix minutes, elle avait réuni tous ses gars.

« J'ai trouvé une chanson pour vous. Ecoutez :

> *Une cloche sonne, sonne,*
> *Sa voix, d'écho en écho,*
> *Dit au monde qui s'étonne :*
> *« C'est pour Jean-François Nicot !*
> *C'est pour accueillir une âme,*
> *Une fleur qui s'ouvre au jour,*

A peine, à peine une flamme,
Encore faible qui réclame
Protection, tendresse, amour ! »

— Alors ?... »
Ils se taisent et regardent Jean-Louis. Celui-là, il
commençait à m'énerver avec ses airs de chef.
« Non, Edith. A aucun prix, c'est une niaiserie.
— Et si on la travaille ensemble ? Que je la chante
avec vous ?
— Ça, c'est différent. »
Je voyais très bien ce qu'il y avait de différent :
il y avait le nom d'Edith. Et ça, c'était une sacrée
locomotive.
Je voyais aussi que Jean-Louis allait être le nouveau patron. Elle me parlait trop de lui et il avait
trop de qualités ! L'élu, c'était le chef. J'aurais dû le
comprendre tout de suite puisqu'elle avait décidé de
les transformer.
Chaque fois qu'on était seules, elle démarrait à
fond :
« Momone, comment le trouves-tu ?... Il n'est pas
comme les autres... Il est pur... Tu comprends, il n'a
pas de passé, il n'a pas traîné partout... Il chante
par idéal... Ça m'a plu qu'il refuse de changer son
répertoire, pour rester un musicien parmi les autres...
La gloire, il s'en fout. Ce qui compte pour lui, c'est
de chanter... Et puis, il est beau... Et on sent que
c'est un fils de banquier... »
Avec ça que ça lui avait bien réussi, avec Paul
Meurisse, les fils de banquier ! Elle n'arrêtait pas.
J'en avais les oreilles qui bourdonnaient.
Le travail qu'Edith a fait pour la mise en scène
des *Trois Cloches* n'a pas été ordinaire.
Orchestre et grandes orgues ont donné à cette
chanson un décor sonore étonnant. Ça flanquait un
choc. Il y avait aussi la présence de cette petite
bonne femme si simple, devant ces grands gars,

tous habillés pareil (chemise blanche, pantalon bleu de nuit, ceinture haute genre smoking), et qui mêlait sa voix de femme qui a vécu à celle de leur jeunesse. C'était une réussite.

Eh bien, malgré ça, ses chers compagnons ne marchaient pas à fond. Ils ne faisaient pas confiance à Edith. Ils chantaient bien, mais ils n'étaient pas dans le coup. Ils manquaient de chaleur.

C'est Jean Cocteau, une fois de plus, qui en intervenant a changé la vie d'Edith. D'abord, il leur a dit que c'était très beau. Et les gars ont été soufflés. Mieux, il a écrit dans un article : « C'est un plaisir de les entendre et de l'entendre, mêlée à eux, coulée dans leur cloche de bronze et d'or comme une veine d'agate... »

Le lendemain, tout changeait. Les gars étaient décidés à écouter Edith, à suivre ses conseils. Ils n'ont pas eu tort. *Les Trois Cloches* ont été un succès dans tous les pays du monde. La vente du disque, en France, a dépassé le million. En Amérique, où Jean-François Nicot s'est appelé Jimmy Brown, et le disque *The Jimmy Brown's song*, le premier tirage de soixante mille est parti en trois semaines.

Pour eux, Edith ne pouvait plus se gourer. Ils avaient compris qu'elle connaissait les bonnes recettes. Ils lui ont fait confiance et leur répertoire a changé.

Edith leur a trouvé une chanson d'André Grassi : *T'en fais pas, la Marie.*

Puis *Moulin-Rouge*, de Jacques Larue et Georges Auric, *Le Petit Coquelicot*, de Raymond Asso et Valéry, *C'était mon copain*, de Louis Amade et Gilbert Bécaud, *Quand un soldat*, de Francis Lemarque, *La Prière*, de Francis Jammes et Georges Brassens.

Avec ça et quelques chansons anciennes, ils étaient parés, les gars. Ils pouvaient faire le tour de France et d'ailleurs...

Quand *Les Trois Cloches* se sont mises à sonner à

toute volée pour annoncer la joie de leur réussite, moi, c'était mon glas qu'elles sonnaient...

Gagnant et placé dans le cœur d'Edith, Jean-Louis Jaubert a eu droit à la panoplie complète : chaîne, montre, et tout le bataclan.

Au milieu de tous ces gars qui avaient tous, plus ou moins, des allures de propriétaire, par procuration, moi, j'avais des airs de cousine pauvre qu'on garde par pitié. Et la pitié, la charité, ça ne m'a jamais plu.

Dans mon quartier, quand j'étais môme, il y avait, comme ça, des dames de charité qui passaient. Elles ne nous faisaient pas de bien ; plutôt du mal. Quand elles étaient là, on ne pouvait plus oublier qu'on était des pauvres. Elles nous donnaient des choses laides, tristes, déjà portées, des trucs dégueulasses qui ne pouvaient finir que sur nous. Pour elles, on n'était pas de la même race. On n'avait pas la même couleur de peau que leurs gosses.

Pour Edith, j'aurais fait n'importe quoi. Mais ramper devant ses hommes, ça, jamais !

Peut-être que si j'étais devenue une sorte de bonne à tout faire, en plus moche, j'aurais pu rester. Aussi quand Jean-Louis Jaubert a dit froidement : « Je ne veux pas d'elle », je n'ai pas fait d'histoires. Ce gars-là, il pouvait vivre à neuf mais pas à trois. Je ne lui en veux pas. Pour lui, certainement qu'il avait raison, que j'étais encombrante ; je ne lui plaisais pas. Alors, j'ai laissé la voie libre et je me suis tirée.

Un peu plus d'un an plus tard, quand je suis revenue auprès d'elle, Edith m'a raconté la suite : Jaubert et son voyage en Amérique. Elle racontait bien, Edith, avec tous les détails. C'était comme si on y était. Elle était marrante. Elle supportait nos ruptures (toujours à cause de ses hommes), mais il fallait que je connaisse sa vie comme si j'y avais été.

« Tu comprends, Momone, faut que tu saches. Faut

que je te raconte tout de suite. Après, je ne me rappellerai plus aussi bien. Tu es ma mémoire. Alors, fais attention. N'oublie rien. »

Et je n'oubliais rien, car elle vérifiait, comme ça, en passant, plusieurs mois plus tard.

« Momone, ces neuf mecs, c'est comme si j'avais eu un orchestre à moi. Pas un orchestre qui m'accompagne, mais que je conduis. Toutes ces voix qui sont comme des instruments, c'est formidable !

« Au début, je me suis marrée à la maison avec eux. On s'entendait bien. C'était comme si j'avais eu des tas de frères pour s'occuper de moi. J'avais jamais vécu avec des gars, comme ça. On se faisait des blagues. J'ai pris de ces fous rires à en avoir mal au ventre.

« C'est comme ça, pour s'amuser, qu'on a fait un film : *Neuf garçons... un cœur.* Il y avait Lucien Nat, Marcel Vallée, Lucien Baroux. C'était pas génial, un petit truc sans prétention. Tu vois le genre ! Il est passé dans les salles de quartier, avec modestie... Les gars étaient un peu déçus. Moi, j'avais fait ça pour leur faire plaisir, alors... »

Comme elle l'avait fait pour Yves, Edith avait chargé Loulou de s'occuper des Compagnons, de les placer avec elle. Ils filaient leur tour en première partie.

Elle chantait *Les Trois Cloches* avec eux. Et ensuite, elle passait en vedette.

« Loulou râle dès que je ne suis pas toute seule. On s'est un peu bagarrés, et il en a fait à moitié à sa tête. Alors, j'ai fait ma rentrée parisienne en octobre 1946, sans les Compagnons. C'était bien comme ça. Loulou n'avait pas eu tort. »

Jamais Edith n'a eu une presse aussi délirante. « Les grandes années Piaf » commençaient.

Pierre Loiselet, très coté à la Radiodiffusion française, disait : « Une grosse tête qui tire sur le blême, une voix qu'on dirait lavée à toutes les eaux du ruisseau... » (« Il est con, ce mec, disait Edith, j'ai pas une grosse tête ! ») Il continuait : « Elle est rentrée... petite robe toute simple... front génial de poupée à la perruque mal recollée... doigts d'apôtre... ses yeux humbles... ses yeux de pauvre... ses yeux hagards qui se protègent des bravos qui pleuvent sur elle... Une petite fille égarée dans un bois... visage doux et inquiet... »

Léon-Paul Fargue écrivait : «Elle chante parce que le chant est en elle, parce que le drame est en elle, parce que son gosier est plein de tragédie... Quand il s'agit d'évoquer pour nous le triomphe de l'amour, la dureté du destin, l'angoisse haletante des trains, la joie de la lumière ou la fatalité du cœur, elle se hausse jusqu'à des notes ultimes et vibrantes, touches claires et pures, échappées comme des coups de pinceau divins, qui apparaissent dans les sombres histoires de Goya, de Delacroix ou de Forain... »

Et Charles Trenet l'appelait « cette blanche colombe des faubourgs ».

« C'était pas ordinaire ce qu'ils ont dit de moi, hein, Momone ?

« Après, j'ai travaillé, un peu avec les Compagnons, un peu seule. Tu connais Loulou ! C'est moi qui commande mais ça ne l'empêche pas de faire ce qu'il veut. Il me casse les pieds, il me baratine tellement, que je finis par dire oui.

« C'est comme ça qu'il m'a envoyée chanter, seule, en Grèce ; et je ne l'ai pas regretté. J'ai même eu envie de changer de vie, de ne plus jamais revenir...

« Ce pays-là, il faudra que tu le connaisses un jour. Il n'est pas comme les autres. C'est difficile de t'expliquer... Mais là-bas, tu ne penses plus comme tu penses ici. C'est plus possible.

« A Athènes, quand j'ai vu toutes ces vieilles pierres les unes sur les autres, l'Acropole, ce truc plein de colonnes dans le ciel, j'ai compris qu'il n'y avait pas que le Sacré-Cœur...

« Crois-moi, ça fait de l'effet. D'autant plus que j'étais avec un gars beau comme un dieu !

« C'est une histoire comme je les aime. Il y avait déjà trois jours que je chantais et je trouvais chaque soir un bouquet dans ma loge. Pas de nom, pas un mot, rien. J' me dis : « C'est un richard qu'est « trop vieux et trop moche pour se montrer... » Beau comme un dieu qu'il était ! et plutôt sans un ! Le quatrième soir, je le vois débarquer : bouclé, l'œil sombre, baraqué comme une de leurs statues et fier comme un seigneur. Il s'appelait Takis Ménélas. Il était comédien.

« — C'est moi qui ai osé vous envoyer des fleurs. « Je voulais qu'elles vous parlent avant moi. Je vou- « drais vous faire connaître mon pays. »

« Du pays ! Je ne demandais pas mieux que d'en voir avec lui ! Le soir même, il m'emmenait au pied de l'Acropole, au clair de lune. On est montés par un petit chemin. Ça sentait des tas d'odeurs chaudes. Les bruits de la ville étaient comme un orchestre, une musique qui montait d'en bas. Il m'expliquait qu'au milieu de toutes ces colonnades immenses se trimbalaient des gars en péplum : ses ancêtres. Je finissais par les voir. Et il m'a embrassée... Ce que c'est beau, la Grèce !

« Tu ne peux pas savoir ce que je l'ai aimé, ce garçon ! pendant quinze jours... Qu'est-ce que tu veux, je ne restais pas plus !

« Quelques jours avant mon départ, il m'a chavirée. Il me suppliait :

« — Reste. Ne pars pas. Jamais plus je ne te « reverrai. Tu es ma vie. Reste ! Nous nous marierons. « Mon pays est fait pour les déesses. Tu en es une. « Tu es l'Amour... »

« Il m'avait fait tellement d'effet que je me demandais si, après tout, c'était pas ça la *vraie* vie. Tout oublier pour un seul homme !...

« Le lendemain, j'ai reçu un câble de Loulou qui

m'a secoué : « Tournée Amérique. Accepté Boston,
« Philadelphie, New York. Avec Compagnons. Novem-
« bre 47. »

« Je lui ai téléphoné :

« — T'es pas louf... Pour l'Amérique, j'ai pas le
gabarit... »

« Puis — tu me connais — j'ai enchaîné :

« — Bon, je vais le faire, mais ils n'auront jamais
vu ça... »

« Après un coup pareil, l'Amérique, tout le boulot
que j'allais avoir, Takis, ce n'était pas possible.

« J'ai bien pleuré en partant. Jamais j'en avais eu
un plus beau, ni un meilleur.

« J'étais sûre de le quitter pour toujours. Eh bien,
non. Je l'ai revu à New York. Il venait de refuser un
très bon contrat pour retourner dans son pays. Il
était toujours aussi beau. »

Plusieurs années plus tard, quand Edith a été si
malade, et que les journaux ont dit qu'elle n'avait
plus d'argent, Takis lui a renvoyé la médaille porte-
bonheur en or qu'elle lui avait donnée, avec ces mots :
« Pour toi. Tu en as plus besoin que moi. » Ça lui
a fait de l'effet à Edith. Elle m'a dit : « Tu vois,
cette fois-ci, j'ai dû passer à côté du véritable, du
grand amour... »

En rentrant de Grèce, elle a commencé à préparer
son voyage aux U.S.A.

« Ah ! Momone ! Qu'est-ce que j'ai regretté que
tu ne sois pas là ! Vivre ça avec moi, c'était quelque
chose. (Ça, je lui faisais confiance.) Tu sais, j'avais
tout de même les chocottes. L'Amérique, c'est pas la
France, c'est pas les mêmes dimensions !

« Loulou nous avait pris des cabines sur un bateau.
J'étais à la table du commandant. Fallait se tenir
bien, manger du bout des lèvres comme si tous les
plats vous avaient dégoûté. Et la conversation était
du même style. C'était pas très détendu. Heureusement que je m'étais fait un copain du commissaire, un

petit brun, pas mal balancé du tout. J'en ai pas *bien* profité ! Ce n'est pas si grand que ça, un bateau. On n'y est pas très libre. Et puis, j'ai commencé à m'apercevoir que Jean-Louis m'avait à l'œil, qu'il n'était pas spécialement rigolo... Il me parlait de ce qui nous attendait à New York. Il me rasait avec ses « Tu crois que ça va marcher ? Tu crois qu'on va leur plaire ?... »

« Mon premier contact avec l'Amérique, ça a été une déception. Je m'attendais à avoir un choc avec la statue de la Liberté. Eh bien, dans la rade de New York, elle ne fait pas plus d'effet que celle qui est plantée chez nous, sur le pont Mirabeau. C'est tellement grand tout autour, qu'elle est toute petite.

« Mais alors, ce qu'il y a d'écrasant, c'est les buildings. C'est comme Jean Cocteau l'a écrit : « New York est une ville debout. » Nos maisons, à côté, elles auraient toutes l'air de pavillons. Et puis chez nous, à Paris, dans les rues, on est sûr de courir comme des dératés ! C'est pas vrai : on se promène. A New York, y cavalent pour le record du monde. C'est tous des Ladoumègue, ces mecs-là !

« Loulou m'avait retenu une suite à l'hôtel Ambassador. Quand je me suis vue là — attends que je retrouve... oui, c'était en novembre 1947 — toute seule, plantée au milieu de mes valises, j'en aurais chialé.

« J'ai pensé qu'il était temps que je potasse mon anglais. J'avais acheté un bouquin, « L'anglais sans peine », qu'ils disent.

« D'abord, t'as le *the*. Ça, c'est pas possible à dire. T'as beau mettre ta langue entre tes dents, ça ne marche pas. Comme j'avais déjà travaillé à Paris, j'en étais à la phrase : *A woman is waiting for a sailor who promised to return to her when he became a captain...* (Une femme attend le retour d'un marin qui lui a promis de revenir quand il serait capitaine.) Qu'est-ce que j'en avais à foutre ! J'ai tellement ri

que j'en avais mal aux côtes. Ce n'était pas ça qui
allait me servir.

« Mon agent américain, Clifford Fischer, un très
brave type, le genre Loulou, m'avait organisé une
conférence de presse : une tripotée de gars et de filles,
tous à noter ce que je disais.

« La première question qu'ils me posent :

« — Miss Idiss (ils ne pouvaient pas dire Edith),
« vous venez d'arriver aux United States, quelle est
« la première personne que vous voulez rencontrer ?

« — Einstein. Et je compte sur vous pour me don-
« ner son numéro de téléphone. »

« Tu peux pas savoir ce qu'il était heureux (un
cabot à qui on lance un os), Clifford ; il mâchouillait
son cigare en rigolant. Quand ils sont partis, il m'a
dit :

« — Formidable, le coup d'Einstein. Ça, c'est une
trouvaille ! »

« C'était à mon tour de me marrer. Je voulais vraiment le voir. »

Le responsable de cette histoire était Jacques Bourgeat, notre Jacquot du temps de Leplée. On ne l'avait
jamais quitté. Il allait et venait dans la vie d'Edith.
Quand elle avait besoin d'un conseil, d'un vrai,
suivant le cas, elle le demandait à Jean Cocteau ou
à Jacques Bourgeat. C'était maintenant un vieux
monsieur mais il était bien le seul capable de faire
entrer des trucs compliqués dans la tête d'Edith.
C'est grâce à lui que, sur la table de chevet d'Edith,
à côté d'un cadre avec sainte Thérèse de Lisieux, il
y avait la Bible, Platon, et un bouquin sur la relativité du temps.

Tout ça, au départ, ça s'embrouillait un peu dans
sa tête, mais ça faisait son chemin. Edith avait un
esprit très ouvert, elle adorait apprendre.

« Momone, c'est drôlement compliqué ce truc sur
la relativité du temps, mais ça t'ouvre l'esprit. Qu'est-
ce que ça m'épate d'y comprendre quelque chose.

Et Platon, c'est simple. Faut pas se le farcir comme un roman, mais par petits morceaux, ça va très bien. Ce M. Einstein, c'est un génie. Si je vais en Amérique, je lui téléphonerai.

« Avec cette histoire, j'avais pris un bon départ. Mais crois-moi, le soir, au Playhouse, 48th Street à Broadway, je ne rigolais plus du tout.

« Les Compagnons passent : ça ne marche pas mal. Pour *Les Trois Cloches*, on se fait siffler. J'en étais blanche de désespoir. Personne n'avait pris la précaution de me dire qu'aux U.S.A., c'était mieux que des applaudissements !

« Pour mon tour, j'avais gardé ma petite robe. Première déception pour les Ricains. Ils croyaient que je l'avais mise pour faire aussi simple que mes boy-scouts, une sorte de déguisement, quoi ! Pour eux, une vedette, surtout venant de Paris, la capitale du French-Cancan, de Tabarin et du Lido, ça devait avoir les moyens de se payer de la plume, des paillettes, de la fourrure. J'ai rien d'une pin-up ! A côté de Rita Hayworth ou de Marlène, faut dire que je faisais pauvre.

« J'ai bien compris plus tard que, pour eux, la Parisienne du « Gay Paris » est coiffée par Antonio, « visagée » par Jean d'Estrées, habillée d'une robe à deux cent cinquante tickets !

« Je te dis ça pour que tu sois bien dans l'ambiance, que tu voies le tableau. Les Compagnons c'étaient des voix. Qu'on les comprenne ou pas, ça n'avait pas d'importance. Ils étaient beaux gars — pas des armoires à glace mais un bon gabarit —, une belle présentation. Le public n'avait pas à se casser la tête pour comprendre. Il entendait, c'était joli, ça suffisait.

« Moi, je m'amène avec ma petite robe noire, courte, ma coiffure sans style, des cheveux — de la couleur de tout le monde — qui n'accrochaient même pas la lumière, une figure pâle. De loin, je faisais blanche

et noire. C'est qu'il est immense, leur music-hall !
Si t'avais fait le tour de la scène quatre fois, t'aurais
piqué ton petit quatre cents mètres facile !

« Pour leur procurer un choc, je leur en avais
procuré un. On aurait entendu une mouche éter-
nuer. J'avais fait traduire et appris par cœur deux
chansons en anglais pour leur faire plaisir, qu'ils
comprennent un peu. C'était réussi ! Le soir, un mec
m'a dit : « J'ai beaucoup aimé les deux chansons
« que vous avez chantées en italien... »

« Pour tout arranger, le M.C.[1], pendant que je
chantais, expliquait dans son micro ce que je disais.
Et ça donnait : « Elle est malheureuse parce qu'elle
« l'a tué et qu'on l'a mise en prison. »

« Je ne peux pas dire que ça a été une catastrophe,
mais pas loin. Pour un beau bide, c'en était un !

« J'étais tellement sonnée que je n'arrivais pas
à retomber sur mes pattes. Je ne leur en voulais
même pas.. On n'était pas de la même race. On ne
pouvait pas se comprendre. Le soir, quand il sort,
l'Américain veut se distraire. Toute la journée, il s'est
bagarré. Il ne vient pas au music-hall pour entendre
la voix de la misère, du cafard. Ses soucis, il les
dépose au vestiaire.

« Il est fleur bleue par système, et par hygiène.
Alors, cette petite Française qui venait l'obliger à
se rappeler qu'il y a des gens qui souffrent, qui ont des
raisons d'être malheureux, ça ne passait pas ! Je dis
ça pour ceux qui me comprenaient un peu. Et les
autres le sentaient dans ma voix.

« En plus, ma musique n'avait rien à voir avec la
leur. Je n'avais pas de mélodies sirupeuses, faciles à
l'oreille. Je n'étais pas jazz non plus. Alors, qu'est-ce
que j'étais ?

« C'est la question que se posaient les rares journalistes qui avaient bien voulu faire un bout d'arti-

---

1. M.C. — Master of Ceremony : le présentateur.

cle sur moi. Ils écrivaient des choses comme :
« ...Cette petite bonne femme charnue a des yeux
lourdement chargés de mascara et une bouche faite
pour avaler, d'un seul coup, un quart de jus de
tomate... » C'est pas le genre de choses qui vous
donne du talent et fait courir le peuple !

« Jamais je n'avais été aussi désespérée. Jaubert,
lui, il pavoisait. De la presse, il aurait pu m'en refiler
sans que ça le gêne. Les « French Boys » plaisaient.
Eux, c'était la France saine, les copains des G.I's qui
nous avaient libérés. Tu vois ça d'ici : *Marseillaise*
et bannière étoilée !...

« J'ai continué quelques soirs, comme ça, sans
moral. Puis j'ai dit aux Compagnons :

« — Les gars, je me tire. Faut pas être entêté dans
« notre métier. Je ne plais pas. Salut les potes. La
« tournée, finissez-la sans moi. Pour vous, c'est du
« billard. Continuez à rouler dessus, et bonne chance !
« Je reprends le bateau. »

« Tu me connais, Momone : ma place était déjà
retenue. D'ailleurs, ils ne se sont pas cramponnés
après moi. Mais crois-moi, j'avais le cœur gros. Il
me faisait mal, cette vache ! Tu vois, l'amour ça
m'a fait souffrir, mais il n'y a pas un homme qui m'a
fait mal comme ça.

« Et d'un coup, tout bascule. J'ai ma chance. Un
critique dramatique, Virgil Thompson, qui n'écrit
jamais sur les artistes de music-hall, me consacre
une première page dans un des plus grands quotidiens de New York, sur deux colonnes. Il « m'expliquait » aux Américains. Tout ce qu'il fallait dire pour
qu'ils me comprennent y était. Pour lui, tout était
chanson en moi : ma voix, mes gestes, mon physique.
Il finissait son article en disant : « Si on la laisse
« repartir sur cet échec immérité, le public améri-
« cain aura fait la preuve de son incompétence et de sa
« stupidité. » Pour écrire ça, il avait retroussé ses
manches, le gars !

« J'avais pas fini de me le faire traduire que mon agent américain, Clifford Fischer, entrait dans ma chambre, le journal sous le bras, le chapeau sur la tête. Quel chic type, cet homme-là ! Tu verras, quand tu le connaîtras, il te plaira tout de suite. Toutes les qualités d'un bon Américain : direct, net, rapide et bon joueur de poker. Tu vas voir pourquoi je te dis ça... Note que la vérité, je ne l'ai sue que plus tard.

« Il tapait sur son journal en mâchonnant son cigare puant — à jeun, il me foutait mal au cœur — et il gueulait :

« — Idiss, *it's good for you* ! Cet article, il vaut des « milliers de dollars. Ne partez pas. Ici, on aime le « courage, il gagne toujours. Je vais aller dans le plus « chic, le plus snob cabaret de Manhattan, le Ver-« sailles, 151, East 50th Street. Et ils vont signer « un contrat. Demandez deux bourbons pour fêter ce « papier ! Et je vais vous expliquer ce que je vais « faire pour vous vendre très cher. »

« D'un coup, Clifford et Thompson m'avaient regon-flée. J'aurais avalé douze bourbons (pourtant, je l'aime pas tellement, leur truc), et grimpé à pinces jusqu'au dernier étage de l'Empire State Building...

« — Voilà, Idiss : il faut que vous soyez seule. Des « journalistes ont dit que vous apparaissiez au milieu « des Compagnons, et que vous étiez seulement une « voix dans un chœur ! Ici, quand une femme vient sur « scène avec des boys, elle danse, elle chante, elle « est plus qu'eux. Ils sont là pour la servir. Vous, avec « vos garçons, c'est le contraire. Ce n'est pas bon. « Et quand ils ne sont plus là, vous faites misérable « toute seule. Nous autres Américains avons horreur « de ce qui fait *cheap*. Laissez les Compagnons « continuer la tournée. Et moi, je dis au type du « Versailles : « Quand les gens auront pris l'habitude « de sa petite robe noire, qu'ils auront compris qu'une « Parisienne sur une scène, ce n'est pas nécessaire-« ment une girl avec des plumes sur la tête et une robe

« à traîne, on se battra pour venir l'entendre. » Je lui
« dirai mieux : « Si elle vous coûte des dollars à la
« fin du contrat, je paierai la différence ! »

« Il est allé jusqu'au bout de son coup de poker.
Il a même fait plus qu'il ne m'avait dit : il a versé
une caution au propriétaire du Versailles pour qu'il
m'engage.

« Fischer avait joué pour gagner. Quand il a eu mon
contrat, il m'a fait boulonner tous les jours, pendant
une quinzaine. J'ai pris des leçons d'américain. J'ai
travaillé mes deux chansons traduites avec un professeur, et crois-moi, je n'ai pas rigolé...

« La première fois que j'ai été répéter au Versailles, j'ai été renversée et j'ai pensé que Clifford était
devenu dingue. Moi, dans ce décor-là, ce n'était pas
possible !

« Imagine un peu le palais de Versailles, vu par un
décorateur d'Hollywood, pour une comédie musicale
en technicolor ! Un truc rempli de statues, d'arbres
taillés. Des glaces, des portes, des fenêtres ! Tout en
plâtre rose et blanc ! Je ne m'en étais déjà pas tirée
sur une scène avec des taps[1] tout simples. Alors, au
milieu de ce fouillis, j'allais disparaître.

« Fischer m'a dit que je n'y connaissais rien, que
c'était un décor bien français (le seul connu des
Américains avec le Moulin-Rouge et la tour Eiffel),
et que ça convenait au poil !

« Moi, je voulais bien. Je l'ai bouclée. J'allais tout
de même pas contrarier le seul homme qui voulait
me sauver. Et puis, j'en étais plus à un échec près.

« D'accord avec Fischer, on avait supprimé le M.C.
C'était toujours ça en moins. Mais ça ne suffisait
pas pour m'enlever le trac.

« Fischer avait beau me dire, avec cette cordialité
américaine qui vous fout à l'eau d'une bonne claque
dans le dos : « Vous inquiétez pas, ça va marcher.

1. Taps : tentures de scène, en terme de métier.

C'est dans la poche. Votre public, maintenant, il sait qui vous êtes. Les Américains, faut pas les surprendre sans les prévenir. Il faut qu'ils sachent ce qu'ils doivent penser, et alors, ils marchent. Ils sont mis en condition pour avaler n'importe quoi ! » J'en avais des sueurs froides. Je me suis payé un trac aussi grandiose que leur bazar de style.

« Je dois dire que Fischer et les gars du Versailles avaient bien préparé le public. Dans les journaux, j'étais annoncée comme la chanteuse que les G.I's avaient découverte à Paris — je ne crois pas qu'il y en a eu beaucoup qui m'ont entendue —, et (rigole pas) comme la « Sarah Bernhardt de la Chanson »... Ils y avaient mis le paquet, les gars.

« Parmi les invités, il y avait Marlène Dietrich, Charles Boyer, et tout le gratin de la ville... Des Français : les Craddock, Jean Sablon, venus pour me soutenir. J'en avais besoin.

« J'ai vraiment fait un tabac. Les gens criaient : « Bravo », « Vive la France », « Paris »... n'importe quoi ! Et pourtant il y en avait une bonne partie qui ne m'avait pas vue. J'étais si petite, dans leur grand machin, qu'ils ne voyaient que le haut de mes cheveux. Et c'est pas ce que j'ai de mieux, hein, Momone ? Alors, le lendemain, on a surélevé le podium pour moi.

« Marlène est venue m'embrasser dans ma loge. C'est comme ça qu'on est devenues copines. Elle m'a fait une de ces publicités... Pour moi, elle a été formidable.

« Après l'échec du Playhouse, j'avais besoin de mon succès au Versailles. Il m'avait engagée pour huit jours. J'y suis restée vingt et une semaines. Tu te rends compte !

« Quatre mois à New York, tu parles d'un bail ! L'hôtel ce n'était pas possible. Là-bas, ils surveillent ta chambre comme si tu étais bonne sœur, et que tu avais fait vœu de chasteté.

« Irène de Trébert, ma copine de Paris, avait un petit deux-pièces sur Park Avenue. Elle me l'a laissé. Pour venir rigoler chez moi, j'ai pas manqué d'amis. N'empêche que je me sentais seule. J'ai eu des nuits d'une de ces longueurs... Elles n'en finissaient pas de finir !

« Jean-Louis avait terminé la tournée qu'on devait faire ensemble, et il est rentré à Paris avec les boy-scouts. C'est comme ça que j'ai divorcé des Compagnons, sans histoires.

« Heureusement que tous les copains de passage venaient me voir. Celui qui m'a fait le plus de plaisir, c'est Michel Emer.

« Quand je l'ai vu débarquer au Versailles, avec sa bonne bouille de hibou effaré, qu'est-ce que j'étais contente ! Tellement, que je l'ai fait marcher ! Il se précipite vers moi pour que je l'embrasse. Je le repousse, et je lui dis, sévère : « P'tit caporal, tu « m'apportes une chanson ? » Il me répond : « Non », en prenant son air de môme coupable. « Quand tu « m'auras fait une chanson, je te dirai bonjour. » Et je le plante là, pour aller chanter. Tu ne peux pas savoir ce que je me marrais !

« Sur le coup, il a été plutôt furieux. Dans la loge, il m'entendait de loin. Ça a remonté la mécanique et il s'est mis à écrire, sur le coin de la table à maquillage *Bal dans ma rue*. Quand je suis revenue, il me l'a tendue : « Embrasse-moi. Je l'ai faite, « ta chanson. »

> *Ce soir il y a bal dans ma rue*
> *Et dans le p'tit bistrot*
> *Où la joie coule à flot*
> *Des musiciens sur un tréteau*
> *Jouent pour les amoureux*
> *Qui tournent deux par deux*
> *Le rire aux lèvres et les yeux dans les yeux.*

« Il lui avait suffi de m'entendre !

C'était vrai..

Michel lui disait : « Si je ne te vois pas, que tu es loin, je ne peux pas écrire pour toi. » Alors, il venait à la maison : « Edith, parle-moi. Chante-moi ce que tu veux. » Et le lendemain, il lui apportait une nouvelle chanson.

Comme ça il en a fait plus de trente qu'elle a chantées pendant des années.

« Le lendemain, on a déjeuné ensemble, chez moi, et on s'est mis au travail. C'était bon, *Bal dans ma rue*, mais j'en avais envie d'une autre. Je voulais une chose triste, l'histoire d'un gars qui meurt à la fin. J'explique mon idée à Michel, et il me fait, sur le coup, *Monsieur Lenoble* :

> *Monsieur Lenoble se mouche*
> *Met sa chemise de nuit*
> *Ouvre le gaz et se couche*
> *Demain tout sera fini.*

« Il était à New York depuis douze heures, et il m'avait pondu deux chansons ! »

Ça ne m'épatait pas. Edith avait un pouvoir extra-ordinaire sur les êtres. Elle les obligeait à lui donner tout ce qu'ils avaient en eux. Ils n'en revenaient pas eux-mêmes ! Elle vous demandait toujours plus... et on lui donnait !

J'y suis passée comme les autres. On avait envie de lui plaire, qu'elle vous aime. Et, pour ça, il n'y avait qu'une recette : lui apporter quelque chose. Pas de l'argent, elle s'en foutait (elle en donnait aux autres). Ce qui était important pour elle, ce qu'il lui fallait, c'était avoir de l'admiration. J'aimais l'épater, Edith, pour des grandes et des petites choses.

En 1950, j'ai eu une opération très sérieuse. Le docteur lui avait dit : « Elle en a pour un mois. » Treize jours après, j'étais debout. Elle était contente de me voir, mais elle l'était plus encore que je ne sois pas comme les autres.

Elle disait : « Ah ! toi ! t'es un petit soldat ! » Ça, c'était le grand compliment.

Et elle était fière de moi. Elle répétait à tout le monde : « Momone, elle, elle en a dans le buffet ! » C'est comme ça qu'elle m'a fait manger des trucs insensés : des toasts à la moelle ! C'était gras, j'en avais horreur. Ça me rendait épouvantablement malade. Mais ça l'épatait parce qu'il n'y avait qu'elle et moi qui parvenions à les avaler.

Ces machines à la moelle, elle s'en servait, comme épreuve, pour ses gars. Elle en commandait pour eux, et s'ils faisaient la pâle gueule, elle leur disait : « Demandez à Momone si c'est pas bon, ça ? » Les mecs, s'ils avaient pu me tuer, ils l'auraient fait. Ça faisait rire Edith. Et son rire, c'était quelque chose ! Il aurait bien fait descendre les vitres.

Tout ce qu'elle faisait, je le faisais. Pendant trente ans, j'ai pris du café sans sucre. Je déteste ça, mais Edith ne prenait pas de sucre, alors moi non plus.

Notre amitié, c'était ça : pour rien et pour tout. Une affection comme la nôtre, si longue, si parfaite, c'est pas possible de l'expliquer. Ce n'est même pas de l'amitié, c'est du sentiment rare. Quand on l'a connu, qu'on l'a eu, à côté, tout vous paraît comme lavé, sans couleur. D'Edith, j'aurais tout accepté et j'aurais encore eu le sentiment d'être en dette avec elle.

Les Américains ne pouvaient pas comprendre Edith. Sa personnalité était trop nouvelle pour eux. Des comme elle, ils ne savaient pas que ça existait. Son talent, ils ne l'ont pigé qu'après le coup de poker à la Barnum de Fischer, qui leur avait dit : « Vous allez voir ce que vous allez voir ! »

Mais quand elle rentrait chez elle, il n'y avait plus personne. C'était fini. La *femme* était seule. C'était la *vedette* qu'ils venaient voir quand elle donnait une partie. Là, ses deux pièces étaient bourrées à craquer. Et puis, le dernier mec qui partait en zigzag, c'était fini. Elle n'avait plus qu'à se foutre au pieu et roupiller.

Elle s'était bien fait une copine de Marlène.

« Une femme plus intelligente que Marlène Dietrich, j'ai jamais rencontré, autant peut-être, mais plus pas possible. Et belle ! comme celles qu'on ne voit qu'au cinéma. Chaque fois qu'elle était devant moi je pensais à « l'Ange bleu », tu sais le passage où elle chante avec ses bas noirs et son chapeau haut de forme. Les Américaines sont de vraies stars, tellement parfaites qu'on ne peut pas croire qu'elles mangent et quand Marlène m'a dit qu'elle aimait faire la cuisine et que son plat préféré était le pot-au-feu, j'ai cru qu'elle se foutait de moi !

« On a souvent dîné ensemble, toutes les deux. Au début, je faisais gaffe, j'avais peur de déconner, mais elle m'a donné confiance le jour où elle m'a dit :

« — Laissez-vous aller, Edith, pour moi vous êtes « Paris, mieux, vous êtes Paname. Et puis, il faut « aussi que je vous dise que vous me rappelez Jean « Gabin. A table, vous vous tenez comme lui, vous « parlez comme lui. Vous qui êtes si fragile d'appa- « rence, vous me donnez la même impression de « force que lui. »

« Jean Gabin, ça m'a fait de l'effet parce que, comme talent et comme homme, on ne peut pas trouver beaucoup mieux.

« Probable que c'est un soir où j'avais dû lui rappeler son Gabin très fort qu'elle a enlevé la croix d'or avec des émeraudes qu'elle portait et me l'a accrochée au cou.

« — Tenez, Edith, je veux qu'elle vous porte « bonheur, comme à moi. Et puis qu'à votre cou « elle se promène dans Paris comme elle l'a fait avec « moi. »

« Ce geste, j'en avais la larme à l'œil. »

Edith l'a portée longtemps, puis après la mort de Marcel Cerdan, elle l'a enlevée. Elle avait décidé que les petites pierres vertes ça lui portait la cerise.

Cette amitié meublait sa vie, mais elle ne l'occupait pas. Dans le cœur d'Edith, c'était le vide. Il ne pouvait pas être rempli par une aventure, au passage, vite fait.

« Tu ne peux pas savoir ce qu'ils ont l'amour hygiénique, ces gars-là. Ils vont à la manœuvre, « une-deux-une-deux », vite fait, mal fait, et ils roupillent. T'as aussi quelques vicelards, comme tu es française et parisienne, qui te demandent des trucs que t'as pas envie de faire ; et qu'en reviennent pas que tu refuses. Ou alors, ils ont le sentiment bêlant. Ils te prennent pour une mère, jouent les petits garçons en se réfugiant dans tes bras en chialant parce qu'ils sont beurrés comme des petits Lu ! Mais pour le lit, ça change rien !

« L'histoire la plus marrante qui m'est arrivée, c'est avec John Glendale, l'acteur de cinéma.

« Il était beau, ce type, comme seuls les Américains le sont : grand, les muscles bien entretenus du sportif amateur, élégant, bien sapé, l'allure décontractée et simple, un peu fat, mais je me suis dit : « Au lit, ça lui passera. Il aura autre chose à faire « et à penser ! »

« Je l'invite avec quelques copains. On rit, on boit, mais pas plus que ça. J'étais pas ronde du tout. Je voulais garder mes esprits pour lui. Il me plaisait trop pour gâcher ça.

« Tout le monde se tire. On se fait des mondanités à la porte. Pas de John. Je pense : « Il a du tact, ce « gars. Il fait ça dans la discrétion. »

« Je reviens, sûre de le trouver m'attendant. Je voyais déjà son sourire. Je sentais déjà ses bras autour de moi. J'étais très excitée : s'offrir un mec comme lui, ça remue toujours un peu !

« Personne dans le salon. Je vais dans la chambre.

Et qu'est-ce que je vois ? Le John Glendale tout nu dans mes draps, fumant des cigarettes...

« Je ne peux pas dire ce que ça m'a fait.

« Il me dit : « Viens, je t'attends ! »

« J'attrape tout le paquet de ses défroques, et j'y ai foutu sur la gueule. Il bégayait : « Mais... c'est « pas ce que vous vouliez ? » Et moi, je gueulais : « Fous-moi le camp, et en vitesse ! Je ne suis pas une « putain... Je ne suis pas une putain... »

« Il n'a pas demandé son reste. Mais moi, Momone, j'ai chialé toute la nuit sur mon lit vide... »

Ce genre d'affront, Edith n'allait plus le connaître. A New York, un jeune boxeur débarquait : Marcel Cerdan.

CHAPITRE XI

AVEC MARCEL CERDAN, « LA VIE EN ROSE »

J'ÉTAIS à Casablanca, invitée par un éventuel mari. Elles me plaisaient assez ces fiançailles ! C'est toujours gentil un futur mari ! Malgré ça, je me sentais seule, car le futur, sa famille et la suite n'avaient aucune importance pour moi. Je m'en foutais ; on aime, dans sa vie, une seule fois, et c'était déjà fait ! L'homme que j'aimais avait été tué à la guerre. J'avais vingt ans. Ces choses-là ne s'oublient pas.

Il y avait déjà près de six mois que j'étais là. J'en avais ma claque du soleil ! Jamais je ne l'avais vu de si près. Les légionnaires et leurs histoires, à Paris, j'y croyais à peine, mais ici, je pouvais les comprendre. Comprendre qu'on ait le cafard, comprendre pourquoi, comment on devient dingue, et après, pourquoi on se soûle à mort !

Oublier Paris, ce n'est pas facile quand on l'a dans la peau. Si je ne voulais pas devenir sinoque, il fallait que j'efface Edith, son rire et ses chansons. Je n'avais rien à quoi me raccrocher. J'avais laissé tomber le futur ; je l'avais déjà mis au passé !

Si seulement j'avais pu oublier que j'étais si loin.
C'était bien moi qui l'avais voulu. J'aurais pu partir
à Fontenay-aux-Roses ou à Bobigny. Mais de là, je
lui aurais téléphoné, nous aurions pris rendez-vous
en cachette, comme des amants perdus. On l'avait
fait du temps d'Asso, mais je ne le pouvais plus. À
côté d'elle, au grand jour, ou rien. Et c'était rien.

Par les journaux, je savais ce qu'elle faisait en gros.
Le détail, je l'imaginais.

J'en avais marre de penser à tout ça. Dans une
ville au bord de la mer, on ne peut même pas tourner en rond, on se retrouve toujours au bord de
l'eau ; c'est elle qui vous attire. J'ai eu de ces envies
de me foutre dans cette flotte qui chantait trop fort,
qui se frappait le front contre les rochers. Pour moi,
cette musique trop forte, c'était Edith : Edith sur
une scène, à l'A.B.C. ou ailleurs, accompagnée par un
grand orchestre. J'entendais sa voix :

> *Avec ce soleil qui trouait la peau,*
> *Avec ce soleil...*

Le bourdon, il tapait dans mon crâne, il tapait
dans mon cœur. Je m'en allais à la dérive...

Une nuit, je me suis allongée sur le sable. J'ai
regardé le ciel. J'ai cherché la Grande Ourse. Les
légionnaires m'avaient dit que, dans ces pays-là, elle
n'existait pas, qu'elle était remplacée par la Croix
du Sud ; mais dans ce ciel, il y avait trop d'étoiles,
elles brillaient trop, je me perdais, je ne trouvais
plus rien. Mon esprit se perdait. Il y avait de l'air,
ça me rafraîchissait le front et le cœur. Je finissais
par être bien. J'étais seule, mon esprit s'était fait
la paire dans les étoiles !

J'ai entendu le sable s'écraser. Quelqu'un passait.
Non, quelqu'un venait à moi — peut-être pour me
demander l'heure ?

Je l'ai vu. Ce n'était pas Apollon, mais quelque

chose de mieux que ça. Cette fois je n'ai pas pris le temps de penser.

Il y avait un gars au teint pâle, pris dans la lumière de la lune, comme dans un projecteur. Ses yeux étincelaient. Cette Croix du Sud que je cherchais elle était là, c'était elle qui brillait dans son regard. J'étais sensible. J'avais l'imagination fertile.

Sans un mot, il s'est allongé à côté de moi. C'est marrant, il avait envie de raconter sa vie ; moi, la mienne. Ça a commencé tout simple. Il m'a dit :

« Qu'est-ce que tu fais ici ?

— Moi, je suis en vacances. »

Pourquoi m'a-t-il tutoyée dès la première phrase ? Je n'ai pas pris des airs de marquise. Il me tutoyait, et alors ? — c'était plutôt sympa. On avait l'impression de se connaître déjà. Je lui ai demandé :

« Et toi, tu es du pays ?

— Oui.

— Qu'est-ce que tu fais ?

— Je suis boxeur. »

Il a dit ça avec un drôle d'accent. Pas d'erreur, il était bien du coin. Il se redresse, son coude dans le sable ; pose sa tête sur une main si blanche que j'avais du mal à croire qu'elle appartenait à la boxe. Puis il m'annonce triomphalement :

« Je m'appelle Marcel Cerdan. »

Il avait l'air d'un môme. Il était si fier de son nom, de ce qu'il faisait, de ce qu'il espérait que, ma parole ! c'était Edith en bonhomme.

Pour lui, la boxe c'était sa vie, ça comptait, même si les articles sur lui, à l'époque, n'étaient encore que des entrefilets.

La boxe, pour moi, c'était de l'inconnu. Je m'en fichais.

Le music-hall, la chanson, ça, c'était mon domaine ; mais le sport ! — à la rigueur le Tour de France... En dehors de ça, rien, mais rien du tout sur le sport.

Mon silence l'épatait. Il était sûr qu'il m'en avait

filé un coup. Eh non ! je pensais seulement : « Tiens, s'il chantait, ça ferait un bon nom à l'affiche. Même en alphabétique, il serait dans les premiers. »

Tout bêtement, comme ça, à cause d'une nuit sur le sable, on est devenus copains sans rien dire à personne, et personne n'en a jamais rien su.

On se voyait souvent dans des petits bars, devant un thé à la menthe, un café. La première fois j'avais pris un Cinzano, après, je prenais comme lui des trucs sans alcool. Il ne buvait pas, Marcel.

Ce qu'il était sérieux ! Il s'entraînait sans se laisser distraire. Il était pantouflard, sa femme Marinette, ses mômes Marcel et René. Je crois que j'étais son seul péché. Je lui apportais l'air de Paris. Cet air-là, il l'avait déjà respiré et il en voulait...

Je lui parlais. Je lui disais tout. Il m'écoutait pendant des heures. Jamais je n'ai vu un homme aussi doux, avec tant de patience.

Il était là devant moi, tout calme. Un peu à l'étroit sur sa chaise. Il essayait de se faire tout petit. Quand il n'était pas à son boulot, sa force avait toujours l'air de l'étonner.

Jamais un geste d'humeur, d'impatience, jamais en colère. On lui aurait marché sur les pieds qu'il aurait dit : « Pardon. »

Un jour, je lui ai dit :

« Quand on te voit comme ça, qu'on te connaît on ne comprend pas que tu gagnes ta vie à taper sur des types. »

Il avait ri.

« Mais je ne cogne pas pour leur faire mal, je me bats. Proprement. »

J'ai eu envie de lui demander pardon.

Pourtant ce n'était pas un cossard le Marcel, il y allait sérieusement à la manœuvre ! Quand je l'ai vu à l'entraînement, il avait l'air d'une grosse brute, tout en muscles si durs que si on l'avait piqué avec une aiguille, il l'aurait cassée net. Il avait un casque sur la tête, et son protège-dents lui faisait une mâchoire de boxer. Les jambes rapides, une vraie danseuse. Ses gants lui faisaient des grosses paluches toutes rondes, et il filait, avec entrain, une de ces trempes à son sparring-partner que j'en avais pitié !

A la fin, Marcel était, comme moi, tout inquiet. Son travail, c'était de taper fort, mais il avait toujours peur d'y aller trop fort.

« Ça va, mon vieux ? qu'il demandait à l'autre qui ne retrouvait plus son souffle.

— Mais oui, Marcel, tu peux taper. Faut y aller. »

Ce qui était marrant, c'est que Marcel ne pouvait pas supporter qu'on lui fasse mal, ça le rendait fou. Cet homme si bon croyait toujours qu'on l'avait fait exprès.

Ce qu'il y avait entre Marcel et moi, je ne l'avais jamais eu avec aucun homme. C'était de la complicité. On n'avait pas besoin de parler. Il savait tout de moi, sauf une chose : Edith.

J'étais loin de penser que ce boxeur de Casablanca allait me faire enfin revenir près d'Edith.

Pendant que je cafardais dans ce putain de bled, Edith rencontrait Marcel. Moi, j'en étais restée à Jaubert.

Alors que je me croyais abandonnée, elle baratinait Marcel sur sa frangine :

« Tu sais, j'ai une sœur, elle te plairait.

— C'est sûr », répondait gentiment Marcel, qui était toujours de l'avis d'Edith.

Parce qu'Edith, c'était son dieu. Tout ce qu'elle disait, tout ce qu'elle faisait, c'était bien.

Plus tard, ils m'ont raconté ça chacun de leur côté, et j'ai pu voir comment ça c'était passé.

Edith était très fière de son homme, de son Marcel. Ça la dévorait de me le montrer. Celui-là, je ne pourrais rien en dire. Parce que j'étais plutôt emmerdante, et quand ils ne me plaisaient pas je ne leur faisais pas de fleurs. Ses gars, du premier coup d'œil, je les pigeais. J'avais de l'expérience et mon cœur je ne l'engageais pas beaucoup. J'avais l'œil froid quand il s'agissait d'un homme, surtout de ceux d'Edith. Je ne leur faisais pas de cadeaux.

Mais lui, son marcel, il n'était pas comme les autres. J'allais être épatée. Edith avait trop envie de me le présenter. Alors elle y allait à fond. Elle lui racontait sa solitude. Elle lui disait :

« Tu vois, je n'ai pas de famille. Ma mère, elle ne connaît que mes sous. Toi, tu ne peux pas comprendre. Tiens, je vais te donner un exemple : un jour j'étais avec Momone. Je lui ai dit : « J'ai quand « même une mère ! » Pour la retrouver on a été demander l'adresse au père. J'avais quinze ans, une môme quoi, je chantais dans la rue avec Momone.

« On y va. Elle nous regarde. Pas un geste, pas un baiser. Elle dit :

« — C'est toi. Et l'autre ?

« — Ben, c'est Momone.

« — Bon. Venez ici ! Ce que vous êtes sales ! »

« Elle touche nos cheveux du bout des doigts : « Vous avez des poux. » Ils ne nous gênaient pas, on avait l'habitude.

« Elle nous a envoyées à la pharmacie acheter la Marie-Rose, la mort parfumée des poux. Elle nous en a fourré plein la tête, nous a gardées deux jours avec défense de sortir, on était bouclées. On s'est lavé les cheveux.

« — Vous pouvez partir, qu'elle nous a dit, voilà « pour votre croûte. »

« Et elle nous a filé quelques sous.

« Pas un mot gentil. Rien. Même pas un baiser.

« Faudrait pas que tu croies, Marcel, que ça s'est arrangé plus tard.

« C'était en 1932-1933. Ma mère chantait à la Boule noire. J'ai eu envie de la voir. J'y suis allée, elle n'avait pas varié.

« — Tiens, c'est encore toi, et celle-là ? »

« Cette fois-ci ma mère n'était pas seule. Elle était au mieux avec une fille, une petite jeune qui s'appelait Jeannette. Une gosse vraiment gentille qui a essayé de s'occuper à nous faire propres, à nous aider. C'était un peu comme si j'avais eu deux pères, le mien et la Jeannette. Elle était dévouée à ma mère. Elle faisait un peu le tapin les jours creux ; et avec ma mère, il y en avait pas mal, plus que de jours pleins. La pauvre gosse est morte de la tuberculose.

« Tu vois, de mère je n'en ai pas vraiment eu. Ma seule famille c'est Momone. »

Après tout ça, Marcel, qu'est-ce qu'il pouvait faire ? Il a dit à Edith :

« Il faut faire revenir ta sœur. »

Edith aurait bien voulu, mais elle ne savait plus où j'étais.

J'étais revenue de Casa. Je travaillais en banlieue dans un garage comme pompiste. Un soir le patron m'a envoyé chercher le journal *France-Soir*. En première page j'ai vu Cerdan, Edith Piaf et Miss Cotton, une Américaine, à la descente de leur avion.

Sur le moment, je n'ai fait aucun rapprochement. J'aurais plutôt cru que Marcel était avec la Miss Cotton, mais je n'y ai pas vraiment pensé, je ne voyais qu'une chose : Edith était rentrée. Et sur la photo pas de trace de Jaubert.

J'ai téléphoné partout et j'ai appris qu'elle était descendue dans cet hôtel, au Claridge, où j'étais allée toute môme.

Je l'ai appelée.

On m'a dit : « De la part de qui ? » J'ai répondu : « Simone. » Je n'ai pas attendu une seconde. Probable qu'elle avait prévenu, elle attendait mon appel.

Elle m'a dit : « Viens ! »

J'en ai pleuré de joie. Privée d'Edith, je ne vivais plus. Il faut l'avoir connue pour comprendre.

Le concierge m'a annoncée : « La sœur de Madame... » Ça faisait vaudeville. Mais je n'avais pas envie de rire.

Derrière la porte de ce couloir de palace, j'avais mis la main sur mon cœur pour l'empêcher de sauter. Et puis j'avais peur, nos retrouvailles ne se passaient pas toujours bien.

Il y avait bien longtemps que je n'avais pas vu Edith.

J'ai frappé. J'ai entendu sa voix qui me disait : « Entre. »

Elle était de dos, appuyée à la fenêtre, devant le voilage. Elle regardait dehors. Elle avait une main qui serrait le rideau. C'était une image de cinéma. Elle s'est retournée vers moi. Elle m'a dit :

« Tu vois, Momone, j'attends toujours... »

C'est vrai que toute sa vie s'est passée à attendre.

J'étais là comme une gourde. Je la regardais, je me sentais mal à l'aise, c'était trop rapide. Une heure plus tôt j'étais à ma pompe à essence, les mains pleines de cambouis ; maintenant j'étais en face d'elle. Edith me regardait... J'avais changé, j'étais plus triste, je ne manquais pas de raisons pour ça ! Elle, comme elle était belle, heureuse, installée dans son bonheur tout luisant de neuf !

Elle était à la fenêtre (quelques mètres de tapis), moi à la porte ; j'avais l'impression que des milliers de kilomètres nous séparaient. En quelques secondes, j'étais dans ses bras. Elle pleurait de joie, m'embrassait. Elle me disait :

« Momone, comme je suis heureuse, tu ne peux pas savoir. J'aime et je suis aimée par l'homme le plus merveilleux de la terre, et tu es là... C'est terrible, Momone, j'ai l'impression que je vais mourir de bonheur... »

Le bonheur, ce n'est pas comme le malheur, on en réchappe ! Elle m'a inspectée des pieds à la tête. Je n'étais pas reluisante ! Elle a ouvert son armoire :

Il y en avait des robes... et ça, ce n'était pas normal. Il n'y avait donc personne pour lui piquer son fric.

D'un ton détaché, elle m'a dit :

« Choisis. Tu prends celle qui te plaît. »

Puis elle a commandé deux thés complets. Les robes, l'eau chaude, je ne m'y retrouvais pas. Je ne la reconnaissais pas. Son petit tailleur gris, il m'allait à ravir.

Elle ne m'a pas loupée :

« Attention, Momone, celui-là, je l'aime. »

Je comprenais ce que cela voulait dire : pas le droit de lever les yeux sur lui, de le critiquer. C'était sérieux. J'avais hâte de le voir, ce bonhomme. Après deux heures interminables, il est enfin arrivé. Il a frappé. Elle a dit : « Entre ! »

A ce moment-là j'ai senti la terre qui s'ouvrait. J'ai entendu :

« Marcel Cerdan, je te présente Momone... »

Il est venu à moi avec son sourire d'ange, m'a tendu la main.

Edith nous regardait, inquiète. Savoir si nous allions nous plaire ?

Quel courage il m'a fallu pour affronter ses yeux et lui dire :

« Tu as raison. Il est merveilleux. »

Ni lui ni moi n'avons parlé du passé. On n'aurait pas pu faire autrement, elle était là comme une môme. Lui dire la vérité, c'était lui dire que le père Noël n'existait pas !

Personne ne bougeait, c'était le musée Grévin. Il fallait faire quelque chose. Edith avait trop envie de me parler de son amour. Il fallait qu'elle me le serve tout de suite et bien chaud.

Heureusement il a eu la bonne idée de partir. Nous sommes restées seules.

Elle m'a seulement dit :

« Qu'est-ce que tu as fait tout ce temps-là ?

— Je te raconterai plus tard. »

Elle n'attendait que ça. Elle a démarré :

« Faut d'abord que je te raconte la rupture avec Jaubert. C'est trop marrant.

« Marcel était dans mon appartement à New York. Jaubert téléphonait souvent, il trouvait que j'étais longue à rentrer. Ce soir-là, je n'étais pas là. Jaubert entend que c'est un gars qui lui répond. Il dit très sec :

« — Qui êtes-vous ?

« — Je suis Marcel Cerdan, répond Marcel avec « son petit accent.

« — Qu'est-ce que vous faites là ?

« — Je ne peux pas vous dire ce que je fais, mais « il ne faut pas revenir. Vaut mieux pas. »

« Puis il a raccroché. Il s'est couché et, quand je suis rentrée, j'ai trouvé un bout de papier sur mon oreiller : « Jaubert a téléphoné et puis... c'est trop « long à t'expliquer. Réveille-moi. »

« Tu ne trouves pas qu'il est formidable ? »

Pour être de l'avis d'Edith, je l'étais. Sans le savoir, Marcel m'avait vengée de Jaubert. D'ailleurs mon plaisir a duré longtemps. Plusieurs mois plus tard J.-L. Jaubert ne venait toujours plus à la maison voir Edith, mais ses contrats avec elle n'étaient pas terminés. Edith continuait à chanter avec les Compagnons de la Chanson dans un cabaret, donc à voir Jaubert. Moi, je crânais bien, je me payais sa tête. Je ne manquais jamais le soir en quittant le cabaret de lui dire :

« Bonsoir, Jean-Louis, on rentre de bonne heure à la maison parce qu'il faut que je m'occupe de Marcel demain matin. »

Il était furieux.

Pour une fois, on n'est pas dans la salle de bain. Edith est assise sur une sorte de canapé, bien coincée dans le fond, les jambes sous elle. Elle a un pull et une jupe. Elle ressemble à l'image de ses débuts, celle de toujours, la nôtre. Seulement cette jupe et ce pull ils ont coûté de l'argent. Elle a les cheveux plus courts. C'est elle, un soir à New York, qui les a coupés. Elle avait très chaud, pas de coiffeur — elle n'a jamais aimé attendre —, un coup de ciseaux tout autour de la tête. Ça lui dégage le cou qu'elle a assez court. Mais elle a gardé ses cheveux sur le dessus, ils retombent sur son front. Cette coiffure née du hasard et de son impatience, elle la gardera toujours.

Je cherche ce qu'elle a de changé, elle est calme. C'est une femme satisfaite. C'est important, ça !

Elle ne tient pas de place dans son coin. Un tout petit tas. Ses mains sont immobiles, mais ses yeux, ils sont comme des lumières. Ils brillent, ils sont beaux.

« Quand j'ai connu Marcel... »

Je la tiens mon histoire.

« ... Figure-toi qu'un soir, au Club des Cinq, fin 1946, ils m'ont présenté le « bombardier marocain ». C'est ça, le destin : une poignée de main devant tout le monde ! »

Cette première rencontre entre eux a été touchante. Marcel était timide. On lui présentait la « Grande Edith Piaf ». C'était comme ça qu'il la voyait, qu'il l'a toujours vue. Il ne se rendait pas du tout compte que, lui, il était le « Grand Marcel Cerdan ». Dans un autre domaine, autant qu'elle.

« Alors, Momone, je me suis dit : « Celui-ci, il n'a « pas des yeux comme les autres. » Et puis — tu sais qu'à toi je ne mentirais pas —, je n'y ai plus pensé. Il n'y avait pas beaucoup de raisons pour qu'on se rencontre encore ; nos boulots ne se rejoignent pas. C'est l'Amérique qui a tout fait ! J'étais au Versailles.

« Le manager de Marcel, Lucien Roupp, avait des combats pour lui, au Madison Square Garden.

« A New York, je me sentais plutôt paumée dans mon appartement, après le coup de John Glendale.

« Le téléphone sonne. C'était Marcel. Je lui ai fait répéter :

« — Marcel qui ?

« — Cerdan. Le boxeur. Vous ne vous rappelez pas ? « On s'est connus au Club des Cinq. Je suis ici. »

« Je me marre tu ne peux pas savoir. Il avait des blancs dans la conversation. Il devait suer à grosses gouttes.

« — Mais si, que je lui dis, je ne vous ai pas oublié.

« — Eh bien, moi non plus. (Il s'est mis à rire « tellement il était soulagé.) Si on dînait ensemble « ce soir ? Je viens vous chercher. »

« Tu penses que je n'ai pas dit non.

« Je me fais le grand maquillage. Je mets ma robe la plus chic. Tu sais, du très simple qui coûte cher.

« J'avais à peine fini, qu'il arrive.

« C'est pas un gars à chichis.

« — Vite, qu'il me dit, j'ai une de ces faims ! »

« Pas de voiture ni de taxi.

« — C'est tout près », me dit Marcel.

« Nous voilà partis à pinces. Je n'arrivais pas à le suivre. Je faisais trois pas quand il en faisait un. A ce train-là, je n'allais pas durer. C'était pas possible, il aurait dû se faire coureur à pied. Il ne voyait rien. Ce gars-là, il est épais comme un mur.

« On entre dans un drugstore miteux. Je me hisse sur un tabouret. Après la marche, l'alpinisme ! Et je me trouve nez à nez avec une assiette de « pastrami » : du bœuf séché bouilli, un truc que tu n'oserais pas donner à un clochard.

« La moutarde commençait à me piquer le nez. On me balance ensuite un « ice-cream sundae » à la menthe. Le tout arrosé d'un verre de bière. A faire dégueuler les taulards de la Guyane. Là-dessus, il allonge quarante cents (pas tout à fait deux cents francs).

« Pas de manières et radin avec ça. J'avais bonne mine avec ma robe et mon maquillage. C'était réussi.

« Marcel me regarde avec un bon sourire. Il n'avait rien vu.

« — On s'en va ?

« — Ah bon ! c'était l'apéritif ! Eh bien, il ne « vous a pas coûté cher. Si c'est ça que vous appe- « lez sortir une femme. »

« Il est devenu tout rouge. Il m'a pris par le bras, sans serrer, mais il le tenait bien quand même. Je ne risquais pas de m'envoler.

« — Pardon, je ne savais pas. C'est comme ça que « je dîne, moi. Mais vous avez raison, pour vous ça « ne peut pas être pareil. »

« Taxi. Pas un mot pendant le trajet. Il évitait même de me regarder. Et on débarque dans le restaurant le plus chic de New York, le Pavillon.

« C'est comme ça que, pour ma première sortie avec Marcel, j'ai bouffé deux repas.

« Après, on ne s'est plus quittés.

« C'est moi qui ai osé la première, parce que lui, il ne croyait pas ça possible. Ce qu'il était timide avec moi. Pourtant c'est un homme, un vrai. »

Pour Edith, cet homme qui l'adore, qui fait tout ce qu'elle veut, pas parce qu'il a besoin d'elle, qu'il a peur de ses cris, de ses scènes, mais parce qu'il l'aime, c'est trop beau !

Il est aussi célèbre qu'elle. Il a son public, elle a le sien. Quand ils sont ensemble, et qu'on les applaudit, ce n'est pas plus l'un que l'autre. Leur chance c'est qu'ils ne font pas le même métier. Jamais on ne verra leurs noms sur une même affiche.

« Quand il s'est mis à m'aimer, plus rien n'a compté. C'est un fidèle, Marcel. Marinette, c'est sa femme, celle qui lui a fait ses fils, c'est sacré. Mais c'est moi qu'il aime.

« Elle doit me détester — à sa place, moi, il y a longtemps que j'aurais fait un scandale —, mais elle

sait qu'elle perdrait Marcel. Il n'en parle pas, mais
il y pense. Tu comprends ? »

Edith ne pouvait pas savoir à quel point je la
comprenais. Je savais que Marcel était un type propre,
droit, pas fait pour le mensonge, et qu'il devait
être malheureux à sa façon, sans complications, simplement.

Et puis, je connaissais mon Edith. Je n'avais pas
de mal à l'imaginer. Elle ne devait pas le planquer,
son amour. Quand elle aimait un homme, il fallait
qu'elle le montre.

« Tu me connais, Momone, je ne peux pas cacher
mes sentiments. Une fois, on a vécu un moment
merveilleux.

« Un soir Marcel a eu une idée formidable.

« — Viens, on va aller à la fête. »

« Il était plus de minuit.

« — Tu es dingue. Il n'y a pas de fête dans ce
« patelin.

« — Si, à Coney Island. »

« Jamais personne ne m'en avait parlé. Il fallait
que ce soit lui qui le fasse.

« Coney Island, c'est des hectares de fête. Les
Américains, ce ne sont pas des manèges à la papa.
Quand tu tournes dans leurs machines, en descendant,
tes gambettes, elles continuent à valser. Ta tête
est d'un côté, et ton cœur d'un autre ! Il te faut un
moment pour faire le rassemblement !

« On a bouffé des hot-dogs, des espèces de gaufres,
des ice-creams. Cette nuit, j'aurais voulu qu'elle
n'arrête jamais de chanter, de tourner, de rire...

« Marcel m'a embarquée sur le Scenic-Railway
— des montagnes russes à l'américaine, hautes
comme des gratte-ciel. Marcel hurlait de joie ; moi,
pour rire, je me serrais contre lui. Qu'est-ce que tu
voulais qui m'arrive dans ses bras ? J'étais protégée. Crier, ça faisait partie du plaisir !

« Quand on est descendus, des centaines de gens

se sont mis à hurler : « *It's Cerdan !* Hip, hip, hip, hourra ! » Et ça n'en finissait plus. Puis, ils m'ont reconnue, alors ils se sont mis à gueuler sur l'air de nos lampions à nous : « *La vie... en rose ! La vie... en rose !* »

« Et j'ai chanté, Momone, comme ça. Comme je chantais dans la rue. Ça sentait l'odeur de la fête, la friture, le sucre, la sueur. On entendait des tas de musiques qui se mélangeaient. Tu ne peux pas savoir ce que c'était formidable.

« Un autre soir, j'ai été voir Marcel se battre. Il l'avait voulu.

« — Je ne veux pas, Marcel, j'ai le trac.

« — Je t'ai bien quand tu chantes, et je viens
« t'entendre. C'est peut-être que tu es la plus belle.
« La boxe c'est mon boulot. Il faut voir un homme
« faire son travail, sans ça, on ne le connaît pas bien
« comme il est. »

« Il a des raisons si simples que ce n'est pas possible de lui résister.

« D'abord, j'ai fermé les yeux. J'entendais les coups sur la peau. Ça me faisait mal. J'avais peur que ce soit lui qui les reçoive tous. Et le public criait, sifflait. C'était plein de fumée. Ils bouffaient des popcorns, crachaient des cacahuètes. C'était affreux. J'ai ouvert les yeux.

« Ratatinée dans mon fauteuil, il en aurait tenu deux comme moi, j'ai fini par crier : « Vas-y, Marcel ! »

« C'était Marcel et c'était pas lui, son œil ne quittait pas l'adversaire, un œil qu'il n'avait jamais pour moi, dur, vif, à demi fermé. Il a gagné. Mais il avait la pommette ouverte, un œil amoché. J'en aurais pleuré. Je me suis précipitée pour le consoler, comme une mère qui voit son môme revenir en sang.

« Gentiment il m'a repoussée.

« — Non, Edith. Ce n'est rien. C'est ça aussi,
« mon métier. »

« C'était pas beau, comme réponse ? Il est chouette. Si tu savais comme il est chouette ! »

Je savais.

« Les journalistes en ont tellement fait, ils nous ont tellement cavalé après, qu'un jour, Marcel a accepté une conférence de presse. « L'idylle de deux vedettes françaises à New York », c'était du gâteau pour la presse.

« Il n'y avait pas un journaliste qui manquait. Tous ils étaient là, mâchant leur chewing-gum, fumant, avec ou sans stylo à la main.

« Marcel n'a pas pris de détour. Avec lui, c'était du direct. Si tu avais entendu comment il leur a balancé ça ! Il m'avait dit : « Tu n'as rien à dire, toi ; « j'aimerais que tu ne sois pas là. » Je ne voulais pas, je voulais entendre.

« Comme il y avait une porte de sortie, je me suis planquée derrière. Marcel était devant. Pas possible qu'un curieux passe pour l'ouvrir.

« — Voilà. Il n'y a qu'une chose qui vous inté-« resse. On ne va pas perdre notre temps. Vous « voulez savoir si j'aime Edith Piaf ? Oui ! Et si elle « est ma maîtresse ? Si elle n'est que ma maîtresse, « c'est parce que je suis marié. Si je n'étais pas marié « et que je n'aie pas d'enfants, j'en aurais fait ma « femme. Et maintenant, que celui qui n'a jamais « trompé sa femme lève le doigt. »

« Ils étaient soufflés, les gars.

« — Vous pouvez me poser toutes les questions que « vous voulez ; mais sur ce sujet, j'ai tout dit. « Demain, je verrai si vous êtes des gentlemen. »

« Le lendemain, il n'y avait pas un seul mot sur nous dans la presse, et je recevais une corbeille de fleurs comme un gratte-ciel, avec une carte : « De la part des gentlemen à la femme la mieux « aimée. »

« C'est pas en France qu'on m'aurait fait ça !

« Momone, tu ne vas pas me reconnaître. Il m'a

changée, Marcel. Il est si pur dans son cœur que, quand il me regarde, je me sens lavée de tout.

« On redevient propre, avec lui. Avec les autres, j'ai toujours voulu recommencer à zéro, avec lui, c'est fait. »

Comme changement, il y en avait un autre, et qui comptait ! Avec Marcel, elle ne payait jamais. C'était lui qui ouvrait le portefeuille.

« Tu sais, ce n'est pas facile de lui faire accepter un cadeau. J'ai trouvé un truc. Quand il me fait un cadeau, je lui en fais un.

« Tiens, regarde, Momone, c'est lui qui m'a payé mon premier vison. Il est beau, hein ? »

C'était chouette. Non, c'était mieux que ça. Un truc à vous bouleverser le cœur, de voir cette main de femme caresser cette fourrure, s'enfoncer dedans, la prendre à pleines poignées. Ce n'était pas la qualité ni le prix du manteau, elle s'en foutait pas mal, Edith, elle n'avait besoin de personne pour se payer ça. C'était l'amour de Marcel qu'elle caressait, dans lequel elle se perdait...

« Un vison... Moi, je n'y aurais pas pensé. Lui, si. Si tu l'avais vu tirer son carnet de chèques, un vrai seigneur.

« Je n'ai pas traîné. Je suis allée chez Cartier et je lui ai acheté une paire de boutons de manchettes. Les plus beaux, avec des diamants, une montre, une chaîne, tout ce que je voyais ! Pour lui il n'y avait rien de trop beau. Quand je les lui ai donnés, il riait comme un gosse. Il m'a prise dans ses mains, il m'a enlevée en l'air et il a tourné comme un fou.

« J'en suis folle, Momone. Il me rend dingue. Ce qui me fait mal, c'est qu'on n'est pas tellement ensemble. Nos métiers... Et puis, Marinette. J'ai beau me dire qu'il a raison de ne pas la laisser, ça me ravage.

« Demain, on se lève de bonne heure et on va chez

le tailleur. Marcel n'y connaît rien. Il n'a pas de goût, c'est un vrai bougnoul. Faut que je lui apprenne. Alors, on va l'habiller. »

Pour moi c'était aussi simple qu'avant, tout recommençait... « On va l'habiller... »

Cette phrase-là, je l'avais si souvent entendue.

Edith a toujours adoré habiller les hommes. Ils y sont tous passés.

Pauvre Marcel, il a été un jour au Palais des Sports avec un costume gris à grosses rayures, larges comme le petit doigt. Edith m'avait fait faire le même. Je l'ai encore, je ne l'ai jamais mis tellement c'était moche. Lui, en plus, il avait une chemise violette et une espèce de cravate horrible avec de l'orange dedans...

Et Marcel, qui était le meilleur des hommes que j'ai connus, la douceur même, disait :

« Tu crois, chérie, que je peux mettre ça ? »

Elle lui répondait :

« Mais tu n'as pas de goût. Ecoute, Marcel, tu n'y comprends rien. »

Alors, elle se tournait vers moi :

« Momone, comment est-il ? »

Et moi, c'était pas possible, je ne pouvais pas dire que c'était affreux. Edith n'aurait pas compris, elle aurait cru que je voulais lui faire de la peine, provoquer une scène. Alors je répondais lâchement :

« Superbe ! Que tu es beau ! »

— Ah bon ! faisait Marcel, tout déconcerté, doutant de ses yeux, si tu dis que c'est bieng (il avait un petit accent pied-noir), je vais le mettre. »

Mais il était malheureux. Il a souffert, lui. Il y en a d'autres qui ont souffert, mais comme lui, ce n'est pas possible. Lui, il était sûr qu'Edith lui était très supérieure intellectuellement. Il comptait sur elle pour faire son éducation, son instruction, lui apprendre à se tenir. Il attendait tout d'elle.

Dans les coulisses, ce grand balèze se faisait tout

petit, il la regardait, il l'écoutait. Moi, il me possédait !

Ce qui épatait le plus Marcel, c'était la voix
d'Edith. A chaque fois, il me disait :

« Tu te rends compte, elle pèse le tiers de moi.
Il n'y en a pas, rien qu'en soufflant sur elle, je lui
ferais mal, une si petite femme avec une voix aussi
forte. Ça me renverse ! »

Quand Edith chantait, tous les soirs il fallait emporter un véritable déménagement : son verre, ses gouttes
pour le nez, son mouchoir, les serviettes à déma-
quiller, le tube d'aspirine, le crayon, le cahier, les
livres d'anglais, etc. Elle ne laissait trois fois rien dans
sa loge. On remportait tout, et le lendemain, on le
rapportait.

Alors, quand il était là, Marcel vérifiait.

« Momone, tu n'as pas oublié son bastringue ? Et
sa robe, tu l'as au moins ? »

Bien longtemps après sa mort, dans la loge d'Edith,
j'entendais toujours la voix de Marcel : « Et sa
robe ? »

Je n'ai jamais su pourquoi Edith n'avait qu'une
robe de scène dont elle ne se séparait pas. J'étais
chargée de m'en occuper. Elle ne tolérait pas qu'elle
reste accrochée dans une loge de théâtre. Tous les
jours, à la maison, je repassais, je nettoyais la robe
et je la remportais le soir.

Une fois, à New York, j'ai connu la panique. Edith
en slip, maquillée et coiffée, était baissée, comme
d'habitude, pour enfiler ses pompes. J'entends :

« Ma robe !... » avec sa grosse voix.

Je me retourne pour la décrocher. Je me sens
glacée... Pas de robe ! Je l'avais oubliée à Park Avenue.

Pour tout arranger, le régisseur annonce :

« *Five minutes, miss Piaf !* »

Sans un mot, affolée, j'ai pris un taxi, je suis allée
chercher la robe et je suis revenue. La circulation

n'est pas plus facile là-bas qu'ici. Les Américains ne badinent pas sur l'heure, et leurs flics ne rigolent pas avec les excès de vitesse. Quelle course !

Quand je suis entrée dans sa loge avec la robe, j'ai cru qu'elle allait m'engueuler. Devant mon air bouleversé elle m'a embrassée, m'a prise par la main, et elle est partie chanter. Putain ! que j'étais soulagée !

Edith ne pouvait pas aimer quelqu'un sans s'occuper de lui, elle avait décidé d'obliger Marcel à lire.

Tout au début de leur rencontre, elle l'avait trouvé en train de lire *Pim*, *Pam*, *Poum* et *Le Journal de Mickey*. Faut dire que cette lecture de gosses dans ses grosses paluches de boxeur, ça faisait marrant.

« T'as pas honte, Marcel, à ton âge ! »

Piteux, il avait répondu :

« C'est amusant. Tu sais, tu devrais les lire.

— Mais, Marcel, quand on a un nom, qu'on est quelqu'un, il faut apprendre. Moi, j'ai appris.

— Tu crois ?

— Je vais t'acheter des livres. »

Edith a obligé le brave Marcel à lire des livres, des vrais : *Via Mala*, *Sarn*, *La Grande Meute*, *La Recherche de la vérité*. Ils n'étaient pas forcément rigolos.

« Pourquoi m'obliges-tu à lire ça alors qu'il fait si beau, que j'ai envie de me promener.

— C'est comme ça que j'ai appris, Marcel.

— Ah bon ! si tu l'as fait. »

Et il continuait courageusement parce qu'il était sûr qu'elle avait raison, qu'elle ne pouvait pas se tromper. Il n'y a que pour ses costumes qu'il a eu des doutes... et il y avait de quoi.

Nous n'habitions plus au Claridge. Edith avait loué un petit hôtel particulier rue Leconte-de-Lisle. C'était la première fois qu'elle était dans ses meubles. Et pour nous, c'était un sérieux avancement !

« Tu comprends, l'hôtel, même un palace, ça la fout mal quand tu as un homme comme lui dans ta vie ! »

Pour Marcel, elle aurait voulu être la meilleure, la plus belle, la plus tout, quoi ! Une soirée, elle l'a été.

Edith passait à l'A.B.C. quand la princesse Elisabeth et le duc d'Edimbourg sont venus à Paris.

La princesse Elisabeth ne l'avait jamais entendue. Elle a demandé qu'Edith passe son tour de chant chez Carrère où elle avait une soirée de prévue, non officielle.

Etre choisie par la future reine d'Angleterre, c'était quelque chose !

Un matin, un type a téléphoné en disant : « Je suis de Machin-Chose, du quai d'Orsay. » Le quai d'Orsay, on connaissait pas ! Jamais entendu parler ! Edith a fait non à la mère Bigeard qui, la main sur le micro, nous a expliqué, rapide, de quoi il s'agissait.

Quand Edith a raccroché, elle éclatait de joie :

« Momone, je suis digne de lui... »

Lui... j'avais pas besoin de dessin, je savais comment il était fabriqué.

« ... La princesse Elizabeth veut me voir. »

C'était un dimanche. Edith passait en matinée et soirée. Elle a fait son tour comme d'habitude. Mais, entre les boulevards et la rue Pierre-Charron, dans la voiture de l'ambassade, Edith était impressionnée. Pourtant, il lui en fallait ! La rue, c'est une drôle d'école, on y apprend à ne pas avoir froid aux yeux. Seulement, on n'y rencontre pas des reines !

Le chauffeur, c'était un Anglais. Pas possible de le faire causer sur sa patronne.

Avant d'entrer en scène, chez Carrère, Edith, après s'être signée, avoir touché du bois, enfin tout le salamalec habituel, m'a dit :

« Faut que je sois la meilleure. Je représente la

France, et la reine d'Angleterre s'est dérangée pour me voir. »

Parce que pour nous, peuple de Paris, c'était déjà la reine.

Elle a chanté de tout son cœur tricolore. Quand elle est rentrée dans sa loge, le chef du protocole l'attendait. Un gars qui avait de l'allure. Avec des phrases que nous n'avions pas l'habitude d'entendre tous les jours, il lui fit part du « désir que la princesse Elizabeth avait de l'avoir à sa table... »

A l'entendre, c'était à elle qu'Edith faisait plaisir. C'est ça, la politesse des rois.

Elle a dit oui, mais je sentais que c'était le moment de lui filer le verre de rhum des condamnés. Puis, tout de suite, elle a été prise de panique. Elle m'a regardée.

« Ce n'est pas possible. Pas toute seule. Pas sans ma sœur. »

Puisque j'étais de la famille, pas d'opposition ! et le chef du protocole nous a laissées, quelques minutes, pour nous arranger un peu.

Edith avait perdu tous ses moyens. Elle cavalait après, mais il y avait peu de chances qu'elle les rattrape. Et moi, j'étais molle comme une chiffe.

« Momone, comment on fait une révérence ? Comment parle-t-on à une reine ? Et puis, allons-y. C'est une femme comme une autre ! »

Elle le disait. Elle ne le pensait pas.

Elizabeth, avec un joli sourire, lui a tendu la main. Edith a fait quelque chose de rapide, dans le genre génuflexion. Le chef du protocole, il ne devait jamais avoir vu ça.

La princesse a fait asseoir Edith à côté d'elle. Et moi, je me suis trouvée assise devant Elizabeth et Philippe.

Je n'osais pas boire, Edith non plus. La conversation était des plus étranges. Moi, j'entendais tout dans le brouillard.

« Vous comprenez, disait Edith, ce n'était pas aussi parfait que je l'aurais voulu pour vous, car j'ai eu deux matinées aujourd'hui et, après, il y a eu la soirée. Quarante-deux chansons entre trois heures et minuit, ça charge un peu ! La voix se fatigue... »

La princesse souriait. Elle se donnait du mal pour rassurer Edith, dans un français que nous n'étions pas capables de parler tellement c'était bien. Elle lui disait — en mieux — des trucs du genre : « C'était parfait », « Il ne faut pas vous inquiéter », « Vous avez beaucoup de talent »...

Et affolée, j'entendais Edith qui répétait :

« Oui, mais alors si vous m'entendiez quand j'ai pas eu deux matinées... Là, vous vous rendriez compte... »

Ça n'en finissait pas. C'est tout ce qu'elle trouvait à dire. Nous les anciennes filles de chez Lulu, assises à la table d'une reine, on était paralysées.

Elizabeth avait un sourire ravissant, très anglais, mais joli ; elle disait à Edith : « Je comprends... »

Elle le disait, mais c'était pas possible. Qu'est-ce qu'on avait en commun avec une femme qui avait sucé les manières de la cour dans son biberon !

Enfin, la princesse lui a fait part du désir de son père, George V, de posséder, dans sa collection de disques, ceux d'Edith.

C'était pas pour qu'on lui en fasse cadeau. C'était une jolie façon de faire savoir à Edith que le roi l'aimerait, elle, Edith Piaf.

Et, dans sa candeur, j'ai entendu Edith lui répondre :

« D'accord. Je vous les ferai parvenir demain. Où êtes-vous descendue ?... »

C'était terminé. On est parties. Ça s'est passé comme dans un rêve. On n'a jamais su le temps que ça avait duré. A cette table, on était comme suspendues dans l'espace.

Quand nous nous sommes retrouvées toutes les deux, Edith m'a dit :

« Son mec, il est drôlement bien ! (Elle répétait :) j'ai bu un coup avec la princesse et son duc ! Dommage que Marcel n'ait pas vu ça, qu'est-ce qu'il aurait été fier ! J'ai été un peu cloche, hein, Momone ? Mais de loin, je devais tout de même faire « bien » assise à côté d'elle... »

Le fameux combat de Cerdan contre Tony Zale approchait. Marcel s'entraînait consciencieusement, et nous avec lui. Edith avait pris ça au sérieux ; et quand elle prenait quelque chose au sérieux, on ne faisait plus rien d'autre.

Lucien Roupp nous cassait les pieds. Il disait à Edith :

« Tu l'aimes, ton champion, alors pas trop d'amour. L'amour ça casse les jambes, et c'est un rapide, le Zale. »

C'était un brave type, Lucien, mais son Marcel, il y tenait. Les conseils nous tombaient dessus comme une pluie d'orage :

« Quand il mange chez toi, surveille son régime. Surtout, ne le fais pas veiller, il faut qu'il dorme comme un enfant. Dix heures de sommeil.

— Il me les brise, ton copain », disait Edith à Marcel qui riait.

Quand Marcel était à Paris, on avait une drôle de vie. Lui se couchait comme les poules. Edith, qui travaillait, se couchait à quatre heures du matin, moi aussi, mais je me levais avant Marcel vers huit heures pour lui préparer son jus de fruits. Et hop ! il était debout en pleine forme. Moi, je roupillais à moitié. Et je partais en survêtement bleu « équipe de France », comme lui, faire du footing derrière Marcel.

Ça devait valoir le spectacle de me voir galoper derrière le champion.

A la maison, la fièvre commençait à monter.

Edith qui se fichait pas mal du sport et qui n'y connaissait rien, posait la question à tout le monde : « Vous vous y connaissez en boxe ? »

Si on lui répondait : « Non », elle râlait :

« Je ne comprends pas qu'il y ait des gens qui ne s'intéressent pas à la boxe. Il faut vraiment ne pas être curieux. Faut tout connaître dans la vie. Non, mais c'est vrai ça ! Il y en a qui se foutent de tout. »

Et elle demandait à un autre :

« Explique-moi quelles sont les chances de Marcel. »

Pourvu qu'il lui raconte des tas de trucs en faveur de Marcel, elle était contente. Ce soir-là, il n'y en avait plus que pour le supporter de Cerdan. Il pouvait demander à Edith ce qu'il voulait. Il l'avait. Et il ne s'en privait pas. Je ne donne pas de noms, il y en aurait trop. Edith rayonnait, elle riait aux éclats.

Rue Leconte-de-Lisle, Edith a passé beaucoup de temps à attendre, sagement, Marcel qui se partageait entre Casa, Paris et son entraînement. C'est peut-être la période où elle a le plus tricoté. Elle en a fait des pulls pour son boxeur. Ils étaient tartes, ce n'était pas croyable. Elle tricotait bien, mais elle choisissait les couleurs qui lui plaisaient, qui faisaient gai. Elles faisaient gai à hurler de rire. Alors, Marcel mettait ses pulls à l'entraînement, pour suer dedans. Et avec son extraordinaire gentillesse, il lui disait :

« Mon Edith, si je me bats bien, ce sera à cause de tes pulls. Je n'en ai jamais eu d'aussi chauds et d'aussi larges. »

Moi, je voyais bien que l'œil de Marcel rigolait gentiment, mais Edith était si heureuse ! Elle s'épanouissait. Alors, vite les aiguilles, la laine, et je te tricote à tout va !

Personne ne peut savoir la délicatesse de cet homme-là. Il n'avait pas d'éducation, enfin on ne lui avait rien appris, mais il savait toujours ce qu'il fallait faire pour ne pas faire de peine. Il avait un tact sans ratés. Jamais je ne l'ai entendu se vanter. Tout ce qu'il faisait, il le faisait simplement et il n'annonçait pas la couleur, ni avant ni pendant, pour se faire valoir.

Dans son milieu qui n'était pas plus « sain » que le nôtre, tout aussi pourri de combines louches, de coups de pied en vache dégueulasses, d'histoires sordides, crapulardes, qui avaient toujours pour but de faire changer le pognon de mains, Marcel est passé sans se salir. Pas par inconscience, il voyait tout. Il disait à Edith qui s'énervait : « Laisse-les, ils sont si petits. Faut pas employer sa force à écraser un faible. »

« Le vrai Marcel, ce n'est pas au lit que je l'ai découvert mais dans la rue, m'a raconté Edith, le jour où je l'ai rencontré avec un ami d'enfance arabe. Il le tenait par le bras. L'autre était aux trois quarts aveugle. Chaque matin, Marcel le conduisait chez un oculiste. Il le faisait soigner. C'était un boxeur malchanceux de Casa. Marcel l'avait fait venir. Il lui a tout payé : l'hôtel, le voyage, les soins. Tout.

« Tu sais comme je suis jalouse. J'avais remarqué que Marcel me quittait souvent. Il regardait sa montre, et me disait : « Je serai là dans une heure. J'ai « rendez-vous. » A la fin, j'en ai eu marre, j'ai voulu savoir. Quand je t'ai dit que je l'avais rencontré, c'était pas vrai. Je l'avais filé.

« Quand Marcel m'a vue dans la rue, je n'ai pas osé le lui dire. Il n'aurait pas compris. Il a cru au hasard, alors il m'a tout raconté. Même à moi, il me l'avait caché, mais il ne m'avait pas menti, c'était un rendez-vous. Il y allait comme ça dans la journée, en dehors des soins, pour que son copain ne se sente pas abandonné. Je savais, moi, que c'était long une journée dans la nuit !

« J'en ai chialé de joie. Un homme comme ça, je ne croyais pas que ça existait. »

Et quand je pense qu'il y a des cons qui disent : « Les boxeurs c'est tous des brutes », je voudrais avoir les poings de Marcel pour leur casser la gueule.

Marcel, je l'aimais, comme Edith l'aimait, différemment, mais autant.

C'était mon ami. Je n'avais pas d'argent de poche. Edith ne voulait pas que j'en aie. Elle voulait bien tout payer pour moi, mais elle ne me donnait pas un sou. Je n'ai jamais eu vingt ronds à moi. J'étais traitée comme une môme : « Tu fais des conneries quand tu as du fric. Tu n'as besoin de rien avec moi. Le pognon, il te file entre les doigts. » Ça lui allait bien. Elle ne savait même pas ce qu'elle en faisait. Et elle, qui était incapable d'économiser, me mettait de l'argent sur mon livret de Caisse d'épargne.

Je n'avais même pas de quoi aller m'acheter un journal, un paquet de cigarettes, ou me payer un verre.

Alors Marcel avait pitié de moi, et il me refilait des ronds. Pas de grosses sommes, mais souvent. Il avait trouvé la manière : « Tu n'as pas de cigarettes, Momone ? » Suivant que je disais oui ou non, il m'allongeait ce qu'il fallait.

La chance a voulu qu'Edith ait un contrat de sept mille dollars par semaine, pour le Versailles à New York, au moment du combat de Cerdan. A cause de son entraînement, Marcel devait partir avant elle. Edith l'aurait bien suivi mais Lucien Roupp s'y était opposé.

« Pas de bêtises. Vous ne pouvez pas arriver ensemble. Les milieux sportifs seraient contre. Ça ferait des histoires dans les journaux. »

C'était également l'avis de Lou Barrier.

« Ce n'est pas bon pour vous. Pour les Américains, Marcel est marié, et pas avec toi. Vous pouvez vivre un roman d'amour qui fera chialer les dactylos des buildings, mais pas débarquer ensemble comme un couple officiel.

— Ça va », a dit Edith.

Et le soir même, elle me chargeait d'accompagner Marcel. De veiller sur lui.

« Momone, je te le confie, occupe-toi bien de lui. Il ne sait rien faire tout seul. Ce boxeur terrible, c'est un môme...

— Je t'assure Edith, j'ai déjà voyagé seul.

— Laisse-moi faire. Qui te rangera tes chemises, tes chaussettes, tes costumes ? Je ne veux pas qu'une femme, même de chambre, touche à tes affaires. »

Je suis partie avec Marcel. Je l'ai installé dans sa chambre, et je suis revenue chercher Edith à Paris.

Naturellement quand on a débarqué trois jours plus tard, Lucien Roupp nous a sauté sur le râble.

« Edith, je compte sur vous. Marcel, c'est le combat de sa vie. Il ne faut pas qu'il le rate. »

Elle lui a répondu :

« Personne ne sait que je suis ici. Mon contrat est pour dans dix jours. Je suis venue pour voir Marcel et je le verrai.

— Ne vous énervez pas. Je vous ai arrangé quelque chose.

— Vous n'aviez qu'à le dire tout de suite.

— Voilà, Marcel est à cent soixante kilomètres de New York, près du camp d'entraînement de Loch Sheldrake. Avant d'y entrer il est descendu à l'hôtel Evans ; je vous ai trouvé une petite pension de famille tout près.

— Pourquoi pas au même hôtel ?

— Voyons, Edith, vous connaissez l'Amérique. Un homme et une femme, dans la même chambre, qui ne sont pas mariés, ce n'est pas possible. Mais vous ruineriez la carrière de Marcel avec des trucs comme ça ! Vous allez rester deux jours dans cette pension,

et pendant que Marcel sera dans le camp d'entraînement, vous reviendrez à New York, tranquillement
l'attendre.

— Si c'est arrangé comme ça, a dit Edith, l'air faux,
je marche. »

On a démarré comme pour les Vingt-Quatre Heures du Mans. Il ne fallait pas qu'on ait le temps de
reconnaître Edith.

Cette fois-là, j'ai vécu avec elle une histoire à
peine croyable.

Quand Lucien nous disait : « J'ai arrangé..., j'ai
organisé... », il n'y avait pas un mot de vrai. C'était
Marcel qui avait voulu que ce soit comme ça, et son
premier soin avait été de nous trouver une pension
de famille proche de lui. Lucien devait servir de
facteur entre nous.

Il nous a installées dans la pension, où nous passions aux yeux de tous pour des sœurs en voyage.
Nous étions en train de défaire nos bagages quand
la cloche du dîner sonne, nous descendons rapides.
C'était bien la première fois qu'Edith allait être à
l'heure à un dîner. Ça l'amusait, elle qui n'avait
jamais connu ce genre d'endroit. Moi non plus
d'ailleurs. L'hôtel miteux ou le palace, mais pas la
pension. A table, on nous présente : personne ne se
connaissait, ça manquait d'ambiance.

Pendant le repas, Edith ne toucha à aucun plat,
mais elle me filait tout dans mon assiette, elle m'obligeait à manger sa part et la mienne sous prétexte
qu'il fallait pas vexer la patronne.

« Sois polie, Momone, on est à l'étranger. »

Ça lui allait bien, elle qui se fichait de tout. Le dîner
se termine enfin. C'était fini. Pas du tout. Horreur !
c'était l'anniversaire d'un des garçons de la patronne
et, comme ça se passait en famille, on apporta un
monstre de gâteau américain cent pour cent. De la
crème Chantilly, de la noix de coco, du chocolat, de
la groseille, des amandes, du beurre de cacahuètes, du

sirop d'érable, du biscuit de Savoie... Je n'avais
jamais pensé qu'on pouvait mettre tout ça dans le
même. Il était énorme, si gros que, du regard, je
comptai les autres invités. Toute à mon examen, je ne
vois pas atterrir dans mon assiette une part qui
débordait de tous côtés. C'était affreux ! Je regarde
l'assiette d'Edith, elle en avait autant. Je me dis :
« Pas possible, elle ne va pas me faire bouffer les
deux ! » Eh bien, si.

« Momone, enlève-moi ça. Il me fait mal au cœur.
Et bouffe-le, c'est un gâteau d'anniversaire, on aurait
l'air de quoi. »

Je ne sais pas de quoi on aurait eu l'air, mais cette
nuit-là, j'ai cru en crever. Chaque fois que je fermais
les yeux, je revoyais le monstre, et j'avais mal au
cœur !

Edith rigolait tant qu'elle pouvait, et elle me chantait « Happy Birthday »...

Avec difficulté, Lucien et Marcel avaient semé les
journalistes et trouvé un lieu de rencontre.

Marcel comprit tout de suite, en voyant la tête que
faisait Edith, que ce n'était pas possible qu'elle reste
là.

Malgré son bonheur de la revoir, la scène a
éclaté.

Quand Edith, trop suave pour être honnête, a
demandé :

« Où est notre chambre ?

— N'est-ce pas, a dit Lucien, ce n'est pas possible.
Entraînement, discipline... »

Elle ne l'a pas laissé finir.

« Vous, vous commencez à me faire suer. Quand on
vous sonnera, vous la ramènerez, pas avant. Vous
n'êtes pas mon mari, pas mon amant, même pas mon
imprésario. Alors bouclez-la, et vite. Votre champion,
je ne vais pas l'abîmer ; mais le lit, le nôtre, c'est
une affaire entre moi et lui. Disparaissez, on vous a
assez vu. »

Et le Lucien s'est tu, pas content du tout.

Marcel, la voix toute douce, a expliqué à Edith l'importance d'un entraînement et l'obligation de respecter les règles sportives du pays. Comme elle l'adorait, elle s'est calmée.

« Si tu crois qu'il le faut, Marcel, que c'est pour ton bien. Mais je ne pourrai jamais tenir sans te voir.

— Fais-moi confiance, Edith, ce soir tout sera arrangé. »

Ce timide garçon, respectueux des règlements, fut pris d'une audace folle et dangereuse. Il décida de nous emmener dans son camp d'entraînement, au mépris total de toutes les lois sportives. Il n'avait le droit de voir que son manager et son sparring-partner. Si on avait appris que Marcel Cerdan avait caché deux femmes dans le camp, il aurait été disqualifié immédiatement. C'était un scandale à couler sa carrière.

Le matin, on a dit au revoir à la fabricante du gâteau d'anniversaire, et on est parties en taxi. Un vrai film. Le chauffeur un peu épaté, nous a laissées sur le bord de la route, à un carrefour. Curieux, il nous a demandé :

« Vous rentrez à pied ou en auto-stop ? »

On lui a répondu :

« *Yes, Buffalo Bill comes back with his horse.* »

Il a bien ri.

Quelques minutes plus tard, Marcel arrivait tout seul, sans Lucien. Il n'avait pas dû être facile à semer. Et dans un petit chemin, il nous a installées dans le coffre qu'il a fermé à clef.

« Si on me demande d'ouvrir le coffre, je dirai que j'ai perdu la clef et que je vais la chercher. »

Heureusement que ces « bateaux » américains ont des coffres comme des cales.

Dans le camp de Loch Sheldrake, les boxeurs avaient chacun leur bungalow. Marcel en avait repéré un de libre, assez éloigné des autres. C'est là qu'il nous a débarquées.

Quand même, quand on y pense, on ne manquait pas d'air pour faire un coup pareil. On était à la merci d'un gars qui aurait envie de faire le ménage ou de vérifier la plomberie.

Nous étions tous fous.

« Tu comprends, expliquait en riant Marcel à Edith, il paraît que l'amour, c'est mauvais pour les boxeurs à l'entraînement, que ça leur fait perdre les jambes, le souffle, tous leurs moyens. »

Il a bien prouvé le contraire. Il a passé toutes ses nuits avec Edith et jamais il n'a été dans une plus belle forme au combat.

Nous voilà installées dans le bungalow. Comme il n'avait pas prévu qu'il serait habité, il n'y avait rien à croûter. L'eau n'était pas chaude. Nous attendions le soir pour manger ; Marcel nous apportait des sandwiches qu'il cachait dans son blouson. Et comme l'amour ça creuse, la nuit il en bouffait une partie. Ce qui fait que le lendemain, on la sautait.

Pour boire, nous n'avions que l'eau du robinet. Une chance qu'elle n'ait pas été coupée. Chaque fois qu'elle en buvait, Edith s'attendrissait sur elle :

« Tu te rends compte s'il faut que je l'aime, Marcel, pour boire ça... C'est sûr que je vais en crever. »

Elle en devenait dramatique.

« Il y a des millions de microbes et de saloperies là-dedans. T'as jamais vu une goutte de flotte au microscope ?

— Non, et toi ?

— Non, mais moi, je le sais. Le type qui m'a expliqué, c'était un toubib militaire. Il revenait des colonies. Alors tu vois.

— On n'est pas aux colonies, ici, mais en Amérique.

— C'est pire. Ils foutent tellement de désinfectant que ça vous enlève la peau de l'estomac. Tu vois où ça vous conduit, l'amour : au suicide ! »

Et on riait, pas trop fort. On aurait pu nous entendre.

Cette cure d'eau, c'était dur pour Edith qui avait toujours bu. Tous les jours, plus ou moins, mais tous les jours. Elle n'était pas soûle à rouler par terre parce qu'elle tenait bien le choc. Un peu partie quand même.

Boire de l'eau, c'est, peut-être, la plus belle preuve d'amour qu'Edith ait donnée à un homme.

On vivait dans la nuit ou presque. Le jour, les stores étaient fermés. La nuit, nous ne pouvions pas allumer l'électricité. On se couchait comme les poules. Pas le droit de parler fort.

Vivre comme ça, ce n'est pas possible.

Le soir, Marcel arrivait, joyeux, de bonne humeur. Une ou deux fois, il a réussi à avoir de la bière. Sans cela, il nous apportait du lait. Ça faisait rire Edith. « Tu nous prends pour des veaux ! »

Il la prenait dans ses bras, la faisait valser en l'air. Il adorait ça. Et Edith lui fredonnait :

Heureuse de tout, heureuse de rien,
Pourvu que tu sois là...

Elle chantait pour elle, mais moi, qui n'avais pas la compensation d'avoir Marcel dans mon lit, j'en avais vraiment marre de notre villégiature au camp. Dix jours de ce régime de cloîtrées, et je n'en pouvais plus. C'était devenu intolérable.

La nuit, Edith était heureuse, mais le jour, qu'est-ce qu'elle râlait !

Notre récompense nous attendait au bout de ces deux semaines : Pour Marcel, le championnat du monde ; pour nous, la liberté.

Marcel nous a sorties du camp comme il nous avait rentrées, dans la malle.

C'était officiellement l'arrivée d'Edith. Les Américains n'ont jamais compris comment elle était arrivée sans être passée par l'aérodrome de La Guardia.

En arrivant, nous avions trouvé deux appartements meublés, l'un au-dessus de l'autre. C'était pratique, et ça respectait les usages.

Marcel était très surveillé par la Fédération des sports qui ne plaisantait pas. Ils appelaient ça le protéger. L'hôtel grouillait de flics qui avaient des gueules de gangsters à la Al Capone, comme dans les films sous la prohibition.

On avait fini par avoir peur. Marcel avait reçu des lettres et des coups de fil de menaces. Dans le style : « Pas besoin de t'entraîner, tu n'auras même pas à monter sur le ring », « On t'aura avant même que tu puisses toucher Tony »...

Ça faisait rire Marcel. Lucien était nerveux, et Edith encore plus.

« Ce sont tous des gangsters, ici. Tu n'es pas à Paris. Il faut prendre tes précautions, Marcel. »

Edith avait imaginé qu'on pouvait très bien empoisonner Marcel. Elle avait trouvé la solution : c'est moi qui servais de cobaye. Edith commandait un steak et me disait :

« Momone, manges-en la moitié. »

L'autre était pour Marcel. Elle faisait la même chose pour les légumes, pour une poire :

« Coupe-la en deux et mange. »

Il mangeait l'autre moitié.

Ça a duré tout le temps qui a précédé le combat. Pour aucun de tous les gars qu'elle a eus je n'aurais fait ça. Je le jure, pour aucun. Mais lui, c'était différent.

Un championnat du monde, à New York, faut l'avoir vécu pour comprendre. Ça déplace du peuple. Ça déplace de tout, des gros et des petits, et des marées de dollars.

Les journalistes sportifs n'hésitaient pas à mettre Edith en cause : « Marcel Cerdan ne mène pas la vie ascétique d'un champion ! Il le paiera cher. » « Le titre n'est pas dans sa poche. » « Sa liaison est préjudiciable à son entraînement. »

Edith s'inquiétait, elle avait peur d'être responsable. Elle priait sainte Thérèse de l'Enfant-Jésus. Elle faisait des vœux. Elle ne me disait pas lesquels, ça lui permettait de les modifier ensuite. Elle était dans tous ses états. Elle perdait les pédales et moi je suivais. Edith avait déniché une église avec une statue de sainte Thérèse et on lui a mis, en une fois, les cierges qu'elle recevait dans toute une année.

La veille et le jour du championnat, on n'a pas vu beaucoup Marcel. Ce n'était plus possible, la surveillance était devenue trop serrée.

Lucien vivait sur les talons de son boxeur. La tension avait tellement monté, qu'on n'aurait pas pu tenir le coup longtemps.

Ce n'était ni des tendres ni des faciles, les Américains.

Quand nous sommes arrivées, le 21 septembre 1948, au Madison Square Garden où avait lieu le combat, nous étions dans la voiture avec Marcel qui conduisait tout simplement ; alors que le Tony avait fait une arrivée fracassante sous les flashes, les hourras, les cris de la foule.

Ils avaient le moral, les Ricains ! Celui du parking nous a dit :

« Ce n'est pas la peine de ranger votre voiture. Le combat avec le Français ne va pas être long. Il y en a pour deux minutes. »

Il n'avait pas reconnu Marcel qui, tranquille, s'est tourné vers Edith :

« Tu vois, je serai bientôt rentré. »

Puis, il l'a embrassée et nous a quittées, de son pas habituel, sans hâte. Son large dos a bouché la porte du vestiaire ; et Lucien nous a fait placer.

Dans la salle, il faisait chaud. J'ai trouvé ça assez

dégueulasse, une salle de boxe. Si, comme au théâtre, le spectacle est sur le ring, dans la salle on ne soigne pas le confort des spectateurs. Les sportifs, ce sont des durs, ils n'ont pas la peau sensible. Moi, je l'avais.

Au milieu des hurlements, des sifflets, les deux champions sont entrés.

Ça gueulait, ça raclait des pieds tellement fort que les fauteuils tremblaient.

Edith avait son petit visage ramassé, tout blanc, bouffé par l'angoisse. Elle m'avait pris la main comme dans les cas graves. Moi, je me donnais des airs, mais je n'avais pas meilleure mine.

Si je ferme les yeux, j'entends encore résonner les coups de gong dans ma tête, dans mon corps, comme ce soir-là. Et puis, il y avait les réflexions des gens. Tous des connaisseurs, bien entendu. Heureusement qu'on n'en comprenait pas grand-chose, sans ça, on n'aurait pas tenu le coup. Il y avait aussi des bonnes femmes en fourrure et leurs gars en smoking. Et des tas de mecs, avec le chapeau vissé sur la tête, fumant des cigares qui puaient, suçotant leurs mégots, ruminant leur chewing-gum, crachotant au hasard.

Pour de l'ambiance, il y en avait.

Tout ça se perdait en hauteur dans le noir et la fumée ; et le ring était éclairé, comme une table d'opérations, avec des grosses lampes blanches.

« Momone, je ferme les yeux. Quand ça sera fini, tu me le diras. »

Pas une seconde, elle ne les a fermés.

A chaque coup que Marcel recevait, elle me rentrait les ongles dans la peau. Je ne sentais rien, j'avais aussi mal qu'elle.

A la fin du premier round, on voyait le ventre de Marcel qui remontait dans ses poumons ; son torse se gonflait, ça faisait de l'effet.

« Tu crois qu'il est essoufflé ?

— Mais non, il récupère. »

Un type qui comprenait le français nous a dit :
« Il se ménage. »

Le deuxième, le troisième round passent et, au quatrième, Tony Zale est devenu méchant. Là, Edith était folle. Il a vraiment failli foutre Marcel en l'air. Les Américains déliraient. Edith appelait sœur Thérèse à son secours, injuriait le Tony, tapait des pieds et sur le chapeau du gars assis devant elle. Faut croire qu'autour d'un ring on n'est pas normal. Le mec, il ne disait rien, il ne sentait rien.

Le gong a sonné. Zale était dans les cordes. Marcel allait vers son coin. Au milieu du ring, il s'est retourné, il s'est redressé. Zale était en train de s'écrouler comme une bougie chaude. Alors, Marcel a rejoint ses soigneurs, il était vert.

L'arbitre est venu le chercher, l'a conduit au milieu du ring, lui a levé le bras en criant :

« *Marcel Cerdan, champion in the world!* »

Ça vous en fout un de ces coups ! Les drapeaux français sont montés au mât.

« La Marseillaise » a éclaté. Tout le monde était debout. Edith était toute blanche, elle ne disait rien. Elle tenait ma main. Sa main était molle dans la mienne, comme de la cire. Je l'ai regardée. Nous étions seules au milieu de tous ces Américains debout qui nous entouraient, riant, criant. Beaucoup l'avaient reconnue, et puis nous étions françaises. Ils étaient très sport, très fair-play. Ils nous soulevaient dans leurs bras en hurlant : « *French, french girls...* » Le reste, on ne comprenait pas, c'était trop fort. Nous ne savions plus où nous étions. Nous étions soûles d'émotion, de fatigue. Edith était si épuisée qu'elle avait l'impression d'avoir gagné le championnat du monde !

Elle était bien un peu à elle la victoire de son Marcel.

Quelquefois, je me suis dit : « Pauvre Marinette.

C'est elle qui aurait dû être là, et pas Edith. » Comme
l'a chanté Edith « C'est la vie ! »

C'était pas le moment de penser à ça.

Le gars au chapeau défoncé par Edith l'a fait rire
en lui donnant son bitos.

« Tenez. Moi, il ne peut plus m'être utile ; mais pour
vous, quel souvenir ! »

On n'a pas pu aller retrouver Marcel au vestiaire.
C'était pire que le métro aux heures de pointe, et puis,
Edith devait passer au Versailles.

Quand elle est entrée en scène, tout le monde,
debout, l'a acclamée. Elle avait de grosses larmes
qu'elle a essuyées en disant :

« Pardon. Je suis trop heureuse. »

Pendant son tour de chant, tout à coup, les bravos
ont éclaté. C'était Marcel qui entrait. Il était tout
gêné. Il s'est assis à une table bien sagement. Quand
nous l'avons rejoint, il a bu un verre avec nous.
Toute la salle du Versailles aurait voulu être à notre
place.

On était fières. C'était notre champion à nous.

Le soir de son championnat du monde, Marcel n'a
rien fait d'autre. Des centaines de personnes auraient
donné n'importe quoi pour l'avoir, ce soir-là, à leur
table. Partout c'était le délire autour de son
nom.

Et lui, après avoir dit non à tout le monde, rentrait
avec Edith tranquillement, par les rues du grand
New York, en tenant la petite main d'Edith dans
la sienne qui venait de mettre knock-out un champion.

Pour eux, ce fut comme une nouvelle lune de miel.
Ils ne se sont peut-être jamais autant aimés.

Marcel a dû rentrer en France où on le réclamait.
Edith a terminé son contrat, et ils se sont retrouvés
comme avant. Bien souvent séparés.

Quand Marcel était à Casa, Edith avait inauguré un
système efficace, mais coûteux et fatigant. Elle écri-

vait sa lettre à Marcel. Moi, je prenais l'avion, je portais la lettre à Marcel, il écrivait la réponse et je
revenais la donner à Edith. J'ai bien fait ça trois
fois par semaine. Sur la ligne, on ne connaissait plus
que moi.

« Je ne veux pas que des mains que je ne connais
pas touchent nos lettres. Et puis, je n'ai pas
confiance. Les postiers, ils ne sont pas autrement que
les autres, ils peuvent paumer mes lettres. »

La vie avec Edith était plutôt fatigante. Elle épuisait tous ceux qui vivaient avec elle. S'il n'y avait
eu que des fantaisies du genre voyage, mais elle
n'avait pas d'heure pour vivre. Pas d'heure pour
dormir. Quand elle avait décidé qu'elle avait sommeil,
il fallait que je la couche, que je la borde, que je lui
donne ses boules Quies, son masque noir pour les
yeux. Elle ne supportait pas le moindre rai de
lumière. Alors seulement, elle me disait :

« Va te coucher, Momone. »

A son réveil, il fallait que je sois là déjà réveillée,
avant même de savoir si elle l'était.

Si elle avait décidé qu'elle ne voulait pas dormir,
il fallait veiller avec elle. Crevée, à bout de forces ner-
veuses, un copain médecin lui a donné des somnifères,
une dose à assommer un cheval pendant quarante-
huit heures. Elle continuait à faire la java en se fou-
tant de notre gueule. Alors, il lui a fait une piqûre.
Elle a fermé les yeux, on l'a mise au plumard. On
s'est tirés en douce. Dix minutes plus tard, on dormait tous comme des bébés, quand une voix terrible
nous réveille :

« Qu'est-ce que vous foutez tous à roupiller ! Vous
êtes vraiment de pauvres cloches. Momone, viens, on
va leur faire du café à cette bande d'abrutis. »

Il était six heures du matin.

Pendant la préparation du championnat, Edith
s'était passionnée pour Marcel, pour son combat.
Elle voulait qu'il soit le plus fort. Par amour pour

lui, elle avait accepté de renoncer à ses nuits, de
mener une vie plus régulière. Pour Edith, c'était
contraire à sa nature. Depuis toujours, elle avait
vécu la nuit.

Quand Marcel n'était pas là, elle avait repris ses
habitudes ; et quand il venait, elle l'entraînait.

« Marcel, tu ne vas pas aller te coucher. Tu ne
vas pas me laisser. Comment veux-tu que je m'amuse
sans toi ? Je te vois si peu. Pendant que tu es là,
profites-en. Tu me dois tout ton temps. Il est à
moi. Tu es fort. Tu l'as prouvé. Entraîne-toi quand
tu n'es pas avec moi. »

Elle allait jusqu'à dire :

« Tu me rends malheureuse. Ce n'est pas une vie,
la nôtre. Je ne te vois jamais, et quand tu es là, tu
m'abandonnes. »

Marcel était fou d'elle, alors il cédait.

Il y en avait qui commençaient à dire, à écrire, que
Marcel devenait un boxeur mondain. Que La Motta,
contre lequel il devait disputer un combat où il
remettait son titre en jeu, pourrait bien donner
une leçon à notre champion. Lucien prenait des
colères terribles. Va te faire fiche ! Marcel et Edith
vivaient leur amour. Le reste, ils n'en avaient rien à
faire.

Edith, un soir, a joué avec le destin. Marcel était
à Paris, il s'entraînait enfin sérieusement. Son
combat avec La Motta, à New York, était pour
bientôt. Elle était redevenue presque raisonnable.
A la maison, on était au beau fixe.

La date de son départ était fixée. Marcel avait dit
au revoir à tous ses amis qui étaient aussi les nôtres.
Il y avait M. et Mme Lévitan, Mme Breton et son
mari, et d'autres, des habitués.

Nous étions, toujours, rue Leconte-de-Lisle. Le
fond de la salle à manger était éclairé par un
immense aquarium lumineux qui occupait une grande
partie du mur. Le décorateur d'Edith lui avait dit

que c'était ce qu'on faisait de plus chic. De l'autre côté de l'aquarium, il y avait un couloir.

Le soir du départ de Marcel, Edith invite à dîner tous ceux à qui il avait dit au revoir, la veille...

Edith était de très bonne humeur. Elle avait préparé une farce pour ses invités, elle adorait ça.

Le dîner était très gai. Mme Breton parlait de Marcel, de son départ, dont on avait vu les photos dans les journaux du soir... Elle disait :

« A cette heure-ci, Marcel doit être en train d'arriver à l'aéroport de La Guardia à New York. Il s'amuserait plus avec nous.

— Eh bien moi, je vais frapper trois coups, et je vais vous faire apparaître Marcel, dit Edith. Regardez bien derrière l'aquarium. »

Les plus malins pensent : « On va voir une photo de Cerdan. »

Edith, cérémonieusement, frappe trois coups, et Marcel apparaît derrière l'aquarium.

Ça a fait de l'effet.

Moi, je me suis mise à frissonner. Cette lumière verte, ces algues molles, ces poissons qui lui passaient devant la figure... Marcel avait l'air d'un noyé.

Deux mois après, il était mort.

Il est parti le lendemain. Le combat a eu lieu, La Motta l'a battu. Marcel a perdu son titre.

Quand il est entré, il n'était pas tout à fait comme d'habitude. Il se posait des questions, c'était net. C'était un consciencieux et il savait que le champagne, les nuits sans dormir, ce n'était pas la bonne recette pour vaincre sur un ring.

Le lendemain, ça ne s'est pas arrangé. Il y avait un gros titre dans le journal : « Edith Piaf a porté malheur à Cerdan. »

Il n'y avait pas que cet article, il y en avait d'autres. Ils accusaient Edith sans se gêner.

C'est Marcel, toujours gentil, qui l'a consolée.

« Il ne faut pas les écouter. Je n'étais pas en

forme, c'est vrai, mais ça arrive à tous les boxeurs. Je
vais avoir ma revanche et on fera tout ce qu'il faut
pour le battre, hein, Edith ? »

C'était bien dans la manière de Marcel de la rassurer au lieu de l'engueuler. Les autres ne s'en
seraient pas privés.

A moi, il m'expliquait :

« Tu comprends, ce n'est pas de sa faute à Edith,
c'est de la mienne. Je n'avais qu'à être plus fort. »

C'était pas beau, ça, dans la bouche de Marcel ?

Cet échec avait contrarié Edith. Elle avait décidé :
« Cette maison ne me plaît pas, elle porte malheur ! »

Elle était très superstitieuse, elle s'inventait des
trucs bien à elle. Le jeudi lui portait bonheur ; le
dimanche, malheur. Quand elle voyait un troupeau
de moutons, elle disait : « C'est signe d'argent.
Fermez les mains pour garder le pognon ! » On peut
dire que ça lui a réussi !

C'est comme ça qu'on s'est retrouvés à Boulogne,
5, rue Gambetta, dans un hôtel particulier qu'Edith
a payé dix-neuf millions. Elle n'avait pas regardé
à la dépense parce que le salon était assez grand
pour en faire une salle d'entraînement pour Marcel.
C'était l'unique raison de son achat : « Il s'entraî-
nera chez nous, il ne me quittera pas. »

Dans cette maison, on campait au milieu des
ouvriers. Le décorateur devait terminer l'installation pendant notre prochain séjour aux Etats-Unis.

L'Amérique avait adopté Edith. Pour le mois
d'octobre 1949, elle avait un nouvel engagement, de
plusieurs semaines, au Versailles. Elle était partie
seule, et m'avait laissée avec Marcel qui faisait, dans
toute la France, une tournée de matches-exhibitions
au profit des boxeurs dans la débine. Je le suivais.
J'étais là pour le garder.

« Momone, je compte sur toi. Occupe-toi de lui. Il
n'est pas très cavaleur, d'accord, mais tous les hommes le sont. Alors, garde-le. »

Avec Marcel, ce n'était pas difficile. Il n'y avait pas plus sage.

La tournée finie, nous allions rejoindre Edith à New York. La date de notre départ était déjà fixée. Nous devions prendre le bateau. Edith, qui montait dans un avion comme dans un taxi, avait toujours peur quand les autres étaient en avion.

Vingt-quatre heures avant le départ, elle téléphone à Marcel :

« Mon amour, je t'en supplie, viens tout de suite, je n'en peux plus de t'attendre... Prends l'avion, le bateau c'est trop long... viens vite.

— Bien, a répondu Marcel. Demain je serai là. Je t'embrasse, je t'aime. »

Ce furent ses dernières paroles.

Pourquoi Edith a-t-elle voulu que Marcel revienne ce jour-là ?

Je ne l'ai jamais su. Elle s'ennuyait ? Elle avait peur de faire une bêtise ? De le tromper ? Avec elle, tout était toujours possible.

J'étais en face de deux problèmes : trouver deux places dans un avion et avoir le renouvellement de mon visa pour les Etats-Unis. Le mien était périmé. J'avais fait ma demande mais ça traînait. Je ne l'ai pas eu de suite. C'est ce coup de tampon absent qui m'a sauvé la vie.

Marcel et moi, on s'est tellement démené, qu'on a obtenu une place pour lui.

Je l'ai accompagné à l'aérodrome, je lui ai dit : « A bientôt. »

Et c'était fini. A mon réveil, tous les journaux parlaient de la mort de Marcel Cerdan. On l'avait identifié parce qu'il portait une montre à chaque poignet.

J'avais, enfin, mon visa, je suis partie immédiatement, Edith avait besoin de moi.

Quand j'ai atterri, là-bas, il y avait M. et Mme Breton qui m'attendaient. Ils ont été très bien.

C'est par eux que j'ai su comment tout s'était passé.

Loulou Barrier était à New York. Il ne quittait pas Edith. Il avait été décidé qu'il irait chercher Marcel à l'aérodrome. Pour elle, l'arrivée était trop tôt le matin. On était le 28 octobre 1949.

En arrivant à l'aéroport, Loulou a appris que l'avion Paris-New York s'était écrasé aux Açores. Tout de suite, il a su que Marcel était dans la liste des morts.

Quand Edith a vu Loulou revenir seul, elle a poussé un cri.

« Il est arrivé quelque chose à Marcel ! Il est mort ! »

Normalement, Marcel aurait dû la réveiller. En dehors de moi et, si je n'étais pas là, de l'homme qu'elle aimait, personne n'avait le droit de le faire. Quand elle a vu Loulou, elle a compris.

Barrier ne pouvait pas lui répondre. Les mots ne passaient pas. Il la regardait, et son silence était plus terrible que tout.

Dans la journée, les télégrammes ont commencé à arriver. De partout, on lui téléphonait.

Tout de suite, elle a câblé à Jacques Bourgeat : « Ecris-moi vite. Ai besoin de toi. Edith. » Et cet homme déjà âgé, pas bien riche, est venu.

Mme Bigeard lui a télégraphié avec tant de cœur qu'Edith l'a fait revenir auprès d'elle.

La douleur d'Edith les bouleversait tous. Elle ne voyait rien, n'entendait rien. Elle pleurait. Pas fort mais sans arrêt.

Quand Loulou lui a dit : « J'ai tout arrangé. Tu ne chantes pas ce soir. » Elle est sortie du vague : « Je chante ce soir. »

Elle était tellement épuisée qu'il a fallu la doper.

La salle du Versailles était archicomble. Quand elle est entrée. plus petite, plus perdue que d'habitude, dans son cercle de lumière, la salle entière s'est levée, l'a applaudie.

Alors, elle a dit :

« Non, rien pour moi. Ce soir, c'est pour Marcel Cerdan que je chante. Pour lui seul. »

Elle a tenu le coup, dramatique, pâle. Elle a tenu. Elle est allée jusqu'au bout de son tour.

Cette nuit-là, Loulou a dormi dans la chambre d'Edith. Il n'osait pas la laisser seule.

Au matin, quand je suis arrivée, elle s'est jetée dans mes bras en criant : « Momone, c'est de ma faute, je l'ai tué. »

Ce n'était pas supportable.

CHAPITRE XII

PAR AMOUR, EDITH FAIT TOURNER LES TABLES

Parce que Marcel était mort de cette façon affreuse, Edith pensait : « C'est ma faute. » Il était devenu le plus grand amour de sa vie. Le seul. C'est peut-être, aussi, à cause de sa fin qu'il l'est resté, qu'il n'est pas rentré dans le rang comme tous les autres.

Ma pauvre Edith était dans un état épouvantable. Elle ne voulait plus manger. Elle faisait une sorte de grève de la faim. Vraiment elle voulait mourir. Chaque soir pour qu'elle puisse chanter il fallait la doper.

Edith était comme une bête affolée qui avait perdu son maître, elle voulait le retrouver.

Dans sa douleur, son désespoir, elle a eu l'idée de la table. Il y avait à peine deux jours que Marcel était mort quand elle m'a dit :

« Ecoute, Momone, il faut que tu ailles me chercher une table ronde, à trois pieds. On va la faire tourner. On va essayer de faire venir Marcel. Je suis sûre qu'il va venir. Ce n'est pas possible qu'il ne m'entende pas. Va vite. »

Alors je suis partie. Je suis allée dans un grand magasin de Lexington Avenue. J'ai trouvé un guéridon à trois pieds.

En sortant du magasin je serrais ce guéridon contre moi et je sentais qu'il allait être mon sauveur. Je ne savais pas encore comment, mais j'en étais sûre.

Ce soir-là, après les Versailles, nous rentrons. Les rideaux sont bien tirés, on éteint, on pose les mains sur la table... Toute la nuit nous avons attendu. Edith coupait le silence de : « Elle craque, Momone, il est là, je le sens. Il passe près de moi. »

Mais rien. Les pieds de la table restaient obstinément fixés au tapis. On y aurait foutu de la seccotine qu'ils n'auraient pas été mieux collés !

Derrière les rideaux, on sentait le jour. Ça blanchissait.

« Tu sais, Edith, jamais ils ne viennent quand il fait jour.

— Tu crois ? Mais la nuit, ils viennent ? »

Sa voix était celle d'un enfant qui demande si le père Noël existe.

« Sûr, c'est même scientifique.

— Ce n'est pas des histoires. Ce soir je l'ai senti. Il était là, il m'a frôlée. Pourquoi il n'a pas parlé ?

— Faut le temps. Peut-être que c'est trop tôt, qu'ils ne peuvent pas parler tout de suite. Cette nuit on recommencera. »

Je lui disais ce qui me venait comme ça. Et puis elle était tellement tendue, elle y croyait si ferme qu'elle m'avait communiqué sa foi et que je pensais : « Ce n'est pas possible, il va venir. »

Le lendemain, la même chose, rien. La figure d'Edith rétrécissait. Je me rongeais. Edith ne mangeait plus et elle chantait chaque soir. Ça ne pouvait pas durer, elle allait s'écrouler. Déjà elle avait eu une syncope entre deux chansons.

Toute seule devant cette table je pensais : « Il faut qu'elle marche. Il faut que j'y arrive. »

Edith vivait dans l'attente passionnée du moment où elle poserait ses mains sur le guéridon.

Ce soir-là, je lui ai dit :

« T'en fais pas, je le sens, cette nuit il va venir. C'est la nouvelle lune.

— Il m'en veut, Momone, jamais je n'aurais dû lui téléphoner. Il ne viendra pas, il m'abandonne. »

Alors j'en ai eu marre. Je n'en pouvais plus. J'ai pensé : « Ce n'est pas possible, elle va devenir folle et moi aussi. Il faut que cette sacrée table marche. »

Et je l'ai faite se soulever légèrement. Cramponnée après, Edith pleurait de bonheur. Elle balbutiait :

« C'est toi, Marcel ?... Reste. Reviens... Marcel, mon amour... Toi, oh ! toi ! »

Soudain j'ai réalisé le parti que je pouvais tirer de la table : d'abord qu'Edith se nourrisse, ensuite qu'elle se calme.

La table lui a ordonné :

« Mange. »

Comme Edith ne comprenait pas, la table a répété :

« Va manger. »

Etonnée, Edith m'a demandé :

« Tu crois que Marcel veut que je mange ?

— Bien sûr, et même que tu feras bien de te dépêcher. »

Voilà Edith courant à la cuisine, ouvrant le réfrigérateur et se mettant à manger pour faire plaisir à Marcel.

J'en aurais pleuré. Je la regardais comme on regarde un chien malade qui accepte du lait.

C'était gagné !

Deux semaines plus tard, nous sommes rentrées à Paris avec Mme Bigeard et le guéridon.

Les premiers mois, à Boulogne, on a passé de drôles de moments. Edith était de plain-pied avec le monde

des esprits, l'au-delà et tout le fourbi. Elle vivait à
la remorque de ses rêves et de ses intuitions.

Comme il fallait s'y attendre, elle avait décidé de
liquider l'hôtel particulier. Elle ne s'y plaisait pas.
Marcel n'y avait pas été longtemps, mais c'était encore
trop.

On y habitait toujours. Le moyen de faire autrement ? Il n'était pas commode à fourguer, l'hôtel !
Elle avait bien dit à Loulou : « Débarrasse-m'en ! »
Facile à dire ! Personne n'en voulait. Elle l'a vendu
trois ans plus tard en perdant plus de neuf millions.

Edith ne pouvait plus ni voir ni toucher les
cadeaux que Marcel lui avait faits. Elle a fini par les
donner à ceux qui avaient assisté à cette fameuse
soirée de l'aquarium. Elle pensait que cette farce
lui avait porté malheur. Elle n'a rien gardé pour elle.
Tout est parti : les boucles d'oreilles, le clip, tous les
bijoux que Marcel lui avait donnés, les objets et
même la culotte du combat de Cerdan contre La
Motta sur laquelle il y avait encore de son sang de
champion.

« Tiens, Momone, je te donne ce qu'il y a de plus
important pour moi : la robe que j'avais quand
Marcel m'a tenue dans ses bras tout de suite après le
championnat du monde. »

Je l'ai toujours.

Edith ne pensait plus qu'à une seule chose : la
table. Tous les soirs on était cramponnées après le
guéridon. Ce n'était pas possible de l'arrêter. Et puis,
il m'était encore utile ; je m'en servais pour l'empêcher de trop picoler. Marcel avait toujours détesté
qu'elle boive.

Quand elle avait bu, la table était muette. Fini.
Elle avait beau la supplier, la table était fâchée.

Si on ne s'en était occupé que le soir, de cette
table ! Mais, même dans la journée, elle obsédait
Edith qui était à la fois crédule et méfiante. Elle en

avait parlé à Jacques Bourgeat qui n'avait pas pris
de risques.

« Tu sais, le monde est rempli de manifestations
dont nous ignorons les causes ! »

Ça l'avançait bien, Edith. Alors, elle se rabattait
sur moi :

« Tu y crois, toi ?

— Moi, je crois tout ce que je vois.

— Tout de même, il me faudrait une preuve... Ça
y est, j'ai trouvé ! Je vais demander à Marcel de me
faire une chanson. »

Je ne sais pas si on peut pâlir intérieurement, mais
je suis sûre que mes boyaux, ils ont perdu leur
couleur ! Malheureusement, ce n'était pas Marcel qui
allait la faire, la chanson, c'était moi.

« Tu sais, Edith, Marcel n'était pas capable de faire
une chanson. »

Elle me file un regard foudroyant, à me trans-
percer, et, définitive, me répond :

« Là où il est, on sait tout faire. »

Cette fois-ci, je ne pourrais pas m'en tirer, j'étais
perdue. Toute la journée. J'ai tripoté des tas de
mots dans ma tête. Il ne me venait rien. J'étais
sèche comme un fond de casserole accrochée au
mur.

Le soir même, Edith demanda à la table :

« Marcel, fais-moi une chanson. »

Et la table répond : « Oui. » Depuis le début des
séances, la table avait réponse à tout. La table devait
tout savoir, tout connaître. Pour Edith il n'y avait
rien d'impossible de l'autre côté. Seulement moi,
j'étais de ce côté-ci !

Il faut reconnaître qu'en échange, tout ce que la
table demandait à Edith, elle le faisait aveuglément.
Marcel ne pouvait pas la tromper.

Crispée au guéridon, j'ai trouvé les deux premiers
vers :

Je vais te faire une chanson bleue
Pour que tu aies des rêves d'enfant.

Heureusement pour moi, des pieds de table, ça ne
parle pas vite. Ça prend son temps. Chaque fois
j'inventais un ou deux nouveaux vers.

Un soir la table a dit : « C'est fini. »

On voyait Marguerite Monnot tous les jours, mais
Edith n'avait pas la patience d'attendre le lendemain.
Elle a appelé Marguerite au téléphone :

« La Guite, viens vite, j'ai quelque chose pour
toi. »

C'était plus près du petit jour que de la nuit. Mais
Marguerite, qui n'avait aucune conscience du jour
et de la nuit, est arrivée, pas peignée, un manteau
sur sa chemise.

Edith lui a dit :

« Guite, écoute. Ecoute bien. »

Et elle lui a lu, comme elle seule savait le faire
— ça chantait déjà — la *Chanson bleue*.

« C'est toi qui as fait ça ?

— Non. C'est Marcel.

— Mais il l'a faite quand ?

— Il vient de la finir à l'instant, avec la table.

— Ne dis pas ça. Tu me donnes la chair de poule.
Tais-toi ! »

Elle avait toujours refusé d'assister à nos séances,
mais elle les connaissait. Elle s'est assise, a murmuré :

« Il n'y aura que des violons. »

Pour elle, les violons, c'était la musique des anges.
Déjà Marguerite l'entendait et Edith aussi. J'en
recevais plein mon cœur, à déborder. J'étais bouleversée. Je me demandais si ce que j'étais en train
de vivre venait d'ici ou d'ailleurs. Après tout, est-ce
que c'était bien moi la responsable ?

Mais quand j'ai vu ces deux femmes, face à face,
vivre cet instant, je n'ai plus eu aucun regret.

La *Chanson bleue* n'avait pas fini de me faire pleurer.

Pendant plus d'un an, régulièrement chaque semaine, Edith a fait dire, dans l'église d'Auteuil, une messe chantée à la mémoire de Marcel. Bien entendu on y assistait tous, pas question de se défiler. D'ailleurs je n'en avais pas envie. C'était toujours les chœurs d'Edith qui chantaient cette messe. Un jour, juste avant son récital à Pleyel, au moment où la messe se terminait, ils se sont mis à chanter *Chanson bleue*.

On n'était pas bouleversées, c'est un mot trop faible, La Guite et moi on ne pouvait plus avaler sa salive de peur d'éclater en sanglots. Edith s'est retournée vers ses chœurs, elle avait de grosses larmes qui roulaient sur ses joues.

Elle a murmuré :

« Marcel tu les entends, c'est pour toi... »

Après la *Chanson bleue* j'aurais bien voulu que la table soit mise au rancart. Puisque je la faisais marcher d'autres pouvaient le faire et être assez salauds pour en tirer profit. C'était trop tentant avec Edith. A Paris ce n'était plus comme à New York, nous n'étions plus entre nous. L'hôtel de Boulogne ressemblait, en moins moche, à la rue Anatole-de-la-Forge. C'était un peu le bordel. On ne manquait pas de profiteurs. Elle invitait à ses séances de table tous ceux qui avaient échoué là. Quand Edith aimait quelque chose, il fallait que tous ses « amis » participent à sa passion, qu'ils pensent comme elle.

Le guéridon avait beau parler, Marcel être là chaque soir auprès d'elle, Edith avait dans l'idée qu'elle devait quelque chose à Marcel.

« Tu vois, Momone, Marcel il m'a fait une chanson et moi rien ! Je suis sûre qu'il attend. Il est trop bon pour me le demander, mais tant que je ne l'aurai pas fait il ne sera pas tranquille. »

Et nous donc !

Ça s'est fait tout seul. Ce soir-là, dans notre salle de bain, elle m'a chantonné une ligne mélodique. C'était un cas, Edith. Elle chantait souvent faux. Michel Emer disait : « Elle est la seule, avec Maurice Chevalier, qui puisse se permettre de décaler n'importe quoi et de retomber sur ses pieds. » Pourtant elle avait l'oreille musicienne et elle savait ce qui allait plaire.

« Qu'est-ce que tu en dis de mon petit air ? Et j'ai le titre : *L'Hymne à l'amour*. Cette chanson-là, il n'y a que moi qui peux la faire. Elle chante dans ma tête, elle me fait valser le cœur. Elle est pour Marcel. Dommage que je n'aie que le titre ! Pour le reste, je suis sèche. Rien...

« Ecoute, Edith. J'ai une idée. Quelques vers qui me viennent :

> *Si un jour, la vie t'arrache à moi,*
> *Si tu meurs, que tu sois loin de moi.*
> *Peu m'importe si tu m'aimes*
> *Car moi je mourrai aussi*
> *Nous aurons pour nous l'éternité*
> *Dans le bleu de toute l'immensité*
> *Dans le ciel plus de problèmes*
> *Dieu réunit ceux qui s'aiment*

« Ça te plaît ?
— Tu as fait ça, toi, d'un coup ? »
J'ai répondu : « Oui », je bluffais. Ça faisait un moment que ces vers me trottaient dans la cervelle mais je ne savais pas quoi en faire, et puis je n'avais pas la suite...

Elle a sauté sur les accessoires : papier, crayon, et en avant la chanson ! C'est comme ça que *L'Hymne à l'amour* est né.

Edith avait de bonnes idées, de jolies images. Ce n'était pas nouveau ; déjà dans ses premières lettres à Jacques Bourgeat elle écrivait : « ...Alors, au revoir mon rayon de soleil apprivoisé... » Mais elle n'avait pas de patience, il fallait qu'elle trouve tout de suite. Et puis, construire l'histoire, les couplets, ça la rasait. Moi, j'avais de la patience, alors je l'aidais. Edith avait beaucoup appris. Et moi à sa remorque j'avais suivi. Ce n'était pas vraiment de la culture, mais on n'était plus ignorantes. On avait même fréquenté des gars comme Baudelaire !

Quand on avait mis une chanson à peu près sur ses pieds, Edith téléphonait à la Guite à n'importe quelle heure de la nuit :

« Allô, la Guite ? c'est Edith. Il faut que je te voie tout de suite. »

Guite n'a jamais dit non. Elle n'avait pas plus le sens de l'heure que nous. On s'habillait à moitié et, comme c'était toujours au moment de ses mises en plis qu'Edith avait des idées, elle se mettait un foulard sur la tête, et nous partions.

Arrivées chez Marguerite, Edith lui lisait son ours.

La Guite écoutait, les mains déjà sur son piano. Et il en sortait une de ces musiques qui collent à la peau, dont elle avait le secret.

Le soir où elle a eu la musique de *L'Hymne à l'amour* Edith, penchée sur la table, a dit à Marcel : « Pour toi j'ai fait une chanson, tu seras le premier à l'entendre. » Et elle la lui a chantée. On avait beau ne pas y croire, ça faisait quelque chose.

Ensuite elle lui a demandé :

« Je vais faire un récital à Pleyel. Pour que tout me vienne de toi, je voudrais que tu me dises dans quel ordre je dois mettre mes chansons ! »

Il faut être du métier pour comprendre cette responsabilité. Le succès d'un tour de chant, davantage encore pour un récital, repose en partie sur la façon dont les chansons suivent, comme elles se font valoir. C'est surtout la place des nouvelles, des jamais entendues, qui est duraille à trouver.

Jamais je n'avais fait ça.

Je n'en dormais plus. La journée, je faisais, défaisais, refaisais ma liste. Et le soir je la modifiais suivant les réactions d'Edith.

« Ce n'est pas bête ça, Marcel, tu as du génie... Tu crois que c'est bon...? J'ai peur que tu te goures. Moi, je ferais plutôt ça... Tu dis oui ! Tu vois j'avais raison ! »

Après la liste, elle s'est mise en tête qu'il lui indique aussi les éclairages et les faux rideaux.

Ce soir de janvier 1950, moi qui ne transpire jamais, je n'avais plus un poil de sec. Faire un récital salle Pleyel, il fallait être gonflée. C'était la première fois qu'on osait faire entrer la chanson des rues dans ce temple de la musique classique.

Depuis deux jours, Loulou nous répétait : « Les enfants, il n'y a plus un strapontin à louer ! »

Dans la loge d'Edith, les fleuristes et les petits télégraphistes n'arrêtaient pas d'entrer et de sortir. J'avais préparé de la monnaie pour les pourboires, j'ai été vite dépassée.

« Edith, je n'ai plus rien.

— Ben, donne-leur des billets. »

Alors, j'ai distribué des billets comme on donne des tickets de métro et, là, j'ai peut-être regretté la rue... et sa misère.

Avant l'entrée d'Edith, j'ai lâché les coulisses. Je voulais voir le rideau se lever sur elle. C'était bourré. Tous ces gens qui respiraient, ça faisait un grand souffle chaud. Leurs parlotes : un bruit comme celui de la mer, profond et majestueux.

La salle s'est éteinte et il y a eu le silence. Le rideau de velours rouge s'est levé. Derrière il y en avait un autre couleur d'automne. On l'avait mis pour diminuer la profondeur de la scène. C'était trop grand pour Edith. Elle était si petite qu'on avait peur de ne pas l'entendre.

Sa voix était si forte qu'elle a rempli, d'un coup,

cette immense salle comme l'aurait fait un grand orgue. Elle a chanté *Une chanson à trois temps*. Elle ne bougeait pas : les jambes un peu écartées, bien d'aplomb, les mains derrière le dos. Elle n'était plus qu'une voix.

Elle a chanté : *Ses mains, Le Petit Homme, J'm'en fous pas mal, Escale, Un monsieur me suit dans la rue, Chanson bleue, L'Hymne à l'amour, L'accordéoniste...*

Je les connaissais toutes, et j'avais l'impression de ne les avoir jamais entendues. Ça a duré, comme ça, plus de deux heures.

A l'entracte, je me suis faufilée au milieu de cette foule de métro aux heures de pointe. Et j'entendais : « Prodigieux ! » — « Sensationnel ! » — « Jamais entendu ça ! » — « La plus grande ! » Ces mots me remplissaient les oreilles et la tête. Vite, j'ai couru les dire à Edith. Je les lui ai tous déversés comme une pleine charrette de fleurs. Je crois bien que j'en ai chialé. Et elle riait, me regardait comme si on était dans notre salle de bain.

« Calme-toi, Momone, c'est pas toi qui chantes ! »

Mistinguett a dit :

« A la première chanson, on fait « Ah ! » » ; à la seconde « Oh ! » » ; à la troisième on a très envie de partir ; à la quatrième on chiale ; et après, on arrive à la vingtième sans s'en apercevoir. »

Venant de la « Miss » ça voulait dire quelque chose !

Quand la loge a été vide, Edith m'a regardée :

« Tu vois, un triomphe comme ça, j'en avais jamais eu un. Et auprès de moi il n'y a pas Marcel ! Ce soir, il n'y aura qu'une table pour me dire des mots d'amour... »

Alors là, je n'ai pas pu me retenir, j'ai pleuré un bon coup.

C'était sa vie, la chanson. Elle lui donnait tout, mais elle la faisait plus seule encore que n'importe qui, de la solitude de ceux de sa race — les monstres — celle qui vous prend à la gorge comme une main, qui vous bloque le plexus, celle que l'on ne connaît qu'après les applaudissements.

« Momone, c'est chaud le public dans son trou noir. Tous ces gens qui te prennent dans leurs bras, qui t'ouvrent leur cœur, qui t'y font rentrer en entier. Tu débordes de leur amour, et eux, ils débordent du tien. Ils te veulent ; tu te donnes. Et tu chantes, tu cries, tu gueules ton plaisir, tu prends ton pied [1] avec ton cœur.

« Puis, la salle s'éteint sur le piétinement de leur départ. Toi t'es encore tiède dans ta loge. Ils sont encore en toi. T'as plus de frissons mais tu es satisfaite.

« Et c'est la rue. Il fait noir... Ton cœur y prend un coup de froid... t'es seule...

« Ceux qui t'attendent, à la sortie des artistes, c'est plus les mêmes. Leurs mains exigent. Elles ne caressent plus, elles t'agrippent. Leurs yeux te jugent. Tu y lis : « Tiens, elle est moins bien que sur scène ! » Et leurs sourires, ils mordent... Les artistes et le public, ça ne devrait jamais se rencontrer. Le rideau baissé l'artiste devrait s'envoler comme une colombe d'illusionniste ! »

Ce qu'elle me disait, moi aussi, je le sentais. La foule la réclamait, l'acclamait. Et puis, dès que nous avions passé le coin de la rue, qu'on grimpait dans un taxi, Edith me prenait par la main.

« Tu vois, maintenant, il va falloir finir la nuit toutes seules... »

Et c'était vrai. On rentrait seules et on dînait toutes les deux. Ce n'était pas toujours pareil. Mais depuis la mort de Marcel, on avait des moments pénibles à Boulogne, des trous, des passages à vide parce que, chez Piaf, on ne rigolait plus !

1. Expression populaire signifiant éprouver une grande jouissance.

Passé les premiers moments de curiosité et le coup de la table, qui en avait amusé certains et profité à d'autres, on s'est retrouvées comme deux pauvres minables dans notre bel hôtel particulier.

Le dernier gros coup du guéridon, je n'en ai pas été responsable. Il a annoncé :

« 28 février : une nouvelle.

— Bonne ? interroge Edith.

— Oui. »

Ce soir-là, on n'a pas été plus loin.

Le lendemain, la table remet ça :

« Le 28 février, une surprise.

— Marcel, tu l'as déjà dit.

— Le 28 février.

— J'ai compris, et après ? »

Edith, cramponnée à la table, avait beau l'engueuler, la supplier, elle était de bois.

Quatre mois, jour pour jour, après la mort de Marcel, qui se servait du guéridon ? Qui utilisait cette date et pourquoi ?

Je l'ai su plus tard. C'était Mme Bigeard. Et elle a eu raison.

La nuit du 27 au 28, je n'ai pas dormi. Je voulais être la première à savoir pour protéger Edith. A huit heures du matin, on a sonné à la porte. C'était un télégraphiste. Comme d'habitude, j'ai ouvert le télégramme. Elle en avait le trac. Elle ne les ouvrait jamais sauf les soirs de première.

« Venez. Vous attend. Marinette. »

C'était donc ça, le 28 février ?

Depuis des mois, Edith avait désiré rencontrer Marinette, connaître les fils de Cerdan. Elle était sûre que c'était impossible. Et aujourd'hui, c'était la femme de Marcel qui l'appelait.

Je n'ai pas attendu une seconde pour la réveiller. Je lui ai lu le télégramme. Je ne savais même pas si elle était en état de le comprendre.

C'étaient bien des mots magiques. Edith a bondi.
Manteaux, brosses à dents, et nous voilà installées
dans l'avion pour Casablanca.

Marinette nous a très bien reçues. Elles ont pleuré,
se sont embrassées. Celui qui les avait divisées les
réunissait. Au bout de vingt-quatre heures, les trois
garçons, Marcel, René et Paul, appelaient Edith
« Tata Zizi ».

On a ramené Marinette, sa sœur Hélène et les trois
mômes à Boulogne. Il y avait de la place. Elle est
restée un moment avec nous. Cette réunion, je ne la
trouvais pas ordinaire. Mais je n'étais pas tellement
épatée. Avec Edith, j'avais l'habitude. Elle ne faisait
jamais rien comme les autres. Elle suivait son cœur.
Il commandait, elle obéissait. Toute sa vie, Edith a
cavalé derrière lui.

Elle voulait que Marinette soit la plus belle. Elle
lui a fait faire une très jolie robe chez Jacques Fath,
lui a donné une cape de renard blanc pour porter
avec. Elle était heureuse, Edith.

« Regarde, Momone, comme elle est belle ! »

C'était vrai. Mais c'est quand même une des rares
fois où je l'ai vue être indulgente avec une femme.

« Momone, qu'est-ce que Marcel doit être content !
Je vais le lui demander ce soir... »

Marinette n'a jamais osé assister aux séances de la
table et Edith a préféré ne pas l'inviter. Elle gardait
son Marcel bien à elle.

On a trimbalé cette foutue table partout pendant
trois ans. Elle était devenue toute branlante à force
de taper du pied. On l'avait recollée deux cents fois.
On lui avait fait faire une housse. C'était la première
chose qu'on embarquait dans nos bagages. Au théâtre, elle attendait Edith dans sa loge. Parfois, elle la
traînait dans les coulisses, surtout pour les premières. C'était devenu un porte-bonheur. Quand Edith
touchait du bois, c'était la table qu'elle touchait.

Depuis son enfance, Edith croyait aux miracles.

Elle avait raison. Jusqu'à la fin, sa vie n'a été que ça : un miracle. Elle aimait les belles histoires. Elle avait une âme de môme. Quand on lui en racontait, elle ouvrait les yeux, elle croisait les mains sur ses genoux, elle les écoutait, ravie. Puis elle disait :

« C'est pas vrai, ça n'existe pas, mais que c'est beau ! »

La table, c'était un peu ça. C'était chouette d'avoir Marcel tous les soirs, de lui poser des questions. A la fin, elle y croyait sans y croire, mais elle ne pouvait plus s'en passer.

Pendant trois ans, presque chaque soir, enfin chaque fois que j'étais là, Edith ne s'est pas endormie sans avoir, comme par le passé, entendu les petits mots que Marcel lui disait dans l'intimité (que j'étais seule à connaître). Et pour elle, c'était ça, le merveilleux !

Et puis un jour la table a abandonné Edith. Marcel était vraiment passé de l'autre côté... Il lui avait dit : « Ce soir c'est fini. Peut-être plus tard... »

Je n'aimais pas Boulogne. On n'y avait pas nos aises. Ce n'est pas qu'on y manquait de place, on en avait de trop !

Pourtant, nos amours avec la maison avaient bien commencé. Edith était heureuse quand elle l'a achetée.

« Tu te rends compte, Momone ! Une maison style Directoire ! Même les pavés de la cour sont d'époque ! et on a des écuries ! Et puis, c'est la première fois qu'on est dans nos murs. Ils sont à moi. Je peux les foutre en l'air si je veux ! Je ne suis plus de la cloche. Je suis logée comme une bourgeoise-propriétaire ! »

Le décorateur qui l'avait installée avait dû satisfaire ses goûts de luxe à lui. La chambre était princière : les murs étaient recouverts de moire bleu lavande, les meubles — style Directoire — en merisier.

C'est bien simple, Edith et moi on voyait le château de Bagatelle, dans le bois de Boulogne, comme ça !...

D'ailleurs, Edith le faisait visiter comme un guide,

son château : « Ma chambre, qu'elle disait en ouvrant
la porte, c'est de la moire de soie. Elle est belle,
hein ? » Mais sa gloire, c'était sa salle de bain, toute
en mosaïque noire et rose. Et pour rentrer dans la
baignoire, il fallait descendre deux marches.

« Je m'en fous, je ne me baigne pas. Mais mes
poissons rouges, je leur ai payé une piscine ! »

Elle l'a fait ! Elle y a mis des poissons rouges.
Elle trouvait ça joli sur le noir. Pas longtemps, car
elle a décidé que les poissons portaient malheur dans
une maison.

Les efforts d'Edith se sont arrêtés à la chambre, la
salle de bain et la cuisine. En notre absence, faute de
fric, le décorateur n'était pas allé plus loin. A notre
retour, Edith n'avait plus le cœur à ça, ni à autre
chose. Alors, dans le fameux salon qui aurait dû être
la salle d'entraînement de Marcel, il n'y a jamais eu
qu'un grand piano à queue et deux chaises longues
en toile.

Ce salon était prolongé par la salle à manger, tout
en marbre et sans meubles. C'était tellement grand
que pour se balader dedans, il y avait intérêt à mettre
des patins à roulettes. Cette idée-là, Edith l'avait eue
sans rire.

« Dis donc, si au lieu de ces machins à feutre,
ces patins de bourgeois pour ne pas abîmer le par-
quet ciré, on mettait, à l'entrée, des patins à roulettes ? »

C'était le genre de truc qu'elle était capable de
faire, rien que pour voir la tête des gens.

Pour coucher les copains, Edith avait acheté des
divans-lits chez Lévitan, et elle en avait fourré un peu
partout.

A l'entrée de notre hôtel, il y avait une loge de
concierge. Edith l'avait fait installer, très bien, avec
un cosy, une table et des fauteuils.

« Puisque je suis devenue propriétaire, il me faut
une bignole à mes ordres qui tire le cordon. Comme

ça, j'aurais pas besoin de clefs ! Je veux qu'elle ait tout le confort ! »

Heureusement parce que, de concierge, on n'en a jamais eu, mais Edith habitait la loge. Elle s'y sentait chez elle. La chambre capitonnée, la salle de bain noire et rose, c'était le décor. Et longtemps le guéridon à trois pattes a trôné au milieu des meubles en ronce de noyer.

Nous n'avions rien. Pas de service de table, de verres, d'argenterie. Juste quelques assiettes, des couverts dépareillés et des verres style pots à moutarde. On s'en foutait. On becquetait en famille, dans la cuisine, sous l'œil de Tchang qui existait toujours et se réfugiait dans l'office pour être tranquille. Beaucoup plus tard, quand Edith a décidé de recevoir, qu'elle invitait en grand, elle louait tout à une maison spécialisée, chaises et loufiats compris.

La salle de bain continuait à être notre salon. Je ne sais pas si c'était l'influence de la table, mais Edith s'est mise à croire à la réincarnation. Alors maintenant, quand je lui passais les épingles pour sa mise en plis, elle me parlait de sa vie antérieure. Ça, je le devais à Jacquot (Jacques Bourgeat). Cet homme, il connaissait tout. Quand Edith voulait savoir quelque chose, elle lui téléphonait. Alors, elle lui avait demandé : « Dis, Jacquot, tu y crois toi, à la réincarnation ? » Il n'avait dit ni oui ni non. Mais du moment qu'il n'avait pas dit à Edith que c'était idiot, elle y croyait dur comme fer. Elle était persuadée que, dans dans une autre vie, elle avait été Marie-Antoinette, et moi Mme de Lamballe.

« J'ai bien cherché. Je ne peux pas avoir été autre chose que Marie-Antoinette. C'est tout mon caractère, cette femme-là. Moi aussi j'aurais balancé de la brioche à tort et à travers. On lui reprochait de dépenser. Et alors ! C'est pas la peine d'être reine si on doit compter ses sous comme une bourgeoise ! Et le beau Fersen, je suis sûre qu'il avait les yeux bleus, tu sais, comme « tous les gars du Nord »... Si j'ai été Marie-Antoinette, toi, tu pouvais pas être autre chose que Mme de Lamballe ! »

Pour Edith, c'était du sûr, du solide. Elle affirmait : « Il n'y a pas de doute, tu comprends. Il n'y a que ces deux femmes-là qui peuvent nous être comparées. T'en vois d'autres ? »

Moi, je ne voyais qu'une chose : cette pauvre Mme de Lamballe, on avait apporté sa tête à sa copine, au bout d'une pique. Et ça me faisait froid dans le dos. Je me disais aussi que nos ancêtres, à Edith et à moi, ils n'avaient pas de godasses, le cul percé, ils se mouchaient dans leurs doigts et ils chantaient la « Carmagnole ». Alors, je voyais pas très bien pourquoi, sous Louis Capet, si on avait été de son côté, on n'y était pas restées.

Edith avait beau dire :
« Y'a pas de rapport, Momone. Tu peux te réincarner dans n'importe quoi. Jacquot me l'a bien expliqué : c'est une question de péchés. Si tu en as trop fait, tu expies dans ta vie suivante...

— Eh ben ! Dis donc ! Quand on était des rupins, qu'est-ce qu'on a dû faire comme péchés ! »

N'empêche que quand Edith a tourné dans *Si Versailles m'était conté*..., de Sacha Guitry, qu'elle chantait le *Ça ira*, je me marrais bien. Pour Marie-Antoinette, ça la foutait plutôt mal !

Edith m'a fait une réponse digne d'elle :
« Si elle avait fait comme moi et qu'elle l'ait chanté, elle aurait gardé sa tête sur ses épaules ! »

Tout ça faisait passer le temps, mais la solitude ne valait rien à Edith.

Comme à chaque fois qu'il n'y avait pas d'homme qui comptait pour elle, ça allait mal.

Malgré la table, pendant quelques semaines, on a vraiment déraillé. Des soirs, il lui prenait comme une rage mauvaise qui lui rongeait le ventre. On filait traîner à Pigalle. Elle aimait bien retourner dans les mêmes endroits. Edith faisait quelques tours de manèges, achetait deux cochons de pain d'épice, « Edith » et « Simone ». Et ça se finissait chez la Lulu de Montmartre, en clientes. Là-dedans, on se trouvait toujours des pékins à ramener. On les invitait. Dire des noms, ce n'est pas facile, on les avait oubliés le lendemain. En un mois, il en a bien défilé dix ou quinze !... Peut-être plus...

Quand on n'avait pas d'homme, on allait au Lido, toutes les deux. On commandait du champagne, on invitait des danseuses. Elles étaient flattées d'être à la table d'Edith Piaf, de boire avec elle. Edith leur disait :

« Venez à la maison faire des frites. »

Ça les faisait rire. Elles n'y croyaient pas. C'était sérieux. Edith les embarquait, et les filles gentiment nous faisaient des frites. Pour les faire passer, on buvait bien. On refilait du pognon aux danseuses pour qu'elles n'aient pas perdu leur soirée. On avait rigolé. On allait se coucher.

Le lendemain, Edith me disait :

« Tu vois, Momone, j'ai encore fait le con. Mais je ne peux pas rentrer seule dans cette baraque. »

On était tellement paumées qu'Edith est même retournée chanter dans la rue.

« Allez, Momone, on va mal se saper. Je n'ai pas le moral, faut que je fasse une rue ! »

Elle se jetait dans la rue comme d'autres dans les bras de leur mère. Ce qu'il y a d'extraordinaire, c'est que jamais personne ne l'a reconnue. Les gens ne pouvaient pas s'imaginer que c'était Edith Piaf. On en a entendu des réflexions du genre « Tiens, elle imite Piaf » — « Tout de même on voit bien que ce n'est pas elle » — « Quelle différence ! »

Ça nous faisait rire. Mais jamais il n'y a eu un Louis Leplée pour nous engager. Et pourtant, c'était bien, ce qu'elle faisait, cette chanteuse des rues !

Elle en avait tellement marre qu'on est allées habiter huit jours le Claridge. Il faut dire qu'ils en ont eu pour l'argent qu'on leur a laissé.

Cette semaine-là, Edith s'est arrondie comme jamais. Même la table que nous avions trimbalée au Claridge était impuissante à retenir Edith. Elle me faisait de véritables serments d'ivrogne. Elle se trouvait toujours de bonne raisons pour boire. Une fois, je la vois qui regardait une bouteille. Je lui dis :

« Attention à ton serment !

— C'est vrai. Mais j'y pense ! Je l'ai fait pour la chambre, pas pour la salle de bain ! »

Et elle allait s'arrondir dans la salle de bain. Ou bien elle l'avait fait pour le Claridge et pas pour les Champs-Elysées... Quand elle avait tout épuisé elle s'écriait : « Mais au fait, Momone, je ne l'ai pas fait pour la Belgique », et on prenait le train pour aller boire à Bruxelles.

C'était comme ça que le matin, sur le coup de six, sept heures, on rentrait à quatre pattes. Il y avait un bonhomme qui lavait le hall ou le couloir — j'avais pas les idées assez nettes pour me souvenir de l'endroit. Edith me donnait le signal : « Allons, viens ! » Et toutes les deux, on montait dans le seau d'eau. J'ai jamais compris comment on faisait pour y tenir. Ça nous rafraîchissait les panards. Edith ressortait du seau d'eau la première. Je suivais. Elle disait : « *I am a dog...* » Je répétais : « *I am a dog...* » Et comme on était des chiens mâles, on levait la patte gaiement.

Comment on réussissait à tenir sur nos guiboles, ça je ne le sais pas... Tout ça devant le garçon d'ascenseur, le concierge de nuit, le réceptionniste, les femmes de ménage... enfin tout le bazar...

Finalement on atterrissait dans notre chambre. Et cette vache de « Tante Zizi », c'est à ce moment-là qu'elle prenait sa crise de nerfs. Il lui fallait du monde autour d'elle. N'importe qui, n'importe quoi, mais du monde !

Elle attrapait ses draps, elle les déchirait. La première fois, j'ai tellement eu peur j'en étais presque dessoûlée — suffisamment pour me dire : « Elle va crever ! Elle devient folle ! »

J'ai appuyé sur toutes les sonnettes en même temps. J'ai appelé au téléphone : « Mme Piaf va mourir ! » Ça leur a foutu les jetons : un hôtel si bien... faire ça chez eux... Ils ont tous rappliqué en vitesse. Elle en a eu du monde dans la carrée.

On a appelé le médecin. Il l'a trouvée, bien allongée sur son lit, toute pâle. Elle a soulevé un peu les paupières, m'a fait un clin d'œil. Le docteur lui a ordonné des tas de trucs. Le chasseur est parti au triple galop à la pharmacie. Et quand le toubib a eu tourné les talons, Edith a commandé du champagne et a invité tout le personnel !

Ce coup-là l'avait tellement fait marrer qu'elle l'a recommencé plusieurs fois.

Au Claridge, Edith Piaf a laissé des souvenirs... Ce n'était peut-être pas toujours joli ce qu'elle faisait ces nuits-là, mais moi je la comprenais.

Jamais le cœur d'Edith n'avait eu autant besoin d'amour. Après Marcel, qui pouvait l'occuper à plein temps ?

DEUXIEME PARTIE

25 mai 1963

Mon Edith,

Tiré de la mort, je ne sais trop comment (c'est notre truc), je t'embrasse parce que tu es une des sept ou huit personnes auxquelles je pense avec tendresse, chaque jour.

JEAN COCTEAU.

CHAPITRE XIII

A BOULOGNE ON PASSE, ON NE RESTE PAS

BOULOGNE, ce fut aussi l'époque des passages. On n'a rien eu de solide, de vraiment bien. Je ne sais pas pourquoi, mais les gars qu'on rencontrait à ce moment-là, ils étaient mariés. Peut-être parce qu'ils en avait l'âge. Ou alors, ils n'intéressaient Edith que pour le talent qu'elle sentait en eux, comme Charles Aznavour et Robert Lamoureux.

Robert a fait partie de ceux qu'elle a appelé « les météores ». Ça rayait le ciel d'Edith en faisant de la lumière, puis ça tombait, et ça n'était plus qu'une pierre froide, et on n'en parlait plus.

C'est comme ça qu'on a vu passer Robert Lamoureux. Il n'a été qu'une rencontre professionnelle. Un jour, il a débarqué avec sa bonne gueule, sa grande silhouette montée sur pattes trop longues. La première fois qu'on l'a vu, il avait une veste à carreaux encore plus gueulards que ceux d'Yves au Moulin-Rouge. Je ne croyais pas que ça pouvait exister. Pourtant, avec Edith, j'en avais vu de toutes les couleurs !

Comme beaucoup, il était venu proposer des chansons. Ils commençaient tous comme ça. C'était facile.

Pour voir Edith, on n'avait pas besoin de recommandations. Il fallait seulement dire qu'on avait une chanson sous le bras !

Tout de suite, il a plu à Edith : « Ce gars-là, il a du talent. Il fera une carrière. Je vais le pousser. » Ce qu'elle fera plusieurs mois plus tard.

Robert n'aurait pas demandé mieux que de passer des relations professionnelles à d'autres plus intimes. Ça m'aurait plu, il était sympathique et beau garçon. Et puis, il avait une façon de sourire en se fendant la gueule qui vous donnait envie d'aller faire un tour sur les manèges avec lui. C'était un gars pour aller à la fête !...

Robert trouvait Edith très à son goût. Et s'il ne s'est rien passé, ce n'est pas faute qu'il lui ait fait, disons la cour. Il attaquait dur, le Robert, et il ne manquait pas de charme. Seulement, c'était son talent qui touchait Edith. Pour le reste, elle n'en avait pas envie. Ça, c'était sans appel.

La même chose s'est passée avec Charles Aznavour. Ils n'ont eu que des relations professionnelles ; pourtant, ils étaient aussi cavaleurs l'un que l'autre.

Un jour, quelqu'un dit devant Edith :

« J'ai découvert un endroit marrant, le Petit Club, rue de Ponthieu. Il y a des tas de gars qui y font des bœufs [1]. Ils chantent, jouent du piano. C'est très sympathique.

— On y va », dit Edith.

Quand ça lui plaisait, ça n'attendait pas cinq minutes. C'était vrai, l'endroit était bien, très sympa. Ça se passait en famille. Il y avait là, mince comme un fil, Francis Blanche, qui est devenu très vite un bon copain et qui a fait, plus tard, une merveilleuse chanson pour Edith, *Le Prisonnier de la Tour* ; Roger Pierre et Jean-Marc Thibault ; Darry Cowl qui jouait

1. Terme de métier : interpréter librement suivant son inspiration.

admirablement du piano — le difficile, ce n'était pas de le faire asseoir devant, c'était de l'en déloger ! — et des duettistes, Roche et Aznavour.

« Comment les trouves-tu ? me demande Edith.

— Pas terribles.

— T'as tort. Le petit brun au vilain nez, c'est une nature, il a ce qu'il faut, ce gars-là. »

Il n'y avait pas dix minutes que Charles Aznavour bavardait avec Edith qu'elle lui a envoyé en pleine figure :

« Ton nez, il ne vaut rien pour la scène, il faut le changer.

— Ce n'est pas une roue de voiture. Je n'en ai pas de rechange !

— Si tu viens en Amérique avec moi, je t'en ferai faire un autre ! »

On était à six mois, à peu près, du voyage ! Charles n'en revenait pas. Moi non plus, malgré l'habitude que j'avais d'Edith. Il n'y avait pas une heure qu'elle le connaissait, et elle parlait de l'emmener en Amérique. Fallait que je le regarde de près, ce Charles, il devait en valoir la peine. A première vue, comme ça, il n'avait pas le gabarit des hommes de Piaf, ni les yeux bleus. Alors ?... Je l'ai su tout de suite.

« Dis donc, tu fais des chansons. Ce que tu as chanté, *Paris au mois de mai*, c'est bien de toi ? Tu as du talent. »

C'était ça ! Elle avait senti le gars capable de lui faire des chansons.

Tout de suite, elle l'a éclairé sur son numéro de duettistes.

« Ça ne vaut pas grand-chose, c'est démodé. Il n'est pas mal, ton Pierre Roche, mais il te nuit. On s'aperçoit moins de ta personnalité, et la sienne n'est pas assez forte pour t'écraser. Avec ça, vous n'irez pas loin. »

Ça embêtait Charles qui aimait beaucoup Pierre. Charles a toujours été très fidèle à ses amitiés.

« Il faut vous séparer.

— Je ne peux pas. Plus tard, peut-être... Il va sans doute partir au Canada. A son retour, on verra !

— Quand il sera parti, viens à la maison. »

Pas plus de huit jours plus tard, Charles était installé à Boulogne, sur un petit divan où un môme de treize ans aurait été à l'étroit. Edith l'a mis à l'aise.

« Tu es comme moi, tu n'es pas gros. »

Ça donnait le *la* de leurs relations. Ça commençait et elle n'avait pas fini de lui en faire voir. Charles inspirait la « Tante Zizi », elle ne lui passait rien. Il avait droit à un régime de faveur : le mien. J'étais la frangine à tout faire, et lui l'homme à tout faire.

Ça n'a pas pris longtemps. Il n'avait pas encore réalisé qu'il habitait chez elle que, déjà, il conduisait la voiture, portait la valise, accompagnait Edith. Du début de la journée à la fin, on entendait : « Charles, fais ci... Charles, fais ça... Charles, as-tu téléphoné ?... Charles, as-tu fait des chansons ?... »

« J'ai trouvé deux ou trois idées nouvelles, Edith. »

Ce genre de réponse faisait grimper Edith qui n'attendait que l'occasion pour éclater.

« Tu commences des tas de chansons, tu n'en termines aucune. Puisque tu n'es pas capable, je t'interdis d'en faire ! Fais gaffe, si je te vois écrire, il me faut la chanson tout de suite ! »

Ça, c'était la logique d'Edith.

Pour avoir la paix, Charles se cachait. Il écrivait dans tous les coins où elle ne pouvait pas le voir. Comme il n'était jamais content de lui, il jetait un peu partout ses petits bouts de papier que je ramassais. J'en ai encore.

Charles a quand même écrit pour Edith, et il y mettait tout son talent et son cœur. Mais ça ne collait pas. Pour les chansons, c'était comme pour les hommes, elle avait ou elle n'avait pas le choc. De

lui, elle n'a chanté que quelques chansons : *Il pleut,
Il y avait, Une Enfant, Plus bleu que tes yeux.*

Un soir, Charles lui donne *Je hais les dimanches.*
Elle était dans ses mauvais jours.

« C'est pour moi ? Tu crois que je vais chanter
ça ? C'est de la merde, tu m'entends !... »

Là-dessus, elle lui file un morceau choisi de son
répertoire d'engueulade qui avait fait ses preuves de
Ménilmontant à Pigalle.

« Alors, vous n'en voulez pas ? lui répond tranquillement Charles. Je peux en faire ce que je veux ?

— Tu peux te la mettre au... »

Alors Charles est allé, en douce, porter sa chanson
à Juliette Gréco qui l'a tout de suite mise à son répertoire.

Quand Edith l'a su, elle a repris une colère maison :
« Viens un peu ici, Charles. Alors, tu donnes *mes*
chansons à Gréco, maintenant ?

— Mais, Edith, vous m'aviez dit que vous n'en
vouliez pas !

— Moi ? Je t'ai dit ça ? Mais tu me prends pour
un con ! Tu m'as dit que tu la portais à Gréco ?

— Non.

— Alors, tu t'imagines qu'on peut me doubler !
Moi ! T'as pas fini d'en entendre... »

La mauvaise foi d'Edith était renversante.

Pour travailler avec Edith, Charles était parti
du mauvais pied. Il lui disait tout le temps oui. Ça,
c'était l'erreur. Il ne fallait pas dire oui pour tout.
Il fallait doser, accepter ses lubies, les adopter, mais
lui tenir tête pour le boulot. Elle criait un bon coup,
mais elle vous respectait.

Il fallait aussi savoir tricher si l'on ne voulait pas
être dévoré. Et ça, Charles en était incapable. Il
était trop honnête, trop propre, trop pur. Il avait
tellement d'admiration pour elle que, chaque fois
qu'elle lui en faisait baver, il disait : « Edith, c'est
la plus grande, alors elle a tous les droits ! »

Comme on balade une carotte devant le nez d'un âne, elle lui parlait de l'Amérique : « Ça te ferait du bien d'aller là-bas. Dans le *show biseness*, c'est eux les plus grands ! » Et Charles soulevait ses sourcils, arrondissait ses yeux. Il prenait son air de « chien qui a des visions de rôti », et il écoutait Edith lui raconter ses voyages, ses expériences...

Dans son dos, il me demandait :

« Tu crois qu'elle va m'emmener ? »

Allez donc savoir avec elle !

« Peut-être, si tu es bien sage... »

Il riait.

« Pour la décider, je ne peux pas lui dire que je ferai tout ce qu'elle voudra, je le fais déjà... »

Si Charles était devenu un « monsieur Piaf », tout aurait changé. Toutes ses chansons auraient été géniales. Il aurait eu droit aux scènes mais pas à la tyrannie... enfin, pas du même genre ! Moi, j'aurais bien voulu que ça se fasse. Avec celui-là, j'aurais été tranquille. Physiquement, il ne déplaisait pas à Edith, et je m'étais dit qu'en les poussant un peu l'un vers l'autre, on y arriverait peut-être.

Un soir qu'Edith avait bu un petit coup et Charles aussi, avec les copains, on a voulu déshabiller Aznavour et le mettre dans le lit d'Edith. Pendant que les gars s'occupaient de lui, moi je bichonnais la « jeune mariée ».

« Coiffe-toi mieux... Tiens, parfume-toi... Mets ta belle chemise de nuit, celle avec les jours...

— Mais qu'est-ce que tu as ce soir à me tourner autour comme ça ?

— J'ai envie que tu sois belle.

— Je me demande bien pour qui !

— On ne sait jamais...

— Tu crois peut-être qu'il va descendre un mec par la cheminée ! »

J'entre dans la chambre avec elle. Personne. Le lit était vide. C'était raté !

Jamais Charles n'a voulu se laisser faire. Je crois qu'il aimait trop Edith. Et surtout qu'il était trop honnête.

Heureusement pour nous tous, le lit d'Edith n'allait plus être vide longtemps.

Edith passait son tour au Baccara. Un soir un gars du genre costaud, rouleur d'épaules, vient la voir. Et dans un charabia franco-américano-slang, il lui explique qu'il a écrit une version anglaise de *L'Hymne à l'amour*. Ce n'était pas bête ; cette chanson-là, Edith y tenait.

Le gars avait une bonne gueule, pleine de trous. Etant môme, il avait été grêlé, et il en avait pris plein la poire. Ça accusait son air mâle. Un chouette sourire et l'œil anonyme. Je me dis tout de suite : « Ça, c'est un mec qui a sa petite chance. »

L'ennuyeux, c'est qu'on pigeait trois mots sur dix de ce qu'il nous disait. La conversation, en amour, ce n'est peut-être pas toujours indispensable, mais dans les débuts, ça aide !

« Ecoutez, lui dit Edith, votre idée *is very good*.

— *For you ?*

— *No. Not for me.*

— *I am very sorry.*

— Faut pas. Ça peut s'arranger. Téléphonez-moi. » Très style « dur américain », il met deux doigts à son bitos et nous dit :

« *O.K. Tomorrow.* »

Quand il est sorti, Edith s'est mise à rire de bon cœur. Il y avait des mois que je ne l'avais pas entendue rire comme ça, de ce rire qu'Henri Contet avait si bien décrit dans un article : « ... Tout à coup, un rire énorme, magnifique, pur. Un rire éclate, jaillit et inonde de joie la pièce. Edith Piaf vient à moi, s'accroche à moi et rit, mais rit à n'en plus pouvoir respirer, à s'étouffer, là, sur place, irrémédiablement. Je vois, tout près du mien, son extraordinaire visage où l'expression se pose et change de couleur. Je vois ses yeux de mer profonde, son front immense, et ce rire monumental qui la possède et passe, heureux d'être mordu, entre ses dents de petit animal... »

C'était bon de l'entendre. On sortait de la grisaille. Ce gars, je l'aurais bien embrassé.

« Eh bien, au moins avec lui, on ne se perdra pas dans les discours. Comment s'appelle-t-il, Momone ?

— J'ai pas compris.

— T'en fais pas. On le verra bien rappliquer. »

Le lendemain, j'ai un type au téléphone, et je dis à Edith :

« Il y a un Eddie Constantine qui voudrait te voir.

— Connais pas. Qu'est-ce qu'il veut ?

— Te montrer des chansons.

— Qu'il vienne. »

Deux minutes après, on n'y pensait plus. Dans l'après-midi, on sonne.

« Charles, va ouvrir », crie Edith.

Il nous ramène l'Américain de *L'Hymne à l'amour.* Il a fallu un moment pour qu'on réalise que c'était lui Eddie Constantine. A cause de son accent, il avait eu peur qu'on ne le comprenne pas, et il nous avait fait téléphoner par un copain.

C'est comme ça qu'Eddie a débarqué dans la vie d'Edith.

Sous ses airs de caïd, il avait un cœur plein de sentiment. Tout de suite, il a su la baratiner comme il fallait.

« Momone, c'est un tendre, ce gars, il m'a dit qu'il avait pour moi une amitié-passion... C'est pas joli, ça ?

— Et tu as réussi à le comprendre ?

— Je m'y fais... Tu sais, *L'Hymne à l'amour,* les chansons, c'était un truc pour me rencontrer. Qu'est-ce que tu lui trouves de pas comme les autres ? »

Je ne lui trouvais rien du tout. Elle aimait bien que j'admire ses gars, que je leur découvre des qualités pas comme les autres. Mes cellules grises, elles se sont mises à travailler, rapides, comme une fourmilière en plein été.

Je voulais qu'elle ait, enfin, un homme. C'était indispensable. Celui-là, physiquement, il pouvait faire l'affaire. Pour le reste, faut bien prendre des risques ! Alors, je lui ai balancé un truc gros comme une maison :

« Ce gars-là, Edith, il a une âme... »

Une âme, on n'avait pas encore eu ça ! Elle était contente.

En tout cas, il avait bien ce qui manquait à Edith : deux bras pour la serrer très fort.

Et comme ça ne pouvait pas être autrement, il est devenu le patron.

La « passation des pouvoirs » se faisait très simplement. Edith avait un gars. Il était au lit, tel un pacha, et elle disait à la femme de chambre ou à la bonne — ça dépendait de ce qu'on avait :

« Je vous présente votre nouveau patron. »

Pour ça, fallait qu'il ait tenu au moins quinze jours. Quand ce n'était plus du passage, c'était facile à voir : au cou, il portait la chaîne et la médaille (en général, c'était sainte Thérèse de Lisieux. S'il n'était pas catholique, il avait droit à son signe du zodiaque). Sur la table de chevet traînaient les boutons de manchettes, la montre et le briquet, signés « Cartier ». Le costard, déposé sur la chaise, était de bonne qualité mais de couleur impossible à regarder, et encore moins à porter ! La cravate allait avec, c'est dire si on la remarquait ! On en achetait plusieurs douzaines à la fois...

Edith habillait ses gars à son goût, à elle. Le leur ne l'intéressait pas du tout. Elle choisissait la forme des costumes, les tissus, la couleur. Elle était sûre qu'habillés par elle, ses hommes étaient beaux. Des

fois, ça tombait bien. Mais d'autres, c'était franchement atroce.

Quand même, ce genre de vestes, pleines de fantaisie, ils n'en avaient pas plus d'une ou deux dans
leur placard. Pour le reste, elle les habillait en bleu.
Pour les hommes, c'était sa couleur préférée, à cause
des yeux ! Tant pis pour ceux qui les avaient marron,
ils avaient quand même du bleu !

Charles Aznavour raconte toujours cette histoire :
« Avec Edith, ce n'était pas difficile de reconnaître
son amour du moment. Il portait toujours, pour
sortir avec elle, un complet bleu. Un soir, elle a
invité plusieurs de ses « anciens ». Pour lui faire
plaisir, ils s'étaient tous habillés en bleu ! En tout
il y en avait huit ! On aurait dit une troupe de
« boys ». Edith, qui n'a jamais manqué d'humour,
s'est penchée vers moi et m'a dit : « Hein ! Je ne
me suis tout de même pas embêtée... »

Il y avait aussi le coup des godasses. Ça, elles
étaient chouettes, toujours en croco. Seulement, elles
en ont fait souffrir plus d'un. Edith, pour les tatanes,
avait des idées bien arrêtées : « Les gens qu'ont des
grands pieds sont des cons ! »

Il n'y a que Cerdan et Montand qui lui ont résisté.
Tous les autres ont porté leurs chaussures en croco,
trop petites d'une pointure. On peut dire qu'elle les a
fait souffrir, les hommes !

C'est vrai, qu'elle était tyrannique, impossible, difficile à vivre, mais pour des petites choses. Pour le
reste, c'est plutôt elle qui se faisait posséder.

Avec ses hommes, Edith se payait du rêve, mais
elle n'en était pas toujours dupe.

« Momone, ce qui me fait mal, c'est que ce n'est
pas *moi* qu'ils aiment. C'est pas la fille du père Gassion. Celle-là, ils ne la regarderaient même pas s'ils la
rencontraient. Ce n'est pas de moi qu'ils sont amoureux, mais de mon *nom* ! Et de ce que je peux faire
pour eux ! »

En attendant, on en avait un nouveau. Toute la maison était sens dessus dessous. Une ambiance de gaieté folle. Ce que j'aimais ça ! Je n'ai jamais eu, avec Eddie, ce que j'avais avec Yves ou Contet, mais ce n'était pas un gars désagréable. Il était gentil, il n'avait pas le coup de pied vache, il était plutôt honnête dans son genre.

La première fois qu'Eddie a couché là, il m'a attendrie. Je l'ai trouvé, dans la salle de bain, en train de laver sa chemise de nylon... Il n'en avait qu'une ! Heureusement, ça n'a pas duré. A la maison, on les achetait par douzaine.

Eddie était un gars sympathique mais, à part sa bonne gueule de faux dur, il ne payait pas de mine. Il avait cru en Paris, et Paris n'avait pas encore cru en lui.

D'origine autrichienne, il était né à Los Angeles, en octobre 1915, d'une famille de chanteurs d'opéra. Son père, son grand-père, son cousin, son neveu, tous chantaient. Il n'avait pas eu à se casser la tête pour choisir un métier. Son ambition, c'était de faire de la grande musique. Comme basse, il a eu un prix au Conservatoire de musique de Vienne (Autriche).

Gonflé à bloc, il était revenu en Californie. Faut croire qu'ils ne manquaient pas de basses dans le patelin, ils lui ont dit : « Doucement ! Ici, ne chante pas qui peut. Prends ton tour. » Il n'était certainement pas dans les premiers car, après avoir vendu des journaux, livré du lait, été gardin de parking, il a enfin réussi à chanter à la radio : dix-sept fois par jour, un texte plein de poésie sur une marque de cigarettes. Ça lui a réussi. On lui a refilé des boissons gazeuses, du chewing-gum, une compagnie de pompes funèbres. Et, toujours en chantant, il a servi sur les ondes la campagne électorale du président Roosevelt. Et, pendant qu'il y était, celle de Dewey, l'adversaire du premier !

Le texte publicitaire, ça ne permet pas de roucou-

ler avec beaucoup de conviction. C'est un peu comme
l'horloge parlante. Ça se répète, il n'y a pas de surprise. Aussi, le gars Eddie, qui en voulait, a laissé
sa femme Hélène — sans trop de peine ; entre eux,
c'était cassé — et sa fille Tania, et il est venu à Paris
tenter sa chance ! Il s'était dit qu'après la guerre,
un Américain, à Paris ça plairait. Il n'avait pas
besoin d'annoncer la couleur.

Après des débuts d'amateur au poste Paris-Inter,
Lucienne Boyer l'a fait engager au Club de l'Opéra.
Il a fait un petit tour chez Léo Marjane et chez
Suzy Solidor. Ça valait mieux que de chanter, incognito, les plaisirs du chewing-gum. Au moins, il pouvait se défendre avec son physique. Mais ce n'était
pas le Pérou.

Comme pour beaucoup d'autres, Edith a été sa
chance. Elle avait un flair étonnant. Là où personne
ne l'avait encore vu, elle sentait le talent. Elle m'a
souvent épatée. Elle ne se fiait pas aux apparences.
Elle savait ce que les êtres qui l'approchaient allaient
devenir dans cinq ou six ans ; et c'est à ça qu'elle
pensait quand elle s'occupait d'eux.

Les hommes qui en veulent, qui en ont plein le
buffet, Edith a toujours aimé ça. Constantine n'était
pas un Yves Montand, mais ce n'était pas rien non
plus. Alors, Edith a commencé par lui faire apprendre le français. Ça devenait urgent, à tous points de
vue, parce que leurs conversations n'avaient pas
beaucoup d'étendue et qu'Edith n'a jamais aimé répéter deux fois la même chose. Fallait la comprendre
vite et au quart de tour...

Même en charabia, Eddie avait raconté sa vie à
Edith. Ça, tous y passaient. Il ne lui avait rien caché.
Elle savait qu'il était marié, qu'il était séparé de sa
femme et qu'il adorait sa fille Tania. Ce qui était sûr,
c'était que c'était bien fini entre Hélène et lui,
qu'il n'y pensait plus jamais. Et, comme me disait
Edith :

« Ça me plaît qu'il ait rompu avec elle bien avant de me connaître. Comme ça, on ne m'accusera pas d'avoir foutu le bordel dans un ménage ! Celui-là, au moins, il est libre. Et puis, en Amérique, ils ont le divorce facile ! »

C'était bien de cette manière-là qu'elle se faisait posséder par les hommes. Tous leurs bobards, elle les avalait, ça glissait comme de la liqueur pour dames ! Tout doux, tout sucré... avec juste ce qu'il fallait d'alcool au fond !

Un après-midi, un garçon qui s'appelait Leclerc vient pour une audition. Constantine était là, il écoutait. Ce n'était que des chansons d'amour. On était noyé dans des flots d'amour. On nageait dans le sentiment ; tous les styles y passaient : le crawl, la planche, la brasse papillon... Vrai, il y en avait pour tous les goûts !

En plein milieu du tour de chant, Constantine se lève, l'œil trouble, plein de larmes, et sort. Vite, Edith plaque tout, et la voilà partie, courant dans la rue après lui. Elle était sûre qu'Eddie était parti comme un dingue parce qu'il avait, enfin, compris comme elle l'aimait. La preuve, c'est que les larmes lui en étaient venues aux yeux !

« Je le rattrape, Momone, je lui demande : « Qu'est- « ce que tu as, mon amour ? » Et, sais-tu ce qu'il me répond ? « Je pense à Hélène » !...

Quand elle est revenue, elle était lessivée.

« Ce n'est rien, ça dure deux secondes, ça tient en deux mots. Mais ces secondes-là, Momone, elles sont longues ! A après, il faut les avaler... »

Des coups comme ça, elle en a eu plus d'un, et ils lui faisaient mal.

C'était aussi *ça* qu'on payait quand elle vous impo- sait des idées vraiment bizarres. Par exemple, elle m'avait défendu le beurre.

« Il ne faut pas manger de beurre parce que, quand tu le mets sur le palais, ça te ramollit une corde du cerveau et ça t'empêche de devenir intelligente ! »

Elle ne pouvait pas croire ça, mais ça l'amusait. Ce qui lui plaisait surtout, c'était qu'on lui obéisse. Je n'étais pas dupe. La vérité : elle n'aimait pas le beurre ! Et il fallait qu'on adopte ses goûts et ses dégoûts.

Au restaurant, elle prenait la carte et, d'autorité, elle commandait pour tout le monde. Il y a des fois où ça lui permettait de se venger. Quelques jours après l'histoire des chansons d'amour qui faisaient pleurer, pour son ex-Hélène, le cœur chatouilleux d'Eddie, on va au restaurant. On était nombreux.

Edith commande dix jambons persillés. C'était sa nouvelle découverte gastronomique et, tous les soirs, pas d'histoire, on se farcissait la même chose.

Constantine demande pour lui des saucisses. Comme on se marrait bien, personne ne s'en aperçoit. Quand Edith voit qu'Eddie allait bouffer, tranquille, autre chose que le jambon, elle se met à crier : « Faut vraiment être con pour bouffer des saucisses ! » Elle lui prend son assiette. « Tenez, goûtez ça », dit-elle aux autres. Tout le monde en a pris un petit morceau, l'a goûté et a dit : « C'est très mauvais. » Quand l'assiette est revenue à Constantine elle était vide... Et il n'a rien eu d'autre.

A Boulogne, on n'avait plus besoin d'aller chercher des danseuses au Lido pour avoir du monde ! C'était la vraie foire. On ne manquait pas d'occupations. Tout le monde faisait son petit tour.

Edith préparait à la fois son quatrième voyage en Amérique et une tournée de deux mois à travers la France.

Pierre Roche n'était pas revenu du Canada, et elle avait décidé, avant les U.S.A., d'emmener Charles : « Je veux voir ce que tu donnes, seul, sur une scène. Ça te fera du bien. » Pas la peine de dire que Constantine était de la fête.

A l'hôtel de Gambetta, c'était vraiment l'usine. Edith, Constantine et — quand on lui laissait le temps — Aznavour répétaient.

En plus, il y avait les musiciens, les copains, Léo Ferré et sa femme Madeleine, la Guite, Robert Lamoureux qui venait faire sa cour en passant — il ne décrochait pas tout à fait et il avait raison —, des gens que je n'avais jamais vus et qui employaient tous la même formule : « Mme Piaf me reconnaîtra, je suis un ami. » Moi, ça me faisait rigoler parce qu'Edith me disait : « Fous-le dehors ! »

Au milieu de tout ça, à n'importe quelle heure de la nuit, je faisais du café, des frites, trimbalais des litrons, taillais des sandwiches. C'était plutôt marrant. Ça l'aurait été davantage si je n'avais pas eu mes propres ennuis. Malheureusement, ils n'allaient pas continuer longtemps à passer inaperçus : j'étais enceinte. J'avais de la veine, Edith ne s'en était pas encore aperçue !

Pour moi, ce n'était pas une faute, mais je n'osais tout de même pas l'avouer à Edith. Un matin, je me suis lancée.

« Edith, je vais avoir un enfant. »

Elle n'a pas pris de colère, ça a été pire.

« Momone, ce n'est pas vrai ! Tu ne m'as pas fait ça à moi ! »

Si j'avais eu une vraie mère, elle n'aurait pas dit autre chose.

Naturellement, elle l'a tout de suite dit à Constantine. Lui, il a été très chouette :

« Mais Edith, c'est *very marvellous*. Très. Le petit enfant, c'est le ciel qui envoie. C'est *very happy*. Pour la maison, c'est porte-bonheur. Pour une femme, petite vie dans le ventre, c'est très beau. Emouvant... »

'Edith n'avait pas vu ça comme ça. Pour elle, j'avais trahi sa confiance. Et puis cet enfant, est-ce que je n'allais pas l'aimer plus qu'elle ?

Avec sa patience d'homme, Eddie a pris tout son

temps. Il a trouvé ce qu'il fallait lui dire, pour qu'elle
comprenne. Ça n'a pas été long. Deux minutes avant,
elle ne voulait pas voir mon futur gosse ; trois
minutes après, elle était prête à m'engueuler de ne
pas l'avoir, déjà, mis au monde. Tout était changé.
Ce que Constantine a fait, pour moi, ce jour-là, je
lui en ai été très reconnaissante. Après tout, il s'en foutait de cette histoire !

« Ton enfant, Momone, c'est comme si c'était le
mien. Alors, pas de conneries, hein ! Faut faire gaffe.
C'est dans le ventre de sa mère qu'on fait un enfant
beau et fort. Pour qu'il soit beau, tu ne dois pas
regarder ce qui est laid. Et puis, je vais surveiller
ce que tu manges. »

Elle ne me foutait plus la paix. Quand on était
au cinéma, elle me prenait la main. Et si elle décidait
que le spectacle n'était pas beau, mauvais pour le
gosse, elle me la serrait.

« Momone, ne regarde pas, je te le défends ! »

Et tout était comme ça.

« Bois de la bière, c'est bon pour le lait. Je me
demande avec quoi je lui aurais donné à boire,
au petit. D'un seul coup, mon sein aurait disparu
dans sa bouche. Mes boîtes à lait, on aurait pu les
remplir avec un compte-gouttes ! »

Mon futur gosse, plus personne ne l'ignorait. Tout
le monde savait que Momone était enceinte, et qu'il
fallait trouver ça bien !

Du temps d'Henri Contet, Edith nous avait fait un
peu de cinéma, avec l'enfant qu'elle aurait voulu
avoir ; et aussi, quand elle évaluait un homme en
se demandant si ça ferait un bel étalon ! Mais pas
tellement. Ça lui remuait le cœur de penser que sa
petite était morte misérable, et que, maintenant
qu'elle avait du fric, elle ne pouvait pas avoir d'enfant.

Elle n'avait pas raté une si belle occasion de mettre
en marche la table tournante pour savoir si ce

serait une fille ou un garçon ! Et le brave guéridon avait répondu :

« Un garçon, et il faudra l'appeler Marcel ! »

A cause de mon état, elle a collé à Charles un nouveau travail sur les bras : il m'avait en nourrice !

« Charles, accompagne Momone. Je te la confie. T'es responsable d'elle et de son petit ! »

Et dans tous les cabarets où on allait, avec mon bide de plus en plus proéminent, Charles me présentait la chaise, Charles me tenait mon sac à main, Charles surveillait ma boisson. « Pas d'alcool, c'est mauvais ! » avait commandé Edith. Ce n'était pas drôle, pour ce pauvre Charles, de se promener avec cette bonne femme qui était enceinte jusqu'aux dents. Ce pauvre type, ce que ça pouvait le faire suer ! Il le faisait quand même.

Si par ailleurs, quand Edith était là, Charles ne me donnait pas le bras dans la rue, on entendait un « Charles ! » crié par la voix célèbre et forte qui faisait immanquablement retourner tous les passants.

Jusqu'à la dernière minute, avant mon accouchement, Charles a vécu stoïquement son calvaire. Il était encore plus pressé que moi que ce soit fini.

Quelques jours avant mon accouchement, Edith s'inquiétait :

« Faudrait pas que ça se passe pendant mon absence. Si tu es sûre de la date, tu vas bientôt accoucher. Ça peut te prendre comme ça. Je vais dire à Charles d'avoir toujours ta valise avec lui. »

Non seulement il devait me supporter à son bras, mais encore traîner, en plus de la bonne femme, la valise !

« Sois fier, lui recommandait Edith. Ce n'est pas rien d'avoir une femme enceinte à son bras. »

La gentillesse de Charles, je ne l'oublierai jamais.

L'approche de l'événement n'a rien changé à notre vie. Edith me traînait partout avec elle. A sept heures du matin, nous sommes sorties gaiement d'un cabaret, avec toute la bande. Sur le trottoir, je me suis arrêtée pile.

« Ça y est, j'ai les douleurs.

— Allons-y », a commandé Edith.

Et nous voilà partis. Moi, appuyée lourdement sur le bras de Charles. Edith suivant, avec Eddie et les copains. Et, tous ensemble, nous sommes arrivés à la clinique. Malgré le travail douloureux qui se faisait dans mon ventre, je me suis bien marré. L'infirmière disait un « Monsieur » à Charles, lourd d'intentions. Et il n'osait pas dire : « Mais vous vous trompez, madame, je ne suis pas le père ! »

Jamais une maternité n'a vu une telle entrée. On aurait dit une noce qui avait joliment bamboché...

Royale, Edith a annoncé à l'infirmière :

« Nous sommes la famille. »

Sûre que la pauvre fille n'avait jamais vu une famille comme celle qui m'entourait !

Une fois que j'ai été mise au pieu, la « famille » est entrée dans la chambre et Edith, grandiose, m'a dit :

« On ne va pas t'abandonner, alors dépêche-toi, Momone, j'ai sommeil. »

Me dépêcher... Je ne demandais pas mieux, car je commençais à ne plus voir très clair.

« En attendant que tu sois délivrée, on va boire le champagne. »

Ce qui a sauvé la clinique d'une occupation par Edith et sa bande, c'est qu'il n'y avait pas de champagne !...

Edith est partie en laissant Charles sur place pour qu'il lui téléphone.

J'ai fait vite. A dix heures du matin (trois heures après), je mettais au monde un gros garçon qu'on a baptisé Marcel, et dont, bien entendu, Edith était la marraine.

Cette sacrée table ne s'était pas trompée !

Il était temps que j'accouche. Edith est partie en tournée avec Eddie qu'elle avait fait engager, et Aznavour. Elle aurait voulu que je l'accompagne, mais ce n'était pas possible, je voulais m'occuper de mon fils. Seulement, chaque fois que je l'ai pu, je suis allée les rejoindre pour deux ou trois jours.

Pauvre Charles, cette tournée, quel calvaire ! Je me suis demandé si ce type n'avait pas la vocation du martyre...

Constantine avait encore un accent épouvantable, et son succès, en province, était de ceux dont on aime mieux ne pas parler. Ça foutait Edith en rogne, alors, c'était Charles qui prenait.

D'abord, il faisait tout. Il s'occupait des bagages d'Edith, du matériel et de la régie de la scène. En plus, il levait le torchon.

« Charles, tu passeras en premier. On a besoin de toi sur le plateau pendant le spectacle. »

Et Charles, sans avoir eu le temps de répéter, à peine de s'habiller, filait à toute pompe sur la scène, faire son petit tour devant un public qui s'en foutait.

On peut dire qu'il s'est tapé des bides... mais alors, de gros bides !

On aurait dit que ça faisait plaisir à Edith. Et si, un soir, ça ne marchait pas trop mal pour lui, le lendemain, Edith lui ordonnait :

« Ce soir, tu supprimeras le deuxième et le quatrième couplet de ta chanson. Tu ne les chanteras pas.

— Mais, Edith... ça ne vaudra plus rien, protestait Charles.

— Je le sais mieux que toi. Ce n'est pas la peine que tu restes en scène longtemps, tu ne plais pas. »

Et Charles, obéissant, coupait... La chanson ne voulait plus rien dire, il se ramassait. Alors, superbe, Edith pavoisait.

« Tu vois, j'avais raison. Même comme ça, elle ne vaut rien, ta chanson. »

Charles riait un peu jaune et m'expliquait : « Ça ne fait rien. J'apprends mon métier. » Et il suivait quand même. Il était logé, nourri, blanchi, et il faisait des chansons. Fini le sandwich incertain. C'était ça qu'il voulait. Il préparait son avenir.

Un soir, rentré à Paris, Charles fait son entrée, habillé tout en noir — un costume neuf. Il se trouvait chic, il était content.

Edith l'a douché :

« Alors, tu me copies, maintenant ?

— Mais Edith...

— Tais-toi. C'est le costume que j'ai commandé pour Eddie. Je ne vais pas sortir encadrée par deux mecs en noir ! J'aurais l'air d'avoir loué des extras aux pompes funèbres ! Remonte, et déshabille-toi. »

Et il l'a fait.

Bien entendu, elle n'avait pas commandé de costume pour Eddie. Mais elle avait senti qu'en noir, Charles avait quelque chose qui lui ressemblait à elle, Edith, et ça, elle ne le tolérait pas. Comme chanteur, il l'énervait. « Le style Piaf, c'est bon pour moi. Ça ne vaut rien pour un homme. »

Elle était injuste. Charles n'a jamais rien fait qui ressemblait à Edith. Chez tous ceux qu'elle a formés, de Montand à Sarapo, on a retrouvé des gestes, des intonations à la Piaf. Pas chez Charles. Et pourtant, il était plus près d'elle que tous les autres. C'était ça qui la foutait en boule. Elle savait bien qu'après elle, il ne pourrait y en avoir qu'un qui secouerait le populaire, qui lui parlerait au cœur et aux tripes, comme elle, c'était lui.

J'aimais bien Charles. C'était un ami véritable. Un des très rares à avoir été totalement honnête avec Edith. Tous les deux, on se comprenait, peut-être parce qu'on était du même signe : premier décan des Gémeaux ! En tout cas, ça nous liait.

Le départ pour l'Amérique approchait. On vivait en plein délire. Eddie laissait passer les orages.

Charles courait partout. Ça le faisait rire. Il me
disait :

« Tu vois, il ne me manque plus que le chapeau
chinois et des grelots aux pieds pour avoir l'air de
l'homme-orchestre ! »

Moi, j'aimais bien tout ce remue-ménage. C'était
une bonne époque. Joyeuse.

Edith travaillait, chantait, gueulait, secouait la Guite,
Michel Emer, Henri Contet, Raymond Asso... enfin,
tous les compositeurs qui lui tombaient sous la
main. Elle prenait des leçons d'anglais, répétait les
chansons qu'elle avait fait traduire, plus des petits
textes de présentation qu'elle apprenait par cœur.
Dans les intervalles, elle passait son tour dans une
boîte ou un music-hall, me traînait chez Jacques
Heim et chez Jacques Fath. Cette fois-là, elle ne risquait pas d'arriver cul nu : vingt-sept robes, manteaux et tout le fourbi, plus de dix-sept paires de
godasses... Et elle avait décidé qu'il fallait que je
sois à sa hauteur : « Faut pas que tu fasses cloche
à côté de moi, je vais t'emmener chez Jacques Fath.
Tu te souviens, Momone, quand je te disais que
je t'habillerais chez les grands couturiers ?... »
J'avais rien oublié et ça me plaisait de me foutre sur les fesses des pelures de poule de luxe !
Je me voyais déjà faisant mon persil [1] aux Champs-
Elysées !

Ça, c'était l'idée que je m'en faisais. Mais ça ne
s'est pas du tout passé comme ça.

J'avais beau être mère de famille, Edith me voyait
en jeune fille. Sur son ordre, je portais un filet sur
les cheveux et je n'étais pas maquillée. « T'es comme
moi, la simplicité te donne de la classe... T'as un
visage de vierge... » Puisque j'étais comme elle ! Il
n'y avait pas mieux, n'est-ce pas !

Chez Jacques Fath, chez Heim, on était aux ordres

1. Se promener en étalant ses richesses comme une duchesse.

de Mme Piaf qui laissait chez eux des millions pour des robes qu'elle ne portait pas ! Je l'ai vue acheter en une demi-heure pour trois millions de robes ! Quand on les lui livrait, elle se précipitait, les essayait. Elle n'était plus dans l'ambiance du salon de couture, alors, elle se trouvait tarte : « Je ne suis pas un mannequin, je ne suis pas faite pour ça ! »... et elles restaient dans sa penderie. La fois suivante, ça recommençait. Elle, qui était si autoritaire, qui avait des idées bien arrêtées, se laissait faire. « Tu comprends, Momone, ces grands couturiers, ils savent. C'est leur métier. »

J'en ai eu la preuve.

On était pas entrées chez Fath que, déjà, le cirque s'organisait.

« Vite, l'essayage de Mme Piaf ! Partez prévenir M. Fath... »

Et ça faisait des ronds de jambe, et des ronds de bras !

« Aujourd'hui, j'essaie pas. C'est pour ma sœur. Elle part à New York avec moi. Nous aurons des gens à voir, des réceptions...

— Mais bien sûr, madame Piaf..., disait la vendeuse. Appelez-moi madame Hortense. »

On se serait cru dans un boxon. Ça caquetait, ça pépiait autour de moi, ça m'évaluait.

« Je vous la laisse, dit Edith, royale, à l'Hortense. Faites comme si j'étais là. Je vous fais confiance. »

Elle l'avait bien placée, sa confiance ! Elles choisissaient pour moi. Je n'avais le droit de rien dire.

« C'est tout à fait votre style... », qu'elles roucoulaient, rigolardes à l'intérieur parce qu'elles ne pouvaient pas être assez intoxiquées pour ne pas se rendre compte qu'elles me transformaient en chien savant !

Au dernier essayage, Edith était là. Une fois que j'ai été affublée, il a fallu que je tourne avec grâce, comme un mannequin. Autour de nous, le chœur des

vendeuses et Fath lui-même — qui s'était dérangé —
disaient :

« Ça vous va à ravir... avec votre teint... vos yeux... »

Je n'en croyais pas un mot. Edith faisait sa connais-
seuse. Elle donnait des ordres. Pour elle, elle n'osait
rien leur dire ; mais pour moi, ce n'était pas la même
chose...

« Un peu plus long... Un peu plus court... Un peu
plus haut... Déplacez-moi ce nœud...

— Comme vous avez raison, madame Piaf... » glous-
saient les bonnes femmes.

Je n'osais pas dire un mot. J'étais paralysée à
l'idée que, sortie de leur sacrée boutique, j'allais
sortir avec ça dans la rue.

Si Edith ne portait pas ses robes, moi, elle m'a
obligée à les mettre. Elle m'a baladée, ainsi déguisée,
dans tout New York. Loulou, pourtant si gentil, se
marrait. Il me disait :

« Tu ne crois pas qu'on t'a fait venir ici pour rien.
Ça coûte cher, le voyage. Tu es là pour nous faire
rire. »

Et c'était vrai. Quand le directeur du Versailles m'a
vue, il est bien resté cinq bonnes minutes à me
regarder. C'était clair qu'il se disait : « Qu'est-ce
que c'est que ça ? » Ça en devenait drôle...

Très sûre d'elle, Edith a dit au gars :

« Elle est bien, ma sœur. Elle est mignonne, hein ? »

J'étais monstrueuse.

Je n'ai jamais pu comprendre si la « Tante Zizi »
ne l'avait pas fait exprès ! Avec Edith, on ne pouvait
pas toujours savoir si elle blaguait, si elle se foutait
de vous, ou si elle y croyait. J'ai eu envie de lui
demander, mais je n'ai jamais osé. Elle avait une
telle manière de m'habiller, me parer... et me dire :
« Tu es belle, hein ? Tu es contente ? » que j'avais
peur de lui gâcher sa joie.

Avant de partir pour les Etats-Unis, Edith a décidé
de donner quelques dîners.

« Tu comprends, Momone, ça fait bien. C'est indispensable, je pars pour deux mois. Comme ça, on ne
m'oubliera pas. »

Ceux qui ont été à ses dîners n'ont pas pu les
oublier. Ça aurait été difficile.

Elle avait choisi d'inviter Michèle Morgan. C'était
un peu à cause d'Henri Vidal, avec lequel elle avait
eu une petite passade pendant qu'ils tournaient
ensemble *Montmartre-sur-Seine*. A cette époque, Henri
Vidal n'était pas encore marié à Michèle Morgan.

Les meubles, la table, les chaises, l'argenterie, les
services, le linge, les larbins, on a tout loué...

« Momone, je vais commencer par Michèle Morgan
parce que c'est une femme bien, mais simple ! »

Je crois surtout qu'elle était très bien élevée,
Michèle. Un dîner comme celui-là, personne n'en
avait jamais vu. Le garçon a commencé par balancer
la langouste Thermidor dans le décolleté de Michèle
Morgan qui n'a jamais tant ri. Ce qui nous a bien
détendues, parce que le coup de la langouste, c'était
un peu gros !

Tout était en dépit du bon sens. On n'a pas tous
pris de café, parce que nous n'avions pas assez de
tasses à nous et qu'on avait oublié d'en louer ! Alors,
avant l'arrivée de Michèle Morgan, Edith avait décidé,
d'office, ceux qui boiraient du café et ceux qui n'en
boiraient pas.

Charles et moi, on en avait été privés. Naturellement, distrait comme il l'était, quand on a servi le
café, il a dit oui. Et on a entendu, grosse comme le
tonnerre, la voix d'Edith : « Pas pour Charles ! Ça
l'empêche de dormir. »

Ce soir-là, j'ai trouvé que Michèle Morgan était une
femme exceptionnelle. Après le dîner, un coup de
téléphone de la nourrice de Marcel m'apprend que
mon petit garçon était malade. Comme il était en
banlieue, assez loin, toutes les heures je téléphonais
pour savoir comment il allait. Eh bien, Michèle Mor-

gan, que je voyais pour la première fois de ma vie,
n'est pas partie s'amuser avec les autres. Elle est
restée à mes côtés, toute la nuit sans dormir. Moi,
j'avais des remords, au milieu de mon inquiétude : je
connaissais mon Edith et j'avais peur qu'elle embar-
que Henri Vidal.

J'étais heureuse de ne pas être seule, mais cette
femme-là, elle m'impressionnait. Elle me parlait de
Mike, son petit garçon, d'une voix douce comme une
voix du ciel.

Au petit matin, quand Edith est revenue avec Henri
Vidal, Michèle a eu l'air de trouver ça si naturel que
j'ai pensé qu'après tout, j'avais eu de mauvaises idées.

Après le départ de Michèle Morgan, Edith m'a dit :
« Tu vois, Momone, cette femme-là, j'ai du respect
pour elle. »

Et, croyez-moi, ce n'était pas un sentiment facile
à inspirer à Edith, le respect !

On n'était plus qu'à quelques jours du départ pour
l'Amérique. Il ne s'est pas passé du tout comme on
le pensait.

D'abord, pour la première fois de ma vie, j'ai
refusé, tout net, de partir avec Edith.

Elle s'est mise à m'engueuler. C'était prévu. J'ai
tenu bon.

« Je ne resterai pas deux mois loin de mon fils. »
Constantine a essayé d'arranger les choses.

« Elle viendra nous rejoindre. »

— Si elle ne part pas avec nous, elle ne viendra
pas. »

Alors, Charles s'en est mêlé.

« Voyons, Edith, elle a raison. Son fils est un bébé.
Mais Eddie a une bonne idée. Simone viendra nous
rejoindre. »

Ça, c'était une parole malheureuse.

« De quoi te mêles-tu ? Tu ne pars pas ! Je commence par le Canada, et je n'ai rien pour toi. »

On était en plein orage. Ça pétait de tous les côtés.

Pour la première fois, Charles a tenu tête à Edith.
« Ça ne fait rien, Edith. Je vous rejoindrai. »

Edith s'est marrée.

« Ce jour-là, les poules chanteront comme les coqs ! »

C'était mal connaître Charles. Il n'y avait pas huit jours qu'elle était au Canada, qu'elle reçoit un câble : « Suis détenu Ellis Island. Envoyer caution cinq cents dollars. Aznavour. »

Charles avait tenu parole, il était venu en Amérique. Ça s'était plutôt mal passé. Il était parti en bateau, sur le pont comme un émigrant. Comme il n'avait pas de contrat et pas un rond, les services d'immigration lui avaient dit : « Par ici, la bonne soupe du camp ! »

Edith était ravie. C'était le genre de truc qui lui plaisait.

« Il est moins con qu'il en a l'air, ce petit Charles. Il a réussi à venir. »

Et, naturellement, elle a payé la caution.

J'avais joué les grandes, mais ça ne pouvait pas tenir longtemps. Marcel était en nourrice, bien soigné. J'avais une de ces envies de rejoindre Edith. Je me disais : « La vache, elle est bien capable de me laisser moisir ici. »

Eddie, en partant, m'avait bien affirmé : « T'en fais pas. Tu viendras. » Il avait eu le temps de m'oublier... Pas du tout, il m'a fait envoyer mon billet pour New York. C'était gentil, mais pas tout à fait aussi désintéressé qu'on pouvait le croire.

Il n'y avait pas trois jours que j'étais là, qu'Eddie avait l'air de traîner en remorque un cœur lourd comme un boulet. Il était sinistre. Ça ne pouvait pas tenir longtemps.

« Qu'est-ce que t'as à faire la gueule ?

— Je ne fais pas la gueule, Edith. C'est bientôt Christmas... Je ne verrai pas mon fille qui est en Californie.

— Pourquoi ?

— Mon femme veut pas. »

Il n'était pas idiot, le mec, il savait y faire. Edith s'est foutue en rogne. Elle lui a dit des tas de choses horribles sur sa femme, et lui a donné l'ordre d'aller voir son enfant.

Le matin de son départ, Eddie sifflait en se rasant. En le mettant dans le taxi, Edith lui a balancé un peu sèchement :

« N'oublie pas de revenir ! »

Ça, il n'y avait pas de danger !

Le taxi n'avait pas tourné le coin de la rue qu'elle haussait les épaules :

« Momone, je crois qu'il m'a eue...

— Mais non, il va voir sa fille. »

Tout s'est très bien passé. Il a téléphoné que Tania, sa fille, était folle de joie d'avoir son papa, et bla-bla-bla, et bla-bla-bla... Je trouvais qu'il en faisait beaucoup, et je voyais bien qu'Edith ne marchait pas à fond dans son histoire.

« Momone, il ne me parle pas de sa femme... Tu trouves ça normal ?

— Et pourquoi il te parlerait de sa femme, toutes les bonnes femmes sont faites sur le même modèle ! Ce qui est important pour lui, c'est sa fille. »

Il n'y avait rien à dire, il téléphonait régulièrement. Et heureusement qu'en attendant son retour, on n'a pas eu le temps de s'ennuyer.

Charles tannait Edith pour aller rejoindre Roche au Canada. Edith ne voulait rien savoir.

« Non. Avec ton copain, tu ne feras jamais rien. Laisse-le. »

Comme toujours, Edith voyait juste. Mais c'était un honnête, un fidèle, Charles. Il s'entêtait.

« Je ne veux pas faire ça à Pierre (Roche). Ensemble, on en a trop bavé !

— Ecoute : ici, tu n'as rien à foutre, tu ne me sers à rien. Je te l'ai promis, je vais te faire refaire ton

nez. Ça te donnera le temps de réfléchir et ça te
changera les idées. Quand tu auras une nouvelle
tête, tu penseras plus pareil.

« Pendant que tu seras à la clinique, fais-moi donc
l'adaptation de *Jezebel*... »

C'était une chanson américaine, chantée par Franc-
kie Lane, qui plaisait beaucoup à Edith. Charles en
a fait un des plus gros succès de l'époque.

Une fois de plus, on se retrouvait sans homme.
Mais Edith avait sa petite idée sur la question, et
cette idée s'appelait John Garfield...

Elle pouvait tomber amoureuse d'un gars comme
une midinette, en le voyant dans un film ou sur une
scène. Un soir, elle m'a traînée au théâtre. On jouait
Hamlet.

« Momone, là-dedans, il y a un type qui me plaît.
Je l'ai aperçu. Il faut que j'aille le regarder de plus
près. »

Alors, tous les soirs, avant de passer au Versailles,
on allait voir et entendre le John Garfield dans Sha-
kespeare. Ce qu'il y avait de plus terrible c'est que je
n'en comprenais pas un mot, et elle pas beaucoup
plus. Il n'y avait qu'Edith que j'approuvais quand
elle me disait :

« Ah ! Momone, ce qu'il est beau, l'animal ! Ce
qu'il est beau ! »

(Ce texte-là n'était pas dans *Hamlet*, mais au moins,
il était clair.)

Je ne sais pas combien de fois on se l'est farcie
cette sacrée pièce... Au bout de dix, j'avais renoncé
à compter. Charles se baladait déjà avec un emplâtre
sur son nouveau nez qu'on continuait à aller dans ce
foutu théâtre !

Edith me disait, sérieuse : « Je l'étudie. Tu comprends, comme ça, il ne m'échappera pas ! »

Il ne lui a pas échappé. Elle est arrivée à ce qu'elle
voulait : être dans les bras de John.

Comme elle m'a dit après : « On y est arrivées,

mais c'est celui qui nous a donné le plus de mal...
N'est-ce pas, Momone ? » Je ne lui aurais certainement pas dit le contraire.

Le lendemain de cette heureuse nuit avec lui, Edith
a attendu le John. Le soir, personne. Le lendemain, le
surlendemain, le silence. Elle était furieuse. Un mois
plus tard, on allait quitter New York, le téléphone
sonne. Une voix d'homme lui dit :

« Allô, qui est là ? »

Elle répond :

« Edith. »

Et elle entend :

« C'est John.

— Ah ! ça alors... Toi, t'es gonflé, tu ne manques
pas d'air !

— A ce soir ! »

Et il raccroche. Ça n'allait plus du tout. Il y avait
longtemps qu'Eddie était revenu et que John n'intéressait plus Edith.

Alors le soir, quand il s'est amené comme un seigneur, c'est moi qu'il a trouvée à la place d'Edith.
Il a pensé qu'elle était fâchée, et il n'a jamais compris pourquoi...

Quand Eddie était revenu de ses joies familiales,
je lui avais trouvé l'air d'un mec qui vous a doublé,
à la fois content et gêné.

Comme Edith, de son côté, avait quand même un
petit quelque chose à se reprocher avec son John
Garfield, elle n'a pas trop posé de questions. C'est
Charles, avec son nouveau nez, qui a fait les frais des
premiers sujets de conversation.

« Tu te plais, comme ça ? lui a demandé Edith.

— Ben... ça me change. Quand je m'aperçois, au
passage, dans une glace, je me trouve bien la tête
de quelqu'un que je connais, mais il me faut une
seconde pour me reconnaître.

— Comment le trouves-tu, Momone ?

— Très bien.

— Et toi, Eddie ?

— C'est un nouvel homme. Très bien. »

Charles s'interrogeait : « Je me demande si, à Paris, ils vont s'apercevoir du changement. »

Avant son départ, une surprise attendait Edith. Elle a fait la connaissance du général Eisenhower, pas de loin, de très près. Il était venu l'entendre au Versailles. Et, comme l'avait fait la princesse Elisabeth, il a invité Edith à sa table avec Eddie, très fier de faire la connaissance de celui qui allait devenir, quelques mois plus tard, le président de son pays.

Ça s'est passé presque dans le style copain. Edith était flattée mais pas impressionnée du tout. Un général, ça ne lui en fichait pas plein la vue comme une princesse. Ils étaient tous très « relaxe » ! Le général a demandé à Edith de lui chanter sa chanson préférée, *Autumn leaves* (les Feuilles mortes).

Elle ne l'avait jamais chantée. J'avais peur qu'elle se goure mais ça s'est très bien passé !

Le général savait des tas de chansons françaises et il n'arrêtait pas de dire à Edith : « Vous connaissez celle-là ? et celle-ci ? »

Il s'amusait beaucoup et chantait avec elle. Les Américains ce n'est pas le même genre que les Anglais, ils font dans la simplicité, mais elle ne manque pas de classe, non plus.

Le départ s'annonçait bien. On allait ramener Eddie et Charles. Avec Pierre Roche, ça s'était arrangé sans douleur. Il s'était marié avec une Canadienne, Aglaé, qui ne voulait pas quitter sa cabane au Canada... C'est comme ça qu'ils se sont séparés, sans histoires.

Edith était ravie. Enfin, il lui appartenait en entier !

« Charles, tu vas voir ! Compte sur moi ! »

On a vu ! Son cas auprès d'Edith était définitivement désespéré : elle n'avait plus peur qu'il la quitte, elle pouvait s'en servir comme elle voulait !

A peine débarquée, Edith a fait un petit saut, rapide, à Casablanca pour aller voir Marinette et embrasser les trois garçons : Marcel, René et Popaul, qu'elle aimait bien. Elle n'a pas traîné, parce que *La P'tite Lili* l'attendait.

C'était toute une histoire, cette comédie musicale. Ça faisait déjà deux ans qu'on en parlait. *La P'tite Lili*, c'est le triomphe de la volonté d'Edith.

Ils se tiraient tous dans les pattes. Il n'y en avait pas un qui voulait de l'autre. Mitty Goldin, le directeur tout-puissant de l'A.B.C., avait commandé à Marcel Achard une comédie musicale, *la P'tite Lili*. Marcel Achard nous avait raconté l'histoire, du taillé sur mesure pour Edith. Elle voulait que Raymond Rouleau la mette en scène. Raymond Rouleau avait gueulé un bon coup « que jamais il ne mettrait les pieds sur une scène appartenant à Mitty Goldin, que, de toute façon, il ne travaillerait pas sur un texte d'Achard » ! L'auteur exigeait, pour les décors, Lila de Nobili dont Goldin ne voulait pas.

Il n'y avait qu'une seule personne que tout le monde acceptait sans discussion : Marguerite Monnot.

Ils se rencontraient entre amis, et juraient, à grands cris, chacun de leur côté, qu'ils ne travailleraient jamais avec les autres. Comme ils refusaient de se rencontrer, Edith jouait les commis voyageurs, et allait voir ses « clients » à tour de rôle. Mais ça n'avançait pas. Edith avait décidé que ça se ferait, et il fallait que ça se fasse.

« Momone, ils me les brisent avec leurs histoires. J'ai décidé de jouer *La P'tite Lili*, à l'A.B.C., avec Raymond Rouleau, dans les décors de Lila de Nobili, et je la jouerai ! Ils ont des grandes gueules, d'accord, mais la mienne est plus forte ! »

Moi, je n'y croyais pas. J'avais assisté à quelques-unes de leurs séances, et ils s'assaisonnaient, les uns et les autres, avec une telle violence, que j'étais sûre que jamais ils ne s'entendraient.

J'avais tort. Tout ça, c'était du théâtre. Ils ont fini

par se mettre d'accord quand Edith a dit : « Je banque et je commande ! » Mais quelle aventure !

Au moment de la distribution, tout a failli recasser.
Edith avait décidé qu'Eddie aurait le rôle de Spencer,
le gangster. Physiquement, il faisait le poids. Moralement, pas du tout. Mitty n'en voulait pas, il disait :
« Il marche comme un ours qui danse. Il a un accent
terrible... ». Là, on s'est tous marrés, parce qu'au
bout de trente ans de Paris, Mitty avait conservé un
accent qui ne venait sûrement pas du Cantal !

C'est Raymond Rouleau qui a décidé Mitty en
disant : « On coupera dans son texte. Les gangsters
sont des gens qui parlent peu et agissent beaucoup ! »

Quant au jeune premier, Mario, c'était le chansonnier Pierre Destailles, qui devait avoir le rôle. Mais
on avait tellement attendu qu'il n'était plus libre.
Alors, Edith a proposé un inconnu, Robert Lamoureux. Là, ils étaient bien tous d'accord, ils n'en voulaient pas !

Quand Edith avait trouvé qu'un type avait du talent,
elle ne l'oubliait pas. Mitty et Raymond s'arrachaient
les cheveux en chœur. « Deux débutants à l'affiche, je
suis ruiné ! » pleurait Mitty qui n'avait pas mis tellement dans l'affaire. « Je n'y arriverai jamais ! » disait
Rouleau. Sans compter qu'Edith, comme comédienne,
ce n'était pas la réincarnation de Sarah Bernhardt !

Ça promettait de joyeux moments. Mais le meilleur,
Marcel Achard l'avait gardé pour la fin. Ça faisait
deux ans qu'on se disputait sur une pièce qui n'était
pas écrite. On n'était sûr que du titre, *La P'tite Lili*,
et des chansons.

Ça avait beaucoup amusé Marcel Achard de les
faire, et ça permettait à Marguerite de composer la
musique.

« La musique, les chansons, c'est le principal dans
une comédie musicale. Le reste, c'est du remplissage »,
disait Edith qui avait horreur d'apprendre des textes
de théâtre.

Marcel Achard était ravi d'être aussi bien compris. Il n'y avait que Rouleau qui faisait la gueule, et qui trouvait que ce n'était vraiment pas suffisant !

Le jour de la première répétition, très à l'aise, l'œil vif, malin, tout rétréci derrière ses hublots de scaphandrier — il avait d'énormes lunettes — Marcel a apporté quelques feuilles qu'il a distribuées.

« Voilà, les enfants, la première scène.

— Mais j'ai besoin de toute la pièce pour mettre en scène, a crié Rouleau.

— Vous en faites pas, j'ai tout dans ma tête ! »

Au bout de dix jours, Marcel Achard avait accouché d'une *P'tite Lili* fort bien constituée.

En attendant, il écrivait la nuit et, le lendemain, frais comme un gardon sorti de l'eau, il apportait la scène suivante. C'était bien plus marrant qu'un feuilleton !

Je n'en ai pas ratée une, de répétition. Et pour cause. Edith m'avait engagée dans la pièce. J'étais parmi les couturières, au premier acte j'avais une réplique avec Edith, je lui disais : « Tu ne vas pas nous faire croire que tu es vierge. » A chaque coup on prenait un fou rire. Il y avait de quoi.

Quand Achard arrivait, suivi de Juliette sa femme — une fille extraordinaire — avec ses petites feuilles à la main, tout le monde lui sautait sur le râble.

« Est-ce que je suis l'assassin ? demandait Eddie.

— Est-ce que c'est moi qui épouse la P'tite Lili ? » interrogeait Lamoureux.

Et Marcel Achard, rigolard, répondait :

« A la fin, les enfants... Comme le public, vous le saurez à la fin ! »

Rouleau en profitait pour faire du rôle de Spencer (Eddie), un rôle muet.

Malgré ses leçons accélérées et sa bonne volonté, Eddie avait encore un accent terrible. Alors, Rouleau ne se cassait pas la tête, il lui disait : « Répétez : « Terrible »... Vous ne pouvez pas le dire ? Ça ne fait rien, mon vieux, on coupe ! » Et d'un coup de crayon, il rayait la réplique entière. Ce n'était pas du tout du goût d'Edith !

« Mais non, disait Raymond, très calme, il ne faut pas s'inquiéter pour Spencer. Tout dans les biceps, le chapeau, la gueule et les poings. La pièce y gagnera, et Constantine n'y perdra rien. »

Mitty avait aussi son idée : « Pas la peine qu'il chante, ça ralentit l'action... »

Alors, il y a eu, dans le bureau de Goldin, une séance qui a fait trembler les fauteuils de l'A.B.C. Du Boulevard Poissonnière, on devait entendre Edith. Elle a piqué une de ces rages !

« Vous me prenez pour une idiote ! Vous êtes tous des cons ! Votre saloperie me débecte ! Vous profitez qu'Eddie comprend mal le français pour lui réduire son rôle à zéro. Il jouera, il chantera, ou on arrête tout ! Je suis prête à payer le dédit ! »

Moi, je résume, mais c'était plus fort et plus long. Ils ont cédé à Edith. Rouleau a haussé les épaules, et Mitty a dit : « Je ne mettrai plus les pieds dans ce théâtre qui n'est plus le mien ! » Il est resté huit jours sans aller dans la salle et sans parler à Edith.

Peut-être bien que, ce jour-là, Edith aurait abandonné Constantine, si elle avait su la surprise qu'il lui réservait.

On était en pleines répétitions quand, un matin, Eddie me prend le plateau des mains :

« Laisse-moi faire. Je porte, moi, le breakfast à Edith. »

C'était bien la première fois, parce qu'Eddie, c'était plutôt le mec à qui il fallait porter son petit déjeuner au lit.

Ce qu'il avait à dire à Edith ne pouvait pas attendre. Qu'il croyait ! Il n'était pas psychologue. Réveiller Edith avec une mauvaise nouvelle, il fallait s'amener avec un bouclier.

« Edith, voilà, j'ai pensé... mieux, plus correct... je fais venir mon femme à Paris... »

Il n'avait pas terminé, que le plateau, le café, le sucre... il recevait tout en pleine poire.

Elle l'a assaisonné dans le grand style Piaf, celui des meilleurs jours !

« C'était ça, ta visite à ta fille ? Salaud ! Alors, tu me fais cocue avec ta femme ? Pocheté ! Connard !... »

J'abrège, ça vaut mieux. Eddie, en revoyant sa fille, avait revu sa femme, et ils avaient remis ça pour la vie.

Edith n'a pas voulu le dire, mais ça lui en a, quand même, filé un coup. Sur le moment, parce que, le lendemain, elle n'y pensait plus. Mais elle n'avait pas le temps d'assurer ses arrières. On était trop près de la générale de *La P'tite Lili*, pour aller godailler.

Aussi quand Eddie, après avoir quitté Boulogne, sûr d'être tout à fait pardonné, a dit à Edith qu'il voudrait bien lui présenter son Hélène, elle lui a répondu :

« Mais comment donc ! Amène-la demain, à la répétition. »

Ce jour-là, Edith s'est pomponnée.

« Tu comprends, Momone, je ne veux pas avoir l'air d'une mocheté à côté de son Américaine ! »

Vue à travers ce que racontait Eddie, ça devait être une de ces créatures de rêve comme les Etats-Unis en produisent.

Je trouvais qu'elle ne manquait pas de courage et d'allure, Edith. C'était plutôt bien de sa part. Quand même, elle avait un peu les jetons.

On arrive sur le plateau. Je vois, près d'Eddie, une fille splendide, un peu dans l'ombre, blonde, élégante, style mannequin grande classe. C'était certainement ça. Edith fonce. Constantine se retourne. A côté de lui, il y avait une petite bonne femme, plus que simple, avec un bonnet sur la tête, coiffée avec des macarons sur les oreilles. Et c'est celle-là qu'il a présentée à Edith. L'autre, c'était Praline, une des plus belles filles de Paris.

Ça a tellement fait rire Edith, que Constantine a été effacé, gommé, liquidé... comme amant. Parce que, comme amis, ils sont restés très bien.

Et le soir de la générale de *La P'tite Lili*, Edith se faisait du souci pour lui.

Elle n'avait pas tout à fait tort. Physiquement, il était parfait, il avait des épaules. Mais le texte, il arrivait aux oreilles du public, un peu mangé aux mites, plein de trous. On comprenait ce qu'on pouvait. Mais quand Constantine a chanté, il a eu son petit triomphe.

Si j'avais été sa femme, j'aurais pas trouvé là de quoi me réjouir ! Il tenait trop bien, trop vrai, Edith dans ses bras en lui chantant :

> *Petite si jolie*
> *Avec tes yeux d'enfant*
> *Tu boul'verses ma vie*
> *Et me donn' des tourments.*
> *Je suis un égoïste*
>
> *Voilà jolie petite*
> *Il ne faut pas pleurer*
> *Le chagrin va si vite*
> *Laisse-moi m'en aller.*

Il a été bissé. C'était gagné.

Moi, qui connaissais la vérité, je trouvais que ces paroles lui allaient comme un gant, à Eddie.

La chanson de fin a été, pour Edith, un gros succès. Elle l'aimait beaucoup. Dès le premier jour, elle avait dit à Achard :

« Celle-là, Marcel, elle résume ma vie, et elle est quand même optimiste. Si, un jour, j'écris ma vie, je la mettrai au début du livre.

Demain il fera jour
C'est quand tout est perdu que tout commence
Demain il fera jour
Après l'amour un autre amour commence.
Un petit gars viendra en sifflotant
                    Demain
Il aura les bras chargés de printemps
                    Demain
Les cloches sonneront dans votre ciel
                    Demain
Tu verras briller la lune de miel
                    Demain
Tu vas sourire encore
Aimer encor', souffrir encor', toujours
          Demain il fera jour
                    Demain

La presse a été excellente. *La P'tite Lili* est restée sept mois à l'affiche. Et elle aurait tenu beaucoup plus longtemps, si Edith n'avait pas eu son premier accident qui a été le début de la série noire.

Elle avait un intérêt, cette pièce, c'est que ceux qui l'avaient vue la veille pouvaient y retourner huit jours plus tard, ils en voyaient une autre !

Edith n'avait pas de mémoire pour les textes de théâtre. Ça la rasait. Une histoire qui s'étire sur trois actes, c'était trop long. Quand elle avait un trou, elle remplaçait par ce qui lui passait par la tête.

Eddie, de son côté, avait du mal à se souvenir de tous ses mots français. Alors, il les traduisait en américain, ou il faisait des raccourcis.

Robert Lamoureux, qui a toujours été un grand fantaisiste, leur donnait la réplique à sa façon. Faut dire que, pour les suivre, il était obligé de monter en marche !

C'était très « commedia dell' arte », très vivant ! Les gens s'amusaient bien, et c'est grâce à la comédie musicale de Marcel Achard que Robert Lamou-

reux et Eddie Constantine ont pris leur départ. Ils
pouvaient remercier Edith de les avoir imposés, et
Eddie, qui était un bon bougre, l'a fait. Il l'a écrit
dans son livre de souvenirs, *Cet homme n'est pas
dangereux* :

« Edith Piaf m'a tout appris — à moi comme à
quelques autres —, tout sur la tenue en scène d'un
chanteur. Elle m'a donné confiance en moi, et je
n'avais pas du tout confiance en moi. Elle m'a donné
le désir de lutter, et je n'avais pas du tout envie
de lutter. Au contraire, je me laissais aller. Pour que
je devienne quelqu'un, elle m'a fait croire que j'étais
quelqu'un. Elle a une sorte de génie pour affirmer,
renforcer la personnalité. Elle me répétait sans
arrêt : « Tu as de la classe, Eddie. Tu es une future
« vedette ! » Venant d'elle, vedette de premier rang,
cette affirmation me galvanisait. »

Ce que Constantine n'a jamais su, c'est que, pour
lui donner confiance en lui, Edith avait aussi payé.
Quand Mitty a engagé Constantine, il l'a pris à deux
mille francs. Et Eddie croyait qu'il en avait cinq
mille. C'était Edith qui mettait la différence. Elle
a fait la même chose dans les galas et dans les tournées.

Elle était tout heureuse de lui dire de bonne foi :

« Tes cachets augmentent. C'est bien, mon chou, tu
montes... »

Cette manière de donner, d'aider, en douce, quelqu'un en qui elle croyait, c'était aussi Edith !

CHAPITRE XIV

LE DEBUT DE LA SERIE NOIRE

POUR une fois, la première, avec Constantine, Edith a été prise de court, le remplaçant en titre n'était pas loin mais il n'était pas là.

Quand André Pousse est arrivé avec Loulou, il m'a plu. Il avait une bonne tête de tendre voyou à la Belmondo, une poignée de main honnête, solide. Il était épais, opaque, on ne voyait pas au travers : un homme bâti en ciment dans lequel on aurait oublié un cœur ! Un joli sourire, et dès les premiers mots on savait qu'il était Parisien.

C'était un ancien coureur cycliste connu, dans ce métier-là les guiboles s'usent plus vite, hélas ! que le reste. C'était un gars qui avait envie de tâter du monde des artistes. Avec Edith il mettait dans le mille, il était en plein dedans. Il avait trouvé la meilleure partenaire.

André est venu la voir à l'A.B.C. pendant *La P'tite Lili*. Il avait le gabarit qui convenait. Edith l'a bien regardé puis a éclaté de rire.

« Je vous connais, vous !

— Oui. On s'est vus à New York. C'était en... 1948.
J'étais champion cycliste, je courais au Madison
Square Garden. Avec mon coéquipier Francis Grauss,
je suis venu vous entendre au Versailles. J'avais
besoin d'un peu d'air de Paname. C'était bath de vous
écouter ! Qu'est-ce que vous aviez comme succès !
Ils en voulaient les Ricains... Moi ça me plaisait
qu'une môme de chez nous les fasse délirer comme
ça, en grand ! Alors j'ai gueulé : *L'Accordéoniste !*...
et vous avez ri en disant : « Il y a un Français dans
« la salle !... »

— C'est vrai, et après on est allés tous les quatre,
avec Loulou et votre copain, dans un restaurant français, bouffer un steak pommes frites... »

Puisqu'ils en étaient à leurs « souvenirs d'enfance »,
ça pouvait marcher...

Avec Charles, nous estimions les chances d'André.
Elles ne nous paraissaient pas terribles ! Après l'en-
trevue de la loge, on n'avait pas revu Pousse. Edith
n'en parlait pas. Ce n'était pas bon signe. Et comme
toujours quand elle était dans le creux de la vague,
il y avait du passage... Charles et moi, on aurait bien
voulu qu'elle s'arrête de valser avec n'importe qui
dans ce bal des amours perdues. Edith s'éreintait et
nous aussi à essayer de la suivre. Elle vivait, tout,
jusqu'au bout, avec la folie de ces derviches tourneurs qui ne s'arrêtent que quand ils tombent. Elle
vivait, tout, comme si elle allait mourir demain.
Même pour les petites choses, les petits plaisirs, elle
les épuisait avec une passion totale, sans brèche. Elle
se gavait de ce qui lui plaisait, elle s'en foutait jusque-là... Nous étions déjà tous écœurés qu'elle continuait avec la même ardeur, comme si c'était la première bouchée ! Marguerite Monnot lui avait appris
à aimer la grande musique, la classique. Un jour,
Edith entend par hasard, à la radio, la 9e Symphonie
de Beethoven. La Guite était là. Edith nous regarde
furieuse.

« Guite, pourquoi tu ne m'as pas fait entendre ça plus tôt... Tu le savais, toi, Charles, que ça existait ?
— Oui. »

Et c'est lui qui a pris.

« Alors ? peut-être que tu trouvais ça trop beau pour moi ? File m'acheter le disque immédiatement. »

Elle nous regardait comme si on l'avait trahie, on se sentait tous coupables. Même moi qui n'y connaissais rien.

Naturellement, on s'est tapé la 9e pendant des semaines. Le premier qui arrivait à la maison, Edith lui disait : « Je vais te faire entendre un morceau formidable. » Et pour qu'il comprenne bien, elle le lui passait deux ou trois fois de suite. Nous, on en avait les oreilles qui nous faisaient mal alors qu'elle écoutait toujours son disque avec la même extase.

C'était pareil pour les livres. On devait tous lire celui qui lui avait plu et lui en parler pendant des heures. En plus, elle se faisait aussi relire les passages qu'elle aimait. J'en connais encore par cœur, de *Via Mala, La Grande Meute, Sarn, Le Vieil Homme et la Mer, Le Bruit et la Fureur.*

Il y avait un livre qui l'avait vraiment frappée, un truc compliqué sur la « relativité », les amours des atomes et des neutrons, faut aimer ! C'est moins facile que *Madame Bovary.* Edith ça lui plaisait.

« Tu vois, Momone, c'est difficile à comprendre ce charabia-là. Quand tu lis ça, tu te dis que sur ton bout de terre t'es un drôle de rien du tout. Mais en même temps, à force d'être rien et tout petit, tu deviens très grande. Grande comme le monde, tu comprends ? »

Je disais oui, mais c'était pour lui faire plaisir. J'étais davantage de son avis quand elle affirmait :

« Gide, je vous jure que c'est quelque chose ! »

Ça durait des jours. Heureusement pour nous qu'elle lisait peu ! Ses yeux se fatiguaient vite et son travail lui prenait beaucoup de temps. Il n'y avait pas que

PIAF

les répétitions, elle ne cessait jamais de travailler : dans la vie, dans la rue, au restaurant, partout elle regardait, écoutait, tout pouvait lui donner des idées et lui en donnait.

Elle n'allait jamais dans les musées mais Jacques Bourgeat avait tout de même réussi à lui faire faire la connaissance de tableaux célèbres. Edith ne ménageait pas son enthousiasme :

« Corot, Rembrandt, ils sont vachement bien ces deux mecs-là... »

Edith avait une passion pour le cinéma. Quand un film lui plaisait, elle louait un rang entier et elle embarquait tout son monde. Charles et moi, nous en savions quelque chose. Les autres avaient lâché depuis longtemps, qu'elle nous traînait encore. Nous avons vu dix-neuf fois *Le Troisième Homme*. Charles en a gardé un souvenir de cauchemar.

Il s'endormait, Edith le poussait.

« Charles, tu dors... Charles tu ne sais pas ce qui est beau !

— Oui, oui », faisait Charles qui n'arrivait pas à faire surface.

Notre seule chance, c'est qu'elle avait du goût. On ne se farcissait pas des navets. Mais pas le droit de tricher, il fallait arriver au commencement du film.

« Tu comprends, Momone, le début me prépare pour *mon passage.* »

Car elle n'allait voir un film que pour le passage qui l'avait transportée.

« Dans *Le Troisième Homme*, Momone, il y a un moment où Orson Welles lève les yeux... Ne le rate pas ! »

Et par malchance c'était la dernière image avant la fin.

Il n'y avait pas de danger. Pour être sûre que je n'en perdais pas une miette, pas une secousse, que je vibrais avec elle, qu'elle n'était pas seule, Edith me tenait la main, me la serrait.

« Ça y est, Momone... regarde-le... Comme il est beau ! »

Quand elle avait un homme dans sa vie, le temps qu'elle s'occupait de lui, on pouvait souffler un peu.

Je sentais que Charles ne tiendrait plus longtemps. Il restait auprès d'Edith par une immense amitié. Pour lui, ça commençait à démarrer. Doucement, mais bien. Il passait tous les soirs au Carrol's, il n'était pas payé cher — deux mille francs par soirée. Mais il y faisait un bon succès. Ça n'empêchait pas Edith de lui donner des conseils à sa façon :

« Charles, devant le public, tu es un timide, pourtant tu en as plein le bide. Mais avant que tu aies de quoi t'acheter ta Rolls, t'auras une barbe jusqu'aux talons...»

Peut-être, mais en attendant elle a été bien contente qu'il ait fait des économies. Un employé s'est amené pour couper le gaz. Il n'y avait pas un rond dans la boîte. On a tous raclé nos fonds de poches : rien ou à peu près. La femme de chambre en avait marre, Madame lui devait trop ! Toutes les fins de mois, Edith lui empruntait pour trente ou cinquante tickets. Alors, le Charles est monté quatre à quatre dans sa petite chambre du deuxième, où il avait fini par s'installer pépère — il ne disait rien Charles, mais il faisait son petit chemin en douceur — et il est redescendu glorieux comme un pape avec ses trois billets de mille.

Ce geste-là, Edith l'a aimé, depuis Cerdan pas un homme n'avait ouvert son portefeuille pour elle, c'était pour le cœur ; pour le pognon elle s'en foutait. L'électricité, le gaz, coupés, la belle affaire ! Elle serait allée coucher au Claridge.

Une histoire comme ça ne fait pas vrai, surtout quand on sait que les cachets d'Edith étaient déjà de trois cents à cinq cents mille francs par soirée, pourtant elle l'est et elle l'a été jusqu'à la fin, quand on lui a donné un million deux cent cinquante mille francs (anciens) par soir.

Loulou s'arrachait les cheveux, se désespérait. Il arrivait la gueule défaite, se laissait tomber dans un fauteuil.

« Ecoutez, Edith, ça ne peut plus continuer comme ça, vous allez vous ruiner ! »

Edith riait.

« Mais je le suis !... et je m'en fous, alors, fais comme moi !... rigole.

— Je ne peux pas, Edith. Mais qu'est-ce que vous faites de votre argent ?

— Mais, je ne sais pas, répondait Edith. Tu le sais toi, Momone ? »

Me demander ça à moi ! J'étais comme elle. Je ne me rendais pas compte. Je crois qu'on ne savait pas parce que l'argent on en avait toujours trouvé même pendant nos périodes de mouise les plus noires. On avait toujours eu de quoi manger, boire, rigoler. On savait comment ça se gagnait, on voyait comment ça partait, mais on ne savait pas comment ça se gardait et surtout pourquoi il fallait le garder.

« Enfin, Edith, vous aurez peut-être besoin un jour d'en avoir mis de côté.

— Tu rigoles, ou tu te fous de moi ? Je chanterai toujours, èt le jour où je ne chanterai plus, je crèverai. Comprends bien ça, Loulou. Je veux bien te faire plaisir mais des économies, jamais. Je ne suis pas une bourgeoise, moi. L'avenir, j'en ai rien à foutre, il se fera tout seul ! »

Loulou avait beau la croire, il avait peur, alors, il a eu sa petite idée de génie, qu'il a apportée toute chaude :

« Voilà, Edith, vous allez avoir deux comptes en banque. Chaque fois que vous aurez une rentrée, vous en mettrez la moitié dans chaque compte et vous n'en utiliserez qu'un pour vos dépenses. Vous ferez comme si l'autre n'existait pas. »

L'idée a bien plu à Edith.

« Tu vois, Momone, ce n'est pas bête son truc à

Loulou ; comme ça j'aurai enfin un peu d'argent devant moi pour le dépenser quand j'en aurai envie. »

Pour les versements le truc a marché, impeccable, Mme Bigeard faisait ça très bien. Edith était radieuse. La brave Bigeard tenait soigneusement les comptes des rentrées. Elle disait à Edith : « Il est très bien le système de M. Barrier, actuellement, nous devons avoir déjà trois millions ! » Edith se marrait, il y avait de quoi, elle avait tout raflé. Au lieu de prendre dans un compte, elle puisait dans les deux.

« Tu comprends, Momone, c'est très chouette, je fais deux chèques au lieu d'un, comme ça j'ai l'impression d'avoir le double de fric ! »

L'argent, entre les mains d'Edith, c'était de l'eau, c'était du sable, ça glissait... Faire le compte de ses dépenses dans une journée, ce n'était pas possible. Au restaurant, on était toujours au moins une dizaine et on y allait tous les soirs en sortant de l'A.B.C. Après, avec la même bande, on faisait quelques boîtes, à chaque fois, c'était une bouteille de champagne par tête de pipe. Si Edith était en forme, elle payait une tournée générale. Ça va vite ! Et les cadeaux, les dépenses professionnelles, les copains, les voitures et le reste... C'était ça qui coûtait le plus cher.

Il ne faut pas oublier les impôts, ils étaient lourds !

Des amis lui avaient dit : « Vous devriez avoir une ferme aux environs de Paris, c'est intéressant, ça rapporte, vous pourriez y aller en week-end. »

« Tu comprends, Momone, à Paris on s'intoxique. L'air de la campagne ça me ferait du bien. »

Vas-y pour la ferme ! Edith au milieu des vaches, cochons, lapins, poulets, ça vaudrait le déplacement !

Edith a donc acheté une ferme pour quinze millions au Hallier près de Dreux. Pour l'installer, elle y a englouti, en plus, une bonne dizaine de briques.

Elle n'y est pas allée trois week-ends en cinq ans ! Et elle l'a revendue six millions.

Il y avait près d'un mois qu'elle n'avait pas revu

Pousse. Je pensais : « C'est foutu ! » quand elle me
demande dans la salle de bain :

« Momone, comment le trouves-tu, ce Pousse ? »

Pas utile de me casser la tête pour trouver une
réponse, elle est venue toute seule :

« Celui-là, c'est un homme. Un vrai !

— N'est-ce pas ? m'a dit Edith aux anges, prête à
grimper une fois de plus sur le manège de l'amour. Je
vais l'inviter à un week-end. »

Le coup du week-end c'était nouveau, elle ne l'avait
jamais fait. A part ça, tout s'est déroulé comme
d'habitude. En revenant de la campagne, Pousse est
rentré avec Edith à Boulogne et il y est resté un an.
C'était un week-end prolongé !...

Comme il le disait en riant :

« C'est comme ça que les malheurs arrivent. Je me
suis dit : « Une nuit avec Piaf ça peut être amusant ! »
Et j'ai engagé mon palpitant sans le savoir. Voilà
comment on se paie un bail avec l'amour ! »

Tout de suite, j'ai bien aimé Pousse. C'était un type
très honnête, il parlait toujours dans l'intérêt d'Edith,
jamais pour lui. Comme Loulou, il aurait voulu qu'elle
ne foute pas l'argent en l'air, il allait jusqu'à lui
reprocher les cadeaux qu'elle lui faisait :

« Tu es complètement louf. Je ne peux pas porter plus
d'un costard à la fois ! Si encore tu attendais une fête,
un anniversaire, je ne sais pas, moi, une raison pour
tes cadeaux, mais tu nous les balances comme ça...

— Et te faire plaisir, c'est pas une raison ? Te
plains pas, je t'assure qu'il y en a qui n'ont pas
fait tant de manières.

— Justement, je ne suis pas comme eux...

— C'est pour ça que je t'aime, idiot adoré. »

Tout ça, c'était bien gentil mais je sentais que ce
n'était pas le grand amour, et le plus grave, c'est
qu'Edith le sentait aussi.

Il n'était pas bête, André ; sous ses muscles, il y
avait de la cervelle, il voyait juste quand il me disait :

« Vois-tu, Edith, elle se fait tout le temps du cinéma, il faut qu'elle croie à l'amour, elle ne peut pas vivre sans. Alors, elle se raconte qu'elle aime. Mais c'est pas souvent vrai. C'est pour ça qu'elle fait n'importe quoi ! »

N'importe quoi... Pour ça, il avait raison et ça déchaînait entre eux de sérieuses bagarres. Edith ne lui foutait la paix que quand il lui avait filé une trempe. Pourtant, ce n'était pas une brute, plutôt un doux, André. Mais il y a des choses qui ne sont pas faciles à faire avaler à un homme. Et ce sont vraiment les plus belles bagarres auxquelles j'ai assisté.

On partait toutes les deux, des après-midi entiers, pour rejoindre un autre gars. Nous, quand on revenait, on se marrait bien. Lui pas. Il gueulait : « Je ne veux pas passer pour un con ! » Ce n'était pas un intellectuel, un compliqué auquel on peut faire avaler des boniments. C'était un type simple, il ne voyait qu'une chose : Edith l'avait fait cocu. Alors, il prenait des colères violentes et, en pleine nuit, tout ce qu'Edith lui avait acheté, il le balançait par la fenêtre. Un ami et moi, à l'aide des phares de la voiture, on allait tout rechercher : bijoux, montre, vêtements ; il ne travaillait pas dans le détail, tout ce qui lui tombait sous la main, il l'envoyait valser.

Après, ils se recouchaient tranquillement, tous les deux, ils étaient calmés. Pendant ce temps-là, à quatre pattes, sur les pavés de l'époque, je faisais de la récupération.

Edith, elle était tout en contrastes et ça bouleversait André, il avait du mal à suivre. Un jour, on s'est ramenées avec une cinquantaine de ballons rouges tous marqués « André, le chausseur sachant chausser ».

« Comment vous les avez eus ?

— Va voir dans la voiture », répond Edith.

Elle était pleine de paires de chaussons.

« Tu comprends, André, quand j'étais môme, j'en ai jamais eu un à moi. Je voyais les autres gosses qui en

étalaient en se baladant avec leurs ballons. Ils étaient
aussi rebondis, aussi propres, aussi luisants que leurs
ballons rouges et moi je faisais la banque avec le
père, j'étais sale, mal fringuée ; pour eux, j'étais une
mendigote. Aujourd'hui, chez André, ils en donnaient
un par paire de chaussons. J'en ai acheté de quoi
remplir la maison. »

Toute la soirée, elle a joué avec, sous l'œil attendri,
humide dans les coins, de Pousse. C'était un tendre, ce
gars-là, mais il ne le savait pas.

Des histoires comme celle-là mettaient un peu
d'huile, leur amour grinçait moins. Elle y tenait quand
même à son Pousse, elle avait décidé de l'emmener
en tournée avec Charles qui, comme d'habitude, devait
faire tout et n'importe quoi. Cette fois-là, il y avait du
changement, il avait tenu tête à Edith et il a réussi à
passer cinq chansons pas trop mutilées.

Avec son regard vif, malin et son bon sourire,
Charles me disait :

« Tu vois, je monte... Encore dix ans comme ça
et je serai *son* américaine ! »

Pour Charles, les mauvais jours étaient terminés,
il allait, en effet, monter très vite. En attendant, il
chargeait la voiture et la conduisait.

Edith est partie et je suis restée à Boulogne.

Pousse avait envie d'être seul avec elle et moi
pas fâchée d'être un peu au calme. J'attendais tranquillement leur retour.

Avec Edith, on se téléphonait plusieurs fois par
jour.

Le 24 juillet, elle m'appelle plus tôt que d'habitude,
on bavarde, puis elle finit par me dire :

« Momone, il faut que je t'en raconte une bien
bonne, un peu plus je te téléphonais du paradis ! Ce
matin, je roupillais dans le fond de la 15 CV Citroën,
c'était Charles qui conduisait, au virage des Cerisiers,
on a quitté la route, on s'est envolés en l'air et on s'est
encadrés dans un pommier ! C'est pas marrant ça ?... »

Moi, j'attendais d'avoir repris mon souffle pour en trouver suffisamment pour rire.

« T'en fais pas, Momone, puisque je te dis que je n'ai rien. Même pas un bleu. Si tu avais vu notre tête, à Charles et à moi ! On s'est retrouvés allongés, le nez dans l'herbe. On n'osait pas se regarder tellement on avait les jetons de voir l'autre éparpillé en pièces détachées. Mais alors, la voiture, si tu la voyais ! Il n'en reste rien ! Elle est accrochée à l'arbre comme une vieille ferraille... Tu sais bien qu'avec la petite sœur pour moi, il ne peut rien m'arriver. »

J'en étais beaucoup moins sûre qu'elle. Ça m'avait foutu un choc. C'était la première fois qu'Edith avait un accident. A chaque sonnerie de ce sacré téléphone, je sautais. Trois semaines plus tard, elle me téléphone avec une drôle de voix lointaine :

« Momone, figure-toi que je viens de me faire une jolie petite maison de plâtre autour de mon bras... T'inquiète pas, tout va bien. Mais je rentre. Je ne peux pas chanter avec un bras dans le plâtre... »

Elle avait le chic pour raconter les accidents. Jamais, je n'ai entendu Edith annoncer brutalement à quelqu'un, qu'elle aimait, une mauvaise nouvelle ou se plaindre. Elle disait toujours : « Ce n'est rien, tout va bien. »

« C'était André qui conduisait, il n'est pas blessé. On était près de Tarascon, on dormait tellement avec Charles, dans le fond de la voiture, qu'on ne s'est aperçus de rien ! On a dérapé dans un virage et voilà. A demain. »

Qu'est-ce que je me suis fait comme soucis en attendant son retour ! Je m'en serais fait bien davantage si j'avais su que pour Edith ces deux accidents, presque à la suite l'un de l'autre, annonçaient la fin de la baraka.

Quand je l'ai vue arriver, en ambulance, le visage creux, blanc, les yeux pleins de fièvre, j'ai compris qu'elle m'avait menti. Elle n'avait pas que le bras de cassé, deux côtes enfoncées l'empêchaient de respirer.

« Faut que j'aille dans une clinique, Momone, viens avec moi. »

Elle souffrait beaucoup. Elle, qui était dure au mal, gémissait pendant des heures. Les seuls bons moments de la journée c'était quand on lui faisait sa piqûre.

« Ça va mieux, Momone, ça me fait du bien ces piqûres. Heureusement qu'il y a ça. Je ne pourrais pas vivre sans ! »

Bêtement, j'étais contente puisqu'elle avait moins mal. Si j'avais su !

Edith était en train de prendre goût à la drogue, elle ne me le disait pas. Elle ne m'en parlait pas. Elle était sûre que ça ne pourrait pas durer, qu'une fois qu'elle ne souffrirait plus, elle s'en passerait.

Mais ça m'inquiétait, je lui disais :

« Edith, tu devrais attendre un peu. Il n'y a pas si longtemps qu'on t'en a fait une... Tu vas t'y habituer.

— J'ai trop mal, Momone. T'es pas folle ! La drogue avec moi, il n'y a pas de danger. Je me rappelle ma mère, comment elle a crevé. Momone, j'ai fait des tas de conneries, des serments d'ivrogne, mais la came et les piquouzes, ça, jamais ! »

Il n'y avait pas deux jours qu'elle était là qu'elle m'a dit :

« Leur tambouille est infecte, Momone, demande à Tchang de me faire à manger. »

Alors, tous les jours, j'allais lui chercher ses repas à la maison. Elle ne tolérait pas que ce soit quelqu'un d'autre.

Un soir, elle me téléphone :

« Avec mon repas, apporte-moi des livres. »

Quand je suis arrivée à la clinique, André Pousse m'attendait dans le hall.

« Ecoute, Simone, ça ne peut plus durer cette vie-là ! Ce n'est pas toi qui dois être à côté d'Edith c'est moi. »

Il m'a baratinée un moment pour m'expliquer que

j'avais ma vie, que je devais laisser Edith faire la sienne sans moi.

Il avait l'air si sincère que j'ai pensé qu'il fallait lui laisser sa chance. Ce qu'il disait, je l'avais entendu avec Asso et bien d'autres. Il était logique, Pousse : tout seul, il pouvait peut-être se défendre. Vivre avec deux bonnes femmes, ce n'était pas tellement drôle pour lui. J'ai toujours compris qu'il y ait des gars qui n'acceptent pas ça.

« Bon, d'accord, je vais lui porter ses livres et lui dire au revoir.

— Non, t'iras pas voir Edith, si tu lui dis au revoir, elle ne te laissera pas t'en aller. Laisse-moi l'aider tout seul. Si tu l'aimes, tu dois partir. »

J'ai pensé, qu'après tout, il avait peut-être raison, je lui ai donné mes livres et je suis partie. Ce qui m'embêtait, c'est que chaque fois qu'il y en avait un qui voulait que je me taille, il se débrouillait pour que j'aie l'air de me tirer comme une salope. Je savais que je reverrais Edith. Ce n'était pas la première fois qu'un homme nous séparait. Elle m'avait toujours rappelée avec un mot : « Reviens. » Comme André me l'avait conseillé, je suis allée voir « si la tour de Pise était toujours penchée ». Pauvre Pousse, il aurait mieux fait de me garder, il n'a pas duré long-temps, après mon départ, même pas quelques semai-nes...

Tous les jours, à la clinique, un de ses copains, « Toto » Gérardin, coureur cycliste, venait voir Edith, histoire de la distraire, en réalité, il doublait tran-quillement son pote.

Bien entendu, je savais tout. Quand Edith est ren-trée à Boulogne, comme elle avait balancé André, elle m'a dit : « Reviens. »

C'était un air connu, un peu trop ! Je n'étais plus seule, j'avais ma vie, un enfant. Ça ne m'empêchait pas d'aimer Edith mais ça me faisait réfléchir. Elle était terriblement exigeante la « tante Zizi », la présence auprès d'elle, c'était vingt-quatre heures sur vingt-quatre ou à peu près. Il ne fallait pas la lâcher une seconde. Elle ne l'a pas pris très bien, elle m'a traitée de tous les noms, mais elle a quand même accepté que je ne vive plus entièrement avec elle. J'avais besoin de respirer, j'avais besoin de liberté.

J'étais contrariée qu'André ne soit plus là. Il était solide, lui, il l'aurait empêchée de glisser. Ça ne me plaisait pas non plus qu'elle rentre si vite chez elle. Cette histoire de piqûres traçait son chemin dans ma tête. A la clinique, j'étais sûre qu'on ne lui céderait pas.

Elle avait toujours son bras dans le plâtre, elle respirait mieux, pas assez bien pour pouvoir chanter, et quand Edith ne chantait pas elle était capable de faire n'importe quelle connerie.

Tant qu'elle a eu une infirmière à domicile ça a été à peu près. Mais elle ne l'a pas gardée longtemps.

« Pourquoi tu n'as plus d'infirmière ? Qui va te faire tes piqûres ?

— T'inquiète pas, Momone, j'ai assez de monde autour de moi et les piqûres je me les fais moi-même. »

Je n'aimais pas beaucoup ça, mais si elle avait de la morphine, c'est que le médecin lui en donnait. Je ne pouvais pas savoir que les têtes nouvelles que je voyais rôdailler autour d'elle étaient des gens charitables qui lui faisaient payer cher une petite ampoule.

Comme à la clinique, tous les jours, Toto venait la voir.

Il était beau, mince, l'œil un peu froid, des cuisses et des jambes de cycliste. Mieux que Pousse dans le genre joli garçon. Mais il n'avait pas la bonne gueule sans complication d'André. En plus, il ne faisait pas le poids auprès d'Edith. C'était un faible.

« Ce gars-là, Momone, tu ne peux pas savoir ce qu'il m'aime. »

Il lui disait qu'il ne pouvait plus vivre sans elle, qu'avant de la connaître, il n'avait jamais aimé. Il ne se gênait pas, il étalait le grand jeu sans pudeur. Il pédalait ferme. Il a passé rapidement la ligne d'arrivée en beauté ! Il est venu habiter à Boulogne.

Edith n'avait plus son plâtre, elle allait mieux, elle avait l'air de vouloir repartir. Je me disais qu'après tout, il allait, peut-être, l'aider à se tirer d'affaire.

Mes illusions se sont faites la paire rapidement.

Il y avait une Mme Alice Gérardin qui ne plaisantait pas du tout. En décembre, elle a accusé Edith d'être la complice de son mari, lequel avait quitté le domicile conjugal en emportant quelques souvenirs lui appartenant à elle. Une chouette liste que le commissaire de police a lue, sans rire, à Edith qui hésitait entre la colère et la rigolade : « Les trophées en métal précieux du champion, les bracelets, colliers, pendentifs, bagues, clips, un vase de porcelaine, un manteau de vison, 18 kg d'or en lingots, le contenu du coffre-fort conjugal et familial... » Il n'y a pas de vol entre mari et femme, mais Edith était accusée de complicité et de recel, pas moins !

Le commissaire de la Brigade criminelle avait un mandat de perquisition et, avec ses deux inspecteurs, ils ont visité la baraque dans le détail. Je voyais ça comme si j'y étais.

« Alors, écoute bien, Momone, les poulets rentrent chez Mme Bigeard, lui fouillent ses placards, lui remuent ses paperasses. Elle qui avait réussi à ne pas avoir d'ennuis avec la Gestapo, elle en avait avec nos roussins à nous, elle en était verte. Comme ils commençaient à me les casser sérieusement, je les ai conduits, direct, dans la pièce où il y avait les complets de cet abruti ! (Toto). Il y avait aussi quelques bustes en bronze de mon pédaleur, il en était si fier qu'il n'avait pas pu s'empêcher de me les apporter ! Très sérieux, le commissaire me dit : « Madame,

« ce n'est pas la preuve d'un adultère que nous recher-
« chons, mais celle d'un recel. » Alors, je les ai
laissés cavaler dans toutes les pièces. Ils sont repartis bredouilles et pas tellement contents. Ça aurait été
une belle affaire pour les poulets de faire tomber cette
Piaf qu'ils n'avaient pas pu se payer, il y a quinze
ans, quand elle s'appelait « la môme ». C'est marrant, hein ? »

Je ne devais pas être bien disposée, j'avais du mal
à rire.

Avec Toto, ça s'est traîné encore un peu, quelques
semaines. Alice Gérardin avait engagé un privé qui
filait le train à Edith que ça n'a pas amusée longtemps. D'ailleurs, depuis qu'elle avait chanté dans la
rue, Edith reniflait un poulet à cinquante mètres.

Une nouvelle fois, elle était seule.

Ma pauvre Edith, qu'elles étaient longues ses
nuits dans son bel hôtel particulier !... Charles n'était
plus là, Mme Bigeard et Tchang étaient partis. C'est
la période où les nouveaux vont chasser les anciens.

Edith ne supportait pas la solitude. Sa tête devenait
folle. Le silence lui faisait peur.

« Momone, je t'assure, la nuit, dans cette foutue
maison, j'entends tomber les minutes, elles font un
bruit d'enfer qui m'arrache le cœur. »

Alors, elle partait dans la rue, elle rentrait dans
n'importe quel bar pour voir des gens et elle buvait.

J'avais beau lui dire :

« Edith, maintenant que c'est le vide autour de toi,
il y a de la place pour du neuf.

— J'en ai marre de l'attendre, l'amour ça n'existe
pas, c'est un bobard que je me raconte pour ne
pas crever. »

Elle, qui aimait tant la vie, a voulu mourir.

J'étais là depuis le matin, Edith avait le cafard.
Elle a commencé par me parler de sa mère, du père,
puis de Cécelle. Ça, ça ne m'a pas plu. C'était un
sujet dont on ne parlait jamais, par pudeur.

« Dis donc, ma gosse, ma Cécelle, elle aurait quel âge maintenant ? Tu te souviens comme elle me regardait, comme elle riait. »

Elle débloquait nettement sur la petite.

On a déjeuné. Elle n'a rien mangé, presque pas bu. Et pourtant ce jour-là elle en aurait eu bien besoin. Ça me faisait mal de l'avoir entendue parler de la petite comme ça. J'avais toujours tenu tous les rôles qu'elle avait voulu, mais ce soir-là je ne pouvais pas lui remplacer sa petite fille.

Elle m'avait dit que la Guite et Francis Blanche allaient venir. Je les attendais avec impatience, seule avec elle, j'étais mal dans ma peau.

Enfin, ils sont arrivés presque ensemble. Il n'y avait pas dix minutes qu'ils étaient là qu'Edith s'est barrée.

« Qu'est-ce qu'elle a ? me demande Francis.

— Je ne sais pas, un coup de cafard.

— Il ne faut pas la laisser seule », dit Marguerite.

Venant d'elle, qui n'était jamais au courant de rien, ça nous a fait de l'effet. On est partis à la recherche d'Edith, on l'a trouvée réfugiée dans une chambre vide du troisième étage.

Quand elle nous a vus, elle a filé sur le balcon.

« Qu'est-ce que vous avez à m'espionner ? J'ai chaud, je vais prendre l'air. »

Tous les trois dans la pièce, on se regardait. Ce balcon ne nous plaisait pas. Mais on n'osait rien lui dire. D'un coup, elle se met à gueuler :

« Foutez-moi la paix, foutez-moi le camp. J'en ai marre de vos gueules d'espions, vous me faites tous chier ! »

On se taisait, Francis et Marguerite me murmurent : « Elle a bu ? » Je leur réponds : « Non, ou si peu ! »

Edith cramponnée après le bord du balcon regardait le vide. Elle n'avait pas l'air soûle, elle n'était pas dans les vapes, pas sonnée, rien. Elle regardait le vide comme s'il était en train de lui promettre quelque chose. Il y avait comme de l'espérance dans ses yeux.

On restait là, à attendre que ça se passe. Mais ce cafard n'était pas comme les autres. Il y avait un divan qui était là. On était tous assis dessus. On reniflait l'air comme des bêtes qui sentent le drame. Je m'y préparais. Tout à coup, Marguerite se lève d'un bon en criant :

« Elle est folle ! Elle va le faire ! »

Edith avait déjà enjambé le balcon. Elle était à moitié dans le vide.

Marguerite l'avait prise dans ses bras et essayait de la retenir. Francis les a rejointes. Moi, j'étais glacée. J'y suis allée aussi mais Edith criait :

« Laissez-moi seule avec Marguerite. Foutez le camp. »

Il a bien fallu lui céder. Chaque fois qu'on approchait, elle se démenait et Marguerite avait de la peine à la retenir. On est sortis. Une demi-heure après, la Guite l'avait enfin ramenée dans sa chambre. A nous deux, on a réussi à la coucher.

Cette nuit-là, je suis restée près d'elle. Je lui ai parlé chansons, métier, je ne savais même pas si elle m'écoutait. Puis, elle s'est mise à faire des projets, j'ai compris que c'était fini.

Avant de s'endormir, comme un enfant, elle m'a dit :

« Pardon, Momone... tu sais, ce n'était pas vrai... »

A cause de cette phrase, je savais que c'était vrai. Mais pourquoi ?

Si j'avais su que la raison s'appelait morphine, je serais restée auprès d'elle. Edith m'avait dit :

« Tu vois, c'est fini, j'ai arrêté la drogue, je ne souffre plus. Je n'en ai plus besoin. »

J'ai été assez bête pour le croire.

CHAPITRE XV

AVEC JACQUES PILLS, C'EST LA FETE A L'AMOUR

> *Car tout était miraculeux*
> *L'églis' chantait rien que pour eux*
> *Et mêm' le pauvre était heureux*
> *C'est l'amour qui f'sait sa tournée*
> *Et de là-haut, à tout' volée,*
> *Les cloches criaient : Viv' la mariée !*

QUAND Henri Contet avait écrit *Mariage* pour elle, il ne s'était pas trompé, c'était bien ça le mariage pour Edith ! Depuis toujours, elle me disait : « Momone, le mariage, c'est l'église, les cloches... C'est la fête à l'amour ! »

Mais depuis longtemps, elle n'en parlait plus parce qu'elle n'y croyait plus. Les choses sont souvent arrivées dans la vie d'Edith juste au moment où elle avait décidé que c'était fini, qu'elles ne viendraient jamais.

Elle était là, à se colleter avec la boisson, la drogue, la peur..., à mentir à ses amis : la Guite, Michel Emer, Loulou, Charles, moi... et quelques autres ; pendant que sur l'*Ile-de-France*, en pleine mer, deux

hommes parlaient d'elle : Eddie Lewis, l'agent américain qui avait remplacé notre ami Clifford Fischer
qui était mort, et Jacques Pills.

Ils étaient au bar. Le bateau avait le nez tourné vers
la France. Jacques a fredonné une chanson.

« Comment trouvez-vous ça, Eddie ?

— Excellent. C'est de vous ?

— Oui. A votre idée, je pourrais la proposer à qui ?

— A Edith, *of course* !

— Ça tombe bien que vous me disiez ça ! C'est pour
elle que je l'ai faite, mais il y a longtemps que je ne
l'ai pas vue. Je ne sais pas si j'oserai...

— Pourquoi ? Arrivé à Paris, j'arrangerai ça avec
elle. »

Jacques Pills, Edith l'avait rencontré en 1939. Bonjour, bonsoir, mais pas plus ! Lui, il était le grand
Jacques Pills, celui de « Pills et Tabet », le plus célèbre des numéros de duettistes. Edith venait tout juste
de faire l'A.B.C., c'était peu à côté de lui. Il était
aussi le mari de Lucienne Boyer. Tout ça, c'était du
très solide, pas du tout à la portée de notre main.

En 1941, au hasard d'une représentation en zone
nono [1], on avait revu Jacques, un peu mieux cette fois-
là. Il était beau garçon, élégant, de la classe, plein de
talent. Il avait tout ce qu'il fallait pour qu'on rêve de
lui...

A l'époque, nous baladions Paul Meurisse et *Le Bel
Indifférent*, en tournée. Et du côté cœur, Henri Contet était en vue. Edith ne manquait pas d'amour. Ça
ne l'empêchait pas de trouver Jacques à son goût.

« Momone, ce qu'il est bien ! Celui-là, il n'est pas né
dans le ruisseau... »

C'était vrai, il était le fils d'un officier en garnison
dans les Landes. Jacques avait commencé ses études
pour devenir potard, mais la vue des bocaux, où
nageotaient des vers solitaires confits, dans la vitrine

---

1. Zone « nono » : zone libre pendant l'occupation.

d'une pharmacie de province, ne l'inspirait pas. Il a tout lâché pour devenir boy au Casino de Paris, et, de là, il a sauté dans son numéro de duettistes. Puis, après avoir eu — avec Lucienne — une fille, Jacqueline, il avait divorcé.

Débarqué à Paris, le gars Lewis a tenu parole. En téléphonant à Edith, il lui a dit :

« J'ai une chanson qui va vous plaire. C'est d'un garçon qui a beaucoup de talent. Il l'a faite en pensant à vous. Elle est très, très bonne.

— Quel est son nom ?

— Jacques Pills.

— Venez vite ! »

Elle a raccroché et couru dans sa salle de bain. Vite une piqûre pour se mettre en forme... la « dernière » ! Elle en était déjà là...

« Momone, quand je me suis vue dans la glace, et que je me suis rappelé comment j'étais quand Pills m'avait rencontrée à Nice, je me suis mise à chialer.

« J'étais toute gonflée, le visage cloqué comme une vieille ivrognesse, les cheveux dégueulasses, avec des mèches... J'avais dix ans de plus ! Ce n'était pas possible, je ne pouvais pas les voir, il fallait que je m'arrange. Alors, j'ai téléphoné, j'ai repoussé le rendez-vous. J'ai dit : « Je vais venir à votre hôtel... » C'était la maladie, tu comprends, Momone... »

Elle m'a menti, comme ça, longtemps. C'est plus tard que j'ai su, et que j'ai compris, comment tout s'était passé.

Elle est arrivée en retard, riant trop fort. Les deux hommes l'attendaient, tranquilles, bien détendus, souriants.

« Tu sais, Momone, Jacques, il n'avait pas changé ! Il était beau. Il avait l'air content de me voir. On a pris deux ou trois verres, ça m'a regonflée.

« Puis, le Jacques s'est lancé :

« — Voilà Edith, j'ai fait une chanson pour vous.

« Je l'ai écrite pendant ma tournée en Amérique du

« Sud, à Punta del Este, une jolie petite ville de
« l'Uruguay.

« — Je ne savais pas que vous écriviez des chan-
« sons. La musique aussi ?

« — Non. C'est Gilbert Bécaud, mon accompagna-
« teur, qui l'a faite. Il a un talent fou. Vous voulez
« l'entendre ? Il est là. »

« Ce Gilbert, c'est un gars du Midi, l'œil espagnol
et l'air d'en avoir plein le buffet. Il s'est mis au piano,
et Jacques m'a chanté :

> *Je t'ai dans la peau*
> *Y'a rien à faire*
> *Obstinément, tu es là*
> *J'ai beau chercher à m'en défaire*
> *Tu es toujours près de moi*
> *Je t'ai dans la peau*
> *Y'a rien à faire*
> *Tu es partout dans mon corps*
> *J'ai froid, j'ai chaud*
> *Après tout je m'en fous*
> *De c'qu'on peut penser*
> *J'peux pas m'empêcher de crier :*
> *Tu es tout pour moi*
> *J'suis un intoxiqué*
> *Et je t'aime, je t'adore à en crever*
> *Je t'ai dans la peau*
> *Y'a rien à faire*
>
> *Je sens tes lèvres sur ma peau*
> *Y'a rien à faire*
> *Je t'ai dans la peau*

Je t'ai dans la peau, c'était mieux qu'un bon début,
c'était le coup de foudre ! Elle était embarquée. Tout
lui plaisait : la chanson, l'homme. Elle se voyait déjà
repartie... Terminé, le cauchemar de la seringue. Au
bras de ce garçon-là, elle n'en avait plus besoin.

Une heure après, tous les deux dînaient chez elle. Dans la salle de bain, en passant, vite fait, une petite piquouze pour qu'ils ne s'aperçoivent de rien, après, ce serait fini... elle ne s'en ferait plus ! Elle y croyait !...

Il n'y avait pas une minute à perdre. Le lendemain, Jacques revenait pour travailler *Je t'ai dans la peau ;* et les jours suivants aussi. Dans le cœur, elle avait Jacques ; mais dans la peau, Edith avait la drogue, et elle en avait honte.

En dehors de ses pourvoyeurs — qui n'ont pas attendu longtemps pour la faire chanter — personne ne le savait encore. On pensait qu'elle buvait, qu'elle ne s'était pas remise de son accident. On pensait ce qu'on voulait...

Edith était sûre qu'elle allait s'en tirer, que ce n'était pas difficile de s'arrêter. Elle a résisté à la première piqûre pendant quelques heures. Seule dans sa chambre, elle a lutté, lutté... Puis elle s'est mise à quatre pattes, et elle est allée chercher la seringue sous le lit où elle la cachait (elle ne voulait pas que l'on sache qu'elle se droguait), et vite, elle s'est fait sa piqûre.

Une nouvelle fois, elle a tenu quelques heures avec l'appui de sa sainte préférée à laquelle elle avait promis une forêt de cierges, un autel en or (ça lui aurait coûté moins cher)... Mais quand Jacques l'a vue, elle avait l'air si égarée qu'il lui a dit :

« Tu es malade, tu veux que j'appelle un médecin ?

— Non, ce n'est rien, ça va passer. C'est mes rhumatismes. Je vais prendre mon médicament. »

Et elle est allée se filer sa petite dose.

De toutes ses forces, de toute sa volonté, Edith voulait se soigner seule. Elle avait trop honte. Mais ça, je crois que personne y est jamais arrivé.

Un soir, elle m'a téléphoné.

« Momone, viens vite, il faut que je te voie. »

J'ai rappliqué. Elle s'est jetée dans mes bras comme une môme.

« Si tu savais, si tu savais... C'est trop fort, ça me fait presque mal : je me marie avec Jacques... »

On se regardait toutes les deux, on avait des grosses larmes.

« Ce qu'on est bêtes, hein, ce qu'on est bêtes !... »

C'était bien vrai. Mais avec Edith, nous avions l'émotion facile, on s'entraînait l'une l'autre. Si Edith était émue, moi je l'étais.

« Ça t'épate que je me marie ?

— Oui, un peu. »

Je lui disais ça pour lui faire plaisir. C'était plutôt le mari qui m'épatait. Je ne lui trouvais pas l'air de l'emploi. Il ne faisait pas très solide. Mais après tout, pourquoi pas lui ?

Il avait un beau sourire, un air câlin de danseur mondain. Il était gai et Edith avait besoin de rire à nouveau, d'avoir un homme à la maison, qui commande, qui chasse les parasites, les sangsues que j'apercevais et qui filaient se cacher dans les coins comme une bande de cafards. Je pensais qu'un mari, aux yeux des autres, ça en impose plus qu'un amant.

« Et puis, il est libre, Momone, il a divorcé bien avant de me connaître. On ne me reprochera pas d'être une « briseuse de ménages », une « mangeuse d'hommes »... Cette fois-ci, mon amant, c'est mon fiancé ! J'en aurai quand même eu un !... »

L'idée de se marier la rendait complètement folle. Elle l'annonçait à tout le monde, à des gens qu'elle ne connaissait pratiquement pas, ou à peine.

Pour Edith, le mariage, c'était très important. Elle avait l'impression d'un changement social, une sorte de montée en grade. Pourtant, elle s'en fichait pas mal d'avoir des amants, ça ne la gênait pas de le dire. Elle en était plutôt fière, elle les affichait.

Edith, qui avait déjà tout connu, avait sur le mariage des idées de fille au couvent. Pour elle, un mari ce n'était pas comme un autre homme : il prenait soin de vous, vous protégeait, vous aidait. Et puis, on le trompe mais on ne le quitte pas ! C'était ça dont elle avait besoin. Elle était persuadée que le mariage transformait les filles et elle voulait savoir si c'était vrai.

Elle me répétait, éblouie :

« C'est mon premier mariage ! Non, mais faut-il que je l'aime... »

Ce qui tourmentait Edith, c'était sa robe de mariée. Elle en voulait une. Un mariage sans robe, pour elle, ça ne faisait pas vrai.

« N'est-ce pas que ce serait ridicule si je me mariais en blanc ? (Je trouvais ça un peu gros !) Le voile, non plus, ce n'est pas possible ? Tu vois, il y a quelque chose qui me manquera toujours : c'est de ne pas avoir fait ma première communion avec la robe, la couronne, toute la panoplie, quoi... Les communiantes, elles ont l'air de petites mariées. Qu'est-ce qu'elles me faisaient envie quand je les voyais ! »

Cette femme, bousillée par la boisson, que la drogue commençait à ronger, rêvait, comme une gosse de dix ans, sur une robe de première communiante. Quand j'y pense, maintenant, en sachant ce que je sais, ça me déchire.

Puis, elle a trouvée, elle a eu son idée :

« Ecoute, j'ai bien réfléchi. Les couleurs de la Vierge, c'est le bleu et le blanc. Plus pure que la Sainte Vierge, on ne peut pas trouver... Alors je me marierai en bleu ciel. Le voile, je le remplacerai par un chapeau avec une petite voilette en tulle. Comme ça, sur les photos, j'aurai l'air d'être en blanc ! »

Elle était transformée, heureuse. Pourtant, physiquement, elle n'avait pas tellement l'air en bonne santé. Tout de même, elle était moins nerveuse. Ce que je ne savais pas c'est qu'elle avait trouvé la solution : elle ne se privait plus de la drogue. Elle voulait être bien jusqu'au mariage, après on verrait. Ça c'était le côté optimiste d'Edith : du moment qu'elle aimait, qu'elle avait un homme, ça devait s'arranger, ça ne pouvait pas être autrement.

Le 29 juillet 1952, à la mairie du XVIᵉ arrondissement de Paris, René Victor Eugène Ducos — Jacques Pills à la scène — quarante-six ans, a épousé Edith Giovanna Gassion, trente-sept ans.

« Tu vois, ce mariage à la mairie, ça ne m'a pas plu. Ça ne m'a fait aucun effet. On l'a bâclé, on s'est mariés à la sauvette. Mais je vais me rattraper. On va remettre ça à New York, en grand, à l'église... Tant que je ne serai pas passée devant le curé, je ne me sentirai pas mariée. On ne peut pas tricher avec Dieu. La preuve, je ne porte pas mon alliance, je n'ai même pas voulu la voir avant qu'elle soit bénite. »

Elle était comme une môme qui ne veut pas voir ses jouets avant le 25 décembre. Le mois qui lui restait avant de partir, elle l'a employé à bazarder l'hôtel de Boulogne.

« Cette maison, ce n'est plus possible. Rien que d'y entrer, elle me fait mal à la peau. J'y ai trop souffert. Elle est bourrée à éclater de mauvais souvenirs. Il y en a eu si peu de bons. Il y a des nuits où j'ai été si seule que j'aurais voulu être un chien pour hurler à la mort. Si j'y étais restée, je serais devenue folle !

« Loulou m'a trouvé, 67, boulevard Lannes, un rez-de-chaussée, avec une entrée particulière, un bout de jardin, neuf pièces. Très bien. Je vais le faire installer. Comme ça, en rentrant avec mon mari, on sera dans du neuf ! »

La joie qu'elle avait à dire « mon mari », on aurait dit que c'était un talisman.

C'était le cinquième voyage d'Edith aux Etats-Unis.

A New York, le 20 septembre 1952, à l'église Saint-Vincent-de-Paul, elle l'a eu, son mariage de rêve. Le matin, dans l'appartement d'Edith, au Waldorf Astoria, Marlène Dietrich, gentiment, lui a servi d'habil-

leuse, et lui a offert son bouquet de mariée, tout en
boutons de roses blanches avec un nœud de voile bleu
ciel. Edith tremblait de bonheur. Elle était un peu
gonflée mais ça ne se voyait pas trop. Naturellement,
elle avait déjà sa dose, c'était nécessaire pour qu'elle
se tienne bien. Loulou Barrier était à côté de Marlène, ils allaient être ses témoins. Edith les a regardés. C'était un regard qui fendait, qui ouvrait le
cœur de ses amis. Dedans, il y avait tout : sa joie, sa
peur, son espérance... Et elle leur a dit :

« C'est pas vrai... je rêve... »

Si, c'était bien vrai. Au bras de Loulou, elle est
entrée à l'église. Elle était tout habillée en bleu ciel,
de la tête aux pieds. Les cloches ont sonné, l'orgue a
joué, c'était beau... que c'était beau ! Derrière, il y
avait Jacques, en costume bleu marine, avec un œillet
blanc à la boutonnière. Quand elle avait vu la fleur,
Edith avait pensé dans un éclair : « L'œillet, ça porte
malheur ! » Mais c'était oublié, elle marchait sur un
petit nuage. D'un seul coup, son cœur naïf recevait
sa récompense : elle se mariait comme elle l'avait
rêvé quand elle était gamine...

Le prêtre était d'origine italienne. Son français
était caressant. Il donnait des petites ailes aux mots,
ils devenaient tout légers...

« Edith Gassion, acceptez-vous de prendre pour
époux René Ducos, devant Dieu et devant les hommes,
pour le meilleur et pour le pire, jusqu'à ce que la
mort vous sépare ? »

Forte, la voix célèbre, roulant sous les voûtes
comme un défi au malheur, a crié : « Oui. »

Le prêtre a béni les alliances. Edith en a passé une
au doigt de son mari. Sa main tremblait... Ce n'était
pas seulement l'émotion, c'était aussi l'alcool et la
drogue. Et elle est sortie de l'église au son de la
Marche nuptiale. Dehors, à la mode américaine, pour
leur porter bonheur, des amis et des inconnus leur
ont jeté du riz par poignées.

Il n'y avait rien de trop beau pour son mariage.
Deux réceptions avaient été prévues : un cocktail
offert par la direction du Versailles, et un lunch dans
le plus célèbre restaurant de New York, le Pavillon.
Ce fut très gai. Le champagne était français ! Edith,
dopée, riait beaucoup, un peu trop.

Puis les invités sont partis un à un. Marlène une
dernière fois a embrassé Edith en lui souhaitant
beaucoup de bonheur.

La cérémonie du mariage qui les avait unis était
déjà finie. La vie conjugale qui allait les séparer
commençait.

Quelques heures plus tard, Edith passait au Versailles, et Jacques à la Vie en rose où il a chanté :
Ça gueule ça, madame, suivi d'une chanson qu'il
venait d'écrire pour elle : *Formidable.*

Pendant plusieurs semaines, il est chic pour les
snobs d'aller entendre Edith au Versailles, et « monsieur Piaf » à la Vie en rose. Sur les index de la
presse américaine, on trouve déjà au nom PEALS [1]
(Jacques) : voir PIAF (Edith).

Leur voyage de noces, il en aura fait baver quelques-
uns : Hollywood, San Francisco, Las Vegas, Miami...
Mais pour eux, c'était du travail. Pas le temps de rêver
en se tenant par le petit doigt, pas de *moonlight.*
Jamais, en voyage, Edith n'a été aussi seule.

A Hollywood, le premier soir, Edith s'est affalée
devant sa glace. Elle ne peut plus se poudrer, le
maquillage fait des plaques, sa peau le refuse. Ses
cheveux sont ternes. La drogue fait son travail. Il n'y
a que les yeux qui brillent, mais eux, ils brillent
trop. Edith est prise contre elle-même d'une de ses
rognes folles qu'elle réserve, d'habitude, aux autres.
On frappe. Elle hurle : « Entrez. » C'est le directeur
de la boîte.

« Edith, Charlie Chaplin est dans la salle ! Il est

---

1. Pour les Américains, « Pills » était devenu « Peals ».

« venu pour vous entendre. Vous savez, il ne va jamais
« dans les night-clubs. C'est un succès ! »

« Momone, quand le gars m'a balancé ça, j'en ai
reçu un coup. Chanter devant cet homme-là, c'était
quelque chose !

« Pour moi, Charlie Chaplin, c'était le plus grand !
Dans ses films, il y a des filles comme nous, Momone.
La misère des villes, il l'a connue, à cause de ça il
était près de moi. Mais, avec son génie, qu'est-ce
qu'il en était loin, c'était un fossé entre nous ! J'avais
une de ces trouilles... un trac à ne pas pouvoir l'ouvrir.

« J'ai chanté pour lui. Je me suis donnée à fond. Il
a dû le sentir. Il m'a invitée à sa table, et il m'a dit
des choses que je n'ai jamais oubliées : que c'était
très rare qu'il aille entendre une chanteuse, et
qu'il n'était jamais pris par elle, que j'étais toute
la misère des villes et aussi leurs lumières, leur
poésie, que les drames que je chantais n'avaient
pas de frontières parce qu'ils étaient ceux de
l'homme et de l'amour, et que moi, Edith Piaf,
je l'avais fait pleurer...

« J'en avais le souffle coupé. Qu'est-ce que je devais
avoir l'air gourde, assise à côté de lui, à dire : « Merci...
« Oh ! oui, je suis très heureuse ! » J'ai même piqué
un fard.

« Des compliments, j'en avais déjà entendus, de quoi
meubler une bibliothèque, mais lui, c'était autre chose.
A travers mes chansons, il me parlait de moi. Et de
l'écouter me dire comment il me voyait, ça me
bouleversait.

« Je suis restée tellement bête devant lui, qu'en
rentrant, je me suis dit qu'il avait dû me prendre
pour une idiote. »

Le lendemain, Charlie Chaplin lui téléphonait pour
l'inviter dans le quartier des grandes vedettes d'Hollywood, des princes de là-bas : Beverly Hills.

« Momone, si tu voyais la maison qu'il a, ce que
c'est bien ! Moi, j'osais toucher à rien là-dedans. Tu

vis dans un décor pour film américain en couleur ;
on dirait qu'on le repeint tous les jours !

« Lui, je l'ai mieux regardé. Il a des yeux bleus, très
beaux, remplis de cils. Les cheveux argentés et un
sourire qui t'ouvre en deux quand il te l'envoie. Il
parle d'une voix douce, toute égale. Il ne fait presque
pas de gestes. Tout ce qu'il dit, c'est vrai, c'est simple.

« Il m'a raconté des histoires du temps où il faisait partie de la troupe comique de Fred Karno. Puis,
il m'a joué au violon des airs de sa composition. Il
a du talent mais j'ai trouvé que sa musique ne ressemblait pas à ses films, elle est un peu trop douce.

« Quand je suis partie, il m'a promis de me faire
une chanson, pour moi, paroles et musique. Peut-être
qu'il oubliera ! Mais, je n'oublierai pas cette maison.
Ce que ça doit être bon de vivre comme ça là-dedans...
Mais je me dis que, moi, je ne saurais pas... j'ai pas ce
genre de talent. »

Quand Edith est rentrée à Paris, dans son nouvel
appartement du boulevard Lannes, elle s'est fait des
tas de serments. Elle est même montée à notre vieux
Sacré-Cœur. Elle a prié la petite sainte de Lisieux, l'a
suppliée, de toutes ses forces, d'avoir le courage d'oublier cette drogue qui la faisait tourner à l'envers
comme une valseuse ivre. Puis, elle est rentrée s'écrouler sur son lit, dans sa belle chambre bleue style
Louis XV toute neuve. Pourquoi ce Louis-là plutôt
qu'un autre ? Elle n'en savait rien. Elle n'a jamais
installé, elle-même, une maison. C'étaient toujours les
autres qui le faisaient, à leur goût à eux. Dans le
fond, le décor, elle s'en foutait. Ce qu'il lui fallait,
c'étaient ses aises, et là elle les avait.

Sa chambre donnait sur une cour. Elle était sombre,
il n'y avait pas de bruit. C'était ce qu'elle aimait.
Dans le salon, grand comme une salle de bal, il n'y
avait qu'un piano à queue et des tas d'instruments :
radios, magnétophone, électrophones, sono... Par terre,
sur la moquette que Loulou lui avait offerte, il y avait

des piles de disques ; pas de meubles. Quand on voulait s'asseoir, on traînait des fauteuils du petit salon qui était à peu près meublé, sans style, rien que du confortable. S'il y avait trop de monde, on allait piquer des chaises à la cuisine.

La cuisine était très chouette. Elle sortait d'un journal pour bonnes maîtresses de maison. Elle avait dû venir en direct, telle quelle, des Arts ménagers. Heureusement, parce que, bien plus encore qu'à Boulogne, on y becquetait tous en famille. Edith y tricotait et on y déconnait des nuits entières.

Elle y recevait tous ses amis après minuit, rarement avant. On était sûr d'y retrouver Jacques, son pianiste Robert Chauvigny, son accordéoniste Marc Bonel avec sa bonne femme Danièle, qui ne jouait pas encore un premier rôle mais qui allait devenir la secrétaire d'Edith, Michel Emer, la Guite, Loulou, et le passage, la petite friture, celle qui faisait ses aller et retour entre deux eaux...

Pour Edith, un cauchemar qui allait durer quatre ans commençait.

Quand elle est rentrée d'Amérique, que je l'ai vue, j'ai eu peur. Cette fois-ci, c'était sérieux. Où était-elle mon Edith des coins de rues ? Pâle comme les gamines de Paname, solide, maigrichonne mais en bonne santé...

« C'est la fatigue, Momone, je suis crevée. Tiens je t'ai apporté un souvenir. »

Et elle m'a donné une rose de son bouquet de mariée pour me porter bonheur. Puis, elle m'a raconté son mariage, sa tournée.

« Tu es heureuse ?

— Oh oui ! Jacques est merveilleux. »

Elle disait ça, mais je voyais bien qu'elle n'avait pas la tête à son bonheur. Elle n'était pas non plus avec moi. Où était-elle ? Je n'arrivais pas à piger. J'avais bien entendu des bruits. Il y en avait qui disaient : « La patronne se drogue », mais je ne voulais pas le

croire. Edith avait toujours été saine dans ses plaisirs, jamais rien d'artificiel, de compliqué.

« C'est tes rhumatismes qui t'ont reprise ? »

En 1949, elle avait eu une crise de rhumatismes
déformants, vite passée.

On aurait dit un type, perdu en mer depuis un mois,
à qui on jette une bouée. Elle s'est précipitée
dessus.

« Oui, c'est ça. Alors, tu comprends, la cortisone
me fatigue... »

Elle ne mentait pas, ses crises l'avaient, aussi,
reprise. Edith avait peur de la souffrance, elle ne la
supportait plus. Dès qu'elle sentait qu'elle allait la
mordre, elle lui limait les dents à coup de piqûres de
cortisone. Le médecin lui en avait ordonné deux par
jour, elle en prenait quatre. Comme elle ne pouvait pas
en avoir sans ordonnance, des salauds lui en vendaient. Elle a payé une ampoule de cortisone jusqu'à
cinquante mille francs (anciens), aussi cher que de la
drogue.

Si elle avait été une pauvre paumée, on l'aurait bien
laissée hurler de douleur. Mais « Edith Piaf », elle
avait ce qu'elle voulait : elle payait. Le succès et le
fric, ça peut tuer, encore mieux, que la misère.

Il y avait aussi les autres ampoules, celles de
morphine, qui lui coûtaient une fortune ; et ça ne
faisait que commencer. Les truands de la drogue
l'ont raclée jusqu'à l'os, ma pauvre Edith.

Comme je ne vivais plus à côté d'elle, je me rendais
moins compte. J'avais beau la connaître, je gobais
plus facilement ce qu'elle me racontait. Et puis,
moi, elle me faisait avaler ce qu'elle voulait. Elle
me regardait bien dans les yeux, me prenait la
main, me disait :

« Tu sais, tu me manques... Je n'ai que toi... Toi
Momone, tu me devines avant que j'aie parlé... »

Faut croire que non. J'avais vraiment les yeux
bouchés ! Le responsable, c'était cet accident. Sans

lui, elle n'aurait jamais touché à ce poison. Edith
n'était pas une vicieuse, elle ne savait pas ce que
c'était. Avant cette sale période, elle buvait pour
s'amuser. Quand on picolait ensemble ce n'était pas
pour avoir une sensation en plus, c'était pour faire
de grosses farces bien connes !

Elle se sapait plutôt mal, avec un foulard sur la
tête. Elle rentrait dans une boîte bourrée de monde.
Elle allait à une table, et elle disait : « Moi, je suis
Edith Piaf ! » Ça faisait rire les gens. Personne ne la
croyait. Alors, elle se retournait vers moi.

« Ces cons, ils paient pour me voir, et quand ils
m'ont gratuitement, ils ne veulent plus de moi ! Vous
allez voir si je ne suis pas Edith Piaf ! »

Elle se mettait à chanter. Elle savait bien s'imiter
elle-même. Ça devenait une caricature. Les gens se
marraient, ils y croyaient encore moins.

En sortant, elle riait, elle était contente.

« Quand ils rentreront, ils diront : « Il y a une sorte
« de toquée, une vraie dingue, qui voulait nous faire
« croire qu'elle était Edith Piaf. Comme si on pouvait
« s'y tromper ! La pauvre cloche ! » Eh bien, les cloches, c'est eux... »

D'autres fois, on allait dans un théâtre. Edith
achetait des douzaines d'esquimaux, des bonbons, et
puis, elle les distribuait gratuitement.

« Prenez, c'est pour vous remercier d'être venus.
C'est l'Association des acteurs reconnaissants qui
vous l'offre... »

Des fois, elle leur offrait tout ça pour se faire pardonner d'avoir fait un scandale pendant la pièce. Elle
disait : « Pardon, m'sieurs dames, pardon ! » Et ceux
qui n'acceptaient pas, on les engueulait !

Ce qu'il y avait d'étonnant, c'est que, dès qu'elle
n'était plus sur scène, les gens ne la reconnaissaient
pas.

Pour Edith, ce ne sont pas les hommes qui ont
compté, mais l'amour ; il fallait qu'elle y croie, c'était

indispensable. Sans amour, elle n'aurait pas pu vivre, ni chanter.

C'est pour ça qu'elle était si facile à tromper et que, de plus en plus souvent, elle me disait :

« Vois-tu, c'est dur de ne pas pouvoir oublier qu'on est Edith Piaf ! qu'on est exploitée, qu'on se fout de vous, que, même le mec qui est dans votre lit pense, en gros caractères : EDITH PIAF... »

C'était devenu son obsession, elle ne parlait plus que de ça. Ça m'inquiétait et ne me plaisait pas. Je trouvais qu'elle changeait de caractère.

Edith ne s'était jamais compliqué la vie avec des pensées de ce style. Elle s'en foutait. Elle n'avait même pas de rancune. Quand on s'était moqué d'elle, souvent elle ne s'en apercevait que quelques jours après :

« Dis donc, Momone, la vache, il m'a prise pour une andouille ! »

Des tas de fois, je l'ai vue dire bonjour gentiment, et même embrasser des gens qui l'avaient débinée, ou lui avaient fait une saloperie. C'est quand ils étaient partis qu'elle s'écriait :

« Il m'a bien eue, celui-là ! Je ne me rappelais pas que je lui en voulais... Il aurait pu me le dire ! »

Et elle riait.

Je l'ai vue donner de l'argent à des gens qui se foutaient d'elle. Le lendemain, dans la salle de bain, Edith le réalisait. Elle me disait alors :

« Mais il s'est foutu de moi. Ah ! Il peut revenir je ne lui donnerai pas un rond. C'est fini... »

La fois suivante, quand ils revenaient, elle avait tout oublié et ils repartaient avec leur pognon...

Alors, qu'elle devienne amère, je ne pouvais pas le comprendre. Je n'aimais pas ses yeux, ils étaient vagues comme une eau sale ; elle n'avait pas l'air de vous voir ; ou alors, ils étaient trop brillants. Elle ne quittait pas son lit. Elle avait toujours aimé être au pageot, mais à ce point, ce n'était plus normal.

Elle s'étalait dessus, toute molle, comme un vieux tas de chiffons. Elle y restait des journées entières, sale, pas peignée, l'air ailleurs.

Je n'ai plus eu longtemps à attendre pour comprendre. J'ai téléphoné un matin, et on m'a dit :

« M. Barrier et Monsieur ont conduit Mme Piaf à Meudon ; elle est entrée dans une clinique. »

Avant son mariage, Jacques avait bien vu qu'elle se piquait. D'abord, il a cru que c'était uniquement de la cortisone. Elle lui racontait les mêmes bobards qu'à moi. Quand il a compris qu'elle usait aussi de la morphine elle lui a dit :

« J'ai mal, mais ne t'en fais pas. Pas de danger que j'en prenne l'habitude. »

En Amérique, elle ne tenait qu'à coups de piqûres. Pas question de la faire désintoxiquer là-bas, la publicité en aurait été désastreuse, et il fallait exécuter les contrats. Edith n'aurait jamais accepté de ne pas tenir sa parole. Rentrée à Paris, elle trichait avec elle-même. Elle se jurait de ne se faire que deux piqûres par jour : celles qui, d'après elle, étaient permises par le médecin — donc, elles ne comptaient pas. Elle s'en faisait deux autres en plus. Elle était sûre d'avoir été sage, de ne s'être fait que deux piqûres : elle s'en était filé quatre. Comme elle voulait lutter, elle se les faisait le plus tard possible. Elle était à bout, alors elle ne prenait plus le temps de faire bouillir la seringue et son aiguille, ou de les passer à l'alcool, et se plantait l'aiguille dans le bras ou dans la cuisse, à travers sa robe, et son bras. Avec ce geste-là, elle était foutue.

Les contrats doubles, pour elle et Jacques, marchaient mal et, comme elle ne voulait pas se séparer de lui, Edith avait eu une idée : jouer avec son mari *Le Bel Indifférent.* En première partie ils passeraient chacun leur tour de chant, en deuxième ils joueraient la pièce.

Dans l'état où elle était, ce n'était plus possible.

Alors, elle a accepté de se faire désintoxiquer. Un matin, cramponnée aux bras de Loulou et de Jacques, elle est entrée en clinique. Elle avait peur, mais elle était heureuse.

« On aurait dit que j'entrais en taule, sauf que c'était plus propre qu'en prison. Mais il y avait des barreaux aux fenêtres, et l'infirmière qui a pris réception de moi avait l'air d'une matonne [1], elle aurait pu gagner un match contre le « Bourreau de Béthune [2] ». Je la voyais un peu dans le brouillard, comme je voyais tout — y compris les petits mecs qui s'amenaient pour me refiler mes ampoules contre cinquante ou soixante sacs... La sœur à Jules, elle m'a fait passer la visite dans le style de la fouilleuse de la douane qui est sûre que vous cachez un lingot de dix kilos dans votre slip.

« Il paraît qu'on est très vicelardes, nous autres les droguées — car c'était bien ce que j'étais devenue, et je le savais. Après m'avoir récurée dans un bain, elle m'a mise au pageot et elle m'a filé ma piqûre. Le premier jour, quel paradis ! »

Edith avait droit à cinq piqûres. Jour par jour, on lui a diminué la drogue, et le jour « sans » est arrivé.

« Ce jour-là, j'ai cru devenir folle. Des douleurs affreuses me coupaient, m'ouvraient, me déchiraient les muscles. Mes tendons bougeaient tout seuls. J'étais toute tournée comme un vieux pied de vigne, toute nouée, puis d'un coup, je me détendais comme un ressort. Au-dessus de moi, il y avait des êtres vagues, en blanc. Ils avaient des morceaux de figure qui apparaissaient, disparaissaient. Ils ouvraient des gueules de poissons, il n'en sortait pas de mots. J'étais attachée. J'étais devenue une bête, je ne me sentais plus, je bavais et je ne m'en apercevais pas. Pas une seconde de repos, pas une seconde

1. Matonne : gardienne de prison.
2. Catcheur célèbre en France.

de lucidité. Ils m'ont dit que ça n'avait duré que vingt-quatre heures, moi, je crois que ça a duré mille ans... »

Au bout de vingt jours, le médecin lui a dit que la cure était finie mais qu'elle n'était pas guérie, qu'elle pouvait faire une dépression nerveuse. Elle s'en foutait, elle voulait rentrer chez elle.

Plus question du *Bel Indifférent*, ni de chanter. Edith restait affalée dans un fauteuil, ou déposée comme une loque dans le coin d'un divan ou sur son lit. Elle ne voulait plus manger, plus bouger, plus vivre. Elle voyait entrer et sortir Jacques et Loulou ; ils ne savaient même pas si elle les entendait. Elle refusait d'écouter de la musique, tous les bruits lui faisaient mal. Elle regardait ses mains et n'avait pas l'air de les reconnaître.

Un jour, elle a recommencé à parler, elle revivait. Ce n'était pas un miracle : en douce, elle était revenue aux piqûres. Cette reprise du *Bel Indifférent* a été le plus beau ratage de toute sa carrière, et la plus mauvaise opération financière. Comme personne n'avait voulu le monter, Edith a dit :

« Je m'en fous. Je le ferai moi-même. »

On était tous effondrés. Elle a loué le théâtre Marigny, décidé de mettre elle-même en scène la pièce, et de faire la mise en place des deux tours de chant, le sien et celui de Pills. Elle disait :

« C'est merveilleux, je revis ! »

Elle s'enfonçait...

Le prix de cette erreur, elle l'a senti passer. La facture en était costaude. Le décor a coûté un million (ancien), les musiciens, cent mille francs par jour. Sur les bobards d'un « ami », elle avait fait venir de Florence deux mandolinistes qu'elle payait trois mille francs, chacun, par soirée. Elle a versée sept cent mille francs d'heures supplémentaires aux machinistes. Et tout était comme ça. Elle commandait les répétitions, arrivait avec plusieurs heures de retard, se piquait dans les coulisses pour tenir, et travaillait toute la nuit.

Il était gentil, Pills, il était sûr d'aimer Edith mais il ne faisait pas le poids, ni dans la vie ni sur scène. Les Américains l'avaient appelé « monsieur Charme », et c'était bien ça. Pour que son tour de chant ne s'effondre pas à côté de celui de sa femme, Edith avait choisi de retirer du sien toutes les chansons fortes, de garder seulement les plus légères, celles qui lui permettaient de laisser reposer le public, et elle. Mutilé, son tour de chant ne valait plus rien. Cette Piaf gnangnan et sirupeuse, sans coups de gueule, qui coulait comme un robinet ouvert, ça décevait. Si c'était devenu ça, Edith Piaf ! Elle était finie.

Cette fois, la seule sur le plan métier, Edith m'a fait peur. Ce *Bel Indifférent*, c'était vraiment un truc à se casser la gueule. Et c'est ce qu'elle a fait ! Pauvre Edith, qu'est-ce qu'elle a pris ! Le rôle de Paul Meurisse ne valait rien pour Jacques Pills. Il était tout sourire, toute séduction ; obligé de se taire, de faire la tête, il perdait tous ses moyens, il avait l'air de s'ennuyer, d'avoir été mis au coin comme un gamin. Et comme les petites ampoules du bonheur artificiel rendaient la mémoire d'Edith cahotante, elle coupait dans le texte largement. La générale fut pénible, et les critiques à peine polis. Les deux tours de chant ne faisaient pas oublier le bide du *Bel Indifférent*, ils le soulignaient. Edith a payé pour sauver la face et tenir un mois.

Cette mauvaise aventure terminée, une tournée attendait Edith et Pills. Au milieu de ses brouillards personnels, des marais où elle pataugeait, elle se raccrochait à lui.

« Tu comprends, je ne peux pas le laisser, je n'ai que lui, Momone. Si tu savais comme il est gentil, patient, pas une seule fois il ne s'est mis en colère... Pourtant, je lui en ai fait voir... »

Je ne disais rien mais je pensais que j'aurais bien

aimé qu'il se foute en rogne, et même qu'il lui file de bonnes tannées. Il ne fallait pas y compter : toute sa vie, il avait fait dans la séduction. Pour la retenir, il aurait fallu une poigne d'acier ! Et elle n'était pas commode, Edith, surtout à ce moment où elle était sérieusement en train de perdre les pédales.

Pour essayer de ne pas trop foncer sur les ampoules, elle buvait. Par manque, pas pour rigoler comme on l'avait fait tant de fois. Pour picoler, Jacques était plutôt un compagnon qu'un garde du corps. Il se disait aussi que, pendant qu'elle tenait un verre dans la main, elle ne poussait pas sur une seringue !

Ils ont pris ensemble, pendant la tournée qu'ils ont faite, des bitures sensationnelles. Une nuit, à Lyon, ils sont entrés à minuit trente dans un bistrot pour prendre une bière, à huit heures du matin, ils tenaient une cuite terrible. Autour d'eux, tout le monde roupillait. Je ne sais pas s'il y a un Dieu pour les pochards, mais ce qui est sûr, c'est que ça devait être lui qui conduisait la voiture ce matin-là. Jacques et Edith avaient décidé d'aller à Valence prendre le petit déjeuner. Ils y sont arrivés, sont entrés dans un café, ont commandé : « Deux œufs sur le plat et du vin blanc ! »

Ils se sentaient des chefs, l'esprit clair et l'œil frais. Edith regardait Jacques avec admiration, elle avait enfin trouvé un gars capable de lui tenir tête. Elle lui trouvait l'air aussi bien qu'elle, quand Jacques lui a demandé avec un sourire de pochard séducteur : « Dis donc, je me demande bien qui nous a amenés ici ? »

C'était lui qui avait conduit !

Au casino de Royat, où elle devait passer, le mélange drogue-alcool a fait, enfin, peur à Edith. Dans les coulisses, elle ne trouvait pas l'entrée de la scène, elle se cognait aux portants en gueulant : « Ces vaches-là, ils m'ont fermé l'entrée de la scène... Ils ont piqué le rideau, il n'y en a plus... » On aurait dit une

aveugle. Il a fallu la pousser sur le plateau. Loulou
ruisselait de sueur et de peur, c'était affreux.

« Je croyais que je chantais, et je disais des mots
qui ne voulaient rien dire... Moi, je les trouvais jolis.
Il y en a qui ont commencé à me siffler, puis à
gueuler comme au temps du scandale Leplée, ça m'a
dessoulée suffisamment pour que j'aille à peu près
jusqu'au bout. »

Alors l'ampoule a repris la première place.

« Je ne sais pas comment j'ai fini la tournée. J'arrivais dans ma loge dans le cirage, je me faisais une
piqûre, je chantais. Je sortais de scène, Loulou me
prenait dans ses bras, sans ça je me serais écroulée.
Je me cramponnais, je ne voulais pas me faire plus
de trois piqûres. J'ai vite atteint quatre, et plus...
Quand je me regardais, j'avais envie de dégueuler,
tellement je me dégoûtais... Un soir, j'ai dit : « Non !
Je tiendrai, je vais me guérir... » et je ne me suis pas
piquée.

« Je ne sais pas comment je suis entrée en scène.
Les projos me crachaient plein la gueule de leur
lumière de feu où dansaient des étoiles rouges. Je
n'entendais plus les musiciens, j'attendais qu'ils jouent
pour attaquer. Je sentais une sueur dégueulasse,
gluante, qui dégoulinait sur ma figure, entraînait
mon maquillage. Je tanguais sur les planches. J'ai
attrapé le micro, je me suis cramponnée après, je l'ai
bien serré. Lui et moi, on balançait comme un mât
dans la tempête... Et je me suis lancée... Puis je me
suis arrêtée, sec, je ne sortais plus rien, plus un mot.
Très loin, j'entendais le public rire, c'étaient de gros
rires. Des mots m'arrivaient comme des bulles, ils
rebondissaient sur ma tête, mes oreilles... Alors, je me
suis mise à chialer... J'ai appelé Marcel... Je ne sais
pas si c'était ma gosse ou Cerdan... Puis j'ai crié
au public : « Pardon !... ce n'est pas ma faute...
« Pardon ! »

On a tiré le rideau. C'était la première fois qu'Edith

n'avait pas chanté, même mal. Il a fallu rembourser.
Le lendemain, la presse a bien voulu parler d'un
malaise, en scène, de Mme Edith Piaf ; mais ça la
foutait mal.

C'était très grave. Rentrée à Paris, Edith ne pouvait plus hésiter, il fallait qu'elle retourne à la clinique. On était en 1954. Pas tout à fait deux ans la
séparaient du beau mariage. Jacques faisait ce qu'il
pouvait mais il était rarement là. Il avait son métier.
Et puis, être le mari d'une épave, ça ne demande pas
une vocation de chanteur mais de saint !

Ce coup-là, Edith n'a pas tenu quatre jours. Avant
qu'on la prive de sa piqûre, elle s'est enfuie.

« Ma tête, c'étaient des morceaux de glace cassés,
les pointes m'entraient dans la cervelle. On tapait à
coups de marteau sur mon crâne. Ils m'avaient piqué
toutes mes fringues. Je m'en suis foutue, je suis partie en robe de chambre. J'ai filé à quatre pattes devant
la loge du gardien. J'ai pris un taxi et je suis rentrée
chez moi. Tout de suite je suis allée à ma planque.
Mes ampoules étaient là. Tout était à recommencer...

« La drogue, c'est vraiment la fête de l'enfer. Il y a
plein de manèges, de toboggans... On monte, on descend, on remonte, on redescend... tout se ressemble, revient toujours pareil, c'est monotone, c'est
gris, c'est sale. Mais on ne le voit même plus, on
continue...

« Quand je m'enfonçais l'aiguille dans la chair, je
ne râlais pas de plaisir, mais de soulagement. Ça vient
vite le moment où on se pique, pas parce que ça vous
fait du bien, mais parce qu'on n'a plus mal. Ce qu'on
est con ! Plus on en prend, plus on souffre, et plus
il faut en prendre pour moins souffrir dans sa peau.
La tête, il y a longtemps qu'elle vous a quitté. On vit
dans le brouillard. »

C'est dans cet état qu'Edith a décidé de partir pour
une tournée de quatre-vingt-dix jours — trois mois
d'été à travers la France — avec le Super-Circus.

Personne ne peut l'en empêcher. Elle répète : « Si je ne chante pas, je crève... » Ce qu'elle ne dit pas, c'est qu'il lui faut de l'argent pour s'empoisonner. Elle dépense tout ce qu'elle gagne.

Loulou était désespéré.

« Elle le veut, elle le fera !... »

Elle l'a fait, mais dans quel état ! Une loque...

Tous les jours, Loulou attendait qu'elle s'écroule pour qu'il puisse l'emporter et la mettre dans une clinique pour la troisième fois. Il savait qu'elle n'y rentrerait plus d'elle-même.

Elle ne se rendait plus compte de son état. Ses bras, ses cuisses étaient couverts d'œdèmes, de croûtes, de plaies. Il fallait la maquiller, l'habiller, puis la lancer sur la scène. Elle n'avait plus conscience de grand-chose. Elle n'attendait que le moment où le pour-voyeur allait lui apporter l'ampoule magique.

La tournée a été un cauchemar pour tout le monde. Ceux qui accompagnaient Edith tremblaient. Les journalistes, à qui on avait dit qu'elle était malade, lui cavalaient derrière en espérant qu'elle allait tomber. Il fallait ruser pour la cacher, l'enlever à la fin de chaque représentation. Pendant des heures, elle était inconsciente.

« Il paraît que le cirque a fait une ville par jour. Je ne sais pas, je n'ai rien vu, je ne me souviens de rien. C'est tout noir. Il y a des morceaux d'images... On me pousse dans la voiture, puis sur un lit d'hôtel, puis vers la piste... Avant je me suis fait une piqûre. Je chante... Et ça dure, comme ça, des jours et des jours... Je m'en fous, rien ne m'intéresse...

« Le cirque, c'est le cas de le dire, s'arrête à Cholet. Loulou me prend dans ses bras, m'enveloppe dans une grosse couverture, me met dans une voiture. On roule à la clinique... Le toubib me dit : « Encore « vous ! » et tout recommence... C'est l'enfer ! »

Ce qu'il y a d'extraordinaire, c'est qu'Edith ait chanté. Il y a eu très peu de soirs où elle ait déblo-

qué. Il y en a même eu où elle a encore été la Grande
Piaf !

Cette fois-ci, à la clinique, la cure débute par dix
piqûres dans la journée. C'est dire si elle était intoxi-
quée. Quand elle n'est plus qu'à quatre, Edith prend
des colères folles. Elle se lève, casse tout autour d'elle,
rugit, gueule, les cheveux dans la figure. Elle se
blesse, il faut l'attacher.

Comme je l'avais fait pour les autres fois, je téléphonais tous les jours, et j'allais à la clinique pour
avoir de ses nouvelles. L'infirmière — la chef — était
une chic fille, très règlement, mais avec cœur. Elle
m'expliquait que c'était toujours comme ça, que ça
passerait, qu'il ne fallait pas que je m'inquiète,
qu'Edith n'était pas pire que les autres. Ce qui me
tourmentait, c'était de savoir si ça s'arrêterait, si ça
finirait, si elle redeviendrait comme avant ?

« Mais oui, c'est normal. Il y a toujours des rechu-
tes. Mais on a des guérisons. »

Autour de son lit, il n'y avait personne, c'était
défendu. Mais devant la porte, dans le couloir, c'était
bien vide aussi. Je voyais passer la grande silhouette
épaisse de Loulou. Et puis, c'est à peu près tout. Je
savais bien qu'on ne pouvait rien pour elle, qu'Edith
ne savait même pas qu'on était là, mais cette solitude
me faisait mal.

Le jour sans piqûre est arrivé. J'étais venue. Je ne
savais pas que j'étais si mal tombée. Comme d'habitude, je suis montée à l'étage. D'en bas, j'entendais
hurler un malade. En sortant de l'ascenseur, j'ai cru
reconnaître la voix d'Edith. Je ne voulais pas que ce
soit elle. C'était affreux : des cris de bête à l'agonie.
La voix entrait dans la tête et vous démolissait la
cervelle. J'étais là, clouée devant la porte de sa chambre. Quelqu'un est sorti, et j'ai aperçu une chose
hurlante, les veines du front prêtes à éclater, attachée à son lit, qui criait sans s'arrêter, luisante de
sueur. Autour d'elle, il y avait des bonnes femmes et

des bonshommes en blanc. Ils regardaient comme on regarde un objet, ce lit où cette bête, qui avait été une femme, écumait, bavait. Je ne pouvais même plus pleurer. Je murmurais : « Ce n'est pas elle... ce n'est pas elle... » La chef m'a prise par le bras.

« Venez, ne restez pas là, c'est très impressionnant pour la famille, mais ce n'est rien. Demain, ça ira mieux. Vous êtes tombée sur le jour « sans »...

— Mais elle souffre.

— Oui, abominablement. C'est nécessaire, on ne peut pas faire autrement. »

Elle a hurlé pendant douze heures sans interruption. Pendant des jours, j'ai gardé ce cri de bête dans ma tête, il me ravageait le cœur.

Puis, elle est sortie.

« Tu sais, Momone, je gueulais, je n'en pouvais plus mais je voulais guérir. Cette fois-ci, je crois que ça y est. Ils m'ont affranchie, les toubibs : « Faites « attention, l'envie de la drogue reviendra à la fin des « 3e-6e-12e et 18e mois. »

Alors, pendant huit mois, Edith a vécu boulevard Lannes, dans la terreur que *ça* revienne, enfermée dans sa chambre, dans le noir, ne voulant voir personne.

Ce qui n'empêchait pas qu'autour d'elle rampaient toutes sortes de limaces. Des truands de la drogue franchissaient les barrages pour lui proposer leur came. Ils avaient des boniments du genre : « Essayez donc la neige, madame Piaf, ce n'est pas comme la morphine, ce n'est pas dangereux. » Elle disait : « Non. » Alors, d'autres s'amenaient : « Filez-nous un peu de pognon, sans ça, on dira aux journalistes que vous vous droguez. » Même un de ses chauffeurs — il en a défilé beaucoup — est venu lui faire du chantage. Il a exigé un million pour se taire, et elle l'a donné...

Quand Jacques était là, elle était plus tranquille. Il n'hésitait pas à foutre tout le monde à la porte. Une fois, il a même tapé sur la gueule d'un type qui voulait, comme les autres, du fric.

Mais il n'était pas souvent là, et Edith restait seule avec des employés qui s'en foutaient, qui se demandaient si le fromage était encore assez bon pour eux.

Les cures de désintoxication, la drogue, les trafiquants, le chantage, ça coûtait cher... et Edith ne travaillait pas. Elle a vendu la ferme du Hallier, quelques tableaux qu'elle avait achetés, une poignée de bijoux dont elle se foutait pas mal. Elle me disait :

« J'ai pas une tête à perlouzes et à diams... Sur moi, ils ont toujours l'air d'avoir été achetés dans la sciure. »

Mais pour elle, une dizaine de millions, c'étaient des gouttes d'eau. Loulou se désespérait.

Puis, elle a remis un pied dans la vie. Elle a supporté, à nouveau le jour, la lumière. Quand j'ai su qu'elle avait ouvert les volets de sa chambre, je lui ai fait envoyer des douzaines de roses comme elle les aimait. Tout de suite, elle m'a téléphoné. Sa voix était normale, presque gaie.

« Ce n'est pas encore pour cette fois, Momone. »

On a tous respiré. Il était temps ! Loulou a rappliqué avec un contrat pour l'Amérique, au Versailles.

« Loulou, tu crois que je peux y aller ?

— Ils t'attendent. Ils ne savent rien. Il faut accepter. »

Le métier l'a reprise dans ses bras. C'était gagné. Il n'y avait que l'amour qui n'était pas de la fête. Edith n'avait pas envie d'hommes. Elle aimait bien Pills, peut-être même un peu moins que des amis comme Loulou, Charles Aznavour, la Guite..., mais pas plus ; et elle savait que son mariage était raté.

« Momone, c'est de la faute à personne, c'est de la faute à la drogue ! Jacques, c'est un tendre, un câlin. Il est fait pour rire, pas pour le drame. Comme il ne peut pas rester dedans, il reste à côté. Alors, on est seule... Tu comprends ? »

Entre eux, maintenant, ce n'est pas un fossé qui les sépare, c'est le Grand Canyon du Colorado.

Quand elle est partie pour New York, Jacques est allé à Londres pour répéter une comédie musicale. Là-bas, Edith renaît. L'Amérique lui fait du bien, c'est son public. Pour elle, les Ricains, c'est des gars solides. Quand ils aiment, c'est sérieux, ce sont des mâles. Ils n'ont pas des humeurs de gonzesses comme les Français. Faut dire aussi qu'elle leur cache tout. Elle n'est pas en famille ; devant eux, elle se tient mieux.

Pour elle, la presse est toujours aussi bonne. Un critique écrit : « Edith Piaf, la petite Isolde française, continue à mourir bravement d'amour. Elle meurt cinq cents fois pendant le dîner, cinq cents fois après le souper, et toujours avec son admirable voix... La voix la plus forte, dans le corps le plus petit ! »

Tous les jours, il y a des articles sur elle. Tous les jours, ils s'entassent sur son lit. Mais celui-là, elle ne l'oublie pas, il l'a frappée. Quand elle rentre à Paris, elle m'en parle.

« Tu vois, Momone, il a raison, ce gars-là : « Je « meurs d'amour cinq cents fois dans une soirée. » S'il connaissait ma vie, qu'est-ce qu'il écrirait, le frère ! Seulement, quand je ne meurs pas d'amour, que j'en manque, alors j'en crève !... Tu vois, Momone, le mariage ça n'apporte rien ! »

A Paris, elle ne travaille pas, elle attend. Pendant près d'un an, Edith n'a rien fait. Elle a du mal à reprendre son souffle. Je ne sais pas si c'est le second, mais il ne vient pas facilement remplir ses poumons d'un air nouveau.

D'un coup, tout change. Loulou lui annonce qu'il a un contrat pour elle, de trois mille dollars par soirée, au Carnegie Hall. C'est la première fois qu'une vedette de variétés va chanter dans la plus grande salle de concert, la plus chic, des Etats-Unis.

La bonne fièvre la reprend. Tout le cirque est en place, boulevard Lannes. Elle répète, comme toujours, avec passion. Autour d'elle, elle crève tout le monde, elle les traite de petites natures. Elle rit, elle est heureuse, elle est en pleine forme.

En 1956, pour la septième fois, Edith atterrit à New York. Elle est reçue comme une reine. Il fait très froid, il gèle. Quand elle descend d'avion, Loulou veut l'empêcher de rester là, dans l'air glacé. Edith serre contre elle le vison de Marcel, qui a échappé au naufrage. Les journalistes lui réclament une photo, puis encore une autre.

« Laisse, Loulou. Je ne suis plus malade. Laisse-moi leur donner ce qu'ils demandent. Ces gars-là, je leur appartiens... »

Elle a raison. Depuis plusieurs jours, pour entendre Edith, des gens font la queue, debout dans le froid (— 15°).

Dans la chambre du Waldorf Astoria, les fleurs entrent sans interruption, elles encombrent le couloir. Eddie Lewis est comme un chien fou autour d'elle.

« Vous êtes en pleine forme, mieux que la dernière fois. Comment va votre mari ? Quand je pense que c'est moi qui ai presque fait le mariage. »

Il ne voit pas qu'il y a quelque chose d'usé dans le regard d'Edith. Elle est marquée comme tous ceux qui sont descendus dans l'enfer. Mais il sent qu'avec ce visage-là, ces yeux-là, Edith va grandir encore.

C'est ce soir-là qu'Edith a créé la chanson de Pierre Delanoë, *Les Grognards* :

Ecoute, peuple de Paris,
Ecoute, ces pas qui marchent dans la nuit,
Regarde, peuple de Paris, ces ombres éternelles
Qui défilent en chantant sous ton ciel...

C'était bouleversant. On voyait le ciel de Paris, on voyait frissonner le drapeau tricolore sur l'Arc de Triomphe et les Champs-Elysées !... Pierre Delanoë

qui, comme beaucoup d'autres, avait suivi Edith pour
l'entendre chanter au Carnegie Hall a fait, en direct,
un enregistrement qui est un document unique. A la
fin des « Grognards », les cris, les applaudissements,
les sifflets sont aussi violents qu'une tempête et ils
durent presque autant que la chanson.

C'est du délire. Edith chante vingt-sept chansons.
Au dernier rideau, le public, debout pendant sept
minutes, applaudit cette petite femme seule sur cette
scène immense, et qui vient de lui donner envie de
crier, de mourir d'amour avec elle.

« Loulou les a chronométrées. C'est long, tu sais,
sept minutes. On a le temps de penser. Je les écoutais... que c'était beau... C'était si bon, que ça me
faisait mal ! C'était trop fort !

« Toi, Momone, tu peux me comprendre. Eh bien,
pendant ces quelques minutes, où mon cœur est
devenu fou de joie, j'ai senti que j'étais surtout mariée
avec mon public. Jacques c'était fini. Ce n'est pas de
sa faute ni de la mienne. Il est mal tombé... Alors,
je viens de demander le divorce. Je n'étais pas faite
pour le mariage. Il a duré quatre ans, ce n'est pas si
mal ! C'est bien fini maintenant. Les cloches d'une
église ne sonneront plus que pour mon enterrement... »

CHAPITRE XVI

LE TOURBILLON DE LA DROGUE

POUR Edith, le Carnegie Hall, c'était plus qu'un succès, un triomphe, c'était *sa* victoire.

« Momone, j'en suis enfin sortie de toute cette merde. Tu sais mes copains, les Américains, ils m'ont fait du bien. Ils ne prennent pas des airs distingués, mais quand ils aiment, ils y vont franchement. Je peux le dire, à toi, quand je suis partie là-bas, j'avais les jetons ; maintenant je suis regonflée. Je vais préparer ma rentrée à l'Olympia.

— Fais attention, Edith. N'y va pas trop fort, tu es peut-être encore fragile.

— Ne me les brise pas ! Il y a assez de gens pour ça. Tu sais ce que le général Eisenhower a répondu aux docteurs qui lui disaient qu'il devrait se ménager ? « *Better live than vegetate* [1] *!* » Et moi, j'ai du temps à rattraper, j'en ai trop perdu. »

Les belles nuits du boulevard Lannes sont reparties. Elles ne manquaient pas de figurants. A R. Chauvigny, Marc Bonel et Danièle s'ajoutaient : Robert

1. « Il vaut mieux vivre que végéter. »

Burlet, le chauffeur, avec sa femme Hélène, devenue pour peu de temps la secrétaire à tout faire d'Edith ; Christiane, la femme de chambre, avec sa mère Suzanne, la cuisinière. Ça, c'était le fond, ils étaient là à demeure, c'étaient les employés de Mme Piaf. Plus tous ceux qui venaient voir Edith, les seconds et premiers rôles, les amis de toujours : Loulou, Michel Emer, la Guite, Contet, Charles... puis les autres...

Elle n'était pas bêcheuse, Edith. Elle invitait aussi bien le clodo, dégoté à la première bouche de métro, qu'André Luguet ou Francis Blanche.

« Quand on les fout à poil, ils sont tous fabriqués de la même façon ! Alors pourquoi je ne les mettrais pas à ma table ? »

En plus, il y avait le passage : les anciens patrons, toujours bien reçus, qui venaient dire un petit bonjour en passant ; et puis ceux qu'elle avait adoptés dans la journée. La seule chose qu'on n'avait pas, c'était un ténor ; et ce manque-là, il allait se faire sentir.

Ceux qui avaient goûté aux nuits du boulevard Lannes y revenaient. Ça ne ressemblait à nulle part, et on ne pouvait pas s'en passer. On y buvait du gros rouge ou de la bière, ça dépendait des goûts de la patronne. On y bouffait du caviar à la louche. Il suffisait qu'il y en ait un qui dise qu'il aimait ça ; alors Edith en faisait acheter des kilos. Pas pour elle, une cuillerée à café lui suffisait, ça ne lui plaisait pas tellement.

On écoutait des disques. On parlait surtout métier pendant des heures... Il faisait chaud, on pouvait s'étaler à son goût. Le monde pouvait exister autour, on s'en foutait, on se suffisait.

Quand Edith était en forme, alors elle chantait, essayait des chansons, faisait son petit bœuf, et ça, c'était chouette. La nuit se poursuivait jusqu'à onze heures le lendemain matin. Quand j'étais là — et j'y étais souvent — avec Edith, on rigolait bien.

« Regarde-les, ils sont rétamés ! On les a eus, Momone, il n'y en a plus un debout ! »

Dans les fauteuils, sur les lits de fortune, partout, les gars roupillaient comme des seigneurs.

Moi, j'avais du mal à tenir les yeux ouverts, mais je tenais bon. Question d'entraînement ! Et puis, elle n'aurait pas compris que j'abandonne. Un petit soldat, ça va jusqu'au bout !

« Allez, viens. On va se faire une séance « salle de bain », comme dans le bon temps... »

Ce n'était plus tout à fait pareil. Même avec moi, Edith jouait son personnage. Elle souffrait souvent. Les articulations de ses mains commençaient à se nouer. Alors, elle, qui ne trichait pas avec la vie, jouait au poker avec son corps. Elle n'acceptait pas qu'il ait la main, qu'il joue des cartes maîtresses. Les atouts, il n'y avait qu'elle qui avait le droit de les avoir. Quand son corps torturé gueulait trop fort, elle ne l'écoutait pas ; et pour ne pas l'entendre, elle le faisait taire à coups de drogues.

Le plus difficile, c'était de la mettre au lit. « Je n'ai pas sommeil, Momone, je ne veux pas me coucher. » Elle n'avait pas de patience. Le sommeil, il fallait qu'il l'abatte d'un coup de masse, qu'elle s'écroule. Elle ne voulait pas l'attendre dans son lit, c'est pour ça qu'elle se bourrait de trucs pour dormir. Mais ça ne marchait pas toujours, elle en avait trop l'habitude.

Enfin, quand j'avais réussi à la mettre au pieu avec ses boules Quies, son masque noir sur les yeux, je me tirais sur la pointe des pieds. Ça ne marchait pas à chaque coup. Souvent, j'avais déjà la main sur le bouton de la porte d'entrée, que je l'entendais crier : « Momone... »

Quand on approchait d'une générale, Edith ne changeait rien à ses nuits. Seulement, en plus, elle travaillait. On était en pleine préparation de sa rentrée à l'Olympia. Il n'y avait pas loin de deux ans

qu'Edith n'avait pas chanté à Paris. Cette générale de
1956 était importante pour elle.

Bruno Coquatrix, toujours méfiant (on avait fait
courir beaucoup de mauvais bruits sur elle), l'avait
engagée pour un mois, ce qui n'était pas si mal et,
réservé, déjà, aux grandes vedettes — les autres
avaient droit à quinze jours.

Le soir de la générale, on était énervées comme des
puces qui n'ont pas bouffé et qui tombent sur un
chien tout neuf ! Si cet Olympia n'était pas bon, à
Paris, ça remettrait la carrière d'Edith en question.
Les tournées avec Pills, le Super-Circus, ça ne s'était
pas passé dans le silence. Il y avait eu des fuites :
« Vous savez, Piaf, elle est finie ! Elle ne tient plus
ses contrats ! » On attendait qu'elle se ramasse pour
le compte. Dans la salle, les fauves avaient bon appétit. Après la cinquième chanson, ils bêlaient comme
des agneaux. Elle a créé : *Marie la Française, Une
dame, L'Homme à la moto, Toi qui sais, Les Amants
d'un jour, Bravo pour le clown.*

Cela faisait un moment que je ne l'avais pas entendue sur une scène. Ce soir-là, dès la première chanson, j'ai été prise, remuée, secouée. Jamais elle n'avait
chanté comme ça. Elle venait de loin, sa voix... Quand
le sirocco souffle, il est plein de sable, il vous brûle
les poumons, il a tout raflé sur son passage ; il vous
le jette son désert et vous le recevez en plein dans
la gueule.

La voix d'Edith, elle avait balayé la ville, tourné
sur les places. Elle s'était rincée dans les bistrots.
Elle avait crié l'amour des faubourgs, des coins de
rues, des rencontres, des fêtes... Et vous la receviez
en plein. C'était la rue, ça venait des tripes et ça
vous déchirait le ventre en passant. Les snobs, aux
petits doigts en l'air, la recevaient comme le populo,
et ils n'avaient pas le temps de penser... Dans le fond,
on se foutait pas mal des paroles de ses chansons.
Si elle avait chanté « Lala, lala », ou le Bottin —

comme le disait Germaine Montero — ça vous aurait pris au cœur de la même manière.

On n'a jamais fait attention ni à sa coiffure, ni à son habillement, ni même si elle chantait faux. Rien de tout ça. Si elle se trompait, si elle s'arrêtait, au contraire, les gens étaient contents. Ça faisait plus vrai. Elle ne vous faisait pas un turbin, ce n'était pas fabriqué. Ça venait d'elle, de tout ce qui se passait en elle d'amour, de souffrance. Et cette drogue que je maudissais, qui avait failli la tuer, l'avait comme décapée à l'intérieur, mise à vif, et elle chantait avec une violence d'amour qu'on n'avait encore jamais entendue.

Le rideau ne pouvait plus se fermer, elle a eu vingt-deux rappels, et a chanté, en bis, plus de dix chansons. J'avais la gorge sèche et les mains qui me faisaient mal à force d'applaudir.

Bruno a annulé les contrats qui suivaient, prolongé une fois, deux fois, trois fois le récital d'Edith. Elle est restée douze semaines à l'Olympia.

Tous les jours, la salle était bourrée. On vendait au noir les strapontins ! Elle a atteint des chiffres records. A l'Olympia, trois millions de recette par jour. La vente de ses disques est montée à trois millions de disques ; en quatre mois elle en a vendu trois cent mille ; et, rien que dans les deux premières semaines, le disque du récital de l'Olympia a été vendu à vingt mille exemplaires. Dans l'année, sa maison de disques lui a versé trente millions d'anciens francs. Son cachet, chaque soir, était d'un million deux cent cinquante mille francs. Des chiffres qui font dire : « Elle ne s'embêtait pas ! Qu'est-ce qu'elle dû mettre à gauche ! »... Rien, pas un sou !

Son pognon, Edith le gagnait avec sa vie. Depuis sa rentrée à l'Olympia, les médecins l'avaient prévenue : « Chaque fois que vous chantez, vous raccourcissez votre vie de quelques minutes... » Ils avaient cru lui faire peur. — « Je m'en fous. Si je ne chante pas, je crèverai encore plus vite ! » Alors, son argent, elle avait bien le droit de le foutre en l'air si ça lui faisait plaisir ! Quant à en mettre à gauche il n'en était pas plus question aujourd'hui qu'hier.

Dans *Ma Route et mes Chansons*, Maurice Chevalier lui a donné un avertissement : « Piaf, petit champion, poids coq, se dépense maladivement. Elle ne semble pas plus économe de ses forces que de ses gains. Elle paraît courir, révolutionnaire, géniale, vers des gouffres, que mon angoisse sympathique entrevoit au bord de sa route. Elle veut tout enlacer. Elle enlace tout. Elle renie les vieilles lois de prudence du métier d'étoile. »

« Et alors, a dit Edith en le lisant, à sa mort, s'il a de quoi se payer un cercueil en or, ça l'avancera bien ! Moi, ce jour-là, le complet en sapin des pauvres me suffira. Et puis je veux mourir jeune. Je trouve que c'est moche de vieillir, c'est laid la maladie... »

C'est à l'Olympia qu'on a vu reparaître un des adorateurs d'Edith, celui qui a eu le plus d'importance dans sa vie : Claude Figus.

Claude, c'était un petit môme que je n'avais jamais oublié. Il était dingue d'Edith, amoureux fou à treize ans. Alors là, complètement ! Il n'y a pas une cure de désintoxication qui aurait pu en venir à bout. C'était une vieille histoire. On l'avait connu aux environs de 1947, Edith passait à l'A.B.C. Ce soir-là, il pleuvait. Edith n'avait plus d'aspirine. Je cavalais en chercher. Même si elle n'en prenait pas, il lui en fallait à portée de la main. A la sortie des artistes, dehors, je me cogne dans un môme, planté là, sous la flotte, comme une asperge d'Argenteuil en mal de croissance. Je passe. Et quand je repasse, cinq minutes après, l'asperge m'attrape par la manche.

« Mad'moiselle, j'vous ai vue avec m'dame Piaf, vous n' pourriez pas m' faire entrer ? »

Alors là, je le regarde : l'œil doux, la mèche brune en tire-bouchon, les joues en papier mâché, comme les mômes des faubourgs, fringué bon marché, mais correct. Il m'a plu.

« T'es d'où, toi ?

— De Colombes.

— Moi, de Ménilmontant. Alors tu fais pas le poids, lardon, débine ! »

Je le surveillais du coin de l'œil. Ce moufflet me rajeunissait de vingt ans.

« Z'êtes chouette, qu'il me répond en me filant le train.

— Suis-moi, je suis en retard. »

J'ai galopé, mais il les allongeait bien. Je suis arrivée sur le plateau, Edith y entrait.

« Qu'est-ce que tu traînes derrière toi ? Tu vas les chercher à la crèche, maintenant ?

— Penses-tu, c'est toi qu'il admire. »

Il regardait Edith comme si elle avait été Jeanne d'Arc descendue de son vitrail pour lui faire la causette.

« Tu peux rester, lui a dit Edith, mais qu'on ne te voie pas ! »

Il l'a écoutée chanter, aplati contre un portant, tellement collé à la feuille, que les machinistes auraient pu l'embarquer sans s'en apercevoir.

Le lendemain, il avait réussi à entrer dans les coulisses en disant qu'il était copain avec moi. Son admiration était si totale, si naïve, qu'Edith lui avait dédicacé une photo.

« Tu t'appelles comment ?

— Claude Figus.

— Quel âge as-tu ?

— Treize ans, madame Piaf, mais je vous aime. »

Edith s'était bien marrée.

« Je sais bien que l'âge n'empêche pas les sentiments, mais il va falloir que t'attendes au moins dix ans pour pouvoir m'épouser ! »

Partout où elle chantait, on retrouvait le petit Claude. Pour les générales, il se payait des places au poulailler et, ensuite, il venait dans les coulisses. C'était vraiment un gentil petit môme. Elle lui disait : « Amène ta caboche, Claude, que je la touche... Le bois, ça porte bonheur ! »

On avait pris l'habitude de le voir traîner. On ne s'apercevait même pas qu'il grandissait, qu'il devenait un homme. On l'a eu des années dans nos jupes et puis, un jour, il a disparu.

Le soir de la générale de cet Olympia 56 (on leur donnait le chiffre de l'année, comme aux grands vins), j'étais dans les coulisses avec Charles. On regardait les gens qui faisaient la queue devant la loge d'Edith, quand j'entends la voix de Coquatrix :

« Allons, file, tu ne connais personne ici.

— Mais si, monsieur : Mme Simone et M. Aznavour. »

Je regarde le garçon qui disait ça, un beau gars. Charles, qui l'avait connu comme nous tous, et qui avait toujours été très chic avec lui, me dit : « C'est le petit Claude ! »

« Mais tu es devenu un homme ! Où étais-tu passé ?

— J'ai fait mon service.

— Je sais ce que tu veux : voir Edith. Viens demain, ce sera plus calme. »

A la manière dont il m'a dit : « Elle m'a sûrement oublié... », j'ai compris qu'il en pinçait toujours pour elle, mais pas plus.

« Vous savez que vous habitez dans ma rue.

— Pourquoi tu n'es pas venu me voir ?

— J'osais pas. »

Il avait l'air d'un homme, mais il avait gardé son cœur de môme, ça se voyait.

Le lendemain, il venait voir Edith. Et comme il lui fallait quelqu'un qui l'adore à domicile, elle l'a emmené, le soir même, boulevard Lannes, l'a baptisé son secrétaire et il est resté plusieurs années, près de huit ans auprès d'elle. C'était un gentil petit gars, très honnête.

PIAF 537

Son adoration pour Edith n'avait pas changé. Il lui était totalement dévoué. Elle lui aurait demandé la peau de son dos pour en faire un abat-jour, il lui aurait proposé celle du devant, en prime. Elle ne l'a pas ménagé. Il tombait à point sous sa main ; celui-là, elle en ferait ce qu'elle voudrait. Pauvre petit bonhomme, il avait beau être plus grand qu'elle, il n'avait pas la taille qu'il fallait, et elle n'en a fait qu'une bouchée.

Pendant des mois, la drogue avait tout remplacé pour elle. Prise à la gorge, asphyxiée, Edith n'avait pensé à rien d'autre. Maintenant, c'était changé. Elle retrouvait son goût de l'amour. En elle, c'était le vide ; là-dedans, il ne peut pas pousser une fleur bleue, et il lui en fallait une pour vivre. Sans amour, elle allait se jeter dans quelque chose, n'importe quoi. Ça, j'en étais sûre.

Tous les soirs, il y avait l'Olympia. Mais, entre le moment où elle quittait la scène et celui où elle y revenait, il passait beaucoup d'heures, beaucoup trop. Alors, Edith buvait. Pas comme nous avions bu, pour se marrer ; elle buvait pour s'abrutir, pour tomber comme une masse et s'endormir, enfin ! Elle avait décidé que la bière, c'était moins mauvais que le vin, et elle se cuitait, bien à point, à la bière.

Claude ne savait pas que, pour elle, c'était aussi dangereux que la drogue. Comme si c'était une bonne blague, elle lui faisait cacher des bouteilles de bière dans la chambre, la salle de bain, un peu partout... C'était lui qui la ravitaillait. Elle en avait fait son complice.

Avec Loulou et quelques fidèles, on essayait de lutter contre la boisson. Mais quand on n'habitait pas avec Edith, ce n'était pas possible. A partir du moment où on la laissait aller aux toilettes seule, on était foutu, elle avait déjà trouvé le temps et les moyens de faire toutes les conneries qui lui passaient par la tête.

Loulou essayait de la raisonner, elle l'envoyait se faire foutre ; ou elle lui jurait que c'était fini, qu'elle en avait fait le serment, qu'elle ne boirait plus. Elle était tellement imbibée d'alcool, que trois verres de bière suffisaient pour qu'elle soit ronde. Et Claude, cet innocent, me disait : « Je vous jure qu'elle ne boit pas de trop, j'y veille ! »

Edith devait partir pour une tournée de onze mois à travers les Etats-Unis, la plus importante, la plus longue de sa carrière. Là-bas, elle était payée très cher. Son cachet venait tout de suite après celui de Bing Crosby et de Frank Sinatra. Après eux, elle était la vedette la mieux payée du monde. Loulou, une fois de plus, était désespéré.

« Qu'est-ce qu'on va faire ? Aux Etats-Unis, elle résistera encore moins à la tentation qu'ici. Presque une année, c'est trop long ! Momone, fais quelque chose, toi, elle t'écoute.

— Je voudrais bien que ce soit vrai, mais tu sais bien qu'il y a très longtemps qu'elle n'écoute plus personne. Qu'est-ce que tu veux, elle n'a pas d'amour, c'est un bateau sans matelot, elle dérive ! Il faudrait lui trouver un homme. »

C'était ça qui lui manquait. Ceux qui habitaient avec elle, qui étaient auprès d'elle, s'en foutaient : ils étaient à son service. Ils avaient peur de perdre une si bonne place : où Madame ne s'occupait de rien, ne voyait rien ! où la source de l'argent coulait sans arrêt... C'est bon, ça, pour les petits ruisseaux, ça les fait devenir de grandes rivières. Et ils avaient des appétits de fleuves !

Quand Loulou avait obtenu que la chasse à la bouteille soit bien faite et les coins visités à fond : sous le lit Louis XV, dans l'armoire à pharmacie, dans les placards, les penderies, les lavabos, le piano à queue, partout où on pouvait mettre une bouteille — y compris la poubelle —, voyant qu'elle n'avait plus rien à boire, Edith prenait une colère, cassait tout ;

ou alors, filait dans la nuit, les pieds dans ses savates, en chemise, avec juste son manteau, et elle allait siroter dans un bar.

C'est comme ça qu'un matin, Hélène, la femme du chauffeur, a reçu un coup de téléphone d'un barman : « Il est six heures, nous devons fermer. Venez chercher votre patronne, Edith Piaf. Elle ne veut pas partir, elle gueule : « Je t'appartiens »... Nous, on voudrait dormir. Apportez aussi son carnet de chèques, elle a une sérieuse ardoise. »

Le chauffeur, sa femme, Marc Bonel et Claude partaient en commando de récupération prendre livraison de la patronne qui, suivant ses humeurs, voulait emporter le juke-box, le billard électrique ou les rideaux.

Non, elles n'étaient plus drôles du tout, les cuites d'Edith...

Un soir, elle avait décidé, avant son départ, de répéter. Elle s'est arrêtée net au milieu d'une chanson.

« J'ai oublié quelque chose dans ma salle de bain.
— Je vais vous le chercher, Edith, lui a dit Claude.
— C'est ça, viens avec moi. »

Depuis qu'elle avait été enfermée dans une clinique, Edith ne supportait plus d'être seule. Elle se faisait accompagner partout, et surtout quand elle allait aux toilettes — un homme ou une femme, elle s'en foutait — elle laissait la porte entrouverte, et elle était tranquille.

Au bout d'un moment, elle est revenue, l'œil brillant. Elle a commencé à chanter, s'est mise à rire.

« J' peux pas... Les mots s' bousculent, veulent tous sortir en mêm' temps... « Poussez pas ! », que j' leur dis... m' coutent pas... Y' en a trop dans ma bouche que j' vous dis... Faut qu' j'aille les cracher... »

Et la voilà repartie. Elle est revenue pâle, les narines pincées, la sueur au front.

« Ça ne va pas, Edith ?

— Si. C'est ces mots qui m'empêchent de parler...
J' vais r'venir... »

Quelques secondes après, on a entendu un hurle-
ment, suivi de bruits de verres cassés.

Tout le monde a démarré, Claude en tête. On a
trouvé Edith, grimpée sur le lit, en pleine crise de
delirium tremens, hurlant et jetant des bouteilles
de bière, vides ou pleines, dans un coin de la pièce
où elles s'écrasaient contre le mur.

La bière dégoulinait en longues traînées, son odeur
vous soulevait le cœur. Et Edith, défigurée, hoque-
tait : « Les araignées... les souris... tuez-les... tuez-
les ! Elles viennent, elles montent ! Leurs pattes...
leurs pattes... Elles me griffent... » Edith arrachait ses vêtements, se griffait la figure, les bras,
en hurlant.

« Ce n'était pas soutenable, m'a raconté Claude.
Simone, Simone ! elle qui a tant de talent, qui est la
plus grande ! Comment peut-elle faire des choses
comme ça ?... »

Le pauvre môme en avait les larmes aux yeux.

Dans la. nuit, l'ambulance l'a emmenée. Il a fallu
deux hommes pour la maîtriser. Elle souffrait abominablement. Le lendemain, Edith était bouclée en clinique. Un mois après, elle en sortait épuisée mais
guérie.

« Ma pauvre Momone, c'est pire que tout, cette
saloperie de cure. J'en ai bavé comme ce n'est pas
possible ! Les vaches ! C'est comme l'amour, ça commence toujours très bien, mais qu'est-ce que ça finit
mal !

« Le premier jour, l'infirmière aux gros bras — c'est
bourré de mémères Jules, là-dedans — s'amène dans
ma chambre et me prend ma commande pour la journée. Tant que j'y étais, je me fais un chouette assor-
timent : vin blanc pour débuter, de la bière pour la
journée, du vin rouge bien costaud pour les repas,
et puis, pour finir, du whisky.

« Toute la journée, la frangine s'est amenée avec ma commande et me surveillait pour voir si je l'avalais bien. Ça, elle pouvait me faire confiance. Le soir, j'étais beurrée comme un petit « Lu », bien à point. J'ai chanté tant que ça a pu. Sauf que j'étais seule, je rigolais bien.

« Tu sais, leurs méthodes ne sont pas variées, aux toubibs. Comme pour la drogue, ils te diminuent la dose tous les jours ; mais, en même temps, ils te filent un médicament qui te fait dégueuler. Alors, quand tu vois s'amener le verre et que tu penses que tu vas remettre ça, ça te soulève le cœur dès que tu l'approches. C'est vicieux comme supplice. Je ne savais plus où j'en étais. J'étais comme un chien malade, cramponnée au lit. Je hoquetais, je pleurais, je suppliais : « Assez ! assez... » Puis, j'avais encore des crises. Je voyais des bêtes dégueulasses, velues, gluantes, pleines de pattes !... Le coup des éléphants roses, je peux te jurer qu'il n'est pas vrai. Souffrir comme ça, ce n'est pas possible.

« J'aurais jamais cru que nos bonnes parties de rigolade, nos bonnes bitures, elles devraient finir noyées dans toute cette saloperie ! C'est vraiment dégoûtant, la cure de désintoxication d'un alcoolique. Et pourtant, je te jure, Momone, que ceux qui ont la volonté de le faire ce sont des gens bien. »

Il ne lui restait plus que dix jours pour préparer sa tournée et elle est tout de même partie en pleine forme.

Onze mois, c'est long, de New York à Hollywood, de Las Vegas à Chicago, de Rio à Buenos Aires... surtout en buvant du lait et des jus de fruits ! En rentrant, Edith en avait sa claque, mais elle était heureuse.

« Tu ne peux pas savoir ce que c'était chouette, ce voyage, un peu trop long, mais bien.

« A Frisco, j'ai eu une drôle de surprise. Dans la rade il y avait un bateau de guerre français, la *Jeanne d'Arc*. Le commandant m'a invitée. Je ne dirai

jamais non à un marin. J'y vais avec des amis et des
journalistes américains.

« La vedette du commandant vient me chercher et
quand on aborde qu'est-ce que je vois : tous les cols
bleus au garde-à-vous comme pour un amiral. Ce
n'était pas fini, à la coupée, il y avait un peloton qui
m'a présenté les armes, à moi, Edith Piaf ! Si t'avais
vu la tête des Ricains. Ils trouvaient qu'on faisait bien
les choses chez nous.

« Je t'ai bien regrettée, tu te serais marrée à me
voir passer en revue la marine française. Entre nous,
elle me devait bien ça. On avait fait le bonheur de plus
d'un pompon rouge, hein, Momone ?

« Les jeunes sont vraiment formidables ; ils ont des
idées qu'on reçoit en plein cœur. Le Jour de l'An,
les étudiants de l'université Columbia ont voulu que
je leur chante *L'Accordéoniste* devant la statue de la
Liberté. En plein air avec le froid qu'il faisait, j'ai dû
dérailler un peu, mais c'était merveilleux de chanter
pour eux ; j'ai eu droit à une série de « Hip, hip, hip,
hourra ! » à ébranler la Liberté sur son socle !

« Je comprends qu'ils pouvaient avoir soif après ça !
Il paraît que c'est l'effet que je produis aux Américains, il y a un journaliste qui a écrit : « Edith Piaf est
« la meilleure vendeuse de champagne des U.S.A., dès
« qu'elle chante dans une boîte, on a la gorge altérée
« par l'émotion. »

« Il m'est arrivé aussi un truc marrant. Un type
de Paris m'a envoyé ses vœux dans une grande enveloppe. Comme il n'avait pas mon adresse, il a marqué : « Edith Piaf aux Etats-Unis. » Les gars des postes ont écrit sur l'enveloppe : « Les postiers de Paris
« vous embrassent. » Tu penses qu'avant de me retrouver, ma lettre m'a cavalé après ! A chaque endroit où
elle passait, les gars des postes du bled écrivaient
quelque chose : « Nous aussi », « Ceux de Chicago vous
« aiment », « Los Angeles est avec les autres »... Il n'y
avait pas un carré de papier libre quand je l'ai,

enfin, reçue ! Les postes devaient avoir peur qu'elle se perde, ils m'ont envoyé un gars pour me la porter. Au lieu de frapper à ma porte, il a sifflé *La vie en rose*. Ce n'est pas joli ça ?

« Un an sans respirer l'air des rues de Paris, sans voir mes copains ! C'est quand même long ! Et puis, j'étais emprisonnée dans les fils des horaires de la tournée, comme une mouche dans une toile d'araignée. Pas moyen d'en sortir. Sans ça, tout a bien marché. Les Américains voudraient que je repique au truc. Avec moi, ils ont été épatants. Je les aime bien, mais je ne suis pas pressée ! »

Je regarde Edith qui se trimbale dans son salon, l'œil critique, comme si on lui en avait changé les murs. Je la trouve bien, dégonflée, les mains presque normales. Mais je sais que, maintenant, je ne serai plus jamais tranquille, que j'aurai toujours les jetons que ça recommence.

On a déposé là les malles de la tournée. Edith s'est assise sur une.

« On est pas mal assise, là-dessus. Je vais les laisser, c'est pratique. On manque toujours de sièges dans cette foutue baraque. Tu sais que je ne bois plus que de l'eau jusqu'à midi, un petit verre de vin à table, dans la journée du lait (j'aime pas tellement), le soir, pas plus de deux ou trois verres de pinard.

— Ça te fait du bien ?

— Ça ne me fait pas de mal. Mais ce que c'est emmerdant d'être raisonnable ! Tu as vu les piles de manuscrits sur le piano ? Je ne vais pas manquer de boulot ! »

Elle prend des textes, au hasard, lit, pianote, appelle la Guite au téléphone.

« Guite, je suis rentrée. Qu'est-ce que t'as fait pendant que je n'étais pas là ? La musique d'*Irma la Douce* ? T'es contente ? Bien. Tu as travaillé pour moi ? Oui ? alors rapplique vite, tu devrais déjà être

là ! Je ne peux plus vivre sans toi. Qu'est-ce que
tu m'as manqué ! »

Cette phrase-là, je l'ai entendue plusieurs fois dans
la journée. Et chaque fois, c'était sincère. On lui a
tous manqué.

Marguerite n'est pas encore installée au piano
qu'Edith lui tend un texte.

« Lis ça. C'est *Salle d'attente*, de Michel Rivgauche.
Il est pourri de talent, ce type. Je l'ai fait venir. »

Marguerite n'a pas fini de lire, qu'Edith lui dit :

« Ecoute ce disque. J'ai découvert cette musique
en Amérique du Sud, pendant une tournée au Pérou.
C'était une Espagnole qui la chantait.

— Oh ! Edith ! ce que c'est bon ! dit la Guite.
Remets-le...

— Il me faudrait des paroles là-dessus. Qui va me
les faire ? »

C'est Michel Rivgauche qui les lui a faites, et c'est
devenu *La Foule* :

> *Emportés par la foule*
> *Qui nous traîne,*
> *Nous entraîne, l'un vers l'autre,*
> *Nous ne formons qu'un seul corps.*

Michel, c'est la dernière trouvaille d'Edith. Un gars
mince, avec des petites moustaches fines, style traître-
séducteur argentin pour films muets, les sourcils en
parenthèses et les cheveux fous. C'est un homme
gentil, intelligent, plein de talent, un peu dépassé
par les événements. Il a écrit *La Foule*, mais boulevard Lannes, c'est le tourbillon. La Grande Piaf est
revenue. Elle prépare son Olympia 58 qui restera
parmi les meilleurs.

Les nouvelles chansons sont surtout signées : Pierre
Delanoë, Michel Rivgauche. Si Michel se plie bien
à la façon de travailler d'Edith et devient un de ses
copains de la nuit, il est resté à Delanoë quelque

chose d'avoir été un fonctionnaire. Pour lui, la nuit, c'est fait pour roupiller ; ou alors, on travaille, mais il n'aime pas avoir l'impression de perdre son temps. Il ne sait pas qu'avec Edith, il faut suivre, qu'elle ne travaille que quand ça la prend, mais alors, que là, tout le monde reste sur le carreau. Ça ne l'a pas empêché de lui écrire *Les Grognards*, *Le Diable de la Bastille* et *Toi tu ne l'entends pas*.

Autour d'Edith, on est tous revenus. Claude n'a pas raté le retour de *sa* patronne. Il est là, bon grouillot, bien dévoué.

En quelques semaines, le récital de l'Olympia est prêt. Toute la baraque est joyeuse. Nous, les vieux de la vieille, on a retrouvé notre Edith. C'est presque aussi bien que quand il arrivait un nouveau dans sa vie. Et il en arrive un : Félix Marten.

Avant son passage à l'Olympia, Edith avait décidé de roder son tour dans une tournée de province. Comme d'habitude, Loulou s'était occupé de tout. Toujours correct et connaissant bien la patronne, il l'avait affranchie :

« Dans votre programme, il y a un nouveau : Félix Marten.

— Je te fais confiance », avait répondu Edith.

Le premier soir de la tournée, à Tours, Edith était dans sa loge, avec le trac qui lui travaillait le ventre comme d'habitude, ce qui n'était jamais le bon moment pour aller lui faire une visite de politesse. Elle était en train de se maquiller, ce qui la mettait aussi en boule, quand on frappe.

Un type entre, plutôt beau garçon, un mètre quatre-vingt-sept, jeune, l'air insolent.

« Bonsoir, Edith. Je suis Félix Marten. »

Edith n'avait peut-être pas couché avec les belles manières dans ses langes, mais celui-là, il n'avait pas l'air de se douter qu'elle était « Edith Piaf » et il se présentait comme s'il était le fils du Bon Dieu... « Vous connaissez, je suis Jésus, le fils du Père »... ça ne lui a pas plu. Elle va le soigner. Il n'a pas fini, il en rajoute.

« Je suis heureux de travailler à côté de vous, alors merci.

— Il n'y a pas de quoi. »

Il n'avait peut-être pas la manière, le Félix, mais il avait l'art.

Edith l'écoute chanter une fois, deux fois, trois fois. A la scène, c'est un cynique. Mais elle se demande s'il a le cœur tendre. Il chante : *T'as une belle cravate, Fais-moi un chèque, Musique pour...* Là-dedans, on ne cultive pas la fleurette ; ni celle qui pousse en pleine terre, ni celle qui s'ouvre dans les serres. Elle l'écoute, et elle ne se décide pas. Pourtant elle est sûre qu'il a quelque chose, une personnalité. A force de le regarder, elle lui trouve de plus en plus de belles épaules, et elle se dit que d'entendre ce gars vous dire : « Je t'aime », ça doit vous faire frissonner le cœur, juste ce qu'il faut.

Quelques jours plus tard, Edith me téléphone.

« Momone, ça y est, je suis fiancée avec l'amour. »

Et nous voilà reparties...

Cette fois-ci, c'est moi qui ai demandé à Edith :
« Qu'est-ce que tu lui trouves ?

— Pour moi, c'est un cocktail, ce gars-là. Il a du Montand : un mètre quatre-vingt-sept et il a été docker. Du Meurisse : froid, le style « je ne perds « pas mon contrôle ». Du Pousse : dans le genre beau voyou.

— Ce n'est pas un homme, ton gars, c'est un arlequin ! »

Ce qui lui plaît le plus dans Félix Marten, c'est qu'elle a décidé d'en faire quelqu'un, de le modeler à sa guise. Il y a longtemps qu'un bonhomme n'est pas sorti de ses mains. Pas de temps à perdre, elle dit à Loulou : « Téléphone à Coquatrix, je veux Marten dans mon programme. »

Du moment qu'il a Piaf, Bruno lui fait confiance.

Il prendrait bien un muet pour chanter la Tosca si elle le voulait. D'ailleurs, moins les autres lui coûtent cher, plus il est content ; et le nom de Félix Marten n'est vraiment pas assez connu pour qu'il ait des prétentions. Tout s'arrange au mieux. Ce qui colle moins bien, c'est qu'Edith n'a qu'un mois et demi pour fabriquer *son* Marten. Tel qu'il est, il ne lui plaît pas. Pour sortir de l'usine Piaf, il a tout à apprendre. Edith ne perd pas une minute. Elle téléphone à Marguerite, à Henri Contet et à sa découverte Michel Rivgauche.

« Venez me rejoindre, je serai demain à Nevers, j'ai un nouveau à vous montrer. Il va passer à l'Olympia avec moi et je veux qu'il ait un autre répertoire. »

Et tous les trois se retrouvent dans le train pour Nevers. Elle les avait bien choisis, c'était pas eux qui lui auraient résisté...

Le soir même, elle les met au boulot. Deux jours plus tard, ils repartent pour Paris, ahuris, la tête vide, bons pour roupiller vingt-quatre heures de rang. Mais quand Edith revient de tournée, elle a ses chansons.

Pendant environ un mois, elle mène gaiement son attelage. Edith prépare son tour, forme son nouveau. Félix n'est pas la souplesse même. Il a ses idées, le gars, et ce sont rarement celles d'Edith. Ils ont de sérieuses bagarres qui rappellent un peu celles qu'elle avait dans le travail avec Yves et avec les Compagnons.

« Tu chanteras l'amour.

— Je ne suis pas fait pour ça.

— Tu es fait pour ce que je te dis. L'amour, c'est le secret de la réussite.

— Je ne suis pas une putain.

— Justement. Elles ne le chantent pas, elles le font... »

C'est tout de même Edith qui aura raison. Félix Marten chantera *Je t'aime, mon amour*...

Félix n'est pas *vraiment* le nouveau patron, mais

il a eu, quand même, son complet bleu. Il est entré
dans les rangs des « Piaf's boys », comme les appelle
Charles Aznavour. Il n'a pas eu beaucoup le temps
de connaître Edith, et je me suis toujours demandé
comment ils faisaient pour avoir un peu d'intimité...

En rentrant de tournée, tout de suite avant l'Olympia, Edith a trouvé le moyen de tourner, en plus,
Les Amants de demain.

« Tu comprends, Momone, si je ne fais pas ce film
maintenant, après je n'aurai plus le temps. »

Nous, c'était de souffler qu'on n'avait pas le temps.
J'ai retrouvé l'Edith des grandes cuvées. Pour la
voir, je cours partout à la fois. Ce n'est pas toujours
facile parce que, quand elle me téléphone : « Viens
chez moi » et que je débarque, elle est au studio. Je
les mets en vitesse, j'arrive : « C'était juste un rac-
cord, Mme Piaf est partie à l'Olympia. » Je recavale
et comme c'est toujours de l'immédiat avec elle
quand elle veut vous voir, elle m'engueule : « Je me
demande ce que tu as foutu ! Si c'est pour aujour-
d'hui, c'est pas pour demain ! »

Les Amants de demain, c'est une ancienne histoire.
Pierre Brasseur, avec lequel elle aimait bien siroter,
avait eu une idée, un scénario qui avait bien plu à
Edith. Elle en avait parlé à Marcel Blistène puis,
comme souvent dans le cinéma, la pâte avait reposé.
Faut croire qu'il y avait du levain dedans et qu'il était
de bonne qualité, car Edith était à peine de retour
d'Amérique, que Marcel lui téléphone :

« Tu es libre ? Dans deux mois, on tourne *Les
Amants de demain.* »

A ses côtés, il y a Michel Auclair, Armand Mestral,
Mona Goya, sa vieille copine dont c'est le dernier film,
Raymond Souplex et Francis Blanche. Avec Francis,
Edith se marre. Ils adorent, tous les deux, les farces,
les bonnes plaisanteries. Le tournage se passe sans
histoires et rapidement.

Pierre Brasseur ne s'était pas contenté de faire le

scénario, il avait fait, également, une chanson pour
Edith : *Et pourtant.*

Il faut dire que leurs relations étaient assez marrantes. Au début, il y avait eu une sorte de malen-
tendu. Pierre aurait bien aimé occuper, au moins une
fois, le lit d'Edith et, elle, n'aurait pas été contre.
Mais ça ne s'était pas fait parce que le jour où il avait
eu envie de lui proposer la chose, comme elle était
accompagnée par un gars, dont je ne me souviens
pas et elle non plus, Pierre s'était dit : « Pas de pot,
ce n'est pas le moment... »

Et, quelques années plus tard, avant le tournage
du film, il ne s'est pas gêné pour dire à Edith en
riant :

« Si tu avais voulu, ce soir-là, tu avais ta chance.
— Eh bien, je trouve que tu as eu tort de ne pas
me faire du gringue à l'époque parce que tu me
plaisais bien aussi et que le mec qui était avec moi
ne comptait pas du tout. »

Moi j'aimais bien Pierre, mais à l'idée qu'il aurait
pu devenir un des hommes de Piaf, j'ai été heureuse
que ça ne se soit pas fait. J'avais des difficultés à
m'imaginer leurs deux natures face à face. Il n'y avait
déjà pas beaucoup de vaisselle dans la maison, mais
il n'en serait certainement resté que des éclats...

Sur la manière dont ils s'étaient rencontrés, aucun
des deux n'était tout à fait d'accord. Lui était sûr de
l'avoir rencontrée chez Louis Leplée, mais Edith ne
ratait pas une occasion de lui rafraîchir la mémoire :

« C'est pas du tout là que tu m'as connue, c'est
dans un bal musette, au Tourbillon. Je n'étais pas
encore Piaf et je chantais des refrains dans un orchestre au porte-voix. Un jour, tu es venu. Tu étais
avec des sportifs et quand je suis descendue après
mon tour de chant, tu m'as dit : « Ah ! mais vous êtes
« la petite qui vient de chanter au porte-voix ! »

S'il ne se rappelait pas très bien comment il l'avait
rencontrée, il faut croire qu'elle avait tout de même

marqué dans ses souvenirs car il avait toujours rêvé d'écrire des chansons pour elle. Ça le travaillait suffisamment pour qu'un jour il téléphone à Edith en lui disant :

« J'ai fait une chanson. Hier soir, je relisais *La Sauvage* d'Anouilh et il y a une des dernières répliques qui m'a foutu un choc, c'est tout à fait pour toi : « Il y aura toujours un chien perdu quelque part « qui m'empêchera d'être heureuse. » J'ai trouvé ça très beau. J'ai donc demandé à Anouilh s'il me permettait de faire une chanson avec cette réplique. Il a d'abord hésité, mais quand je lui ai dit : « C'est pour Piaf, ça lui plaira », il m'a répondu : « Si c'est pour « elle, alors d'accord. »

Et c'est comme ça que la chanson *Et pourtant* a été faite.

Et pourtant
Il y aura toujours un pauvre chien perdu
Quelque part qui m'empêchera d'être heureuse.

A la fin du film, Marcel Blistène donne un cocktail. Francis a beau jouer les philosophes, dans un coin, téter à sa pipe, il s'ennuie, il attend sa complice : Edith.

Elle arrive en rigolant.

« Francis, écoute. Guite m'a appris un truc marrant aujourd'hui, qui va t'être utile et à moi aussi. Il paraît qu'il ne faut pas être méchant, c'est mauvais pour la santé ! C'est pour ça que tant de gens sont malades. Mais non, rigole pas... Quand tu es jaloux, que tu te fous en colère, que tu es agressif, tu largues une décharge d'adrénaline dans tes glandes surrénales, et ça te fiche mal aux reins. Alors, moi, fini, je ne veux plus être méchante ! »

Elle n'avait pas terminé, qu'elle aperçoit une de ses meilleures amies... Edith ouvre la bouche. Francis

la regarde. Edith se plie en deux, met les mains dans
son dos en disant :

« Aïe ! mes reins ! »

Toute la soirée, elle a joué à ce jeu. On n'a jamais
tant ri. Quand ce n'était pas elle qui se tenait les
reins, c'était Francis.

Cette Edith-là, c'était bien celle de toujours.

Les nuits sont de plus en plus courtes boulevard
Lannes, elles ont rétréci. Les répétitions s'accélèrent,
c'est la foire. Tout le monde court, s'agite. Claude suit
comme il peut. Edith gueule, rigole. Cette musique-
là, on en connaît toutes les mesures !

En plus, on a Marten. Je n'ai vraiment rien à
dire sur lui, c'est un courant d'air, il n'a pas duré
quatre mois. Ça a été un des plus rapides parmi ceux
qui ont eu, tout de même, droit à la panoplie ! Edith
éclate d'idées. Il y a longtemps qu'elle n'a pas tenu
cette forme-là ! Je crois que c'est une résurrection,
que c'est reparti pour des années. C'est un soleil
d'Austerlitz ; plus jamais on ne le reverra.

En attendant, on est heureux, on y croit. Et
comment ne pas s'y tromper ? Tout nous le fait
croire. On est tous là à bouffer dans la cuisine. Il
y a même une bonne femme à qui on n'a pas dit
qu'elle n'était pas chez Maxim's, elle a gardé son
chapeau sur la tête... Michel Rivgauche, le nouveau
parolier de choc, et Guite, la fidèle, sont là. On parle
chansons. Edith coupe tout le monde : « Je me souviens d'une chanson... » Puis, elle pile sur place : « Je
me souviens d'une chanson... mais c'est bon, ça !
Avec un air dans ce genre-là... » et elle nous fre-
donne une mélodie qui tournait dans sa tête depuis
quelques jours.

Marten déclare qu'il va faire les paroles avec elle.

« Tu vois que tu y viens à la chanson d'amour ! »
rigole Edith.

Un copain compositeur, J.-P. Moulin, est là. Edith
lui commande : « Au piano, vite ! »

La voilà partie, suivie de tout son monde. Le dîner est oublié. Toute la nuit, on travaille. Félix, son grand corps affalé dans un fauteuil, n'en peut plus, il bâille... Elle le rappelle à l'ordre :

« Eh ! dis donc, ici on travaille tous ensemble, on dort après !

— Je ne le savais pas », qu'il répond.

Edith se fout en colère. Moi, je me tords. C'est le bon temps qui recommence. Au matin, la chanson est terminée. Elle sera le succès de Félix Marten à l'Olympia. Edith, vigoureuse comme une brochette de pinsons à l'aube, me dit, superbe :

« Momone, fais-leur du café, ils vont s'endormir ! »

Je les regarde. Ils ont tous des yeux gros comme des œufs durs, sans fentes.

« Dis donc, il va falloir les réveiller pour leur faire boire !

— Ce sont des petites natures ! Viens dans la salle de bain, on va bavarder... »

Cette fois-ci, Bruno Coquatrix a pris ses précautions avec Edith. Il l'a tout de suite engagée pour quatre mois. Une fois encore, elle bat tous les records : durée et recettes. Plus que jamais, elle est la Grande Piaf. Elle est heureuse. Pas tout à fait : Félix Marten lui tient à peine chaud au cœur.

« Celui-là, Momone, il tiendra bien le temps du contrat de l'Olympia ! »

Ce n'est pas très encourageant comme phrase, mais c'est encore trop optimiste. Au bout de deux mois d'Olympia, Félix est sur le flanc, il ne tient pas le coup.

« Je ne savais pas que c'était ça, Edith Piaf ! Vive la classe ! »

Et elle me dit :

« Vois-tu, Momone, il a des épaules, mais elles ne sont pas solides ! »

Je sais qu'elle est injuste. Il ne faut pas avoir que des épaules, il faut l'aimer pour elle sans attendre une récompense. Elle est souvent de mauvaise foi, ses colères ne sont pas toujours drôles, son esprit mord, parfois cruellement, ceux qu'elle attaque. Elle est despotique, jalouse, exigeante, et pourtant, on peut tout lui demander, elle est toujours prête à donner. Tout ça, c'est Edith. Pour Félix Marten, elle n'est pas, n'a jamais été un grand amour. Alors, on le comprend. Et puis, il y a des fois où elle est franchement impossible. La gloire, l'argent ont donné du poids à son autorité. Trop de lèche-train lui répètent qu'elle est la plus grande, la plus belle, la meilleure. Lorsque la façade aux néons d'Edith Piaf s'éteint, on voit maintenant la femme abîmée, lézardée par la drogue, l'alcool. Son cœur lui fait mal, il est couvert de cicatrices, de bleus, plein de traces de coups. Pas un homme ne l'a épargnée. Ils ont tous laissé leurs marques.

Pour tenir le coup, Edith s'est remise à boire. Pas beaucoup, mais ça suffit pour que ses colères deviennent méchantes. Alors, Marten rue. Il se croit très fort : il est « l'américaine » de Piaf ; après elle, il aura bien d'autres contrats... Ce n'est pas un larbin, lui, et puis, il est assez grand pour naviguer tout seul !

Et c'est la rupture.

Le cœur d'Edith n'est pas vraiment touché, il n'est qu'égratigné. Mais une griffure qui fait mal !

« Tu comprends, celui-là, c'était le premier après tout ce passage à vide, cette folie. Je croyais qu'il allait me sortir du trou, et il m'enfonce la tête dedans sans le savoir. »

L'orgueil d'Edith, son amour-propre sont touchés. Un homme l'a plaquée... Elle est tombée si bas qu'un homme peut la lâcher, se foutre d'elle !... Tous les jours, pendant deux mois, il faudra qu'elle supporte la loge de Félix Marten à côté de la sienne, son petit sourire suffisant quand il la croisera ! Ça ne va pas durer longtemps. A la porte même de l'Olympia l'attend Georges Moustaki. Il est beau, jeune, il a du talent. Pour elle, il va être la dernière catastrophe, celle qui entraîne toutes les autres.

Georges Moustaki chante tous les soirs ses chansons au College Inn, à Montparnasse. Il n'est pas fou du tout, le Georges. Il joue l'as de cœur de l'admiration. Auprès d'Edith c'est encore la meilleure carte. Il n'y a pas deux jours qu'elle a rompu avec Marten qu'on frappe à sa loge.

« Quand je l'ai vu entrer, Momone, j'ai eu le choc. Il y avait longtemps que je ne l'avais pas eu. Mince, des yeux câlins, un sourire de môme qui est à la fête. Gentiment, comme ça, sans histoire, il m'a dit qu'il composait et chantait ses chansons dans une boîte à Montparnasse, et qu'il voudrait que je vienne l'entendre parce que mon jugement, pour lui, ça comptait. Tu vois le genre ! »

Je le voyais comme si j'y étais.

« Je lui ai dit : « D'accord, on y va ce soir. » Tu aurais fait la même chose à ma place.

— Bien sûr !... Alors ?

— Il est formidable, sensationnel ! Et quel talent ! Tu te serais bien marrée si tu avais vu ma sortie de l'Olympia. Il y avait Robert (le chauffeur) qui m'attendait avec la voiture. Je lui ai dit non, et je suis montée dans la voiture de Moustaki, une espèce de lessiveuse sur roues, une vraie casserole. Je lui ai dit : « Vous êtes sûr que ça roule, au moins ? » Par précaution, j'ai donné l'ordre à Robert de nous suivre. Après tout, peut-être que ses chansons étaient aussi usées que sa tire !

« Tu ne peux pas savoir ce que je rigolais à la pensée que, quand on rencontrerait le Félix, il saurait que je n'étais pas prête à entrer au Carmel pour le pleurer, et que je n'avais pas eu à chercher pour trouver.

« Mais où il m'a eue, Moustaki, c'est quand il m'a avoué la vérité : il guettait ma rupture avec Marten. Tous les soirs, il venait faire un petit tour à l'Olympia pour se rencarder sur mes amours. C'est touchant, hein, Momone ? »

Avec les hommes, la candeur, la naïveté d'Edith m'ont toujours soufflée.

Quatre jours plus tard, suivant un cérémonial qui avait fait ses preuves, Edith présente au boulevard Lannes le nouveau patron : Georges Moustaki. Il a droit au grand jeu : costumes, panoplie, tout. Mais pour lui, le premier patron depuis Eddie Constantine, rien n'est trop beau. Le briquet n'est pas en or, mais en platine — une bagatelle de quatre cent mille francs. Trois jours plus tard, Moustaki, qui est un vrai bohème, le perd. Le lendemain, Edith lui a racheté le même.

Avec Georges, Edith est sûre d'avoir retrouvé un partenaire. Il est gai. Il aime les nuits, si longues qu'elles débordent sur la journée. Il n'est pas bêcheur, la cuisine ne le dérange pas. Il est prêt à faire ami avec tout le monde. Sa vie, il la mène n'importe comment. Le désordre d'Edith, il s'en fout. Il n'a rien d'un missionnaire : la bonne cause, pour lui, c'est vivre les heures les unes après les autres, et comme on en a envie. Ce n'est pas lui qui fera la morale à Edith, qui lui dira : « Couche-toi... Dors... Ne bois pas... Ne te drogue pas pour dormir ou travailler... »

Auprès de lui, une nouvelle fois, Edith recommence sa vie. Et une nouvelle vie, ça ne se ménage pas comme une qui est déjà usée ! Ça se flambe !

Pour elle, Georges écrit une de ses plus belles chansons, *Milord*.

> *Allez ! venez Milord*
> *Vous asseoir à ma table*
> *Il fait si froid dehors*
> *Ici, c'est confortable.*
> *Laissez-vous faire, Milord*
> *Et prenez bien vos aises*
> *Vos peines sur mon cœur*

Je vous connais, Milord
Et vos pieds sur une chaise
Vous n' m'avez jamais vue,
Je n' suis qu'un' fill' du port
Une ombre de la rue
Allez venez, Milord...

Il n'a pas que du talent. Avec Georges, Edith
retrouve le goût de la bagarre avec un homme. Il
n'est pas toujours patient, Moustaki. En tournée avec
lui, Edith est, plus d'une fois, forcée de se foutre
une bonne tartine de fond de teint : les nuits laissent
des traces et pas toujours d'amour ! Ça ne fait
rien, elle a toujours aimé ça. Quand elle me téléphone,
elle a l'air heureuse.

« On s'est engueulés avec Georges, cette nuit. Qu'est-
ce qu'on s'est mis... Je l'adore ! »

Avec Edith, ce genre d'incident n'a jamais été
mauvais signe. Quand elle fait suer un gars, c'est
qu'elle tient à lui ; et quand il s'énerve assez pour
lui filer une tannée, c'est qu'il tient à elle. Ça, c'est
la preuve par neuf de l'amour.

Elle a fait de Georges son guitariste, et elle a
décidé de l'emmener avec elle, le 18 septembre 1959,
à New York, pour son neuvième voyage en Amérique.
Loulou lui a fait signer un contrat pour quatre saisons
au Waldorf Astoria. Elle n'en fera qu'une. Pour elle,
les Etats-Unis, c'est fini. Elle n'y reviendra jamais.

Pour changer d'air, en revenant de sa tournée, se
reposer un peu, Edith a loué, à Condé-sur-Vesgre, dans
la Seine-et-Oise, une propriété.

« Tu comprends, Momone, faut que je m'oxygène
avant mon départ pour New York. Ça fera du bien
à tout le monde. »

Faudrait surtout qu'elle abandonne le melon au
porto et les fraises au vin, ses dernières trouvailles
qui devraient plutôt s'appeler le porto au melon et le
vin à la fraise...

Edith s'est beaucoup occupée des fils de Marcel depuis sa mort. Mais son préféré est Marcel, probablement parce qu'il ressemble à son père et veut être boxeur comme lui. Elle l'a invité à passer un mois à la campagne où tout le cirque s'est transporté. Ce qui n'empêche pas Edith, qui ne sait pas tenir en place, d'être tout le temps à Paris.

Un matin, elle me téléphone :

« Je me suis taillée pour quelques jours à la campagne. Tu devrais me rejoindre. Appelle Charles, s'il est là, il t'amènera, il y a longtemps que je ne l'ai pas vu. Et puis, comme ça, tu examineras Georges d'un peu près. Tu me diras s'il te plaît. Comme je rentre samedi, tu reviendras avec nous ; Marcel repart pour Casa, je le conduis à Orly. »

J'aurais dû dire oui, j'ai dit non. C'est peut-être ce qui m'a sauvé la vie, une fois de plus.

Le 7 septembre, Edith a son troisième accident de voiture. Georges Moustaki conduisait la D.S. 19 d'Edith. Elle était à côté de lui. Derrière il y avait Marcel Cerdan et une jeune amie. Il pleuvait. Georges a vu trop tard un poids lourd qui manœuvrait. Il a pilé à mort, a dérapé ; la voiture s'est envolée, a quitté la route. On se précipite, on aide Edith à sortir. Son visage ruisselle de sang, les rigoles rouges lui font comme une voilette. Cerdan, sonné, sort en titubant ; il saigne aussi. Et Georges, qui n'a rien, crie : « C'est Edith Piaf ! Occupez-vous d'elle, tout de suite ! »

Les gars qui sont là sont tous des routiers. Edith pour eux, ce n'est pas qu'Edith Piaf, la *vedette*, c'est une fille comme ils les aiment. Ils la prennent dans leurs bras, l'essuient avec leurs grosses pattes. Ils sentent bon l'homme. Malgré la commotion, Edith leur sourit, les rassure.

« Je crois que je n'ai rien de cassé. Et ma tête, qu'est-ce qu'elle a ?

— Une grosse coupure, Mam' Piaf. La tête, c'est

tout ou rien. Ça saigne beaucoup, mais ça n'est pas grave. Bougez pas en attendant l'ambulance. Tenez, un petit verre ça vous fera du bien. »

Quand Edith est embarquée, un des gars dit à l'autre :

« Dis donc, ton pull, il est plein de sang, il va falloir le laver.

— Penses-tu ! le sang d'Edith Piaf, c'est un souvenir. J'aurais dû lui dire qu'elle me le dédicace. En repassant demain, je demanderai de ses nouvelles à l'hôpital. »

Il l'a fait. Et quand on lui a demandé : « De la part de qui ? » il a répondu : « Dites-lui que c'est les Routiers de la Grâce de Dieu. »

A Rambouillet, conduite immédiatement à la salle d'opération, le chirurgien lui recoud une plaie de dix centimètres sur le front, une entaille à la lèvre supérieure, et à la main droite deux tendons qui ont été sectionnés. Son visage est couvert de plaies.

Le bilan n'est pas trop grave, et je devrais me dire qu'elle a de la chance. J'ai beau me forcer, je n'y arrive pas.

Deux jours plus tard, Edith se marre.

« Momone, tu ne sais pas où ça m'est arrivé ? A un endroit qui s'appelle « A la grâce de Dieu... » Tu vois bien que je suis protégée. Va voir la voiture, tu seras de mon avis !

« Qu'est-ce que j'ai eu la trouille pour Marcel ! Il avait plein de sang sur la figure. Pour le coup, il avait l'air d'un vrai boxeur ! Ce qui m'embête, c'est que ça retarde un peu mon voyage en Amérique. »

Elle a beau être de bonne humeur, je sais qu'elle souffre. Sa main, dans le plâtre — à cause des tendons — la gêne.

Quand elle rentre boulevard Lannes, elle nous regarde avec son petit sourire « pauvre gosse », et elle nous dit :

« Ce coup-ci, je suis sonnée... Je ne peux pas partir

avec cette gueule-là, les Américains vont m'appeler
« Miss Frankenstein ! N'est-ce pas, Momone ? »

Elle avait le front barré par une cicatrice énorme,
boursouflée, qui remontait, de chaque côté, vers les
cheveux. La lèvre supérieure était déformée. Il était
difficile de lui dire qu'elle ressemblait à la Joconde !
Tout ce que j'ai trouvé c'est :

« Ça fait de l'effet, mais c'est superficiel...

— Toi, tu me prends pour un con. Ça fait plus que
de l'effet. Ce truc à la lèvre m'empêche de chanter.
C'est comme si j'avais un bec-de-lièvre, ça me donne
un défaut de prononciation. C'est une tuile... A l'hôpital, on m'a dit d'essayer des massages faciaux. Je vais
le faire. »

Ceux qui ont assisté à ces séances s'en souviennent
encore. Le type lui massait la peau du crâne, en plein
sur sa cicatrice, ensuite, le front et tout le visage, en
insistant bien sur les coutures. Edith devenait toute
rouge, on voyait battre le sang sous la peau. Ce n'était
pas beau. Et ça lui faisait terriblement mal.

« J'arrête un moment ? disait le masseur.

— Vous êtes sûr que, grâce à votre torture, je vais
pouvoir partir en Amérique et chanter ?

— Absolument.

— Alors, continuez. Et n'ayez pas peur, je tiendrai
le coup. »

Edith s'énervait. Elle voulait bien avoir mal, mais
elle voulait que ça aille vite. La première personne
qu'elle pinçait, elle lui demandait :

« Il y a un progrès ? Ça va mieux, ma figure ? »

On lui répondait ce qu'on pouvait. Ce qui la tourmentait, c'était ce défaut d'articulation. Ça la foutait
en rogne.

Le seul qui passait à travers, c'était Moustaki.
Edith, qui était souvent injuste et de mauvaise foi,
avait des délicatesses de cœur extraordinaires. Quand
Georges lui a dit : « Edith, c'est moi qui t'ai fait ça...
Je te demande pardon ! » elle lui a répondu : « Ce

n'est pas de ta faute. Un autre aurait été au volant
que j'aurais, quand même, eu cet accident. C'était
écrit. Et ne me casse plus les pieds avec tes remords.
Des regrets, d'accord ! des remords jamais !... »

Un mois plus tard, aux U.S.A., elle est accueillie
comme une parente qui rentre au pays : fleurs,
discours, cocktails, radio, télévision. La presse est
merveilleuse. « La plus petite des grandes vedettes »
est fêtée comme seuls les Américains savent le faire.
A l'image d'Edith : hors mesure.

Pour la première fois de sa vie, Edith se sent
profondément lasse. Pourtant, elle aime ce public,
ce pays. Ils lui réussissent. Avec Georges, les scènes
n'arrêtent pas. Elles n'amusent plus Edith, elles lui
font mal. Elle a peur de s'être trompée, une fois de
plus. Depuis quelques jours, elle ne mange plus rien.
Elle boit, mais l'alcool la brûle. Elle se tort dans des
douleurs qui la coupent en deux.

Et, le 20 février, sur la scène du Waldorf Astoria,
Edith voit tourner la salle comme un manège
fou... puis, c'est le soir... Edith s'est écroulée en
scène.

On l'emmène dans les coulisses. Elle est prise
d'affreux vomissements de sang. Elle a perdu connaissance quand on la transporte d'urgence au Presby-
terian Hospital de New York, 168th Street. Pour
elle, la sirène de l'ambulance hurle dans cette grande
ville qu'elle aime tant, après Paris.

A son arrivée, les médecins diagnostiquent : ulcère
ouvert de l'estomac, avec hémorragie interne. C'est
grave. Quand elle revient à elle, on la prépare pour
l'opération. Elle est sous perfusion. Edith regarde ce
sang étranger qui coule dans ses veines, elle appelle
Georges. On le fait entrer. Quand il sort de la chambre, il a l'air furieux. Les musiciens d'Edith sont là.
Ils attendent.

« C'est grave ?

— On l'opère », répond Moustaki.

Dans la chambre, Edith pleure. Plus tard, elle me dira :

« Je lui ai dit : « Embrasse-moi... Dis-moi que tu « m'aimes encore un peu... »

« Il m'a répondu : « Plus tard, Edith, on verra ! »

A l'hôpital, ça ne traîne pas, il n'y a pas de temps à perdre. Pour la première fois, la mort couche devant la porte de la chambre d'Edith. Elle reste quatre heures sur le billard. On lui fait trois transfusions.

Loulou est parti. De là-bas, il me téléphone les nouvelles :

« T'inquiète pas, elle est sauvée. Mais cette fois-ci on a eu chaud. Appelle-la dans quatre ou cinq jours, ça lui fera du bien.

— Elle n'est pas seule, au moins ?

— Non, non, je suis là.

— Et son mec ?

— Ne t'en fais pas, tout va bien. »

Il n'était pas difficile, Loulou !

Les Américains n'en reviennent pas. Pour eux, Edith, c'est la petite femme la plus solide du monde. New York s'inquiète, on publie les bulletins de santé d'Edith, on fait des vœux. Les câbles arrivent sans arrêt. Les fleurs encombrent le couloir devant sa porte... Edith ne s'est jamais sentie aussi seule...

Quand je l'ai, au téléphone, je la trouve moins abattue que je ne le pensais. Comme elle ne m'en parle pas, je finis par lui dire : « Georges est là ? » Alors, elle éclate :

« Momone, ne me parle plus jamais de ce type ! Celui-là, je veux l'effacer. Quand je me suis réveillée, il n'était pas là. Il était parti pour Miami en Floride. Je me suis sentie aussi paumée qu'à l'hôpital Tenon quand j'ai eu ma petite. Il a eu le culot de me téléphoner pour me dire qu'il y avait du soleil. Il savait bien que je n'étais pas assez con pour penser que là-bas il n'y a que des bonnes sœurs ! Je n'ai rien pu dire. L'appareil raccroché, j'ai chialé, Momone, qu'est-

ce que j'ai chialé ! Autour de moi, ils étaient tous
inquiets. Les infirmières me disaient : « Miss Edith,
« il ne faut pas, c'est mauvais pour le moral. » Tu
parles que je l'avais au-dessous de zéro, le moral !

« Mais ne t'en fais pas. Ça va mieux depuis ce
matin : il y a un gars, que je ne connais pas, qui
m'a envoyé un gros bouquet de violettes ! Ça m'a fait
du bien. Il est américain. Il s'appelle Douglas Davies. »

CHAPITRE XVII

« NON, JE NE REGRETTE RIEN ! »

Quand Loulou est venu voir Edith à l'hôpital, et qu'il
l'a trouvée bien calée dans ses oreillers, coiffée,
maquillée, il l'a regardée comme on regarde quelqu'un
qui revient de loin, un revenant !

« Qu'est-ce que t'as à ouvrir tes carreaux comme
ça, tu me croyais finie ? »

Elle a ri, prête à l'engueuler, prête à mordre, prête
à vivre de nouveau. Loulou ne trouvait rien à répondre. Bêtement, il a laissé craquer sa joie.

« Vous allez mieux ! Ce n'est pas vrai, vous allez
mieux !... Ce que je suis content, Edith. »

C'était si bon de la voir comme ça qu'il en avait
perdu les pédales.

« Tu te répètes ! Mauvais pour le son !... Coupez ! »

Ça, c'est bien *son* Edith, il l'avait retrouvée ;
plus encore qu'il ne le pensait.

« Je vais même très bien, et il me faut de la visite.
C'est pas bon pour le moral ce genre d'endroit. Le
blanc, c'est encore plus triste que le noir. J'ai besoin
de couleurs, et que ça gueule, et que ça chante ! Tu
connais ça, toi, Douglas Davies ? »

Il pigeait vite, le Loulou. Il était bien rodé, alors, il n'a pas perdu de temps.

« Je vais le chercher.

— Je ne t'ai pas dit de l'amener, je t'ai demandé qui c'était ?

— Un jeune peintre.

— C'est déjà du talent d'envoyer un bouquet de violettes comme celui-là à une femme comme moi ! J'aimerais voir sa tête... Peut-être qu'il est bigleux ! »

Sans attendre, Loulou a filé vers la porte.

« Démarre pas comme ça, il n'y a pas le feu. C'est pas un village, New York. Comment se fait-il que tu le connaisses ? Il est si célèbre que ça, ton môme ?

— Oh non ! Pas encore... »

Edith s'est éteinte, comme une bougie soufflée. Sa confiance avait beau être solide, elle était devenue un peu brèche-dent. Ses derniers patrons ne lui avaient pas très bien réussi.

C'est toi qui lui as dit de m'envoyer ce bouquet ? Si c'est ça, tu peux le jeter dehors, et toi avec !

— Pas du tout, Edith. Je connais ce garçon parce que, depuis que vous passez au Waldorf, il est là tous les soirs. Et depuis que vous êtes malades, il s'appuie deux heures de métro, il traverse la ville pour venir demander de vos nouvelles à la réception de l'hôpital.

— Pauvre petit ! On lui a caché que le téléphone existait ? Ou il n'a même pas vingt-cinq *cents* ?

— Il préfère venir.

— Ton histoire, si c'est du bidon, je fais une rechute. Et si elle est vraie, je me lève demain. Cours le chercher, tu devrais déjà être parti ! Non ! Attends ! Passe-moi ma glace. Ah ! merde alors ! Qu'est-ce qu'il va être déçu...

— C'est peut-être vous qui le serez.

— J'aime mieux pas attendre trop longtemps pour le savoir. Va vite, Loulou... Ça me fera peut-être plus de bien qu'une transfusion ! »

Ça a été nettement plus efficace.

Douglas Davies avait vingt-trois ans, toute la gentillesse, la candeur d'un boy américain. Il était grand, beau garçon. Et surtout, quand il est entré dans la chambre de « miss Edith », il a continué à la voir comme si elle était encore sur scène, dans la magie des lumières. Son visage creusé, déjà ravagé, ses bras maigres, son front dégarni, immense, sa peau maladive, il s'en foutait. Pour lui, il n'y avait que ces yeux, d'un bleu violet, qui le regardaient, et cette bouche qui lui souriait.

Il a bafouillé :

« Miss Edith, vous êtes... *very marvellous... Thank you very much !* »

Edith était aux anges. Tout allait bien de nouveau. Ce garçon-là, c'était l'amour qui lui souriait avec des dents de vingt-trois ans ! Tout recommençait !

Elle s'est fait acheter des aiguilles et de la laine, et elle lui a, tout de suite, tricoté un de ses pulls pas possibles dont elle avait l'exclusivité. Depuis Marcel Cerdan, elle n'avait plus tricoté pour un homme. C'est à New York qu'elle recommence ! Elle en est sûre — ces signes-là ne peuvent pas la tromper ! — elle va vivre un grand amour...

Quand Jacques Pills, qui est aux Etats-Unis, est venu la voir, il l'a trouvée si lumineuse qu'il n'a pas hésité.

« Ce n'est pas possible, tu es amoureuse ! Sais-tu que tu es belle ?

— Tu sais, Jacques, j'étais déjà partie si loin qu'il n'y avait plus que l'amour qui pouvait me sauver. »

Tous les jours, Douglas est venu perfectionner son français auprès d'Edith. Ces « fiançailles » sont, pour elle, un moment merveilleux. Elle a le droit d'être fleur bleue, de croire aux miracles sans qu'on lui dise : « Tu me les casses ! », de faire des projets. Personne ne la traitera de folle ! Elle peut dire et faire n'importe quoi, Douglas est en admiration. Il n'a jamais vu une femme comme elle ! Là, il ne se trompe pas !

Maintenant, Edith en est sûre, le mauvais sort, la
série noire sont finis... Pas tout à fait, il va falloir
qu'elle attende encore un peu. Le 25 mars, alors
qu'elle était convalescente, qu'elle s'apprêtait à sortir
au bras de son « Douguy », elle a une rechute. Mais
cette fois-ci, elle n'est plus seule, Douglas suit le
chariot qui emmène Edith, pour la deuxième fois,
vers la salle d'opération.

Elle était si légère (trente-cinq kilos), si petite que,
quelques jours plus tard, un malade qui avait vu
dans le couloir Douglas accompagner Edith, lui a
demandé : « Comment va votre fille ? »

Non, Douguy, « son rêve américain », ne l'a pas
quittée. Quand elle est revenue à elle, qu'elle s'est
réveillée, il était là, lui.

Près de deux mois plus tard, quand elle s'est
retrouvée à la porte de l'hôpital, appuyée aux bras
de Douglas et de Loulou, Edith a respiré un bon coup.

« Quand je suis rentrée, c'était l'hiver... Maintenant
c'est le printemps ! (Elle a regardé Douguy.) Je suis
contente, dans mon cœur aussi, c'est tout neuf... »

Dans sa chambre du Waldorf, on ne pouvait pas
dire qu'on était aussi optimistes. Les gueules de ses
musiciens, qui l'attendent, sont plutôt grises. Malgré
la sortie de la patronne, elles n'ont rien de printa-
nier ! Il est vrai que, pendant l'absence d'Edith — un
peu plus de trois mois —, pour vivre, ils ont été
obligés de travailler à droite et à gauche. Ça n'a
pas été facile. Aux Etat-Unis, on n'attend pas après
des musiciens ; ils ont ce qu'il faut sur place, et même
de quoi exporter ! Et les gars ont bouffé plus souvent
un hot dog que du foie gras.

En les voyant, Edith s'est mise à rire.

« Eh bien, pour mon retour, la pièce que vous
affichez, elle n'est pas gaie !

— Edith, l'hôpital a coûté un peu plus de trois millions. Il y a l'hôtel et les billets de retour à payer. On
n'a plus un rond ! »

Elle se fout de tout pour elle-même mais pas pour ceux qui travaillent à ses côtés. Elle tenait à peine debout, et elle n'a pas hésité.

« Faut pas vous en faire pour ça. Loulou, annonce que je vais chanter au Waldorf pendant une semaine.

— Non, Edith, vous ne pouvez pas. Vous ne le ferez pas, c'est de la folie !

— Si. Ça me fera du bien. Et puis, je veux laisser un bon souvenir aux Américains, je leur dois bien ça. »

Plus fragile, plus pathétique que jamais, elle a chanté. Mais en elle, cette fois-ci, dans sa voix il n'y avait pas que le désespoir de l'amour, il y avait son triomphe. Douguy, dans la salle, ne la quittait pas des yeux.

Edith ne s'est pas trompée. Dans son métier, elle sait toujours ce qu'elle doit faire. Aux U.S.A., on aime le courage. La presse a été enthousiaste : « Miss Courage... » — « La brave petite Française » — « La force d'un lion est enfermée dans cette petite bonne femme... » — « Elle n'a jamais mieux chanté... » — « Sa voix est toujours aussi magique... », etc.

Pourtant, Edith vient d'enlever *L'Accordéoniste* de son tour de chant. La tessiture en est trop étendue, elle la fatigue. Ce n'est pas encore définitif, mais elle la chantera de plus en plus rarement, pour finir par la supprimer totalement.

Pendant huit jours, cette petite flamme noire qui se dévore elle-même brille au Waldorf Astoria. Elle a tenu le coup. Non seulement elle a eu l'argent qu'il lui fallait, mais il lui en est resté de quoi faire des folies.

La folie, elle l'a faite. Mais pour celle-là, elle n'avait pas besoin de fric. Elle a dit à Douglas : « Viens, je t'emmène ! » Exporter ce pur produit « made in U.S.A. », c'était une erreur grave. Il fallait le consommer sur place. En France, il risquait de perdre beaucoup de son goût, de s'abîmer.

Le 21 juin 1960, quand elle est descendue d'avion à Orly, toute la presse était là. Edith était fière de son ourson américain, elle l'a présenté à tout le monde. Douglas suivait, heureux, mais visiblement pas dans le coup ; il ne l'a jamais été. Il ne sait pas ce que c'est que d'être monsieur Piaf. Il va l'apprendre trop vite.

Pour les habitués du boulevard Lannes, Douglas n'est rien. Comme patron, il n'en impose pas. C'est un innocent. C'est Daniel dans la fosse aux lions. Ils savent bien que le titre de patron ne veut rien dire. Ce n'est pas lui qui commande, c'est elle. Alors, ils se foutent pas mal du bonhomme, surtout quand c'est un gamin qui débarque d'Amérique ! De toute façon, il y a longtemps qu'ils ont compris que les amants passent et que les autres restent. On lui a tapé gentiment sur l'épaule, on l'a appelé Douguy, et on a continué à s'occuper de ses petites affaires. Il aurait été moins seul dans le désert !...

Je l'ai trouvé très sympathique, ce Douglas. Il sentait bon la savonnette. Il faisait tout propre, bien briqué, à l'intérieur comme à l'extérieur. Il était content d'être à Paris. Pour lui, c'était une sorte de paradis, plein de peintres, d'expositions, de musées... Il allait pouvoir travailler.

Ça c'était la vie avec Edith comme il la voyait.

Leur premier accrochage, ils l'ont eu à l'arrivée.

« Douguy darling, voilà notre chambre. »

Il a regardé le lit comme s'il avait vu le serpent de mer couché sur le pieu.

« Tu ne comprends pas ? C'est *notre* chambre.

— *I am sorry*, Edith. Ce n'est pas possible... Je n'ai pas l'habitude... En Amérique, on a chacun son lit... »

Edith a refermé la porte. Elle est rouge de colère. Jamais un homme ne lui avait fait ça !... Il n'est pas le premier Américain de sa vie !... Aucun n'a osé lui dire non...

« Momone, tu te rends compte, le coup qu'il m'a

filé ! Enfin, si je prends un homme, c'est pour l'avoir toujours sous la main. S'il faut que je traverse l'appartement, ou que je le sonne comme un larbin, l'envie me sera passée de lui ouvrir mon plumard ! »

Justement, Douglas n'était pas de l'espèce qui couche en rond à côté de vous. Pour lui, un homme n'était pas fait pour rester collé contre une femme toute la journée. Dans son pays, les hommes vivent leur vie. Ils travaillent, et en rentrant, ils apportent des fleurs et leur petit cœur au milieu. Comme ça, tout est O.K.

Le lendemain, le boy avait pris sa boîte de peinture sous le bras et, très « relaxe », il s'était préparé à se tirer. La voix, trop célèbre, l'a cloué sur place :

« Douguy, où vas-tu comme ça ?

— Je vais peut-être peindre. Je vais regarder Paris, et le musée du Louvre...

— T'es pas cinglé ? Tu vas te paumer. Tu ne connais pas Paris. Quand tu sortiras, Robert, le chauffeur, t'accompagnera avec la voiture. Maintenant, j'ai besoin de toi. Reste, mon amour... »

Il lui a cédé avec un bon sourire en pensant que, le premier jour, c'était correct de rester avec elle, que le lendemain, il sortirait.

Il ne savait pas qu'être l'amant de « Miss Piaf », c'était avoir un fil à la patte. Ce brave boy, bourré de bons principes américains : le respect de la femme et de la liberté, était incapable de lui résister. Il ne pouvait pas comprendre non plus que, « quand on a la chance d'être choisi par elle, on ne doit avoir besoin de rien d'autre... »

Une seule fois, elle lui a laissé ouvrir sa boîte de peinture pour qu'il fasse son portrait. Edith en était très fière.

« Il est beau, hein, Momone ? C'est comme ça qu'il me voit ! »

Ce n'était pas la Piaf de la scène, c'était l'image de celle que le populo portait dans son cœur.

J'ai compris tout de suite que ça ne tiendrait pas entre eux, que la réalité écrabouillerait le rêve bleu de ce garçon. Il ne pouvait qu'être choqué par le boulevard Lannes, par les gens qui étaient autour d'Edith, par ce monde grouillant de parasites qui s'abattaient sur ce corps malade. Tout ça était trop loin de lui.

Moi, qui avais quelque trente années d'expérience, j'ai compris tout de suite que cet amour était mal embarqué, qu'il boitillait plutôt qu'il ne marchait.

Et puis, malgré son courage, sa volonté de vivre, cette fois Edith était atteinte en profondeur. Elle avait à peine huit jours devant elle pour préparer sa tournée d'été. Elle a sauté dans le travail, elle n'a pas dételé une seconde, mais elle avait du mal à tenir, surtout sans doping, ni drogue, ni boisson. L'ordonnance qu'elle a rapportée d'Amérique est peut-être bien, mais elle n'est pas marrante : du lait, des grillades... c'est à peu près tout.

« Ils vont me faire crever avec leur régime jockey. C'est pas avec ça que je vais pouvoir chanter. »

Il lui vient une nouvelle idée :

« Dis donc, Momone, tu connais ça, toi, les piqûres de cellules embryonnaires ? Il paraît que ça fait des miracles... Le pape et Adenauer s'en sont fait faire en Suisse par un toubib de là-bas. J'ai envie d'essayer. C'est ça dont j'ai besoin... »

Naturellement, elle l'a fait. Dommage qu'il ne suffise pas qu'elle y croie !

La tournée va démarrer. Naturellement, elle emmène Douguy, et pour lui faire plaisir, parce qu'il n'aime pas conduire les voitures françaises, elle a acheté une grosse Chevrolet. Michel Rivgauche est du voyage.

La veille du départ, le soir, Edith tenait une de ses meilleures formes, celle des records ; et Loulou me disait : « Quand je la vois comme ça, je me pince. Je me demande si j'ai fait un cauchemar à New York, ou si c'était vrai ! »

A minuit, Edith refuse d'aller se coucher. Elle a décidé qu'elle dormirait demain dans la voiture.

« On va montrer à cet Américain « Paris by night ». Le pauvre chou, depuis que je suis rentrée, je n'ai pas pu m'occuper de lui. »

Loulou se lance :

« Celui-là, dans une seconde, il va avoir besoin d'une bouée de sauvetage ! Il faut vous reposer... Pensez à votre régime, Edith !

— Tu me les brises. Je boirai du lait. Fous-moi la paix. Il y a longtemps que je n'ai pas été aussi heureuse ! »

Le chœur de tous ceux qui ont, enfin, retrouvé leur patronne, avec la paie au bout et les petits avantages qui sont fort gros, démarre : « Ça lui fera du bien... » « L'air de Paris, il n'y a que ça... », « On est tellement heureux de vous voir comme ça, Edith... », « S'amuser n'a jamais fait de mal à personne... ». Leur numéro est bien au point !

Et, toute la nuit, on a dévalé de Pigalle aux Champs-Elysées.

Au petit matin, ils montent dans les voitures pour partir en tournée. Douglas conduit, depuis quelques heures déjà, la grosse américaine. Edith a ouvert un œil pour le regarder. Il a un profil de Kid, la joue encore ronde, le nez en l'air, une drôle de petite boucle brune, une bouche innocente et de belles mains d'artiste. Elle a refermé les yeux. Combien de temps va-t-il durer, celui-là ? Elle ne veut plus le savoir. Avant de partir, elle m'a dit :

« Mon bonheur, maintenant, je l'achète à la sauvette, comme une salade ou trois citrons pour vingt ronds ! Je passe, je paie, j'emporte. Arrivée chez moi, la salade est verte, et le citron me fait mal à l'estomac. Et après ? Pendant que je les ai tenus dans mes mains, que je les ai emportés, j'y ai cru ! »

Douglas a une défaillance d'une seconde. Il a fermé les yeux dans la côte de la Rochepot. La grosse

Chevrolet toute neuve quitte la route et s'encadre
dans des fûts de goudron.

Derrière eux, les suivant, il y a la D.S. d'Edith,
conduite par Robert avec sa femme Hélène. Quand
ils arrivent, ils trouvent Douglas qui pleure comme
un môme devant Edith évanouie. Michel Rivgauche a
du mal à reprendre ses esprits ; son front qui est
ouvert pisse le sang.

Edith reprend conscience très vite. Elle les regarde
tous, les uns après les autres, comme si elle faisait
l'inventaire, et dit :

« J'ai pas de chance, hein ! En route ! »

Le bilan n'avait rien de drôle pour elle : trois côtes
cassées, des gnons partout... La vraie vacherie !

Le dialogue avec le toubib, il était connu d'avance :
« Docteur, ce soir, je chante à Divonne.

— Madame, c'est de la folie ! Vos côtes fracturées
vous feront hurler chaque fois que l'air rentrera dans
vos poumons.

— Docteur, je chanterai. Faites-moi de la morphine. »

Sa vieille ennemie, la drogue est là ! A chaque
accident, à chaque crise violente de douleur, Edith a
besoin d'elle pour pouvoir chanter. C'est un sauve-
teur qui la tue !

« Je chanterai. J'en ai marre des accidents, des
maladies, des hôpitaux. J'en ai ma claque, ras-le-bol !
Je chanterai ou je n'ai plus qu'à crever. Qu'on téléphone à mon médecin de Paris, qu'il vienne et il me
suivra pendant la tournée... »

Le médecin de l'hôpital fait son devoir. Il insiste :
« Madame, vous jouez avec votre vie.

— Je m'en fous. Faut bien jouer avec quelque chose,
et je n'ai plus que ça ! »

On l'a bandée avec des bandes plâtrées, très serrées.
Elle a exigé de la morphine. Comment chanterait-elle
sans ça ? Cette fois-ci, elle ne va pas se droguer pour
elle, mais pour respecter ses contrats.

C'est la tournée de la folie qui commence. Il fait chaud. Les bandes, qui la serrent, lui font endurer un véritable supplice. Dès que l'air entrait dans ses poumons, dès qu'elle gonflait son torse, elle était prête à hurler. Pour pouvoir chanter, elle a foutu en l'air le bandage plâtré. On l'a remplacé par des bandes de crêpe.

Cette fois-ci, elle sera la plus forte, la drogue ne l'aura pas. Juste avant d'entrer en scène, le médecin lui fait une piqûre. A la dixième chanson, elle vient en coulisses une seconde, et le médecin lui fait la deuxième. Dans la journée, elle résiste, mais peu à peu, elle s'est remise à boire.

A Cannes, Edith est restée quelques jours. Sur la plage, tous ceux qui font griller à point leurs côtés face et pile, se régalent en voyant passer le couple Piaf-Davies. Lui, il a de beaux muscles, bien entretenus. En slip de bain, il ne laisse pas les filles indifférentes. Elle, c'est Edith Piaf, alors on lui pardonne (on lui a toujours tout pardonné) sa barboteuse, sa chemisette, son foulard sur la tête, son anatomie d'endive. Ses cuisses sont maigres et ses genoux trop gros. Elle s'en fout, elle les emmerde tous : à son bras, elle a un beau garçon de vingt-trois ans... Ce que personne ne sait, c'est que, sous la blouse d'Edith, il y a cette saloperie de bande qui la serre, l'empêche de respirer. Sous le soleil, ce n'est pas tenable. Ça ne fait rien, elle reste à côté de Douguy, elle ne le lâche pas. Elle a horreur du soleil, des plages grouillantes ; mais elle a pensé que Douglas serait heureux de plonger dans la flotte, alors, elle l'accompagne. Avec ça, elle est sûre d'avoir fait le maximum pour lui.

Mais Douglas avait envie d'autre chose... Près de Cannes, il y a Picasso et des tas d'artistes... C'est toute la peinture contemporaine qui grouille sur quelques kilomètres carrés. Aux U.S.A., il en rêvait. Il est venu en France, et il ne verra rien de ce qu'il voulait voir...

Rien que cette petite femme qui a déchiré son brave
cœur de boy, un soir, dans la lumière fausse des
projecteurs, parce qu'elle chantait une vérité qu'il ne
connaissait pas et qui l'a bouleversé... Il ne savait
pas que ce monde qui l'avait séduit, ce n'était pas
un monde tendre, que la vie y était dure, les lois
sans espoir...

Edith luttait contre la maladie avec n'importe quoi.
On lui avait dit que l'ail était bon pour les rhuma-
tismes : elle en bouffait sans arrêt. Ça écœurait
Doug. Contre ses douleurs, elle s'est remise à la corti-
sone qui la fait gonfler. Et pour son moral, à l'alcool.
Elle se suicide doucement.

Douglas n'arrivait pas à suivre, derrière elle, il
s'essoufflait. Cette femme, qu'un médecin faisait tenir
debout à coups de piqûres, qui s'énervait pour rien,
qui exigeait une présence de tous les instants, une
obéissance aveugle, l'avait épuisé... Il n'était pas le
seul ! Il n'y en avait plus un qui tenait sur ses gui-
bolles. Même les durs, les coriaces, étaient à bout.
Quant à Edith, elle était comme un ressort qu'on a
remonté à bloc, et qui n'a pas fini de se dérouler. Elle
continuait avec la même vigueur, prête à claquer net.

A Bordeaux, l'avant-dernière ville de la tournée,
avant Biarritz, Douglas a eu, dans la nuit, une scène
avec Edith. Ils se sont jeté quelques vérités à la tête
comme des ordures. Edith, bourrée de barbituriques,
s'est endormie. Et Douglas en a profité pour détaler,
jusqu'à la gare, comme un lapin dont la peau est
convoitée par un lévrier de course. Sa nuit, il l'a
terminée dans la salle d'attente des IIe, comme une
cloche, ses affaires sous le bras, et pas rasé.

Quand Edith est sortie de son lourd sommeil, Douguy n'était plus là. Alors, la Grande Piaf, comme une
vraie dingue, pas coiffée, un manteau sur sa chemise,
a sauté dans un taxi.

« Vite à la gare !

— C'est pour quel train ?

— J'en sais rien. Vite !...

— J'vous dis ça parce que, si c'est celui pour Paris, il ne vous reste pas beaucoup de chance de l'avoir. C'est du genre désespéré. »

Il ne croyait pas si bien dire, le chauffeur !

« Tu comprends, Momone, celui-là, il ne fallait pas que je le perde. Je ne pouvais pas, c'était le dernier. J'avais l'air d'une folle dans cette gare pleine de gens en vacances, mais je m'en foutais. Fallait que je le rattrape ! Le mec de l'entrée m'a crié : « Votre « billet ? » Je lui ai répondu : « Merde ! »

« Puis je me suis arrêtée sur le quai. Comme dans les mauvais films, le train démarrait... Qu'est-ce que je devais faire misérable sur le quai de cette foutue gare ! C'était tellement bête que je pleurais et riais comme une vraie folle... »

Elle n'était pas drôle, la fin de la tournée.

« Mais tu vois, Momone, il ne m'a pas oubliée. Il m'a téléphoné, à Paris, en me disant qu'il reviendrait. Il me l'a promis... »

J'ai pensé qu'on promettait toujours beaucoup de choses aux gens qu'on avait condamnés.

« Momone, celui-là, je l'aimais, et il est parti... Si tu savais comme mon cœur est malade ! »

Moralement, peut-être. Mais physiquement, son cœur était plus solide qu'elle. Les médecins ont toujours dit : « Elle a un cœur d'athlète ! Il bat plus lentement que la normale. Son corps sera usé qu'il tiendra encore. »

Ses mains la faisaient souffrir, elles commençaient à se déformer. Quand elle avait des crises, elle ne pouvait plus ni se coiffer ni tenir un verre, on lui coupait sa viande.

C'est dans cet état qu'elle est partie pour Stockholm, où elle passait au Bernsbee, le plus grand music-hall de là-bas. Et devant cinq mille personnes, en chantant : *Tu me fais tourner la tête*, Edith a tourné sur elle-même, et s'est écroulée, comme une petite loque noire au pied du micro. Les gens applaudissaient, ils croyaient à un jeu de scène. On a baissé le rideau et on l'a emportée.

Alors, pour la première fois, Edith a été prise d'une trouille terrible.

« Je ne veux pas clamser en Suède, je veux rentrer.

— Il n'y a pas d'avion.

— J'en veux un. Vous n'allez pas me laisser crever ici ! »

Et elle a loué un DC 4 de vingt-quatre places pour rentrer à Paris. Sa peur venait de lui coûter un million cinq cent mille francs... Ce n'était pas le moment, elle ne travaillait plus assez pour l'argent qu'elle claquait.

La malchance ne la lâche pas. Le 22 septembre, elle est hospitalisée à l'hôpital américain de Neuilly où on l'opère d'urgence d'une pancréatite. Quand j'ai demandé à un ami toubib ce que ça voulait dire, il m'a répondu que c'était mortel dans les vingt-quatre ou quarante-huit heures si on n'était pas opéré à temps ; et que, même dans ce cas-là, on ne sauvait que 30 p. 100 des malades. La porte d'Edith était condamnée. Une fois de plus, elle a livré son combat contre la mort, toute seule, dans le vide trop propre de sa chambre d'hôpital.

Ces noms de maladies, je savais ce qu'ils cachaient. La vérité, je la connaissais. Quand on avait opéré Edith à New York, on avait découvert un cancer. Déjà, ce n'était plus possible qu'elle lui échappe. Si elle avait accepté d'être raisonnable, elle aurait pu vivre quelques années de plus, mais elle était perdue.

Sa vie alors ne sera plus que des sortes d'escales entre deux passages à l'hôpital. Et pourtant, elle atteindra un des sommets de sa carrière un an plus tard.

A sa sortie de l'hôpital, elle devait enregistrer *Milord*. On s'est cramponnés après elle pour qu'elle

y renonce. Elle l'a fait quand même. Sortie à onze
heures de l'hôpital, elle répétait à quatorze heures.
Elle est restée huit heures debout, en disant aux tech-
niciens : « Continuez, ne me lâchez pas, je ne pourrai pas reprendre. »

Loulou s'est fâché :

« Assez, Edith ! Il faut vous arrêter.

— Ne m'empêche pas de chanter, il ne me reste
plus que ça !... »

Cette phrase-là, on n'a pas fini de l'entendre. Chaque fois qu'on lui dit non, elle la sort, et on se tait.

Cette fois-là, comme les autres, elle est encore allée
trop loin. Loulou en profite. Il l'emmaillote comme
un bébé, la fourre dans sa voiture, et l'emporte à
Richebourg, dans la propriété qu'il a là-bas.

« Edith, vous ne partirez d'ici que quand vous serez
guérie. »

Il peut lui dire ce qu'il veut, elle s'en fout. Elle n'a
qu'une envie : dormir, oublier... Auprès d'elle, il y a
peu de gens : une infirmière et Claude Figus.

Claude, elle a tellement l'habitude de l'avoir qui
traîne à ses côtés qu'elle ne le voit plus. Mais pour
lui, elle est toujours la plus grande. Il l'aime assez
pour tout supporter. Pourvu qu'elle revienne, qu'elle
veuille bien de lui à côté d'elle, il est heureux.

Souvent, elle l'a présenté en disant : « Mon secrétaire. » Ça ne veut pas dire grand-chose. Depuis qu'elle
l'a « adopté », il est surtout grouillot à tout faire.

Ce coup-ci, il a sa chance, le petit Claude. Auprès
d'Edith, il n'y a personne pour lui parler d'amour,
pour lui dire les mots qu'elle a besoin d'entendre.
Alors, un soir qu'elle va mieux, Claude se laisse aller
et il lui balance, en vrac, tout ce qu'il y a dans son
cœur ; et il y en a gros depuis qu'il a treize ans...
Edith l'écoute. C'est son coup de veine, au môme. Qui
pourrait résister à tant de candeur, d'amour ? Alors,
Edith le prend dans ses bras. Et Claude a droit à la
médaille.

Pour lui, la panoplie ne va pas plus loin. Ça aussi, il s'en fout. Son bonheur a duré le temps de la convalescence d'Edith.

Pendant près d'un an, elle a réappris à vivre. Tordue par les rhumatismes déformants, elle ne savait même plus marcher. Chaque jour Vimbert, un chiropracteur, est venu. Il l'a massée patiemment, il a redressé sa colonne vertébrale, il a dénoué, un à un, ses nerfs et ses muscles tordus par la douleur. C'était bouleversant de voir la docilité de cette femme au bras de cet homme qui lui apprenait à marcher, comme à un enfant. « Le pied droit, avancez-le. Bien. Le gauche maintenant. Encore trois pas, Edith. C'est assez pour aujourd'hui. » Par la suite, il a accompagné Edith dans ses tournées ; elle ne pouvait plus vivre sans son aide.

Quand je l'ai revue, boulevard Lannes, la maison était à peu près aussi gaie qu'un tombeau. C'était tout juste s'il ne fallait pas marcher sur la pointe des pieds. Pas de musique... Rien ! Un silence comme celui-là, je n'en avais jamais entendu. Edith avait la figure si gonflée qu'on aurait dit qu'elle avait joué au ballon avec un essaim d'abeilles.

« Momone, je suis moche, hein ?

— T'as un peu trop bonne mine du côté des joues. Ça ne te va pas si mal que ça ! »

Elle a un geste pour dire qu'elle s'en foutait.

« En attendant, tu me vois sur une scène avec cette gueule-là ? »

Non, vraiment, ce n'était pas possible. Quand Loulou m'avait téléphoné pour m'annoncer qu'elle revenait, il m'avait dit :

« Ça va, elle est tirée d'affaire. Il n'y en a plus pour très longtemps, maintenant, pour que ça aille bien. Elle va repartir. »

En effet ! Il se trompait seulement de direction. Il n'y en a pas eu pour très longtemps pour qu'elle se dirige, à nouveau, vers l'hôpital... Ça fait trop de maladies, de cliniques, d'hostos, de médecins, de chirurgiens... On a envie de gueuler : « Assez ! »

Edith a sombré dans le coma hépatique. A 90 p. 100 on est foutu. Pas elle. Elle s'en est tirée. Les journaux ont remis dans leurs tiroirs les articles nécrologiques.

Elle est à peine rentrée boulevard Lannes qu'on lui propose une tournée, du 14 octobre au 13 décembre. Elle a décidé de la faire. Loulou a eu beau crier, Figus et moi la supplier, elle nous a envoyés paître.

« J'ai deux mois pour la préparer, c'est bien suffisant. Et puis, avec quoi voulez-vous que je becquete ? Je n'ai plus rien à vendre, je suis raide. Alors ? J'ai même téléphoné à Michel (Emer. C'est sa dernière ressource quand elle est à sec). Il est allé à la SACEM pour moi. Là-bas, ils ne veulent plus m'avancer un flèche sur mes droits d'auteur... Vu ? Alors, je chanterai ! »

Pendant qu'elle nous débite tout ça sans reprendre son souffle, je pense : « Il n'arrivera donc pas un bonhomme pour lui changer les idées et l'aider ! »

Comme chaque fois que j'y ai pensé, il s'amène, c'est Charles Dumont.

Edith m'avait donné rendez-vous au bois de Boulogne. Elle voulait se promener. Tout de suite, dès que je la vois, je repère le changement. Bien sûr, il ne fallait pas la regarder en pensant à ce qu'elle était deux ans avant — ça vous foutait le noir —, mais elle avait quelque chose d'heureux, de léger, de vivant dans l'œil.

« Toi tu es amoureuse !

— Ça se voit déjà ? Moi, je n'en suis pas encore si sûre que ça.

— Raconte quand même. On verra après si c'est pour la vie !

— Tu sais, en ce moment, j'ai pas envie de grand-chose. Tout m'emmerde. Michel Vaucaire [1] m'a télé-

---

1. Un parolier qui a travaillé pour Edith.

phoné : « Je t'envoie un gars, tout à fait pour toi.
« Il faut que tu le voies. C'est Charles Dumont. Je
« voudrais que tu écoutes la chanson qu'il t'apporte.
« J'ai fait les paroles, et lui, la musique. Les paro-
« les, je ne te dis rien, mais la musique, elle est for-
« midable. »

« Je lui réponds : « Oui. » Je lui abandonne un
rendez-vous, mais ça me rasait. Le jour où son mec
devait venir, je l'avais complètement oublié. On sonne
deux petits coups timides. Ça me fout en boule. Claude
se ramène.

« — C'est Charles Dumont, Edith, tu as rendez-
vous.

« — J' m'en fous !... »

« J'avais pas fini ma phrase, qu'il entre. Pas du tout
mon genre : un grand type assez fort, fringué comme
un petit fonctionnaire, n'osant pas me regarder, le
nez dans ses souliers. Comme placier en aspirateurs,
il lui faudrait un an pour en vendre un... et encore !
avec l'appui du paradis tout entier ! »

Ça partait très mal. Edith lui balance assez sèchement :

« Mettez-vous au piano puisque vous m'apportez
une chanson. »

Le malheureux Charles Dumont transpirait à grosses gouttes, mais il n'osait pas s'essuyer, ça filait
dans son col de chemise. Edith, impitoyable, lui dit :

« Vous voulez mon mouchoir ?
— Non, j'ai le mien... merci... »

Et il s'est décidé à jouer *Non, rien de rien... Non,
je ne regrette rien !*

> *Non ! Rien de rien...*
> *Non, je ne regrette rien !*
> *Ni le bien qu'on m'a fait,*
> *Ni le mal. Tout ça m'est bien égal !*
> *Non ! Rien de rien...*
> *Non, je ne regrette rien !*

C'est payé, balayé, oublié,
Je me fous du passé !

Avec mes souvenirs
J'ai allumé le feu.
Mes chagrins, mes plaisirs,
Je n'ai plus besoin d'eux !

Car ma vie, car mes joies,
Aujourd'hui,
Ça commence avec toi !

Là, ça change tout. C'est le coup de foudre.

« C'est formidable ! Pas possible, vous êtes sorcier ! C'est moi, ça. C'est ce que je sens, ce que je pense ! C'est plus, c'est mon testament...

« — Ça vous plaît ? » me dit l'autre qui continuait à courir après ses moyens et ne les avait pas rattrapés.

« — C'est formidable ! Ce sera mon plus grand « succès. Je voudrais déjà être sur scène pour la « chanter. »

Et elle la chante tout de suite. Dumont en est tout remué.

« Chanté par vous, c'est bouleversant... »

Tous ceux qui se pointent, ce jour-là, ont droit à la chanson. Au cinquième, elle la sait par cœur. Au dixième, elle est déjà si bien en place, qu'Edith ne changera presque rien sur scène.

Charles Dumont n'en revient pas. Il voit sa chance grandir sur le visage d'Edith, devant ses yeux, comme une petite plante. Le bonheur le rend muet.

« Revenez, demain, on travaillera.

— Tu sais, Momone, ça fait huit jours qu'il s'amène comme ça : un petit fonctionnaire pépère qui va à son bureau. A quatorze heures trente pile, il s'installe au piano et on turbine ensemble. Il me plaît parce que c'est un homme. Il fait solide. J'ai envie de

m'appuyer sur son bras... il ne s'écroulera pas, il
tiendra. Et puis, il a quelque chose qui me touche :
il adore sa mère. Ce grand type, c'est un timide, un
tendre. Celui-là, il ne manquera pas de cœur. »

Elle s'arrête, me regarde.

« Je sais ce que tu penses. Douguy en avait aussi.
Seulement, c'était un gosse. C'est pas de cœur
qu'il manquait, mais du sens des réalités. Lui, il me
voyait en bleu et rose, quelque chose dans le style
« nursery américaine », moitié sœur, moitié mère...
Il ne restait pas de place pour la femme dans son
imagerie. »

J'ai toujours été touchée par le jugement d'Edith.
C'était clair, elle ne laissait rien dans l'ombre, et on
en sortait habillé, sans retouche possible.

« Vois-tu, Momone, depuis Bordeaux, Douguy m'a
retéléphoné. J'ai même su qu'il avait fait une expo-
sition en Amérique. Il m'a dit que quand il aurait
« grandi » un peu, il reviendrait ! Mais moi, je n'ai
pas le bon âge pour prendre des gosses. Je ne suis
plus assez jeune, et pas assez vieille. Je l'ai vraiment
aimé ; seulement, lui, il vivait dans un monde asep-
tisé, et dans le mien, ils grouillent, les microbes.
Pour le supporter, il n'était pas suffisamment vac-
ciné ! »

Ce jour-là, on a parlé longtemps ensemble. Edith
était très bien.

« C'est vrai, Momone, « je ne regrette rien... ». Mais
tout de même, la drogue, ça m'a fait peur, et ça
continue. Maintenant, quand on me fait de la morphine, j'ai la tremblote. Je ne veux pas repasser
par où je suis passée. Je ne tiendrais plus...

« Et puis, j'ai fait la connaissance d'un sentiment
qui vous fout par terre : la honte. Quand je pense
qu'il y a des gens qui m'ont vue me conduire moins
bien qu'une bête, je me débecquete moi-même. Et
quand on a envie de se vomir ça fait mal ! »

Comme je m'y attendais, Charles Dumont a pris

une place à part, pas comme les autres. Patient, doux
et gentil, il ne la commandait pas. Il ne lui obéissait pas non plus. Il était au même étage qu'elle,
de plain-pied. Ça changeait Edith, et ça lui faisait
beaucoup de bien.

Claude Figus était retourné dans l'ombre. Il me
faisait de la peine avec son dévouement, son amour
laissé pour compte. La jalousie, il l'ignorait. Edith
avait l'air mieux, il n'en demandait pas plus. Quand
ça lui prenait, elle s'occupait de lui. Il jouait pas
mal de la guitare, et elle avait décidé qu'il pourrait
être chanteur. Quand elle le faisait travailler, on aurait
cru que Claude tenait la clé du paradis dans sa main,
tellement il était aux anges.

Charles Dumont n'habitait pas boulevard Lannes.
Et ça, c'était mauvais pour Edith, elle était très
seule.

Pour elle, Charles Dumont a fait une trentaine de
chansons. Il y en a qui resteront des « classiques
Piaf » : *Les Mots d'amour, La Belle Histoire d'amour*
(dont Edith avait fait les paroles), *La Ville inconnue,
Les Amants, Mon Dieu :*

> *Mon Dieu mon Dieu, mon Dieu,*
> *Laissez-le-moi, encore un peu,*
> *Mon amoureux...*
> *Un jour, deux jours, huit jours...*
> *Laissez-le-moi, encore un peu,*
> *A moi...*

Elle était mieux moralement. Physiquement, elle
n'était pas vraiment remise. Après sa tournée prévue,
elle devait enchaîner sur l'Olympia. Tout ça me foutait
la trouille. Il n'y avait pas loin d'un an qu'Edith
n'avait pas chanté. Elle était inquiète. Une peur
plus forte que le trac la tenait à la gorge, la para-
lysait. Je n'avais pas tort : cette tournée-là, on l'a
appelée la « tournée suicide ».

Le premier jour, à Reims, quand elle est entrée en scène, le public lui a fait une ovation qui ne s'arrêtait plus. Ses musiciens ont attaqué plusieurs fois la première chanson mais, à chaque reprise, les applaudissements, les cris reprenaient. Enfin, Edith a chanté. Elle avait la gorge tellement sèche qu'elle s'est arrêtée au milieu. Dans les coulisses, tout le monde avait les jetons, c'était la catastrophe... Non, elle est repartie. Quand elle a chanté *Je ne regrette rien*, elle a été bissée trois fois. C'était gagné !

Mais elle a compté sur des forces qu'elle n'a plus. Le lendemain, la fatigue l'abat. Elle chante presque mécaniquement. Le public le sent, il a froid. Lui aussi applaudit machinalement.

Devant elle, Edith voit la longue liste des villes comme un serpent qui va s'enrouler autour de son cou, l'étouffer. Il faut qu'elle tienne. Alors, elle se drogue avec un excitant. Elle a encore la force de refuser les piqûres qu'on lui propose, cette fois-ci, pour l'aider. Elle serre les dents et dit : « Je tiendrai jusqu'au bout. »

Mais les directeurs de salles savent qu'ils prennent des risques, qu'elle peut s'écrouler en scène. Et, pour la première fois dans la carrière d'Edith, des villes : Nancy, Metz, Thionville... annulent leur contrat.

A Maubeuge, l'alerte est chaude. Il faut fermer le rideau et faire une annonce devant une salle houleuse : « Mme Piaf a eu un malaise, sans gravité. Nous vous demandons quelques instants de patience. »

Dans la salle, quelqu'un a crié : « A l'hôpital ! Aux Invalides ! » Edith l'entend, elle se redresse : « Piquez-moi, j'y vais ! » La drogue reprend le dessus.

Les musiciens, les machinistes disent :

« Non. On n'a pas le droit de faire ça. L'aider à chanter, c'est l'aider à se tuer !

— Si vous ne voulez pas, j'irai sans vous. »

Déjà, elle a écarté le rideau.

Alors, tout le monde a repris sa place.

Elle est rentrée en scène et a tenu jusqu'à la fin. Mais à quel prix !

Chanter est devenu pour elle un véritable martyre. Centimètre par centimètre, son corps lui fait mal, lui donne envie de crier. Elle tient jusqu'à la dernière ville, Dreux. Les journalistes attendent sa chute, ils sont là, ils savent qu'elle est inévitable. Ils font leur métier de charognards. Edith le sait. elle a la force de leur crier : « Ce n'est pas pour ce soir ! »

Quand le rideau s'est levé, il y avait en scène une petite forme noire au visage boursouflé par les antibiotiques, une marionnette de carnaval qui s'était fait la tête d'Edith Piaf. C'était grotesque et tragique. Elle était, à la fois, moribonde et délirante.

Loulou, Charles Dumont, les musiciens, tous l'ont suppliée d'arrêter. Le directeur a proposé de faire évacuer la salle. Edith, qui a avalé la moitié d'un tube d'excitant, une dose de cheval, leur crie : « Si vous faites ça, je m'enverrai un tube de gardénal ! » Puis, elle les supplie : « Laissez-moi chanter... »

Elle s'est appuyée au piano pour ne pas tomber. Une sueur glacée lui dégouline dans le dos. Elle chante et elle crie au public bouleversé : « Je vous aime, vous êtes ma vie... »

C'est si vrai que le public, alors, lui a fait une ovation. Il l'encourage comme un boxeur :

« Allez-y, Edith... vas-y... Tiens le coup... »

Et c'est un combat atroce : la lutte de cette petite bonne femme contre la maladie. Elle veut donner au public ce qui lui reste de vie, et le public la comprend, l'encourage. Dans les coulisses, tout le monde a les larmes aux yeux. Mais c'est trop, elle ne peut plus. A la huitième chanson, c'est le K.O. Elle tombe et ne se relève pas.

Personne ne se fait rembourser sa place. La salle est évacuée en silence. Ils portent tous la peine, la douleur de cette femme qui a voulu leur donner, jusqu'au bout, ce qu'elle avait de meilleur en elle : la chanson, sa vie.

Dans la D.S. noire, Loulou, Charles Dumont veillent sur Edith qui n'est plus qu'un petit tas de vison, grelottant de fièvre. Directement, ils l'ont conduite à la clinique de Meudon.

Le rideau devait se lever sur elle, dans seize jours, à l'Olympia. Loulou Barrier et Bruno Coquatrix se demandaient s'ils devaient annuler. Les médecins ont dit : « Elle ne chantera pas », mais Edith, avant de sombrer dans la cure de sommeil qui doit lui permettre de dormir, enfin, de se reposer, d'oublier, a interdit à Loulou d'annuler l'Olympia.

Un des toubibs a protesté.

« Madame, monter sur scène, c'est vous suicider ! »

Edith l'a regardé, et lui a balancé avec tout ce qui lui reste de forces !

« Ce suicide-là me plaît. C'est le mien. »

Six jours plus tard, elle est sortie de Meudon pour entrer à Ambroise-Paré, à Neuilly. Elle va mieux. Elle a surtout besoin de repos et de calme. Elle a passé Noël en clinique. Elle en sort le 27 décembre pour répéter à l'Olympia.

Le 29 décembre 1960, le rideau s'est levé sur une Piaf qui va faire l'Olympia 61, celui qui restera le meilleur, un de ses plus grands succès. Comme elle n'a pas eu le temps de répéter suffisamment, la générale est fixée aux premiers jours de janvier 1961.

Edith a tout vaincu. La maladie, la boisson, la drogue : oubliées, balayées. Son martyre a tout purifié. Elle reste et restera la plus Grande. Pourtant dans *Mon vieux Lucien*, elle se trompe, arrête tout, dit en riant : « Vous en faites pas ! »... Elle recommence.

C'est ce soir-là qu'Edith a créé une des chansons les plus dures de son répertoire, *Les Blouses blanches*, de Marguerite Monnot et Michel Rivgauche :

Elle attaque doucement, lointaine :

Ça fera bientôt trois années
Qu'elle est internée,
Internée avec les fous
Avec les fous.

Puis le délire commence à envahir Edith et elle se balance.

Et chaque fois il y a les blouses blanches...

Dans la chanson, elle revoit l'homme qu'elle a aimé, elle rêve...

Et reviennent les blouses blanches

A la fin Edith crie :

J' suis pas folle. j' suis pas folle...

On n'en pouvait plus de l'entendre gueuler sa folie. On avait envie que ça s'arrête, que ça casse. Cette pauvre petite bonne femme en noir qui oscillait et hurlait, ce n'était pas soutenable ! Jamais elle n'avait été plus grande qu'à cette minute.

Quand elle s'est tue il y a eu un silence de plusieurs secondes, et puis le Tout-Paris l'applaudit comme il ne l'avait jamais fait. Les femmes pleurent. Les fleurs tombent sur la scène aux pieds d'Edith qui salue. J'étais dans le fond de la salle, et j'ai filé aux lavabos pour pouvoir pleurer tranquillement. C'était trop fort. je ne pouvais plus le supporter.

On écrit sur elle : « Elle fracasse toutes les notions... » — « Elle est Piaf, c'est-à-dire un phénomène inconnu jusqu'ici... » Les critiques n'ont plus de mots assez grands, assez beaux. Alors, ils parlent d'elle avec ceux qu'on n'employait que pour les grandes chanteuses, celles des concerts, les Maria Callas.

Le 13 avril, elle quite l'Olympia pour partir en tournée à nouveau. Seulement, pour Edith, maintenant, il n'y aura plus de vie normale ; elle est allée trop loin et trop fort.

Après Bruxelles et quelques villes, elle lâche le 25 mai, elle est hospitalisée à l'hôpital américain à Neuilly, où elle est opérée d'une bride intestinale. Cette fois encore, elle s'en tire. Loulou l'emmène dans sa maison de Richebourg pour un nouveau repos. Le lendemain de son arrivée, le 9 juin, Edith, coupée en deux par la douleur, revient à l'hôpital américain où on l'opère d'une occlusion intestinale.

Elle s'en sort encore.

Pendant des mois, elle vit au ralenti. Charles Dumont ne la quitte pas. Cette affection solide, c'était peut-être ce qu'il lui fallait pour l'aider à s'en sortir.

Mais celui qui va venir va tout emporter. Et Edith va vivre le dernier et le plus bel amour de sa vie, et elle m'avouera alors :

« Tu vois, Momone, j'ai beaucoup fréquenté l'amour, mais je n'ai aimé qu'un homme : Marcel Cerdan. Et toute ma vie, je n'en ai attendu qu'un : Théo Sarapo... »

CHAPITRE XVIII

« ÇA SERT A ÇA, L'AMOUR ! »

Quelques mois avant son mariage avec Théo, Edith m'a dit :

« Pour te parler de Théo, j'ai envie de commencer par : « Il était une fois... »

Et elle avait raison. Ce n'était pas une histoire, c'était un conte. Cet amour-là, il a été le plus beau de tous, le plus pur.

Quand Edith voulait, elle voyait très clair en elle et dans les autres.

« Tu vois, Momone, on s'est beaucoup aimés avec Marcel, mais je sais bien que, s'il n'était pas mort, il m'aurait quittée. Pas par manque d'amour, mais parce qu'il était honnête, et moi aussi. Il avait une femme et trois fils et il serait retourné près d'eux. Si je n'avais pas rencontré Théo, il aurait manqué quelque chose à ma vie... »

Pourtant, c'est bien sur Théo Sarapo qu'on a le plus bavé. Elle avait quarante-sept ans, elle était usée, tailladée de partout, elle était célèbre. Lui, il était inconnu, il avait vingt-sept ans, il était beau comme le soleil grec. On le disait pauvre, ce n'était

pas vrai. Ses parents étaient aisés. Edith, que l'on
croyait riche, était totalement ruinée. Ça, personne
ne pouvait le croire ; surtout quand on savait que
Loulou Barrier avait signé, pour elle, un milliard et
demi (anciens) de contrats. N'empêche qu'à sa mort,
Edith a laissé à son mari quarante-cinq millions de
dettes ! Pour vivre, pour avoir un peu d'argent à lui,
Théo a dû aller chanter à l'étranger ; en France, ses
cachets étaient saisis, ainsi que les dix millions de
droits d'auteur que la SACEM perçoit encore, annuel-
lement, sur les œuvres d'Edith.

L'argent et l'amour, ça ne va pas ensemble. Mais
une fois qu'on a déblayé, qu'on sait tout ça, on peut
commencer l'histoire d'Edith et de Théo — comme
elle le voulait — par : « Il était une fois... »

Pour Edith, cet hiver 1962 est glacé. Il fait froid
dans son cœur et dans ses os. Les journées sont
longues.

« Je ne vis pas. Tout m'est défendu : manger ce
que j'aime, boire, marcher, chanter... Pleurer, c'est
mauvais pour le moral. Je n'ai le droit que de rire, et
ça, je n'en ai pas envie. Rire et aimer, ça ne se fait
pas sur commande ! Alors j'attends, quoi ? Je n'en
sais rien. »

Les projets dont Charles Dumont, Loulou et la
Guite lui parlent, pour l'aider à vivre, sont toujours
reculés, de mois en mois. Autour d'elle, c'est le
silence, le vide. On ne rigole plus chez Piaf, elle n'a
plus d'argent. Et aller voir Edith, ça devenait une B.A.,
ça comptait dans les bonnes œuvres ! C'étaient ses
hommes qui étaient encore les plus fidèles. Yves lui
téléphonait, Pills, Henri Contet passaient la voir.
Charles Aznavour aussi, mais il n'avait pas beaucoup
de temps. Raymond Asso ne l'oubliait pas, seulement
il était devenu amer. Il téléphonait pour critiquer,
gronder. Raymond était le seul qui ne lui avait
jamais pardonné de l'avoir quitté. Constantine était
gentil.

La « vieille garde » était restée fidèle. Ils lui disaient un petit bonjour par-ci, par-là. Des copains, des amis : Pierre Brasseur, Robert Lamoureux, Suzanne Flon, Jean Cocteau, Jacques Bourgeat... Ses musiciens et paroliers : Francis Lai, Noël Commaret, Norbert Chauvigny, Michel Rivgauche, Pierre Delanoë, Michel Emer... Tout ça faisait du monde et ça ne faisait personne...

Les jours où Edith faisait surface, il y avait encore des soirées, des nuits boulevard Lannes, qui copiaient — en plus pâle — les anciennes. Dès qu'elle se sentait mieux, Edith forçait. Quand Loulou lui disait : « Attention ! » elle répondait : « Mais pour qui veux-tu que je sois sage ? Et puis pourquoi ? Je ne l'ai jamais été ! et j'ai tellement envie de vivre ! »

C'est comme ça, un soir où elle tenait à peu près debout, que Claude Figus lui a amené un copain, un grand garçon habillé de noir, le cheveu sombre, l'œil aussi : Théophanis Lamboukas. Il s'est assis sur la moquette, dans un coin, comme une belle bête de race, une sorte de grand lévrier noir, et il n'a pas dit un mot.

« Momone, il m'énervait ce type ! C'est vrai, moi, je n'aime pas les muets. S'il s'emmerdait, il n'avait qu'à se tirer. Je faisais travailler Claude pour l'enregistrement de son disque *Quand l'amour est fini* et *La Robe bleue*. L'autre, le Théo, il écoutait sans rien dire... »

Il était tellement silencieux, qu'Edith finit par l'oublier dans son coin. Mais lui, il ne l'avait pas oubliée. Comment oublier Piaf, même si on ne l'avait aperçue qu'une seconde.

En février 1962, Edith est hospitalisée à la clinique Ambroise-Paré, à Neuilly, pour une double bronchopneumonie. Elle avait chopé au passage un courant d'air qui cherchait un bon client.

« A l'hôpital, maintenant, je suis chez moi, Momone ! Je sais comment on se tient, comment on parle, et

surtout comment on s'y emmerde ! Alors tu parles si
j'ai dit oui quand on m'a annoncé qu'un Théophanis
Lamboukas demandait à me voir. Ce qui me plaisait le plus, c'est que c'était quelqu'un que je ne
connaissais pas. Je me trompais, c'était le gars du
coin de tapis, le copain de Claude. Il ne m'apportait pas de fleurs mais une petite poupée... Là, il
m'a eue, il fallait y penser et le faire. Je lui ai
dit :

« — Vous savez, pour les poupées, je n'ai plus
« l'âge ! »

« Il a ri. Il a un sourire pas comme les autres. Ça
t'éclaire d'un seul coup ! T'as envie d'être jolie, même
un peu trop, de sourire comme lui, avec un rien de
plus... Ce gars-là, qui a l'air d'un grand matou noir, il
te donne envie de faire mieux que lui. Et pourtant je
me sentais si petite dans ce lit d'hôpital.

« — Vous savez, Edith — vous permettez que je
« vous appelle Edith ? — ce n'est pas une poupée
« comme les autres. Elle vient de mon pays : la
« Grèce. »

Ils ont bavardé comme ça, gentiment, détendus, de
petites choses simples. Puis Théo a promis :

« Je reviendrai demain. »

A la façon dont il l'a dit, elle savait que c'était
vrai, demain elle attendrait...

Le lendemain, il apportait des fleurs. Puis, il a dit :
« A demain. » Chaque fois, il lui apportait quelque
chose. Ce n'était pas cher, mais ce n'était jamais
n'importe quoi. On sentait qu'il y avait pensé. Elle
qui avait dilapidé des fortunes pour faire plaisir,
elle apprenait que seul le geste compte.

Au bout de quelques jours, Edith lui a demandé :
« Mais vous n'avez rien à faire que vous venez tous
les jours ?

— Si, mais je m'arrange. »

« J'avais une de ces envies qu'il me parle de lui.
Mais, ça va t'étonner, je n'osais pas lui poser de

questions. Il avait l'air de ne rien me cacher, et il était bouclé à triple tour comme un coffre-fort. Ce gars-là avait un secret. »

Un après-midi, sans avoir l'air de rien, il lui a demandé :

« Voulez-vous que je vous coiffe ?

— Pourquoi, vous êtes coiffeur ? »

« Il a rougi. Ça m'a fait chaud. Ce grand gars qui piquait un fard comme une rosière qui voit le loup... son secret : il était coiffeur. D'un coup, j'aurais voulu être jeune, belle... Le cœur me faisait mal. Alors, j'ai compris que je m'étais embarquée pour un tour de valse. Mais dans l'état où j'étais, je risquais de valser seule... Cette loque que j'étais devenue, ce n'était pas possible au bras de ce garçon...

Elle a tourné la tête et a répondu : « Non !

— Vous avez peur que je ne sache pas ? »

Ce n'était pas ça. Elle avait honte qu'il touche les trois cheveux qui lui restaient, comme une mousse, sur le crâne.

« Tu penses ! Les mains de Théo, elles étaient faites pour des cheveux de soie, de toutes les couleurs ; pas pour trois tifs brûlés... »

Il ne l'a pas écoutée et il l'a coiffée.

Il y a eu des tas de lendemains. Edith, elle retenait son souffle, elle n'osait pas lui dire : « A demain... » Le bonheur, faut pas en parler, faut le garder pour soi, c'est fragile, tout peut l'abîmer. Et s'il avait dit : « Non »... Ça a peur des « non » le bonheur et ça fout le camp !

Ce miracle-là, ce n'était pas une improvisation du destin. Il était soigneusement écrit, et dans tous ses détails.

Comme Edith allait mieux, Théo est resté plus longtemps. Il lui a apporté des livres.

« Vous ne lisez pas ?

— J'aimerais, mais ça me fatigue. »

Alors, patiemment, il lui a fait la lecture.

« J'avais envie de lui dire « tu ». Le « tu » c'est comme une caresse. Et je n'osais pas. Le « vous » nous allait mieux. C'étaient des fiançailles. Le « tu » c'est presque un mariage. »

Edith est sortie de clinique, et il n'y a rien eu de changé.

Il a fallu longtemps avant que Théo lui avoue qu'il avait envie de chanter.

« Tu ne peux pas savoir, Momone, la joie que ça m'a donnée. Enfin, j'allais pouvoir faire quelque chose pour lui ! Je l'ai essayé tout de suite. Il a ce qu'il faut : un physique, une voix, une sensibilité. »

Du coup, Edith a retrouvé sa deuxième raison de vivre : créer un bonhomme. Elle est redevenue la patronne.

« Ton nom, Théophanis Lamboukas, ça ne vaut rien. Le populo ne retiendra jamais ça. Et puis, ça fait trop étranger ; il pensera que tu vas chanter en grec. « Théo », c'est bon. Mais Théo quoi : (elle a un de ses grands rires retrouvés)... « Sarapo » ! Tu t'appelleras Théo Sarapo et c'est moi qui t'aurai donné ton nom : Sarapo Théo, je t'aime Théo. » *Sarapo* (je t'aime) etait un des rares mots grecs qu'Edith avait appris lors de son aventure à Athènes avec Takis Menelas, mais ce mot-là, elle ne l'avait pas oublié.

Depuis longtemps, Edith se foutait pas mal de ses toilettes. Elle avait fait un effort pour Marcel Cerdan (Edith m'avait donné les robes qu'il avait préférées, elle ne voulait plus les voir et encore moins les jeter.) Elle avait eu pour l'Amérique sa crise « couturiers », mais ça n'avait pas duré. Elle traînait, comme du temps de notre jeunesse, en pull et en jupe, rarement en pantalon. Ses robes avaient quinze ans. Depuis des mois, elle se laissait aller dans une vieille robe de chambre bleue qu'un clochard n'aurait pas ramassée.

De sa voix tranquille et douce, Théo lui a dit :

« Il faut vous habiller. Le pantalon irait très bien. » Avec sa tendresse, sa délicatesse, il avait compris qu'elle ne voulait plus montrer son corps, ses jambes. Et, pour lui, elle est redevenue coquette.

Pour la première fois, Edith ne criait pas partout : « Je l'aime ! Il m'aime ! » Elle gardait ça pour elle, bien au chaud, au secret de son cœur. Mais ça éclatait, ça l'illuminait. Elle rayonnait tellement qu'on arrivait à oublier ce qu'elle était devenue.

Oui, ils s'aimaient d'un amour extraordinaire, celui des romans, dont on se dit toujours que c'est trop beau pour exister. Il ne voyait pas que les mains d'Edith étaient toutes recroquevillées, ni qu'elle avait l'air d'avoir vécu cent ans.

Ensemble, ils sont allés à Biarritz, cette ville où Edith avait tant souffert, trois ans avant, le lendemain de sa rupture avec un amant trop jeune, Douglas Davies. A l'hôtel du Palais, où elle était descendue, il n'y avait pas de fantôme qui l'attendait. Pour Edith, il n'y en aurait plus jamais. Théo les avait chassés.

Edith avait toujours refusé le soleil, l'eau, la vie en plein jour. Théo n'a pas eu à lutter. Elle s'est mise en maillot, elle s'est fait dorer comme toutes les autres femmes. Elle a exposé son corps à côté des leurs, et Théo n'a vu que le sien. Elle n'avait pas besoin de lui dire : « Ne t'en va pas... Reviens vite ! » Il ne la quittait jamais.

« Momone, quand je le regardais, ce fils du soleil, plus beau que les autres, je me disais que j'étais égoïste, que je ne savais pas l'aimer, que je n'avais pas le droit de l'enchaîner à mon poignet, que ça ne pouvait pas durer, qu'une fois de plus j'étais folle. Et pour la première fois de ma vie, j'ai eu envie d'être économe, de ne pas gaspiller, de ne pas jeter par la fenêtre toutes ces minutes, toutes ces heures, ces semaines qu'il m'avait déjà données. »

Ils rentrent à Paris, et Loulou recommence à parler de contrats. Le premier, ce sera l'Olympia. Déjà, il propose une date : septembre.

« D'accord, dit Edith, mais avec lui ! »

Théo n'a aucun métier. Il commence seulement à chanter. Loulou voudrait dire non, mais il dit oui. Comme nous tous, devant eux, il a cédé. L'impossible devient possible. Edith recommence à travailler. Théo lui a dit : « La meilleure leçon, c'est quand je t'entends chanter. »

A la fin du mois d'avril, Douglas, de passage à Paris, vient voir Edith. Le boulevard Lannes a retrouvé une vie. Ce n'est plus la même qu'autrefois. Il y a moins de bouteilles de vin rouge, moins de personnel, et beaucoup de jeunes, des copains de Théo.

« Je veux que Théo ait des amis, des garçons comme lui. »

Edith est heureuse de revoir Douglas, mais à côté de Théo, vraiment, il fait môme, il ne fait pas le poids. Pour elle, plus personne ne pourra le faire.

Douguy, pendant quelques jours, reste avec eux. Et, pour faire une surprise à Edith, Douglas fait le portrait de Théo.

« C'est pour toi, Edith, tu le mettras à côté du tien. »

Quand il annonce son départ à Edith, elle lui dit : « Déjà ?

— Oh ! Ce n'était qu'une petite visite. Je reviendrai... »

Le 3 juin 1962, Douglas Davies prend son avion à Orly. Quelques minutes après le décollage, l'appareil s'écrase au sol.

On cache les journaux à Edith. On met la radio, la télévision en panne. Qui va se charger de lui annoncer cette catastrophe ? Personne.

« Qu'est-ce que vous avez à faire des gueules d'enterrement ? »

Ils ont tous un troupeau de bœufs sur la langue.

Il y a des morts qu'on ne peut pas cacher. Edith l'apprend. La bouche ouverte elle se met à hurler :

« Non, non ! ce n'est pas vrai ! Ce n'est pas possible. Il est mort comme Marcel !... »

Ce coup de masse, elle le reçoit en plein. Pendant des jours, elle reste dans la nuit. Elle n'en sort que pour faire jurer à Théo qu'il ne prendra jamais l'avion.

A nouveau, Edith reste au lit. C'est Michel Emer qui l'en tire. Edith est sans un. Comme elle l'a fait souvent, elle appelle Michel.

« Tu sais pourquoi je te téléphone ? »

Il le sait très bien.

« Il faut que tu te débrouilles pour obtenir une avance. La maladie, c'est gratuit ; mais pour lui échapper, ce n'est pas donné.

— T'inquiète pas, je vais t'en sortir. »

Il se démène comme un chef auprès de la S.D.R.M. [1] et de la Société des auteurs et obtient une somme rondelette. Quand il annonce la bonne nouvelle à Edith, elle lui demande :

« Et tu n'as pas une chanson ?

— Tu sais bien que je ne peux rien écrire sans te voir.

— Tu sais, je suis moche, si tu n'as pas peur, viens ! »

Michel se ramène en vitesse.

« Alors ? lui demande Edith.

— Rien. Si je ne t'entends pas chanter, je ne peux rien faire. »

Edith sort de son lit et chante une de ses anciennes chansons et ses nouvelles. Ça dure, et elle continue. Théo est heureux. Il ne l'avait pas encore vue comme ça.

« Alors, Michel ? T'es content ?

1. S.D.R.M. : Société pour l'administration du droit de reproduction mécanique des auteurs, compositeurs et éditeurs.

— Oui, j'ai rechargé mes accus. »

Et le lendemain, il lui apporte à Edith *A quoi ça sert, l'amour ?*

A quoi ça sert l'amour ?

L'amour ne s'explique pas
C'est une chose comme ça
Qui vient on ne sait d'où
Et vous prend tout à coup

A quoi ça sert d'aimer ?

Ça sert aussi à se fiancer.

Le 26 juillet 1962, Théo, posément, demande à Edith :

« Veux-tu devenir ma femme ? »

Il n'a pas mis de gants blancs. Il le lui a dit, comme ça, tout simple, doucement comme s'il avait peur de l'effrayer.

« Oh ! Théo, ce n'est pas possible !

— Pourquoi ?

— J'ai eu une vie très chargée, un passé du genre poids lourd. Je suis beaucoup plus âgée que toi...

— Pour moi, tu es née le jour où je t'ai connue.

— Mais tes parents ? Ils ne rêvent certainement pas de moi pour leur fils !

— Nous allons les voir demain. Ils nous attendent pour déjeuner.

— Ce n'est pas possible, j'ai trop peur ! »

Edith n'en dort pas de la nuit.

« Momone, il n'y avait qu'Yves qui m'avait présentée à ses parents. Mais on n'était pas fiancés, ce n'était pas pour se marier ! Tu te souviens quand on lisait dans nos livres à quat'sous : « Il l'a présen- « tée à ses parents... » Ce qu'on trouvait ça bien ! Ça faisait sérieux, c'était le début du mariage. Un bonheur comme celui-là, je ne l'ai pas mérité, c'est trop beau... »

Tout ça la travaillait. Elle y pensait dans son lit pendant qu'à l'autre bout de l'appartement Théo dormait. Maintenant, Edith fait chambre à part, c'est une malade. Elle qui a tant aimé ça, qui considérait comme une injure qu'un homme ne dorme pas avec elle, ne peut plus le supporter.

Sa lampe de chevet est allumée. Edith ne s'endort pas, elle veille. Elle est presque calme. Elle aime les murs bleus de sa chambre, ils la tranquillisent. Elle commence à rêvasser doucement à toutes sortes de choses. Ses fantômes, ce soir, ne sont pas insolents. Ils ont des sourires qui pardonnent...

Dans la lumière de la lampe de chevet, elle voit ses mains qui sont posées sur le drap. Elle les voit pour la première fois par rapport à demain. C'est ça, ces mains que Sacha Guitry a fait mouler pour les garder dans la vitrine de son bureau, à côté de celles de Jean Cocteau ?... sur lesquelles on a écrit tant de phrases, dit des mots de poètes : fleurs, oiseaux... des choses qui avaient toujours des ailes, qui s'envolaient ? C'est ça, ces deux moignons recroquevillés, avec des tendons, des veines. Elle ne peux même plus les ouvrir pour les gestes les plus simples de la vie : boire, manger. Elle a besoin d'autres mains qui sont vivantes, elles !... Elle pense : Je suis responsable de ces mains ! J'aurais dû prévoir « aujourd'hui » !

Comme si un piaf, ça prévoyait quelque chose !

De grosses larmes trop salées qui brûlent sa peau coulent. C'est ça, la dot qu'elle apporte à son fiancé, à ce garçon trop jeune ! Ce n'est pas possible, elle n'a pas le droit. Demain, de quoi aura-t-elle l'air à la table de famille, à côté de lui ?... D'une infirme !

C'est une des plus mauvaises nuits de la vie d'Edith. Dire non, ce n'est pas possible non plus...

« Mon Dieu, laissez-le-moi encore un peu, mon amoureux. »

Le matin, quand Théo entre, elle se tait. Elle se maquille, il la coiffe. Elle a mis sa robe de soie bleue. Pour les choses qui lui tenaient au cœur, elle s'habillait toujours en bleu pour que ça lui porte bonheur.

Ce jour-là, Edith n'est pas en retard. Elle monte avec Théo dans sa Mercedes blanche, et elle se laisse aller à son destin. Elle n'a plus envie de lutter, elle s'abandonne, on verra bien... Elle a toujours vu, d'ailleurs, toujours payé comptant... et même d'avance. Alors !...

Elle a froid dans son vieux manteau de vison. Sa main droite est dans celle de Théo, et contre elle, de l'autre, elle serre son lapin porte-bonheur. C'est aussi ça, Edith : sa main dans celle d'un homme plein de vie, un manteau de vison qui n'en peut plus, et un fétiche en peluche...

A la Frette, dans la banlieue de Paris, on a bouclé de bonne heure le salon de coiffure. Et, sapés en cérémonie, papa et maman Lamboukas, les deux sœurs de Théo, Christine et Cathy, assis dans leur salon, attendent Edith Piaf, la fiancée du gars de la maison.

Non, ce ne serait pas possible avec une autre, mais avec Edith tout devient possible quand on ne voit que ses yeux d'enfant perdu.

On se plaît tout de suite, on s'embrasse. Ils la trouvent bien simple, Mme Piaf. Elle les trouve très sympathiques.

Ce déjeuner, qu'elle imaginait comme un cauchemar, se déroule très bien. Comme si c'était tout à fait normal, en parlant, sans en avoir l'air, Théo coupe la viande d'Edith et lui met sa fourchette dans la main.

Au dessert, tout le monde rit. Edith découvre le bonheur d'une famille, une vraie, autour d'une table, sous un lustre. Elle va avoir un beau-père, une belle-maman. Elle dira en riant : « Moi, j'ai une belle-doche pas comme les autres, et c'est la première fois que j'appelle une femme « maman » ! Elle aura aussi deux belles-sœurs.

« Momone, mon cœur dans ma poitrine, il carillonnait le bonheur à tout va... cette cloche-là, elle n'a jamais fait autant de boucan ! je n'entendais plus qu'elle ! »

Encore une fois, mais sans les parents, juste avec Loulou, Edith fête ses fiançailles officielles à Saint-Jean-Cap-Ferrat où elle est venue se reposer avant le spectacle de l'Olympia 62, en septembre. La date du mariage est décidée, ce sera le 9 octobre.

Une fois encore, la dernière de sa vie, elle appelle Raymond Asso, lui envoie un télégramme pour lui demander de venir la voir :

« Momone si tu savais comme c'était triste... Il a vieilli Raymond. Mais ça ne l'empêche pas d'être toujours aussi jaloux. Tu vois quand on vous aime trop c'est pas meilleur que quand on vous aime pas assez ! »

Boulevard Lannes, c'est le tourbillon du travail, mais Edith tourne moins vite. Elle s'acharne après Théo. Elle corrige tout : sa voix, ses intonations, ses gestes. Elle le marque de sa griffe, comme un grand couturier, une robe. Pour lui aussi, elle veut la perfection.

Le dernier gala d'Edith a été le plus grand. Le 25 septembre 1962, deux jours avant l'Olympia, elle a chanté du haut de la tour Eiffel pour la première du film : *Le Jour le plus long*.

Dans les jardins du palais de Chaillot dînaient : Eisenhower, Churchill, Montgomery, Mounbatten, Bradley, le shah et l'impératrice d'Iran, le roi du Maroc, le prince et la princesse de Liège, Don Juan d'Espagne, Sophie de Grèce, Rainier de Monaco, Elizabeth Taylor, Sophia Loren, Ava Gardner, Robert Wagner, Paul Anka, Audrey Hepburn, Mel Ferrer, Curd

Jurgens, Richard Burton, et plus de 2 700 spectateurs qui avaient payé de 30 F à 350 F leur place.

Pour eux une Edith Piaf, dont l'ombre projetée sur un immense écran était devenue gigantesque, a chanté : *Non, je ne regrette rien, La Foule, Milord, Toi tu n'entends pas, Le droit d'aimer, Emporte-moi, A quoi ça sert l'amour ?* avec Théo Sarapo.

Mais pour moi qui n'ai rien payé du tout, qui ne m'étais pas mise en robe du soir, je n'oublierai pas cette nuit-là. Par la fenêtre de ma cuisine, je voyais la tour Eiffel — la cuisine ça avait toujours été un endroit pour Edith et pour moi —, j'ai ouvert ma fenêtre sur ce ciel, sur cette nuit qui n'était pas comme les autres et j'ai entendu la voix d'Edith qui roulait au-dessus de Paris.

C'était beau et ça faisait peur comme les choses qui ne sont pas à votre taille, qui sont trop grandes pour vous.

Le soir de l'Olympia 62, en septembre, une fois de plus les snobs, les gens du spectacle et les autres sont là. Ils aiguisent leurs dents, leurs griffes et leur langue. Ils viennent voir Edith montrer en liberté, sans filet, sa dernière découverte et son futur mari : Théo Sarapo.

Lorsqu'elle entre en scène la salle délire. J'entends des milliers de bravos, des coups de sifflets, des cris : « Bravo, bravo... Edith, Edith... », et puis d'un coup la salle entière hurle : « Hip, hip, hip, hourra pour Edith ! » C'est comme une tempête qui emporte tout, déferle et vient se coucher à ses pieds. Ce public qu'elle aime tant, qu'elle respecte, avant qu'elle ait pu faire quoi que ce soit, lui crie son amour. Pendant une minute trente, elle ne peut pas commencer à chanter. D'un seul geste de sa petite main, elle les apaise. Elle domine cette passion. L'orchestre attaque sa première chanson. Alors un silence d'église tombe sur la salle tout entière. Chacun recueille dans son cœur chaque mot, chaque geste. Et pendant

tout son récital, après chaque chanson, les ova-
tions reprennent. C'est leur manière à eux de lui
dire merci.

Une fois encore, le « miracle Piaf » a lieu. Quand
elle chante *A quoi ça sert l'amour ?* en duo avec
Théo, le public accepte son mariage et ses bravos les
portent en triomphe.

Edith a gagné.

Le miracle c'est aussi que, sur scène, Edith arrive à
tenir ses mains ouvertes, plaquées sur sa robe noire,
dans son geste de toujours — celui qu'elle a eu, pour
la première fois, chez Leplée, parce qu'elle avait le trac
et qu'elle ne savait pas quoi faire de ses mains.

Le soir, en quittant l'Olympia, serrée contre Théo,
dans sa Mercedes blanche, Edith est heureuse.

« Tu vois, Théo, on les a eus ! »

Théo pense que c'est surtout sa victoire à elle ;
que lui, on l'a pris en plus, par-dessus le marché.
Il pense que passer des répétitions du boulevard
Lannes à la scène de l'Olympia c'est trop brutal.
Il comprend qu'il n'a aucun métier et que sans elle
il ne serait rien. La voiture s'arrête devant l'hôtel
George-V. C'est une idée d'Edith.

« Tu comprends, Momone, je vais me marier. Je
ne veux plus entrer tous les soirs dans cet appartement. J'y ai trop de souvenirs, j'en ai trop bavé
là-dedans, j'y ai été trop souvent vaincue. Quand
je serai mariée, ça ne sera plus pareil. J'en suis
folle d'impatience. Ça me paraît loin, ce 9 octobre !
Il y a des dates, comme ça, qui reculent au fur et
à mesure qu'on approche... »

Chanter tous les soirs la crève ; mais elle ne veut
pas l'avouer.

Le 4 octobre, Edith, dans la nuit, est torturée par
des douleurs qui lui broient les poignets, les chevilles et les jambes. Elle bouffe son drap mais ne
veut rien dire à Théo. Elle va voir son médecin, elle le
supplie :

« Docteur, je me marie le 9. Il faut que je tienne jusque-là ! »

En deux jours, la cortisone vient à bout de la crise. Mais ça n'est pas fini ! Elle prend froid. Le thermomètre monte à 40°. Elle ne peut plus respirer. Elle chante quand même ! Et le 9 octobre, Edith, comme elle l'avait décidé, se marie avec Théo à la mairie du seizième, la plus snob.

« Je me marrais en écoutant le bla-bla-bla du maire... Moi, la môme de Belleville-Ménilmontant, je me mariais dans cette mairie, je m'asseyais là où les gens du seizième posaient la pointe de leurs fesses. Tout ça parce que j'avais loué un appartement boulevard Lannes ! N'empêche que quand Théo a répondu : « Oui », et moi aussi, ça m'a filé un joli coup, j'en ai reçu plein le cœur... Comme j'étais heureuse ! »

Pour la deuxième fois de sa vie, Edith connaît le bruit des cloches, respire l'odeur de l'encens. Son mariage a lieu à l'église orthodoxe, celle de son mari, au milieu des ors et des chants. Et son « oui » éclate plus fort encore qu'à New York. Elle est heureuse comme elle ne l'a jamais été.

« J'ai pensé qu'on pouvait claquer de bonheur. Ça m'étouffait. Il battait dans mes veines, il tournait devant mes yeux... »

C'est maintenant qu'il faudrait pouvoir s'arrêter ! Quand elle sort de cette église au bras de son mari...

La vie n'a jamais fait beaucoup de cadeaux à Edith, mais, comme elle me l'a dit :

« Momone, qu'est-ce que je vais avoir comme note à payer ! Enfin, j'aime mieux casquer tout de suite. Comme ça, quand je grimperai là-haut, je n'aurai pas de dettes, on ne me présentera plus de factures, ce sera réglé d'avance. »

Ce soir-là, avec son mari, elle chante à l'Olympia. C'est du délire. Le public réclame Théo. Il veut voir et savoir si, enfin, elle va être heureuse. Puis elle rentre chez eux. Une surprise l'y attend. Théo a meublé, installé les pièces vides. C'est chaud, ça ne fait plus provisoire. Théo est heureux.

« Tu vois, ce n'est plus chez toi. Tu entres dans une nouvelle maison. C'est « chez nous » !

Ce garçon-là, il lui a donné un bonheur qu'elle ne croyait plus possible.

Pour moi, j'ai toujours pensé que c'était un gars pur, propre, et qu'il aimait Edith comme personne ne l'avait fait. D'elle, il n'avait rien à attendre que de la peine et des dettes. Avant son mariage, les médecins avaient renseigné Théo. Il savait qu'Edith était perdue. La vérité, il la connaissait, et il l'a épousée quand même. C'était une très grande preuve d'amour. Le sentiment qu'il avait pour elle était bien au-dessus de l'amour physique. Jusqu'à la fin, grâce à lui, Edith a cru qu'elle était toujours une femme désirable, aimée ; alors qu'elle n'était plus qu'une pauvre bonne femme qui supportait, parfois mal, son corps tordu par la douleur. Il a su lui donner, jusqu'au dernier moment, ce pour quoi elle avait vécu : l'amour.

Fin janvier 1963, Edith a cru qu'elle avait retrouvé sa forme. Et sa petite ombre noire, déformée, à la tête trop grosse, s'est mise à vivre aussi fort qu'avant. Comme une folle, elle a usé ses dernières réserves sans compter. Il n'y a plus que sa volonté qui lui maintient la tête hors de l'eau. Autour d'elle, on a la trouille. On sait que si une vague un peu plus forte passe, elle l'emportera, qu'on assistera à son naufrage sans pouvoir la sauver. Ce mois-là, elle le vit comme elle a toujours tout vécu, avec passion. En même temps, elle prépare son passage à l'Ancienne Belgique à Bruxelles, sa rentrée à Bobino, et une tournée en Allemagne. Elle est sûre de vaincre.

Michel Emer, avec René Rouzaud, lui fait une très belle chanson : *J'en ai tant vu, tant vu...*

> J'en ai trop cru, trop cru, trop cru,
> Des boniments de coins de rues,

> *On m'en a tant dit, j'en ai tant entendu,*
> *Des « J' t'adore », des « Pour la vie ! »*
> *Tout ça pour quoi ? Tout ça pour qui ?*
> *Je croyais que j'avais tout vu,*
> *Tout fait, tout dit, tout entendu,*
> *Et je m' disais : « On n' m'aura plus » !*
>
> *C'est alors qu'il est venu !*

Quand on écrit pour elle, maintenant, ça prend des airs de testament.

Des jeunes de vingt à vingt-cinq ans, Francis Lai, Michèle Vendôme et Florence Véran, lui font, d'un seul coup, trois chansons : *Les Gens*, *L'Homme de Berlin*, *Margot cœur gros*.

« Tu vois, Momone, tant que les jeunes t'aiment et écrivent pour toi, t'as beau être malade, il n'y a rien de changé ! »

A l'Ancienne Belgique, Edith crée *Margot cœur gros*.

> *Pour fair' pleurer Margot*
> *Margot cœur tendr',*
> *Margot cœur gros,*
> *Il suffit d'un refrain*
> *Air de guitar'*
> *Pleur d'Arlequin !*

Ça marche si bien que, dans la nuit, avant de s'endormir, elle téléphone à Michèle Vendôme : « Ta chanson est partie très fort. Je suis contente pour toi. Viens me voir à Bruxelles ! »

En février 1963, Edith passe, avec Théo, à Bobino. Encore une fois, elle voit s'ouvrir devant elle le rideau rouge, elle sent les projecteurs sur sa peau, elle respire l'odeur chaude de son public et elle entend ses bravos. Elle y crée, de Francis Lai et Michèle Vendôme, deux chansons : *Les Gens*.

> *Comme ils baissaient les yeux, les gens,*
> *Quand tous deux, on s'est enlacés,*
> *Quand on s'est embrassés*
> *En se disant : « Je t'aime... »*

Et *L'Homme de Berlin* :

> *Je m' voyais déjà l'aimer pour la vie,*
> *J' recommençais tout, j'étais avec lui,*
> *Lui, l'homme de Berlin !*
> *Ne me parlez pas de hasard,*
> *De ciel, ni de fatalité,*
> *De prochains retours, ni d'espoir,*
> *De destin, ni d'éternité...*
> *Sous le ciel crasseux qui pleurait d'ennui,*
> *Sous la petite pluie qui tombait sur lui,*
> *Lui, l'homme de Berlin !*
> *J' l'ai pris pour l'amour, c'était un passant,*
> *Une éternité de quelques instants*
> *Lui, l'homme de Berlin !*

Et c'est le 18 mars 1963, à l'Opéra de Lille, qu'Edith chante pour la dernière fois de sa vie sur une scène...

Malgré une rechute, qui de nouveau inspire des inquiétudes, elle veut faire, chez elle, une bande de travail de *L'Homme de Berlin* pour l'envoyer en Allemagne et qu'on lui en fasse une traduction. Dans sa tournée, elle la chantera en allemand.

Autour d'elle, tout le monde est contre. Pour Edith, chanter demande des forces qu'elle n'a plus. Cette fois, les réserves sont épuisées. Elle s'en fout, personne ne peut l'en empêcher. Et le 7 avril, avec son accompagnateur Noël Commaret et Francis Lai, Edith chante *L'Homme de Berlin*.

De cet enregistrement, on a fait un disque, sorti cinq ans après la mort d'Edith, qui est un document extraordinairement émouvant. De la Grande Piaf, il ne reste plus que l'aura. La voix est usée, le souffle

manque à chaque mot, elle le cherche. Ce n'est pas
chanté, ce n'est pas parlé, ça vient de très loin, ça
bouleverse... et personne d'autre qu'elle n'aurait pu le
faire.

Elle a demandé à Michèle Vendôme de venir, et
quand elle écoute la bande, elle dit : « Ma pauvre
Vendôme, je suis désolée pour la chanson. » Elle méritait mieux que ça ! Cette générosité, cette honnêteté
au seuil de la mort, c'est aussi Piaf !

Le 10 avril, un œdème du poumon se déclare. Edith
est transportée à Ambroise-Paré à Neuilly. Pendant
cinq jours, elle est dans le coma. Elle n'en sort que
pour sombrer dans une crise de folie véritable qui
dure quinze jours pendant lesquels Théo ne la quitte
pas. Il vit dans la chambre d'Edith qui ne le reconnaît
plus, il lui essuie la sueur de son front, il dénoue ses
mains qui serrent un micro imaginaire. Dans sa folie,
Edith se croit sur scène, elle chante comme d'autres
crient, nuit et jour. Puis, elle revient à elle ; la première chose qu'elle dit à Théo est : « Tu ne méritais
pas ça ! »

Cette fois-là, encore, Edith quitte la clinique. Théo
a décidé de l'emmener en convalescence sur la Côte
d'Azur. Comme si elle savait qu'elle n'y reviendra pas,
Edith s'accroche au boulevard Lannes...

De 1951 à 1963, Edith Piaf aura eu : 4 accidents
de voiture, 1 tentative de suicide, 4 cures de désintoxication, 1 cure de sommeil, 3 comas hépatiques,
1 crise de folie, 2 crises de delirium tremens, 7 opérations, 2 broncho-pneumonies, 1 œdème du poumon.

Moi, depuis près de deux ans, je n'habite plus Paris,
mais Beauchamp, dans l'Oise. Tout m'éloigne d'Edith.
Nos vies sont devenues deux rails parallèles. Moi aussi,
j'ai fait des séjours en clinique, j'ai été opérée, j'ai
failli mourir. Je ne pèse pas beaucoup plus lourd
qu'elle, trente-sept kilos. On marche à côté l'une de
l'autre, mais on ne se rejoint pas souvent. Heureusement qu'on a le téléphone !

Avant de partir pour la Côte, Edith m'appelle :
« Momone, toi qui me comprends... (Je n'aime pas ce
début. Chaque fois qu'elle commence comme ça, c'est
qu'il va falloir que j'approuve une connerie qu'elle a
décidé de faire.) Je n'ai pas envie de partir... Ma terre,
c'est celle des terrains vagues, du côté de Ménilmontant, ou ce qui reste de celle des fortifs. Je me
reposerais aussi bien ici. Et puis, je ne peux pas rater
mon retour en Amérique ! Ils m'attendent, là-bas, mes
petits copains ; je dois chanter à la Maison-Blanche
pour John Kennedy. Ça, c'est un coup que je ne peux
pas louper ! Connaître cet homme-là !... Il a tout pour
lui : le courage, l'intelligence... et avec ça, ce qu'il
est beau, ce gars ! Non, ce qu'il est bien ! »

On bavarde, comme ça, un moment, puis Edith me
dit :

« Quand tu iras mieux, viens me voir. De toute façon
à mon retour — si je pars — je voudrais que tu
reviennes près de moi. »

Edith s'est laissée convaincre par Théo qui a loué,
pour elle, cinq millions, la villa « Serano » au cap
Ferrat, pour deux mois. C'est une erreur, l'air de la
mer fatigue Edith, il est trop fort. Ses nerfs, ses
poumons ne le supportent pas. Théo l'emmène, alors,
dans la montagne proche à « La Gatounière », à Mou-
gins.

En juin, elle fait, à nouveau, un coma hépatique qui
nécessite plusieurs transfusions sanguines. Elle
rechute au mois de juillet. Le 20 août, c'est son troisième coma hépatique. Transportée à Cannes, à la clinique le Méridien, les médecins la considèrent comme
perdue. Pendant huit jours, elle est bercée tendrement par la mort qui attend qu'elle s'endorme définitivement dans ses bras.

Nuit et jour, Théo la veille. Depuis qu'il l'a rencontrée, il ne l'a plus jamais quittée. Rien ne le dégoûte,
rien ne l'éloigne d'elle. Il la soigne comme si elle était
sa mère, son enfant et sa femme.

Quand elle quitte la clinique, Théo l'installe à Plascassier, au-dessus de Grasse.

Et, en septembre, cette mourante qui ne marche presque plus, que l'on transporte dans un fauteuil roulant, écoute encore *L'Homme de Berlin*; elle a décidé de travailler.

Physiquement, ma pauvre Edith n'est même plus la caricature de ce qu'elle a été : trente-trois kilos, le visage gonflé comme un poisson-lune. Il ne reste que les yeux de violette et le regard de celle qui fut la môme Piaf.

Intellectuellement, moralement, elle est restée intacte. Elle n'a pas changé, non plus, de caractère. Elle est aussi insupportable qu'elle l'a toujours été. Elle refuse d'être raisonnable. Elle repousse le régime, l'heure de s'endormir. Tous les soirs, elle veut voir un film. Comme elle ne pouvait plus aller au cinéma, Théo lui avait acheté un appareil de projection, boulevard Lannes. Il l'a emporté et tous les soirs, à Plascassier, il lui passe des films. Son rire, le fameux « rire Piaf » éclate toujours ; il n'est même pas grinçant. Son reste de vie, elle ne le ménage pas.

Un coup me frappe, très dur. Heureusement, il n'atteindra jamais Edith, on le lui cache. Le 5 septembre 1963, dans un journal, j'apprends la mort de Claude Figus. Il avait vingt-neuf ans...

Notre petit Claude, comme un grouillot bien élevé, est allé ouvrir le premier les portes de la mort à sa patronne, à celle qu'il a vraiment aimée. Les phrases des journaux me font mal : « Il s'est suicidé. On a trouvé près de lui, dans sa chambre d'hôtel, deux flacons vides d'un barbiturique. Claude Figus avait, à plusieurs reprises, fait part de son intention d'en finir avec une vie où il n'avait eu que des déceptions sentimentales... »

Pauvre petit bonhomme ! Pourtant son dernier disque allait sortir. Il y chantait une de ses compositions : *Les Jupons*.

« Samedi soir, il arrachait la médaille qui ne quittait
pas son cou et la donnait à des amis en s'écriant :
« Je n'en aurai plus besoin... »

C'était la médaille qu'Edith lui avait donnée quand
il était devenu ce qu'il appelait en riant « le demi-
patron ». Il n'avait pas la taille pour être autre chose,
mais un moment, ça l'avait rendu heureux... il y
croyait !

A côté de cet article, il y en a un autre, avec ce
titre : « Dans sa retraite de Plascassier, Edith Piaf
ignore encore la fin tragique de son ex-secrétaire. »

« — Surtout qu'elle ne vous entende pas. Elle ignore
« tout encore, nous le lui avons caché. Il faut la pré-
« parer doucement. »

« C'est par ces mots que nous fûmes reçus, hier
en fin d'après-midi, à « L'Enclos de la Rourre » à
Plascassier, où Edith Piaf s'est retirée avec son mari,
Théo Sarapo. »

L'article se terminait sur : « Nous avons demandé
des nouvelles de la santé d'Edith Piaf. « Elles sont
« rassurantes, nous a dit son infirmière, elle achève,
« ici, sa convalescence. »

Combien de temps va-t-elle tenir encore ? Elle parle
de l'Olympia, de l'Allemagne, des Etats-Unis...

CHAPITRE XIX

« JE PEUX MOURIR MAINTENANT, J'AI VECU DEUX FOIS ! »

CE jour-là, je ne l'oublierai jamais. C'était un mercredi. Il faisait gris. Il faisait sale. Paris avait l'air mal lavé. J'avais le moral à zéro. Ma peau me faisait mal partout, elle était trop étroite. Les nouvelles que j'avais d'Edith m'inquiétaient : « Elle ne peut pas venir au téléphone »... « On ne peut pas lui passer l'appareil »... « Il n'y a pas grand changement »... « Elle est toujours pareille »...

On était le 9 octobre 1963. C'était l'anniversaire de son mariage avec Théo. Je pense : « Je vais lui téléphoner, ça lui fera plaisir. » Elle aimait ce genre d'attentions. Je demande Plascassier, et j'ai tout de suite Edith au téléphone, un coup de chance ! J'étais si sûre d'avoir quelqu'un d'autre que, sur le moment, je ne la reconnaissais pas. Notre conversation n'a pas été longue. J'étais tellement émue que je ne l'ai pas remarqué. C'est plus tard que ça m'a frappée.

Elle m'a dit :

« Momone, viens me voir ! »

Je lui ai répondu :

« D'accord, je viendrai lundi. »

Elle n'a pas aimé. Avec elle, c'était de l'immédiat. Elle disait toujours : « J'ai trop attendu, dans ma putain de vie, pour avoir de la patience. » Sa voix était claire, mais pâle. Elle n'avait pas les « couleurs Piaf ».

« Lundi, Momone, c'est tard... Tu ne peux pas venir avant ?... Tu ne peux pas te débrouiller pour venir avant ?...

— Non, Edith, vraiment, avant lundi ce n'est pas possible. »

Elle n'a pas tellement insisté. Elle avait l'air résignée. Et Edith résignée, ça n'allait plus... ou plutôt, ça allait mal ! Elle avait, d'un coup, une pauvre petite voix de môme malheureuse.

« Bon, je t'attendrai jusqu'à lundi, sans faute. »

J'ai raccroché le téléphone. J'avais la tête dans le vague et le sentiment qu'il y avait quelque chose que je ne saisissais pas, que j'aurais dû piger, comme les mecs, dans les romans policiers, quand ils sont sûrs qu'ils ont découvert un truc qui leur échappe. Puis, ça m'est venu, j'ai compris : Edith *m'appelait !* Il fallait y aller tout de suite, ne pas perdre une seconde !...

J'ai téléphoné à l'agence de voyages. Je n'avais pas un rond, mais ce n'est jamais ça qui nous avait empêchées — ni elle ni moi — de faire ce qu'on avait décidé. J'avais vécu à « l'école Piaf », alors ! J'ai demandé à l'agence de voyages un billet, aller et retour, pour Nice. J'ai emprunté trente mille francs à mon épicière qui n'a pas hésité à me les donner, et j'ai filé à Orly, en pantalon, avec rien, mon sac à main, pas plus.

Je me suis retrouvée, assise dans l'avion, avec la sensation qu'il n'avançait pas, qu'il était immobile dans le ciel. Jusqu'au moment où j'ai été avec Edith, j'ai eu l'impression que j'étais double. Il y avait la Simone qui voyait défiler un film, dans lequel Simone jouait ; et celle-là, elle ne voyait rien.

A l'aérodrome de Nice, il faisait froid, on caillait, un vent glacial, pas Côte d'Azur pour un rond. Quand je me suis vue là, plantée dans ce hall, seule, au milieu de toutes ces glaces, ce métal, je me suis mise à grelotter. Il me semblait qu'on m'avait mise au Frigidaire. Mon moral continuait à descendre.

Il n'y avait presque personne. J'avais pris le dernier vol. Sous la lumière des néons, on avait tous l'air d'être en cire. Ça faisait musée Grévin, ça me foutait les jetons.

Je suis montée dans le car d'Air-France. On était bien cinq passagers ! Le chauffeur, il devait en avoir marre : il appuyait sur son accélérateur comme s'il avait envie de se transformer en fusée. Je me suis dit : « On va se retrouver placés en orbite, quelque part dans le ciel, tous ensemble ! »

J'aurais aimé parler à quelqu'un. Avec Edith, on en avait des souvenirs dans ce coin-là. Je les connaissais bien ces petites lumières de la baie des Anges, qui clignotaient dans la nuit. Ça remontait, tous ces souvenirs... J'avais le crâne bourré d'images à le faire péter, et la gorge de plus en plus serrée. Derrière les glaces sales de ce car, c'étaient nos belles années qui défilaient.

A Nice, j'ai pris un taxi pour me conduire à Grasse. Il n'était plus question d'attendre le lendemain, de prendre des cars et tout le fourbi. Edith m'avait dit « Viens ! » Maintenant, j'avais compris, je savais que je ne pouvais pas perdre une seconde...

Grasse, c'était facile ; mais Plascassier, personne ne savait où ça perchait. Manque de pot, le chauffeur du taxi n'était pas un petit Niçois rigolo, mais un vieux sec, pas causant. Il ne connaissait pas le coin, et ça ne l'empêchait pas — au contraire — de me balader. Il le visitait en même temps que moi. Il a fini par s'arrêter dans un village. Tout était désert et fermé, sauf une sorte de bistrot-épicerie. Il m'a dit, sans se gêner :

« Allez demander, il y a de la lumière. »

La patronne était grosse, croulante, huileuse et bavarde.

« La maison d'Edith Piaf ! Mais ma pauvre dame, elle ne vous recevra pas à cette heure-ci ! Elle est très malade. Nous, on la connaît bien. C'est nous qui livrons tout à M. Théo. A vous dire, la pauvre, je crois qu'elle n'en a plus pour très longtemps. Vous ne pourrez pas la voir, même demain. Elle ne reçoit même plus les journalistes...

— Je suis sa sœur ! »

Ça me faisait du bien de crier ça.

« Ah ben, alors ! Faut pas vous fâcher, ça ne se voyait pas sur votre figure... Pourtant si, quand on vous regarde bien, il y a un air de famille... Je vais appeler mon mari. Il va vous accompagner. »

Nous voilà repartis. Le mari, comme ça le rasait, il ne parlait qu'au chauffeur pour aller plus vite.

« Plascassier, vous ne pouvez pas vous tromper. C'est dans le parc de l'Enclos de la Rourre, sur une sorte de plateau. »

Il faisait de plus en plus froid. Le vent était méchant. Dans les phares, tout défilait pareil. J'ai pensé : « On s'est paumés. » Quand il en a eu sa claque, le mari a dit au chauffeur :

« C'est là, dans le chemin... »

Et l'autre m'a laissée tomber.

« Je ne peux pas aller plus loin. Ce n'est pas un chemin pour une voiture. Vous verrez, là-bas, il y a une maison... »

J'ai payé et ils se sont barrés. Naturellement, ils s'étaient trompés. Je me suis foutue dans la gadoue. Il avait plu, la lune clapotait dans l'eau, et moi dans les flaques. Je n'en pouvais plus, mais j'étais comme une mécanique remontée à bloc. Cette nuit-là, j'aurais continué jusqu'au bout. Le bout... je ne savais pas très bien ce que c'était, mais c'était quelque chose où il fallait que j'arrive. Finalement, j'ai vu

une maison tout écrasée... enfin, qui paraissait tout
écrasée. Il y avait une petite lumière. Je me suis
approchée, j'ai regardé à travers le carreau.

Derrière la vitre, ça faisait scène de film. Je voyais
une cuisine. Ça sentait le chaud. Là-dedans, il devait
mijoter des tas d'odeurs...

Autour de la table, il y avait les Bonel. Je les connaissais bien. Edith les avait à son service depuis plus de
dix ans. Elle, Danièle, était devenue une sorte de secrétaire à tout faire, comme toujours avec Edith, lui,
Marc, était l'accordéoniste d'Edith. Il vivait à côté
de sa femme ; lui aussi faisait un peu tout. Entre
eux et moi, ça n'avait jamais été l'amour fou. Je
les avais toujours trouvés pas méchants mais un
peu sangsues. Et eux, ils me trouvaient un peu
gênante. C'était vrai : le peu de temps qu'on avait
cohabité, on ne s'était pas appréciés. Tout de
même, je dois dire que, dans leur style, ils étaient
dévoués à Edith. Simplement, nous n'avions pas le
même.

J'ai frappé aux carreaux. Ils ont relevé la tête.
Puis elle a fait signe à son mari d'ouvrir la fenêtre. Il
a pris tout son temps, et il m'a dit :

« Qu'est-ce que vous faites là ?

— Je viens voir Edith. »

Il m'a ouvert la porte. Ils étaient en train de se faire
du lapin. Je n'avais pas becqueté... ça avait beau être
le leur, j'en avais envie.

« Faut prévenir M. Théo », qu'ils ont dit avec plein
de cérémonies.

Théo était près d'Edith. Il est descendu.
Quand je l'ai vu s'encadrer dans la porte, je lui ai
souri, comme ça, naturellement. Pourtant il y avait
des heures que je n'avais pas souri. En entrant, il
apportait un air nouveau, un peu de l'air d'Edith. Il
le portait sur lui ; je l'avais senti, reconnu. Ce gars-là,
c'était sûr, il était bon, il aimait Edith. Je ne le
connaissais pas. Je n'avais pas assisté à leur mariage, à

l'époque, j'étais malade. Je l'avais vu à l'Olympia et à
Bobino. Et puis, Edith m'en avait tellement parlé...
Elle m'avait dit :

« Celui-là, je l'aime, Momone. Ce sera le dernier et il
restera le premier ! »

Théo était habillé tout en noir, avec un col roulé.
Sur le mur blanc, il se découpait comme une photo.
Il avait de belles mains vivantes, comme celles
qu'Edith aimait ; à son cou, la médaille ; à son poignet, la chaîne ; à son doigt, l'alliance !

« Momone, si un gars a des mains qui ont de
l'élégance, de la vraie, il ne peut pas être moche à
l'intérieur. Ça ne ment pas comme un visage, des
mains. Surtout quand elles parlent... »

Tout ça n'a pas pris trois secondes dans mon
esprit, mais ça s'est bien placé.

« Vous êtes Simone ? Vous êtes sa sœur ? »

Et lui aussi, il m'a souri ; d'un sourire chaud, tendre, un peu timide, qui répondait au mien. Ça nous
faisait du bien à tous les deux.

Même si elle ne m'avait pas parlé de lui, j'aurais
tout compris, pourquoi et comment elle l'aimait. Ses
allures de grand matou mince, ses mains, son sourire,
tout disait qu'il était un homme d'Edith, et surtout
qu'il était bon, honnête, sincère.

« Je ne crois pas que vous pourrez voir Edith
maintenant. Elle va dormir. »

Derrière lui, il y avait une femme en blanc. C'était
Simone Margantin, l'infirmière. Elle n'avait l'air ni
malade ni désagréable. Elle faisait lisse et un peu
sèche. Mais je savais qu'Edith l'aimait bien, que cette
femme lui était très dévouée et efficace. Pendant son
dernier coma, elle avait beaucoup aidé les toubibs.
Elle avait aussi toute la confiance de Théo.

Elle a dit :

« Edith a été beaucoup mieux aujourd'hui, une vraie
résurrection. Seulement, maintenant, elle a besoin de
repos. Je ne crois pas que vous pourrez la voir, je

vais lui faire sa piqûre. Il faudra que vous reveniez demain. »

Je la comprenais, elle protégeait sa malade. C'était difficile de faire dormir Edith, une vraie corrida. Mais j'étais venue la voir et je la verrais. Je ne suis pas grande, je ne fais pas épais, mais j'avais l'impression, à moi toute seule, de remplir la pièce. Elle voulait que je parte ! Comment, à pied ?

Plein de douceur, j'ai remarqué :

« J'ai renvoyé le taxi... Mais peut-être que vous avez une toile de tente ?... Je pourrais camper sous la fenêtre d'Edith, je ne la dérangerais pas. »

Je suis encore devenue plus douce.

« Peut-être aussi que vous ne savez pas qu'Edith m'a appelée ce matin, qu'elle m'a dit : « Viens, « Momone ! »

Alors Théo a dit — de son petit air tranquille, dans le style « peut-être que vous oubliez que c'est moi le mari » :

« Si Edith voulait vous voir, Simone, je vais monter la prévenir. »

Dans le silence, la Bonel touillait son lapin à en faire tourner la sauce.

Quand il est redescendu, Théo, il était tout joyeux.

« Montez tout de suite, elle vous attend. »

Ils avaient tous l'air étonnés. Il n'y avait pas de quoi. C'était naturel, ça ne m'épatait pas. Le difficile avait été de faire savoir à Edith que j'étais là.

L'escalier, je ne sais plus comment il était. Mais la porte, je l'ai regardée ; et aussi la main de Théo sur la poignée : elle s'est arrêtée... Il avait quelque chose à me dire. Très bas, il m'a demandé :

« Je crois qu'il y a quelques mois que vous ne l'avez pas vue ?

— Juste un peu avant votre mariage. J'étais malade. On s'est surtout téléphoné. »

Il a fait :

« Elle a beaucoup changé, Simone. Ne lui faites pas voir... »

Quand il a poussé la porte, j'ai compris.

Elle était presque chauve. Dans son visage trop rond, il n'y avait plus que deux yeux, très grands, qui bouffaient tout, et une bouche qui avait l'air écrasée.

Je lui ai souri. Enfin, j'ai essayé de lui sourire, comme je l'avais fait pendant toute notre vie quand elle me disait : « Toi, t'es un brave, t'es un petit soldat ! »

« Oh ! ma Momone, ce que je suis contente ! Je ne t'attendais que lundi. »

J'ai crâné :

« C'est que lundi, j'avais autre chose à faire, alors je suis venue plus tôt.

— T'as bien fait. »

Théo était sorti. En plus, il était discret ! Ce gars-là, il avait donc toutes les qualités !

« Momone, comment tu le trouves ? Il est bien, hein ?

— Mieux que ça, Edith. »

C'était pour ça qu'elle m'avait fait venir ? Je les avais tous connus, alors celui-là, elle voulait savoir ce que j'en pensais.

« Tu me comprends n'est-ce pas ?

— Oh oui !

— J'ai changé, hein ? Non, non, ne te fatigue pas, ce n'est plus la peine. Tu sais, être une poupée de chiffons entre les mains des autres — même gentils — c'est dur. Les journées et les nuits sont longues, j'ai le temps de penser. J'ai fait plus que des conneries, j'ai souvent gâché beaucoup de choses : mes amours, ma santé. Je ne méritais pas Théo, et je l'ai eu ; alors, je crois que je suis pardonnée. N'est-ce pas, Momone ? »

J'avais les larmes qui me montaient aux yeux. C'était affreux. Mais heureusement, elle avait changé de sujet. Elle me souriait, elle était contente. J'étais la seule avec laquelle elle pouvait parler de sa jeunesse, du père, de sa fille, de P'tit Louis... j'étais son témoin.

« Tu te souviens... »

D'un coup, toute notre vie était là. Nos souvenirs se sont mis à grouiller, vivants, impatients, comme une portée de petites souris.

Maintenant, Edith n'avait plus cet air misérable de malade que rien n'intéresse. Elle vivait. Elle n'était plus cette morte qui respirait encore, que les battements de son cœur obligeaient à vivre. Elle était redevenue Edith Piaf, celle de toujours. Bien calée dans ses oreillers, presque assise, les joues roses, les yeux brillants, elle riait.

Il n'y avait que ses pauvres mains déformées qui grignotaient, qui raclaient sans cesse le drap et qui rappelaient qu'Edith était au bout du rouleau.

Je ne voulais pas les voir.

« Momone, ce que ça me fait du bien que tu sois là. Tu sais, mon infirmière, elle a le même prénom que toi. Quand je l'appelle, il y a des fois où je crois que tu es encore là, que tu vas venir... »

J'ai pensé : « Dans deux secondes, comme à chaque fois, elle va m'accuser de l'avoir plaquée. » Ça n'a pas raté.

« Ce n'est pas le moment d'en parler, mais je me demanderai toujours pourquoi tu m'as lâchée. »

Ça m'a fait rire, et Edith m'a suivie. Ce que c'était bon de l'entendre rire ! Ce n'était plus son rire trop grand pour elle, celui-là était à sa taille, pâle, un peu cassé.

« Pas plus de dix minutes ! » avait dit l'infirmière. Elles étaient déjà bien dépassées quand Théo est rentré. Il a regardé Edith, puis moi. Son bonheur m'a fait du bien.

« Il y a longtemps que je n'avais pas vu Edith comme ça... »

Il nous regardait. Il cherchait à comprendre comment c'était, entre nous. Il a demandé :

« Je peux ?

— Tu parles ! a répondu Edith. Toi, tu ne seras jamais de trop. Et puis, si tu nous embêtes, on ira dans la salle de bain ! Pas vrai, Momone ? »

Là, il n'a pas compris. Il ne pouvait pas savoir.

« Mais, Edith, tu ne peux pas te lever ! »

Alors Edith a continué à rire.

« Tu ne peux pas comprendre. Momone, explique-lui. Raconte-lui notre vie. »

Comme un chien fidèle, il s'est allongé au pied du lit. C'est ainsi que je le verrai toujours, un chien fidèle, avec des yeux d'amour qui ne voulaient pas voir la réalité, celle que j'avais pigée tout de suite : Edith, c'était la fin... Le rideau allait se tirer. Elle l'avait tellement habitué aux miracles, qu'il ne se rendait pas compte de la réalité. Moi, elle m'avait tout de suite aveuglée. Edith pouvait bien veiller toute la nuit si ça lui faisait plaisir, ça n'avait plus tellement d'importance...

Et, avec Edith, on s'est mises à vivre des heures oubliées, à une vitesse folle. Nos souvenirs d'enfance, de jeunesse, on les étalait sans pudeur — on n'avait pas le temps d'en avoir — devant Théo. On se racontait tout en vrac. Pour pouvoir faire le tri, il n'y avait que nous, Théo ne pouvait pas suivre. Et tout y passait, ça y allait, ça tournait comme la fête à Pigalle...

Elle me disait :

« Tu te souviens des petits marins, de nos macs, du légionnaire, de P'tit Louis, de papa Leplée... »

« Tu te souviens... » Nos phrases commençaient toutes comme ça. Seulement, cette nuit-là, Edith était honnête, totalement. Ça ne la gênait plus de me dire « Ce jour-là, je t'ai menti... » ou « Je n'aurais pas dû faire ça... » Elle voyait si clair que ça me faisait peur.

Ça va vite la pensée, et la mienne ne chômait pas. Dans ma tête, c'était un vrai tourbillon. Le passé, le présent, tout se mélangeait pendant que mes yeux ne quittaient pas mon Edith et qu'à la place de son visage de malade se recomposait pour moi seule, et peut-être aussi pour Théo, le visage de gloire de la Grande Piaf.

Elle voulait parler, elle était toute rose, tout éveillée. Elle disait :

« Une nuit comme ça, mes enfants, ça ne s'oublie pas ! Celle-là, je l'emporterai au paradis. »

En nous écoutant, Théo découvrait une Edith inconnue. Ce qui me frappait, c'est qu'elle ne parlait que de son enfance, de sa jeunesse et du présent. Cette nuit-là, Edith liait le début de sa vie et la fin, l'un à l'autre, solidement pour toujours...

Elle voulait expliquer à Théo ce qu'avait été sa jeunesse avec moi. Lui, il lui passait de l'eau de Cologne sur le visage, la coiffait, lui lavait les mains. Il ne parvenait plus à détendre ses doigts recroquevillés, déformés par les rhumatismes.

C'était à pleurer, quand on revoyait ses mains dans la lumière des projos vivre ses chansons. Je pensais surtout à ce geste familier : ses mains, bien à plat sur ses hanches, presque sur le ventre noir de sa robe, qui avaient l'air, à la fois, de caresser et de demander pardon. Ce geste, répété des milliers et des milliers de fois... elle essayait maintenant de l'avoir sur le drap de lit. Ses mains cherchaient leur place.

Elle laissait faire Théo. Elle redevenait peu à peu une malade. Elle le regardait, et dans ses yeux, je voyais toute cette joie qu'il lui donnait.

« N'est-ce pas qu'il est merveilleux, Momone ! »

Oh oui ! Il l'était et cette fois je ne la bluffais pas.

Elle a voulu parler métier, travail, mais je la sentais qui s'éloignait.

« Tu sais, maintenant, ça y est. Je suis décidée à me soigner. Je prépare ma rentrée à l'Olympia. Ça, c'est sérieux. »

Ce jour-là, pendant quelques heures, Théo et tout l'entourage le confirmeront peu après, Edith donna une dernière fois l'impression qu'elle allait encore s'en sortir.

Se rendait-elle vraiment compte de son état ? Etait-elle sûre que ça allait s'arranger ? Je ne le pense pas. Elle voulait y croire encore un peu, quelques heures... parce que son appel, vers moi son « passé », était bien celui qu'on lance en dernier.

Sa voix est devenue plus basse et comme elle me disait quand elle avait seize ans : « J'aimerais chanter », elle m'a dit :

« J'aimerais encore chanter... »

L'infirmière lui a fait sa piqûre. Edith voulait toujours parler, continuer à revivre sa vie, mais déjà, ça se mélangeait un peu.

Avec son ancienne autorité, elle a déclaré :

« Tu vas dormir en bas, dans le salon. Je te verrai demain. »

Alors là, elle a pris ma main. Comme une patte de moineau, ses doigts se sont refermés sur les miens. Entre elle et moi, le courant a été établi, très fort, très chaud. Quand elle vous touchait, il se passait quelque chose.

Ce contact-là, pour le garder, j'aurais fait n'importe quoi. Je ne savais pas qu'il n'y avait plus rien à garder...

Elle a rouvert les yeux. Ils étaient déjà vagues. Elle m'a dit d'une voix très forte, comme un cri :

« Moi, je peux mourir maintenant, j'ai vécu deux fois ! »

Elle a marqué un temps, puis elle a repris avec force :

« Attention, Momone, dans la vie quand on fait des conneries, on les paie... »

Je savais ce qu'elle voulait dire. Je ne le savais que trop bien. Je l'ai embrassée et lui ai dit au revoir.

J'ai compris. Je ne voulais pas y croire, mais j'ai compris : c'était bien fini !

Je ne me trompais pas. Edith, au petit matin, devait entrer dans un demi-coma dont elle n'est plus ressortie.

Théo m'a dit :

« Je vous laisse, Simone. C'était bien. Je suis content que vous soyez venue. C'est chic ce que vous avez fait, mais je ne veux pas la quitter. » (Et il est retourné auprès de sa femme.)

J'ai retrouvé la cuisine avec la famille Bonel et Cie et leur odeur de lapin. Pour se tenir éveillés, ils avaient fait du café. Ils ne m'ont pas demandé : « Vous avez soif, vous voulez un verre de flotte ? » Encore moins : « Restez coucher là, votre avion n'est qu'à midi. » Ils le savaient. Danièle a relevé la tête, m'a regardée à travers les carreaux de ses lunettes et elle m'a dit :

« Vous partez ? »

Edith m'avait bien ordonné : « Couche en bas dans le salon » ; seulement ça n'était pas descendu jusqu'à la cuisine. Hier encore, elle pouvait commander n'importe quoi, ils disaient : « Bien sûr, madame Edith... Mais oui, quelle bonne idée !... Il fait nuit quand il fait soleil... » Ce matin-là — il était bien quatre heures — Edith n'était plus la patronne. Ils ont compris que je ne dérangerais pas Théo, que je ne retournerais pas auprès d'elle... Alors, il y en a un qui a dit :

« Il y a... Machin le chauffeur, qui va aller vous reconduire à l'aéroport. »

Il devait être cinq heures du matin quand on est arrivés. Le type m'a déposé là, sans me demander si je voulais prendre un café ou quoi ? démerde-toi !

A cette heure-là, l'aérogare, c'est une vision futuriste du désert de la fin du monde. Il n'y a personne.

Finalement, je suis tombée sur un employé qui était gentil. Je lui ai dit :

« Je suis obligée de reprendre l'avion, et mon départ est prévu vers midi. Je ne pourrais pas partir avant ? »

Il m'a répondu :

« Je vais essayer d'arranger ça. Venez vers sept heures et demie, et vous aurez sûrement une place. »

Alors, j'ai repris un taxi et j'ai erré dans Nice. Ce n'est pas une ville qui se lève tôt dans le petit matin. Elle bâille longtemps ! Ce n'est pas facile, à cette heure-là, de trouver un bistrot ouvert pour boire un café.

Ma gorge était tellement serrée qu'un pain à cacheter n'aurait pas pu passer. Il aurait coincé tout le système. Je pensais qu'une vie comme la nôtre, personne ne pourrait plus la vivre... J'ai été revoir la Boîte à Vitesses, notre hôtel Gioffredo, le passage Negrin...

Je suis revenue à l'aéroport, j'ai repris l'avion. J'étais crevée.

En arrivant, je me suis couchée, mais je n'ai pas dormi. Je n'y arrivais pas. Je me tournais, je me retournais dans les toiles. Il y avait tout ce passé, toutes ces images, qui me hantaient, qui se bousculaient dans ma tête. Ça faisait un vacarme effroyable. J'ai basculé...

J'avais dû, enfin, m'assoupir. Le lendemain matin le garçon d'en dessous qui, à cette époque-là, avait seize ans, est monté. Il avait l'air d'avoir une grande nouvelle à annoncer. A sa tête — il était tellement excité — on ne pouvait pas savoir si elle était bonne ou mauvaise. Enfin, il l'a lâchée :

« Ta sœur est morte. »

Je le savais, mais je ne voulais pas y croire. Le gosse est allé me chercher le journal, et c'était vrai. Edith était morte. Elle s'est endormie et ne s'est pas réveillée. Ça m'a foutu un coup. Si je n'avais pas été à Plascassier, je ne l'aurais jamais revue... Heureusement qu'elle m'avait dit : « Lundi, ce sera trop tard ! » et que j'avais tout lâché. Si j'avais été une petite-bourgeoise, j'aurais calculé, j'aurais dit : « Ce n'est pas raisonnable » et j'aurais loupé ses dernières heures.

Edith a été ramenée boulevard Lannes. Elle avait toujours dit : « Je veux mourir à Paris. » Elle a fait son dernier voyage en ambulance. Théo a pris, dans sa chambre de Plascassier, un gros bouquet de mimosa, et l'a posé, comme ça, sur elle. Le bouquet, il existe toujours boulevard Lannes. Il est comme momifié. Ça fait six ans ; il n'a perdu ni une boule ni une feuille. Simplement, il est devenu gris. Il n'y a plus de soleil dedans.

Personne n'a su qu'Edith s'était éteinte dans le Midi. C'était plus pratique qu'elle soit morte boulevard Lannes, pour les visites d'adieu. Même ceux qui ne l'aimaient pas, ou qui s'en foutaient, sont venus... Ça faisait bien d'y être vu : il y avait beaucoup de photographes... Des gens, auxquels Edith n'avait même jamais serré la main, entraient et en ressortaient avec des têtes de circonstance.

Mais le peuple de Paris, lui aussi, était là, accroché aux grilles devant la maison ; il avait commencé sa grande veille. Des femmes avec leurs cabas à provisions, des hommes en tenue de travail n'avaient pas hésité à se taper une heure de métro en plus en sortant de leur boulot pour venir dire adieu à Edith. Toute la journée, une bonne partie de la nuit, et au matin de bonne heure, ceux qu'elle avait tant aimés ont défilé. Des femmes déposaient de petits bouquets de fleurs modestes, les seuls qu'Edith aimait. (Elle n'emportait jamais les corbeilles de ses loges, elle les donnait.) Ces femmes simples s'excusaient auprès de la bonne : « Dites à son mari que je ne pourrai pas venir demain à l'enterrement... C'est pas grand-chose, mais le cœur y est... »

Ces femmes, les sœurs d'Edith, pensaient à cet

homme, Théo Sarapo, qui était écroulé dans un coin du bel appartement. Il pleurait comme un gosse cette morte si fragile, qu'il n'avait pu aimer qu'un peu plus d'une année. Il répétait : « Je n'y croyais pas... Elle m'avait trop habitué aux miracles ! »

Dans la chambre d'Edith, il y a ses vieilles pantoufles et, sur une chaise, la petite veste de laine qu'elle portait dans son lit, et le manteau de cuir tout neuf que Théo venait de lui offrir... (Elle l'aimait tant, elle ne l'a jamais porté !) Les placards sont remplis de ses vieilles robes, et la fameuse robe noire pend, petite chose morte qu'on n'ose pas toucher... Sur le piano traînent les manuscrits, les partitions... S'il n'y avait pas sur le lit, immobile, le corps sans âme d'Edith, on pourrait croire qu'elle va venir et crier : « Qu'est-ce que vous foutez là avec vos gueules d'enterrement ? Vous êtes vraiment des petites natures !... »

Auprès de Théo, il y a sa mère et ses sœurs : la dernière famille d'Edith.

Le 14 octobre 1963, Paris a pleuré Edith Piaf. Quarante mille personnes se bousculaient au cimetière du Père-Lachaise... Son enterrement a été comme sa vie, fou ! Il faisait beau, chaud. Le noir du deuil était noyé dans la foule de couleurs. Il y avait des gars de la Légion étrangère en uniforme, des soldats qui ne l'avaient jamais vue, mais qui étaient tous ses amoureux. Onze voitures de fleurs suivaient le petit corps, perdu dans son grand cercueil, avec, à côté de lui, le lapin porte-bonheur de ses fiançailles.

Tous ceux qui avaient été dans sa vie étaient là ; tous ceux qui l'avaient aimée, tous ceux qu'elle avait aimés... *Ses hommes* n'avaient plus leur uniforme bleu, ils étaient tous en noir.

Des femmes de son peuple, des mémés en fichus pleuraient Edith. Elle qui n'avait pas eu de mère en avait des milliers, ce jour-là... Des hommes de tout âge, même un vieux marin en bleu, tenant une rose rouge à la main, n'avait pas honte de laisser couler de grosses larmes de ses yeux bleus usés...

Quand le cercueil est passé dans l'allée, la foule est devenue folle. Elle s'est ruée, a renversé les barrières. Cette grande vague populaire a submergé le service d'ordre, a déferlé sur les tombes, pour s'arrêter au pied de la fosse Gassion, dans la 97e division, allée transversale n° 3. Marlène Dietrich, en deuil, un foulard de soie noire sur ses cheveux blonds, très pâle sous son maquillage, a tourné la tête vers ce peuple et a dit : « Comme ils l'aimaient ! »

Le murmure de cette foule était comme le bruit d'une mer démontée, une immense respiration grondante. D'un coup, elle s'est figée et ce fut le silence. Le détachement des légionnaires est immobile au garde-à-vous, le fanion de la Légion frémit dans le soleil, le R.P. Leclerc dit le Pater Noster.

Celle qui toute sa vie avait aimé Dieu, qui chantait Jésus, qui implorait monsieur Saint-Pierre, qui adorait la petite sœur Thérèse de l'Enfant-Jésus, qui se réfugiait si souvent à l'église, n'a pas eu droit à sa dernière messe... Rome ayant déclaré « qu'elle vivait en état de péché public ». Mais un évêque, Mgr Martin, et le R.P. Thomeur de Villaret se sont dérangés, à titre privé, pour prier sur sa tombe.

Celle-ci a disparu sous les fleurs, et la foule, toute la journée, a continué à défiler devant elle.

Le lendemain, Jean Cocteau était enterré à son tour. Il était mort le même jour qu'Edith, au moment où il se préparait à prononcer, à la radio, l'éloge funèbre de sa grande amie Edith Piaf.

Ce soir du 14 octobre, Théo n'a voulu personne auprès de lui. Il est rentré seul dans l'appartement en désordre où traînaient des fleurs oubliées qui sentaient le cimetière. Sur un meuble, un bois sculpté, en forme de feuille, portant la devise d'Edith : « L'Amour triomphe de tout ! »

Les journaux ont offert à Edith leur première page ;

et, pendant des jours et des jours, ils y ont étalé des tranches de sa vie. Au cimetière, sur sa tombe, dominant des fleurs déjà fanées, un gros bouquet de fleurs des champs, mauves, entourées d'un ruban tricolore : « A leur môme Piaf. La Légion. »

Oui, elle a été réussie la Grande Dernière d'Edith Piaf...

En rentrant du cimetière, je me suis jetée sur mon lit. Je n'ai pas pleuré, je ne pouvais plus. C'était plus loin que les larmes, plus loin que les douleurs que j'avais connues. Ce n'était pas seulement ma sœur que je venais de perdre, c'était aussi toute la vie que j'avais passée avec elle. Elle m'avait toujours promis de ne pas me laisser seule. Quand elle me disait : « Je veux mourir jeune », je lui répondais : « Et moi ? — Toi ? Tu partiras avec moi... » Pour elle, c'était logique, et j'avais fini par y croire. J'étais là, et ça tournait, ça tournait... Un truc à devenir dingue...

Pour moi, elle n'est pas morte, elle est partie en tournée, elle rentrera un jour, elle me fera signe.

Doucement, pour moi seule, je l'ai entendue qui me chantait ce poème que lui avait offert Michel Emer :

Une chanson à trois temps,
Fut sa vie, et son cours.
C'est beaucoup de chagrins,
Et pourtant, c'est pas lourd.
Toi, passant qui t'arrêtes,
Fais pour elle une prière,
On a beau être grand,
On finira poussière.
Pour laisser derrière soi
Une chanson de toujours,
Car l'histoire, on l'oublie,
C'est un air qu'on retient,
Une chanson à trois temps,
Voilà qui est parisien...

Nous remercions les éditeurs de musique qui nous ont très gracieusement autorisés à reproduire dans ce livre des extraits des chansons d'Edith Piaf éditées par leurs soins :

Editions PAUL BEUSCHER-ARPEGE
25, boulevard Beaumarchais, Paris-4ᵉ

« Simple comme bonjour » (R. Carlès, Louiguy).
« Elle fréquentait la rue Pigalle » (R. Asso, L. Maitrier).
« Où sont-ils tous mes copains ? » (M. Monnot, Piaf).
« De l'autr' côté d'la rue » (M. Emer).
« Le Brun et le Blond » (H. Contet, M. Monnot).
« Elle a des yeux » (M. Monnot, Piaf).
« Mais qu'est-ce que j'ai ? » (H. Betty, Piaf).
« Petite si jolie » (M. Achard, M. Monnot).
« Demain il fera jour » (M. Achard, M. Monnot).
« Mariage » (H. Contet, M. Monnot).
« Elle est formidable » (G. Bécaud, R. Vernardet).
« A quoi ça sert l'amour ? » (M. Emer).
« Et pourtant » (M. Emer, P. Brasseur).
« C'est merveilleux » (H. Contet, M. Monnot).

Editions CHAPPELL, 4, rue d'Argenson, Paris-8ᵉ

« Margot cœur gros » (M. Vendôme, F. Véran) - (Copyright Chappell S.A.).

Editions SALABERT, 22, rue Chauchat, Paris-9ᵉ

« Milord » (M. Monnot, Moustaki).

Nous tenons également à remercier de leur autorisation :

Les Editions RAOUL BRETON, 3, rue Rossini, Paris-9ᵉ

« La petite boutique » (Roméo Carlès, O. Hodeige) - (Copyright 1937-1965 by Ed. Vianelly).
« Bal dans ma rue » (M. Emer) - (Copyright 1949 by Ed. Edimarton).
« Monsieur Lenoble » (M. Emer) - (Copyright 1948 by France Music Co N.Y. Ed. Breton).
« L'hymne à l'amour » (M. Monnot, Piaf) - (Copyright 1949 by Ed. Edimarton).
« Je t'ai dans la peau » (Gilbert Bécaud et Jacques Pills) - (Copyright 1952 by France Music Co N.Y. Ed. Vianelly).

Les Editions FORTIN, 4, cité Chaptal, Paris-9ᵉ

« Les Mômes de la Cloche » (Decaye, V. Scotto).

Les Editions MUSICALES HORTENSIA,
46, rue de Douai, Paris-9

« Bravo pour le clown » (Louiguy, H. Contet).

Les Nouvelles Editions MERIDIAN,
5, rue Lincoln, Paris-8ᵉ

« Les Gens » (Francis Lai, M. Vendôme).
« Paris-Méditerranée » (R. Asso, H. Cloarec).
« Les Trois Cloches » (Gilles).
« Mon Dieu » (Ch. Dumont, M. Vaucaire).
« Les Blouses blanches » (M. Monnot, M. Rivgauche).

Les Editions METROPOLITAINES,
3, rue Rossini, Paris-9ᵉ

« La Foule » (A. Cabral, M. Rivgauche) - (Copyright
1958 by Julio Korn - Buenos Aires - Pub. 1958 Les
Ed. Métropolitaines).

Les Editions PATRICIA-S.E.M.I.,
5, rue Lincoln, Paris-8ᵉ

« J'en ai tant vu » (M. Emer, R. Rouzaud).
« L'Homme de Berlin » (F. Lai, M. Vendôme).

S.E.M.I., 5, rue Lincoln, Paris-8ᵉ

« L'Etranger » (R. Malleron, M. Monnot).
« Browning » (R. Asso, Gilles).
« Mon Légionnaire » (R. Asso, M. Monnot).
« Le Fanion de la Légion » (R. Asso, M. Monnot).
« Les Grognards » (P. Delanoë, Giraud).
« Non, je ne regrette rien » (Ch. Dumont, M. Vaucaire).
« L'Accordéoniste » (M. Emer).

*Toutes ces chansons ont été enregistrées sur disques
Pathé-Marconi et Philips.*

TABLE DES MATIÈRES

PREMIÈRE PARTIE

DEUXIÈME PARTIE

IMPRIMÉ EN FRANCE PAR BRODARD ET TAUPIN
6, place d'Alleray - Paris.
Usine de La Flèche, le 15-07-1974.
6326-5 - Dépôt légal nº 3833, 3ᵉ trimestre 1974.
1ᵉʳ Dépôt : 2ᵉ trimestre 1971.
LE LIVRE DE POCHE - 22, avenue Pierre 1ᵉʳ de Serbie - Paris.
30 - 31 - 2899 - 07   ISBN : 2 - 253 - 00661 - 0